la
creación literaria

alejo carpentier

*

la consagración de la primavera

novela

siglo veintiuno editores

MÉXICO
ESPAÑA
ARGENTINA
COLOMBIA

siglo veintiuno editores, sa
CERRO DEL AGUA 248, MEXICO 20, D.F.

siglo veintiuno de españa editores, sa
C/PLAZA 5, MADRID 33, ESPAÑA

siglo veintiuno argentina editores, sa

siglo veintiuno de colombia, ltda
AV. 3a. 17-73 PRIMER PISO. BOGOTA, D.E. COLOMBIA

edición al cuidado de martí soler
portada de anhelo hernández

primera edición, 1978
decimosegunda edición, 1981

ISBN 968-23-0351-6
en coedición con
siglo xxi de españa editores, s.a.

impreso y hecho en méxico/printed and made in mexico

—¿Quisiera usted decirme qué camino debo tomar para irme de aquí?

—Eso depende, en mucho, del lugar a donde quiera ir —respondió el Gato.

—No me preocupa mayormente el lugar... —dijo Alicia.

—En tal caso, poco importa el camino —declaró el Gato.

—...con tal de llegar a alguna parte *—añadió Alicia, a modo de explicación.*

—¡Oh! —dijo el Gato—: puede usted estar segura de llegar, con tal de que camine durante un tiempo bastante largo.

LEWIS CARROLL
(Alicia en el país de las maravillas)

I

IGOR STRAVINSKY *(La consagración de la primavera)*

La reproducción del inicio de *La consagración de la primavera,* de Igor Stravinsky, se hace bajo la autorización de las ediciones Boosey and Hawkes.

1

El suelo. A ras del suelo. Hasta ahora sólo he vivido a ras del suelo, mirando al suelo —1... 2... 3...—, atenta al suelo —1 yyý 2 yyý 3...—, midiendo el suelo que va de mi impulso, de la volición de mi ser, de la rotación, del girar sobre mí misma (y sin poder pasar nunca de diez y seis, diez y siete, diez y ocho *fouettés,* soñando con los Grandes Cisnes Negros que alcanzan a redondear treinta y dos...) hacia la luz aquella, cabo de candilejas —faro y meta— que, prendida a la orilla del abismo negro poblado de cabezas, marcará mi regreso a una efímera inmovilidad de estatua que busca la inmovilidad de la estatua en el inseguro equilibrio —aquietamiento aparente— de músculos que se fatigaron en la lanzada, sosteniendo un pecho que mal contiene sus apresurados respiros, sus pálpitos subidos a la garganta, con los brazos repentinamente alzados sobre la cabeza en ojiva temblorosa y endeble. El suelo. Medida del suelo. Tranco, salto, levitación, anhelada ingravidez sobre el suelo. La danza. La danza siempre, oficio de alción. Y, por destino, haber vivido en llano, en inmensidades planas, entre horizontes de arena, de helechos, de nieves, a ras de tierra, a ras de las aguas marinas, inquietas, revueltas, o, de súbito, arrojadas al asalto de sus linderos la alevosa energía del embate de fondo... Pero ahora, tras de una noche en tinieblas y llano, el suelo, por vez primera, se me levanta, se para, se detiene, me cierra un paisaje de albas, mostrándoseme en Alta Presencia de Montañas. Un sol, que aún no veo, les delimita las cimas, define sus arquitecturas, por encima de una estremecida piel de árboles, asentándose en estribos abiertos, en nervaduras cerradas, con grandes lomos dormidos en las escarpas de sus haldas. En mis viajes fuera del ámbito natal, que hasta ahora fueron éxodos, migraciones de pequeña tribu, fugas ante clamores, himnos y arremetidas, sólo había conocido los cielos que bajan sobre los estanques de glaucos silencios, la infinita repetición del pino y del abedul siempre semejante a sí mismo, nacido del musgo y del humus, vecino del hongo y la aradura. Y es, en este despertar, la luz sobre lo alzado, lo circunscrito, lo dividido; el paisaje vertical, decoración y tramoya del Gran Teatro del Mundo, con viejas torres dibujadas sobre nubes recién llegadas a las cumbres, con casa entre higueras empinadas, puesta así, sobre un espolón de roca, donde pareciera que nada de lo construido por el hombre pudiera sostenerse. Y crecen las montañas; y crecen más, jugando con las perspectivas, pareciendo que ya vamos a alcanzarlas, cuando, como dando un salto atrás, vuelven a colocarse en la distancia, o bien, repentinamente traídas a nuestra derecha, se nos revelan en nuevos apeldañamientos, en nuevos volúmenes, en nuevas imbricaciones de formas, derrames y verdores. Ésta, se asoma sobre el hombro de la otra; aquélla se oculta, retrocede y desaparece; la que ahora me viene al encuentro está estriada de trazos claros —senderos acaso: caminos, pero sin presencia humana que me permita medirles el ancho ni entender las peripecias de su itinerario debido, tal vez, a remotas costumbres de recuas milenarias... Una viejísima leyenda, sacada acaso de aquella Epopeya de los Nartas que, entre masculladas de pipa, me contaba el jardinero de mi padre, decía que cuando los hombres del Caballo y de la Rueda, cansados de errancias de sol a sol, de luna a luna, en praderas de nunca acabar, vieron erguirse una cordillera enorme, al cabo de un andar de muchos años entre horizontes idénticos, del solsticio del trébol al solsticio del cierzo —y vuelta al trébol y vuelta al cierzo—, prorrumpieron en sollozos y se prosternaron, atónitos y maravillados, ante lo que sólo podía ser morada de los Amos de todo lo Visible y lo Invisible, creadores del Yo y del Todo. Y detuvieron los mil carros de un viaje de siglos al pie de los breñales cargados de nubes, y, sintiendo en sus venas el pálpito de los augurios primaverales, procedieron a la invocación ritual de los ancestros, pasearon en hombros al Sabio que ya sólo hablaba por la oquedad de sus huesos, y, teniendo que ungir la tierra con la sangre de una doncella, lloraron todos al inmolar a la Virgen Electa —lloraron todos, clamando su compasión, lacerando sus vestidos, cerrando con lágrimas las secuencias de sus danzas de fecundidad, al pagar el cruento precio exigido para que hubiese un nuevo júbilo de retoños y de espigas. Lloraron todos... Y yo también tengo ganas de llorar, en este momento, rodeada ya de viajeros que despiertan, de gente que empieza a salir, despeinada y soñolienta, a los pasillos del vagón: ganas de llorar, pues pienso, de momento, que esas montañas son la última barrera, el cipo, la frontera, que me separan de lo que pronto, tras del próximo túnel —último de este viaje— recorriendo un largo pozo en tinieblas clavado bajo las cimas que se acrecen legua tras legua, me acercará a la cabecera de Aquel a quien podría decir, resquemada por su absurda partida, trampeada por un secreto harto guardado, pero apiadada —entrañablemente apiadada— por un dolor suyo cuya hondura e intensidad aún no puedo medir, aquello que él me enseñara a leer alguna vez, en el libro de pasta obscura —"color de noche", decía— que siempre tenía en su mesa de trabajo:

¿Adónde te escondiste,
amado, y me dejaste con gemido?
Como el ciervo huiste,
habiéndome herido;
salí tras ti, clamando, y eras ido.

Pero ahora, a la izquierda, es el mar —el mar, opuesto a la majestuosa fijación de la montaña. El mar, danza ante el arca; danza de siempre ante el decorado por siempre inamovible. El mar que me habla con palabras conocidas desde la infancia, desde la cuna —aunque el mar *de allá* era acaso más obscuro, más lento en sus desperezos, más tardío en alisar las playas, en hacer rodar guijarros con ruido de granizo apretado. Y sin embargo, aquí como allá, o cuando me tocara contemplar el océano de voces abisales, las olas grises que se rompían al pie de las terrazas de Elsinor, las mareas turbias y solemnes del alga y del varec, las aguas en paz o en turbamulta, me volvía a la mente el sencillo verso que todo lo decía: "*La mer, la mer, toujours recommencée!*" Y, en este momento, ante la interrogación del largo pozo negro, horizontal, que me esperaba, otros versos del poema se asociaban al primero, en pregunta que era la mía, íntima, profunda: "*¿Amor, acaso; odio a mí misma? / Tan próxima siento su mordedura secreta / Que todos los nombres se ajustan a su realidad*". Y es, por fin, el Cabo de Cervera, término del viaje comenzado entre ruidosas despedidas y puños alzados en la vasta Estación de los Dos Relojes, donde habremos de pasar de un tren a otro tras del examen de papeles y visas que se hace —y es indignante observarlo— en presencia de agentes del gobierno de Burgos que, apostados junto a las ventanillas de los cuños, así, indolentemente, como gente ociosa, venida a curiosear, toman nota, para sus ficheros policiales, de nuestros nombres y señas. Estamos en alegre pueblo de veraneantes —camisetas listadas, zapatos de lona, sandalias, sombreros pajizos, falsas gorras marineras— que, en las terrazas de los cafés, sorben sus aperitivos anisados, vinos de Bañuls, limonadas y horchatas, leyendo periódicos cuyos crucigramas, sucesos pasionales, cuentos de detectives y ladrones, interesan más —aquí se viene para olvidar las preocupaciones— que el horror de lo que ocurre, tras de las cimas, a pocos kilómetros de vacaciones que para nada habrán de ser turbadas por goyescos aguafiestas de los que hoy —hace una hora, acaso— alternaron las técnicas del altímetro y del colimador con las pedestres y rutinarias acciones de quienes disparan a contrapared, asegurando la mira, a la sombra del tricornio charolado, desde la ungida investidura de sus túnicas cotorronas. En plazoleta cercana bailan unas cabras amaestradas, luciendo cintas en los cuernos, a compás del caramillo que tañe un feriante disfrazado de pastor navideño, con zurrón, cayado y abarcas catalanas, ante un público de niños traídos de lejos, para quienes es maravillosa novedad el espectáculo medioeval ofrecido bajo los olmos. Hay quien carga, para regocijo de pescadores, con criaturas neptunianas, hipocampos y delfines de caucho, de las que en *La Samaritana* del norte —todo lo de arriba me parece *del norte* ahora— se exhiben en vitrinas adornadas de alegorías marinas y áncoras de cartón dorado. Y hay mujeres de blusas claras que se arriman a las tranqueras de la vía para mirar de cerca la extraña humanidad que parece menospreciar esta paz, esta dicha de quienes confían en el día de hoy y en el amanecer de mañana para permanecer en lo mismo, para seguir viviendo en luz y antojos —segura la cuenta de ahorros, segura la sombra del árbol, seguras la anchoa, y la oliva, y la hogaza tibia, y las gambas enjoyadas de perejil, y la carne marcada por la parrilla, y el hojaldre que se rompe bajo el diente, y la crema que se desborda...— al pie de laderas donde ya se hinchan las uvas violadas, gruesas de fuerte zumo, de los viñedos crecidos en las resubidas de vientos salobres... Y, la obsesión del poema harto sabido: "*Le vent se lève!... Il faut tenter de vivre!*"... Y la locomotora vieja, chirriante, renqueante, que penetra en la noche del túnel. Los vagones están a obscuras. Se borraron las caras que se alineaban, frente a frente, en el compartimento. Se prende una cerilla, mostrando un rostro sudoroso cuyos ojos fijan, bizcamente, la lumbre que mal se pasa al cigarro. —"Ahorre el pitillo" —dice uno: "Porque allá..." —"Ya es colilla" —dice el fumador, con tono de quien se siente culpable de algo. En esta obscuridad me agarro de mi memoria, me prendo de recuerdos, para no sentirme tan sola. Ahora pienso en Novalis, en sus himnos, que tantas veces leímos *juntos*, lado a lado, antes de apagar la lámpara del velador: "*El mundo yace a lo lejos / Con el tornasol de sus gozos*". Y amargos me resultan, en el tránsito de angustia y desconcierto en que me hallo, los versos de la meditación final: "*Los tiempos antiguos son despreciados. / Pero... ¿qué nos van a traer los tiempos nuevos?*"... La locomotora se detiene, como insegura, vacilante —ciego que, desconfiado, se acogiera a los avisos del tiento en la lobreguez de su ceguera: es máquina renqueante y como harapienta, ya que, desde luego, están usando la más vieja para arrastrar vagones viejos en esta catacumba ferroviaria que se ahonda bajo los Pirineos, viajando de luz a luz, yendo y viniendo, regresando aquí para regresar allá, fuera de tiempo en la tremenda temporalidad de un año terrible. Vuelve a avanzar. Y es, otra vez, la inmovilidad. Larga, demasiado larga inmovilidad. El humo de la chimenea se nos mete por las ventanillas, las portezuelas, los pasillos, los ojos, la boca, la garganta —con ese aliento azufrado que nos baja hasta medio pecho. —"¿Qué pasa?" —pregunta uno, entre toses y estornudos. —"Más vale esto que lo otro" —responde alguien, en resignado diapasón. —"Cuando el tren para, por algo será" —dice una mínima voz, con el tono sentencioso de las niñas campesinas españolas, de ánimo tempranamente maduro, ya mujeres aunque todavía carguen con muñecas que más parecen haberles salido de las entrañas que de la juguetería... Y fue, de repente, en el silencio recobrado, como el rayo que cayó sobre la casa: seca y pavorosa percusión, estruendo en las sienes y en las vísceras, pánico de oídos, garrotazo en la nuca, seguidos de un galope de fragores, de ráfagas, de conmociones, en las tinieblas de la galería atravesada, de boca a boca, por ondas llevadas, de eco en eco, por el eco de sí mismas, en las honduras de la tierra. Luego, el ruido se fue alejando, como el de una caballería en fuga, dejándonos a solas con la pesadilla del carbón cuyo olor parecía una materia palpable que ciñera nuestras formas. —"Están bombardeando" —dijo la niña, con voz apacible. —"Menos mal que nos cogió acá abajo" —dijo el hombre del cigarrillo. —"Se acabó" —dijo otro: "Ésos, de las Baleares, sólo vienen una vez en un día". Hubo otra espera. Y el tren se puso nuevamente en marcha. Y, de pronto, fue la luz, la recuperación de la claridad, donde volvieron los relojes a hablar en cifras. Estamos bajo una enorme bóveda de cristales rotos, rompecabezas al que faltaran muchas piezas por ensamblar, o, por el contrario, que, juntadas ya las piezas, se hubiese desarmado, revuelto, en el repentino vuelco de una mesa. Un alud de vidrios ha caído sobre los andenes y el balasto de las carrileras. Los faroles rojos y verdes del lamparero rodaron, largando el kerosén, hasta los postes negros que sostienen el letrero de:

PORT BOU

En una pared —lo recuerdo— había un olvidado cartel del turismo internacional donde un kanguro se perfilaba, como presto a saltar, en una vasta pradera ornada de flores amarillas: *Pase sus vacaciones en Australia.* Otro, con presencia de máscaras, gigantes y cabezudos: *Le Carnaval de Nice.* Brujas: quietos canales de aguas dormidas en silencio y paz de beguinajes... Y aquí, afuera, mujeres vestidas de negro, hombres vestidos de negro, varios enfermeros, soldados —o milicianos, no sé...—, que corren, gritan, se afanan, en torno a un cráter abierto en roca gris, entre casas destruidas, de paredes rajadas, humeantes aún —ignoro si de cales o de fuegos— largando una teja, todavía, por los aleros medio desplomados. Hay heridos —o muertos— ya que varias camillas levantan cuerpos cubiertos de sábanas, de frazadas, de manteles. Y, detrás de las camillas, los que sacan cosas del hoyo: una silla de mimbre, un retrato en marco dorado, un santo descabezado, un caballito de balancín, una cómoda que llegó, casi intacta, al fondo... —"No volverán hoy" —dice la niña, mirando al cielo. —"Cada día son mayores las cargas" —dice un entendido. Varios franceses que venían en el tren contemplan el destrozo —acaso pelearon en la guerra pasada— con mirada de gente entendida. —*"Un entonnoir"* —dice uno. Y observo que, en la obscuridad del túnel, todos se quitaron las corbatas que aún lucían en Cerbère. Y debo decir que me irrita ese tipo de hipocresía vestimentaria. Es la misma del poeta del *Boeuf-sur-le-toit* que vende ediciones de lujo a banqueros y bibliófilos de altura, pero estrena un pantalón de pana la noche en que habrá de recitar sus versos en una velada obrera de Belleville. Es la misma de los profesores de la Sorbona que se disfrazan de proletarios cuando asisten a un mitin de izquierda en el *Palais de la Mutualité,* olvidándose que Robespierre era de una elegancia casi maniática y que nadie vio nunca despechugado a Saint-Just salvo el día en que lo guillotinaron... No veo que haya relación alguna entre las ideas y las corbatas, entre la revolución y el atuendo... Miro nuevamente hacia el cráter donde empiezan a vomitar sus aguas turbias los rotos caños del alcantarillado. Detrás: *"La mer, la mer, toujours recommencée"*... Y no sé por qué me parece ahora que el mar no es ya, aquí, el que dejamos atrás en Cerbère: *"La muerte, tan fácil y tan difícil"*, creo que dijo alguna vez Paul Éluard. Al borde de la hoya, de la herida hundida en el suelo, un caballo despatarrado, de vientre abierto, saca una cabeza agónica, relinchante en vagidos, mostrando una enorme dentadura que parece pedir ayuda —desesperada ayuda— a quienes por tanto tiempo lo domaron, montaron y espolearon. Al fin muere, braceando en sus tripas derramadas. Es el caballo de Guernica. El caballo de Picasso que acabo de ver en París, junto a la *Fuente de Mercurio* de Calder, en un Pabellón de España impresionante, lo reconozco, por su desnudez, su altiva pobreza, junto a los declamatorios alardes de un Pabellón de Italia, rastacuero, fanfarrón y operático, centrado en una estatua escuestre de Mussolini, vestido de clámide, con ceño de Julio César y gesto de tenor que en La Scala rematara, en do de pecho, un final de acto con coro de centuriones y gran despliegue de figuración... Aquí empiezo a entender mejor el caballo de Picasso, ahora que me hallo donde se vive en su contexto de Apocalipsis. Aquí se vive bajo su signo. Lo que dejamos atrás, atrás de las montañas impasibles, de las montañas que se encogen de hombros ante lo que ahora miro, de las montañas que se nos presentan de cara o cruz, me doy cuenta de ello, es el Girasol de Van Gogh. Pero aquí se acabaron los girasoles, las pinceladas de sol en sol mayor, los trigales apresados en el instante de su estremecimiento, la casi alegre luz de cementerios marinos y la tragedia menor de quien se corta la oreja de un navajazo. Aquí entramos en *Los horrores de la guerra* —en albores de espanto, aunque ya es mediodía.

2

Así, pues, mañana iré a Benicassim —lo cual, a pesar de la impaciencia, trae gran alivio a mi angustia, ya que Benicassim es lugar de descanso y recuperación para convalecientes. Así me dijeron en el Hospital Provincial de donde salió el herido —"y de muy buen humor" añadieron, "y fumando un cigarrillo antes de ser subido a la ambulancia"— el martes pasado. Y no hay duda: se trata de él. He visto su ficha de ingreso y la notificación de su traslado con nombre y apellido, y, por si duda hubiese, con el apellido materno (ese segundo apellido que los españoles se empeñan en acoplar al primero, como para asegurar ante el mundo que fueron concebidos en vientre conocido y honorable), que, en este caso, se eriza de consonantes polacas nunca correctamente puestas en su sitio por quienes, aquí, tenían que trasladarlas a tarjetas y papeles, para mejor identificación de un extranjero sumado a los tantísimos extranjeros alistados en las Brigadas... Me he sentado en un banco municipal en espera de que caiga la noche, comer algo, e ir a dormir a la Calle del Trinquete de Caballeros, donde dejé mi flaca maleta, de bailarina acostumbrada a viajar con dos vestidos y catorce zapatillas, en un cuarto de paredes encaladas, sin más muebles que una angosta cama de hierro, un reclinatorio que hace las veces de silla —silla demasiado baja para sentarse en ella—, y palanganero con jofaina de peltre. Pero la noche está cayendo ya y observo que me voy quedando sola en la plaza cada vez más desierta, cuyas luces no acaban de encenderse. Y la noche se hace más noche en ciudad entregada a las tinieblas. Y buscando en mi bolso la minúscula linternilla que me fue entregada al salir, recuerdo —harto tarde— la advertencia del apagón que me hizo el mozo del albergue a donde fui a dar esta mañana, con aquel "*y no hay luna, señorita*", que no acabé de entender. Pero ahora sí que entiendo. Porque, si no se encienden ni se encenderán los focos municipales, tampoco habrá luna que me ayude a encontrar mi camino —ni ventanas, siquiera, que pongan alguna claridad en las aceras, pues todos los postigos están cerrados, corridas están todas las cortinas, y donde no hay postigos ni cortinas, los cristales han sido cegados con papeles opacos. Y quienes, por esperar frescores improbables —pues el calor es agobiante— dejaron batientes abiertos, se cuidaron de no prender luces visibles del exterior... Nunca, nunca, había visto una ciudad así, en tinieblas, en noche total, absoluta, como debieron ser aquellas inverosímiles noches de las novelas de capa y espada donde dos amigos, dos hermanos, se acuchillaban en duelo feroz por no haberse conocido las caras. Noche de edificios sin caras, sin edad, sin estilo, con inesperados salientes, borrosos adornos, una que otra reja; noche de esquinas confundidas en sus negruras, de calles que no son calles porque no salen de nada visible para conducir a nada visible. Las casas pequeñas —o acaso más antiguas— parecen achatarse sobre el suelo, acercando repentinamente a mis ojos extraviados el perfil de un alero, de un sobradillo, de una cornisa; las construcciones mayores se pierden en lo alto, sin fronteras, sin deslinde, sin contornos —sin más realidad que su realidad de mole, de pisos sobre pisos, muchos pisos, no sé cuántos pisos. Alzo, a veces, a lo largo de una pared, la luz de mi linternilla en busca de un letrero orientador, de un nombre: Calle Tal, o Tal, o Tal —conozco dos o tres. Pero, nada. Al encuentro me viene el más absurdo cartel pacifista que he visto desde mi llegada: un cartel que muestra soldaditos de plomo, pistolas de fulminantes, cañoncitos de madera, sables de hojalata: MADRE: NO REGALES ESTOS JUGUETES A TUS NIÑOS... ¡Esto en un país —en una fracción de país— donde puede repetirse un 3 de Mayo, con hombres abiertos de brazos, crucificados sin enclavación, ante fusiladores de tan implacable apostura, como los que, con sus terribles lomos doblados sobre las culatas de sus armas, ensombrecen el cuadro de Goya!... Otro cartel, sucio y un poco lacerado, donde aparecen dos rameras miserables, tan tristes como embadurnadas por el colorete en fondo de cascarilla: LIBERATORIO DE PROSTITUTAS: "MUJERES LIBRES: OS HA NACIDO UNA VIDA QUE OS CAPACITARÁ PARA UN TRABAJO DIGNO Y UNA EXISTENCIA HUMANA". Nuevo parpadeo de la linternilla: "LA MASONERÍA CONTRA EL FASCISMO: POR UN MUNDO NUEVO Y SIN CLASES"... Crece mi sensación de extravío, de desamparo en esta ciudad desierta, como abandonada, donde no se puede hablar ya de *sombras* porque todo, aquí, es sombra —una sola, plena y única sombra. Miro al cielo como nauchero desnortado que pide su rumbo a las constelaciones. Pero la ausencia de estrellas proclama que, para colmo, hay techo de nubes. Una linternilla, semejante a la mía, hermana de la mía, abre un ojo claro, allá, hacia donde ando, no sé si cerca o lejos —si va o viene. —"¡Señor!" —grito: "¡Señor! ¡Señor!". La luz se mueve, girando, como indecisa: —"*¡Monsieur! ¡Monsieur!*". La luz se apaga: —"¡Camarada! ¡Camarada!" —grito ahora, pensando que, aquí, eso de "Señor", "*Monsieur*", puede tener resonancia anacrónica (algo así como el *ci-devant* de la Revolución Francesa). —"*Camarade... Camarade...*". Nada. Otra vez estoy en noche cerrada. Si al menos hubiese un banco municipal, como los de la plaza que dejé atrás, para esperar a que pase alguien —o, acaso, a que asome el alba, aunque largas, demasiado largas, se me hicieran las horas. Y no sé qué hacer. Es el desaliento —el desaliento que rinde el ánimo y ablanda las corvas, con una repentina sensación de cansancio irrebasable. Impresión de que seguir andando es inútil. Y, sin embargo, un último resabio de la voluntad: tal vez, un poco más adelante, encuentre una ventana providencialmente abierta, a nivel de mis pasos, donde alguien —un enfermo, acaso un asmático necesitado de aire...— muestre la palidez de su semblante... Y, de repente, suenan sirenas, muchas sirenas, enormes sirenas. Las nubes —ahora bien visibles— son traspasadas por luces de reflectores que se entrecruzan en ángulos, giratorias intersecciones, juegos geométricos, sobre los techos, los campanarios, los escalonamientos cimeros de la urbe. Y ahora, a lo lejos, motores de avión. Varios motores de avión que crecen, crecen, crecen. (Para mí son docenas y docenas de aviones...). Y se abre, en seca y apretada percusión, el fuego de la defensa antiaérea: estampidos en serie, separados por brevísimas pausas que recogen el eco de lo que antes se oyó. Y hay una fuerte y retumbante explosión, lejos, bastante lejos, al parecer. Y otra más. Y otra, que parece más próxima. Y un vuelo ensordecedor que parece pasar sobre la calle. Tengo miedo. Un miedo atroz. El miedo que lleva a correr sin saber a dónde se corre. Corriendo voy de una a otra esquina. Y corriendo llego a un vasto edificio, de entradas abiertas, aunque sin luces visibles, que me acoge, sofocada, sin resuello, en busca de resguardo: impresión de que aquí hay bóvedas, galerías, escaleras, sótano, techo sólido, hecho de materia conocida, cemento, piedra, hierro, que defienda mi carne del fuego que pueda caer de lo alto, fulminarme, desmembrarme, dejarme al pie de un muro hecha sangrante e informe cosa de rotas piernas y destrozado semblante... Corriendo siempre doy de cabeza en una pesada cortina que se aparta ante el empuje de mis hombros, y me veo en un teatro repleto de espectadores, atentos a lo que ocurre en el escenario, todo en luz anaranjada. Afuera siguen sonando las sirenas. Pero nadie hace caso. Nadie se mueve. Una explosión. Otra explosión. Sigue disparando furiosamente —como reforzada por nuevas piezas— la artillería antiaérea. Y una actriz, allá en las tablas que, como si nada ocurriera (forzando el tono, sin embargo, para imponerlo a los estruendos de afuera) grita más que dice:

Pedro, coge tu caballo
o ven montado en el día.
¡Pero pronto! ¡Que ya vienen
para quitarme la vida!
Clava las duras espuelas...

Y continúa la actriz, tras de un sollozo demasiado largo —alargado como para ganar tiempo— con acentos harto marcados, que rebasan las intenciones del texto:

¡Ay, qué fragatita,
real corsaria! ¿Dónde está
tu valentía?
Que un famoso bergantín
te ha puesto la puntería...

Hay una pausa, y las voces, ahora contenidas, sobrepuestas al propio miedo, vuelven a una intensidad normal, a una escansión exacta para quien, tras de la sorpresa primera, deja de escucharlas... Tan desconcertada y medrosa debo parecer a un espectador que, agarrándome del brazo, me hace sentar en una butaca desocupada que le queda al lado. —"Aviones" —digo, señalando a lo alto: "Aviones... Bombas"... —"Ya se fueron" —dice el hombre, plácido: "Oiga"... (Ahora las sirenas, en vez de concertarse en largo y desgarrado ulular, suenan rítmicamente, como un telégrafo que espaciara sus señales, hasta cerrarse con un calderón final, seguido de silencio. Varios segundos de silencio. Larguísimo silencio...) —"Terminó la alarma"... —"Pero"... —"*Ellos* no vuelven esta noche". El espectador, tal como podía verlo en la penumbra, era un hombre joven, vestido de miliciano. Llevaba un grueso bastón en el que se apoyaba cada vez que, cambiando el acomodo en su asiento, tenía que mover la pierna izquierda. Y, de pronto, como quien sale de tremenda prueba, de un descenso al infierno, cesa el terror que aquí me trajo. (El "ya se fueron"... "*ellos* no vuelven esta noche" me tranquilizaron como palabras dichas por el Dios de los Ejércitos, por un infalible conocedor de los propósitos del enemigo...) Me dejo descansar en el terciopelo de la butaca —butaca de teatro viejo, seguramente, por este olor a maderas muy trajinadas, a polilla y carcoma, que ahora se me mete en el olfato, dándome una casi deleitosa sensación de regreso a una seguridad perdida, lejana, remota, ahora recobrada... (Creo que así olía el desván de los muebles inservibles en la casa de *allá*... tan lejos... tan atrás... cuando yo llevaba el uniforme de las colegialas de Santa Nina...) Y sobre todo —¡sobre todo!— no estoy sola. Me veo rodeada, muy rodeada, magníficamente rodeada. No sólo está repleta la platea, sino que hay gente en los palcos, en las galerías, y hasta en la *cazuela* —como dicen en España—; gente que no parece temer eso de los aviones y de las bombas. Y pronto terminará la representación y podré preguntar por la Calle del Trinquete de Caballeros, y habrá quien me diga por dónde debo ir; acaso alguien vaya por ese rumbo y me ayude a volver a mi albergue... Libre ya de zozobra, miro por fin hacia el escenario donde, en decoración que parece la de un refectorio conventual, bajo luces amarillas que se van aclarando, una actriz —pero... ¿no será la famosa Margarita Xirgu?—, ataviada a la romántica, llevando flores en las manos, remata una escena, que debe ser la última del drama, a juzgar por la hora, con el énfasis heroico —y una miaja de latiguillo— exigido por el texto mismo:

¡Yo soy la Libertad porque el amor lo quiso!
¡Pedro! La Libertad, por la cual me dejaste.
¡Yo soy la Libertad herida por los hombres!
¡Amor, amor, amor y eternas soledades!

Y ahora, mientras sale lentamente la heroína del escenario, hay un coro lejano, de niños:

¡Oh, qué día triste en Granada,
que a las piedras hacía llorar,
al ver que Marianita se muere
en cadalso por no declarar!

Y cae el telón y, con el telón bajado me vuelven los pies a la tierra. Esto, que ocurrió en el bombardeo, ante un público más atento a la ilusión escénica que a la tremebunda realidad posible de una muerte bajo un alud de escombros, es la historia de Mariana Pineda la que, hace un siglo, fue condenada a muerte por haber bordado una bandera republicana bajo las narices del Rey Fernando y del ministro Calomarde. Y recuerdo que esa historia, narrada hace un momento, era la única historia narrada por Federico (bastaba con decir "Federico", pues Federico era, por antonomasia, Federico el Único, el Federico asesinado en Granada, y no había otro igual. . .) cuyo estilo dramático no agradaba del todo al herido a quien veré mañana en el alborozo del perdón aunque no del entendimiento —en el júbilo de besar una boca que, pronunciando mi nombre, vuelta a mí tras de las nieblas de una anestesia, huyera meses antes de mi cuerpo, en amanecer de cuya fecha no quiero acordarme, como engañador que escapa a hurtadillas, dejándome dormida, rendida, sobre almohadas revueltas, tibias de deleitosos abrazos. Y no agradaba al herido esta obra primeriza de Federico por la presencia de versos que demasiado subrayaban, por anticipado, el horror de un desenlace —real, histórico— que hubo de cerrarse en goyesca estampa de garrote. No agradaba al herido que una Novicia del acto final exclamara: "¡Su cuello es maravilloso!", ni que otro personaje del drama dijese: "Sobre tu cuello blando, que tiene luz de luna". . . ("Aquí la poesía se nos mancha de retórica" —opinaba el harto exigente hispanista, siempre enamorado de la esencial desnudez poética de San

Juan de la Cruz...) Pero ya nos levantamos todos, tras de aplaudir, y salimos del teatro, pasando de la luz amarillo-naranja —"*gran luz extrañísima de crepúsculo granadino*", la llamaba Federico— a las penumbras de pasillos que conducen a la noche demorada por la espera de un amanecer todavía lejano. Viendo que, poco acostumbrada a entendérmelas con un alumbrado puesto en sordina, tropiezo con peldaños, rellanos y alfombras, el espectador de hace un momento, que anda a mi lado cojeando aunque se afinque en su bastón, me pregunta que a dónde voy. Se lo digo. —"Es a dos pasos de aquí" —me dice: "La acompaño". Y, de repente, con forzado y pésimo acento en el idioma que repentinamente adopta: "*Mais... avant on pourrait peut-être prendre un verre?*". Mucho me agradaría lo de la copa, después del miedo pasado, pero la oferta me huele a apetencia de soldado falto de mujer: me dirá, desde luego, que vayamos a su casa; que tiene una botella guardada; y, cuando hayamos bebido un poco... —"No hay cafés abiertos" —digo secamente. —"¡Buêêêêêêno!" responde irónicamente: "Eso es *a según*". Y me señala una calleja próxima, cuya realidad advierten mis ojos, pues el cielo ha clareado un poco, con estrella aquí, estrella allá, entre nube y nube, y ciertos aleros, ciertos relieves, ciertos espolones de ladrillo o de cemento, empiezan a definírseme en cabalidad de formas. Andamos un poco. Y, de repente, mi acompañante empuja una media puerta cochera con el bastón, y es un pasillo que huele a aceite rancio, y es, al fondo de un patio adoquinado, otra puerta —pero ésta es como de yute, de tela de saco montada en bastidor— que nos conduce a una trastienda de bodega —acaso almacén de ultramarinos— donde unos pocos militares, despechugados y sudorosos por el calor que reina en tal encierro, beben vino o aguardiente de Chinchón en tazas, cuencos y vasos desemparejados, cuando no empinan una bota con maña aragonesa, filtrándose el resinado por entre los dientes. —"¡Hembras aquí, no!" —exclama, perentorio, un tabernero de zarzuela que, bajo ristras de ajos colgadas de las vigas del techo, se afana entre garrafones y embudos, acabando de ordeñar un odre manchego alzado en tarima. —"¡Hembras aquí, no!" —repite, secándose las manos en delantal tan enrojecido de tintazo que parece mandil de matarife. —"Ella no es de aquí" —dice mi acompañante: "Personal técnico de las Brigadas". Ante tal muestra de extranjería y técnica, el tabernero, balbuceando excusas, nos trae una botella y dos pomos de mermelada, vacíos: —"Ustedes dispensarán. Pero las copas se van rompiendo y como parece que ya no las fabricamos". —"No importa, Paco" (y señalándome): "*Acá* es de las enfermeras nuevas que llegaron". —"¿Y no es negra?" —dice el otro, como asombrado. —"Pues, ya lo ves..." —"Lo digo porque están llegando muchas negras norteamericanas". —"Y que son magníficas". —"*La color*" —dice el otro— "nada tiene que ver con la ciencia". —"Hoy la ciencia adelanta que es una barbaridad" —dice mi acompañante, citando, con una ironía que cree inoperante para mí, una frase antológica de *La verbena de la Paloma* que a menudo citaba, en chunga, el hombre a quien amo. —"Así es" —dice el tabernero, admitiendo la apodíctica verdad: "Están en su casa. Y si quieren otra de Valdepeñas, todavía me quedan". Y vuelve el hombre a su rincón sin ocuparse más de nosotros. —"¿Por qué le dijo usted que yo era enfermera?" —"Mire: ya con lo de tener un bar abierto a estas horas está infringiendo las ordenanzas militares al amparo, acaso, de alguna indulgencia superior. Pero, si encima de eso, va a permitir que aquí vengan... *mujeres*..." —"Ya entiendo". Miro a las paredes. Hay viejos carteles de toros. Un almanaque de 1935; anuncios del *Petróleo Gal* y del *Jabón Heno de Pravia*. Y otro cartel, avalado por la sigla FAI:

EL BAILE ES LA ANTESALA DEL PROSTÍBULO: CERRÉMOSLO.
LA TABERNA DEBILITA EL CARÁCTER: CERRÉMOSLA.
EL BAR DEGENERA EL ESPÍRITU: CERRÉMOSLO.

—"¿El dueño de esto será enemigo de los anarquistas?" —digo, riendo. —"Por el contrario: es anarquista y de los duros". —"¿Y cómo tiene abierto el bar?" —"Por lo mismo de que la prohibición, aquí, emana del gobierno. Es su modo de demostrarse que a él nadie le pone el pie encima. Al principio los anarquistas quisieron hacer la guerra sin marchar al paso, sin formar filas y sin saludar a sus oficiales. En Cataluña emitieron monedas locales que sólo valían en el área de un pueblo". (¡Si lo sabré yo que en Figueras cambié cinco dólares por unos florecientes billetes que me fueron rechazados en Gerona!...) —"¡Los anarquistas!" —dice el otro, cansando intencionadamente el tono de la voz: "Ya mi compatriota Lafargue tuvo que luchar, aquí, con los discípulos de Bakunin, hace más de sesenta años... ¡Los anarquistas!... ¡Medio siglo tratando de hacer una revolución sin lograrlo, pero entorpeciendo, por sistema, cuanta revolución verdadera trata de hacer alguien!"... Ante la amenaza de una exposición doctrinaria, erizada de apellidos y términos que desconozco, cambio el rumbo de la conversación: —"¿Es usted español?" —"Cubano". —"Es decir: español, en cierto modo". —"En cierto modo, sí. Pero, más que nada, porque estoy de este lado de la barrera". —"¡Ah!" —"¿Y usted?" —"Rusa". —"¿Camarada, entonces?". No me atrevo a decirle que nada me irrita tanto como verme tratada de "camarada". Sin embargo, por cobardía: "Bueno... *Camarada*... si se quiere". —"Se es o no se es". Opto por una explicación ambigua: "Es que el tratamiento de *camarada* se ha vuelto una moda, una novelería, entre ciertos intelectuales que mucho he frecuentado últimamente... Aquí la palabra *camarada* tiene otro peso, otra dimensión... No es la misma que se oye en el *Café des Deux-Magots*... Ahí se es *camarada* como podría serse abstraccionista o atonalista. La palabra gusta por nueva —nueva en ciertos círculos, al menos. Parece que la hubiesen inventado ayer"... —"Le advierto que podría usted hallarla en *Los sueños* de un Quevedo que no estaba afiliado, que yo sepa, a la Tercera Internacional". —"¿Ah?" —"Me dijo usted que era rusa. Rusa... ¿de París?" —"Vivo allí". —"¿Trotskista, acaso?" —"¿Y yo qué sé de eso? ¿Por qué quiere usted afiliarme a nada?" —"Pero... ¿qué hace usted aquí, entonces?" Le explico el objeto de mi viaje a esta España en guerra. —"¡Ah, claro! Comprendo. Sí: comprendo". Y ahora me sale de la boca una pregunta que al punto me avergüenza por su tontería: "¿Y usted? ¿Qué hace aquí?" El otro se echa a reír, soltándose a hablar con unas inflexiones y unas palabras distintas de las que venía escuchando desde el paso de la frontera: —"¿Me has visto con flux de dril blanco y jipijapa? ¿O es que no te parezco bastante militar?" (¿Por qué me tutea tan pronto?) *"Batallón Lincoln"*. (Se toca la pierna lastimada): —"En Brunete. Y he salido bien, porque aquel día, en lo de Villanueva de la Cañada, cayeron cubanos... ¡cantidad! Íbamos avanzando bien, pero... ¡carajo! (y con perdón) la metralla... A medio muslo". (Cambia de tono) —"Al lado mío cayó un negro valiente como demonio, Oliver Law. ¿No has oído hablar de él? Lo enterraron bajo un montón de piedras con un letrero: *Aquí yace el primer negro que ha mandado un batallón de norteamericanos blancos*". —"¿Y qué tiene eso de particular?" —"¡Ay, hija! ¿En qué mundo vives?" Callo, algo cortada, por no confesar que el mundo —mi mundo— cerrado, sin periódicos, de oídos indiferentes, ajeno a ciertas realidades de donde me había sacado brutalmente una herida recibida por otro, pero sentida en carne propia, era mundo donde prefería ignorarse lo inaceptable, disponiéndose siempre, cuando se sabía de iniquidades o de atropellos, de un cómodo repertorio de atenuantes. Sí. Sabía que los negros, en los Estados Unidos... (Pero, en fin, Paul Robeson, Duke Ellington, Louis Armstrong, eran famosos. *Allelujah*, de King Vidor, había tenido mucho éxito. *Porgy and Bess* era ópera de negros... No sería tanto como decían los amigos de Jean-Claude). —"¿Así que *Batallón Lincoln*?" —digo, por decir algo. —"Sí. Ahí hay muchos cubanos, bastantes mexicanos, varios puertorriqueños, dos o tres brasileños, un venezolano, un argentino —pero, el día que entramos en acción, había mayoría de cubanos". —"¿Venidos de tan lejos?" —"¿Y por qué no? Se defiende una idea donde hay que defenderla". (¿Así que la bendita *Idea*, allá también, en esos mundos tan remotos, ignorados por la prensa francesa?) Por ejercer una suerte de mayéutica, adoptando un tono de suficiencia mundana, me hago la tonta: "Yo creía que en la América de ustedes, tierra de emprendedores y de pioneros, no se pensaba sino en ganar plata. Y que poco penetraban, allá, ciertas doctrinas políticas". El otro rió, mirándome como se mira a una interlocutora exótica, necesitada de información: "Bueno. Eso es cosa de folklore. Como cuando se dice que todos los hindúes son yogas o que todos los escoceses tocan la cornamusa... La cosa viene de atrás. El Dorado. El Potosí... *Esto vale un Potosí... Esto vale un Perú*... El indiano que volvía de allá, en otros tiempos, con los bolsillos llenos de esmeraldas. El *Tío de América*. El que murió en América, dejando millones". —"¿Y hoy?" —"Sigue la leyenda: el Rey de esto, el Emperador de aquello, el Magnate de lo de más allá. Julio Lobo, con su Azúcar. Los Anchorena, con sus Pampas. Los Patiño, con su estaño. Un Dupont de Nemours..." (Y aquí el sonoro apellido engendra toda una mitología en boca de quien me dice que Dupont de Nemours posee en Cuba —en un lugar llamado Varadero— un coto cerrado, vedado al público, cultivado por jardineros japoneses, donde, en residencia custodiada por herméticos camareros, hay refrigeradores llenos, a todo lo largo del año, de langostas, codornices, viandas exquisitas, que se enfrían, aguardan, se encartonan, se revenden, se reemplazan, en espera de que el gran señor feudal, una vez al año —o dos, o tres, tal vez sí, tal vez no...— se presente sin aviso y tenga apetito. Entonces, se prenden las luces, se iluminan las cocinas, se calientan los hornos, se descorchan los vinos, y todo es fiesta y alboroto en la casa donde un ascensor, dotado de un mecanismo secreto, se detiene entre dos pisos, como accidentado, cuando el Amo sube en compañía de una guapa hembra —pues parece que la banqueta de los ascensores de lujo ejerce una poderosa acción sobre su libido). —"Pero se da el caso de que pase meses y meses sin venir a su feudo. Entonces la langosta de ayer es reemplazada por la de mañana, la de mañana por la de pasado mañana, para que, al cabo de un desfile de trescientas sesenta y dos langostas, el heredero de mil polvorines hinque el diente en la langosta número trescientos sesenta y tres, o cuatro, o cinco —o seis, si se está en año bisiesto". (Marcó una pausa.) "Por suerte, hay *otra América*: la que tú ignoras, como buena europea. Porque, después de pasar varios años en Europa, me he convencido de que, para la gente de acá, América Latina es algo que escapa a toda una escala de cómodas nociones. Es un mundo que rompe con sus viejos cálculos. Por ello, prefiere ignorarlo". —"No me dirá usted que los españoles..." —"Es distinto. Son los parientes que se quedaron en casa. Pero aun así, demasiado insisten algunos en hacernos reverenciar una 'Madre Patria' que, como tal, tiene sus altibajos. Porque, como madre puede quererse, si se llama Mariana Pineda; no, si se trata de Doña Perfecta. Madre, si se me casa con Don Quijote o con Pedro Crespo; no, si se me abre de piernas a cualquier General Centellas... Pero tú, seguramente, nunca has oído hablar de Pedro Crespo ni de Doña Perfecta"... Protesto, recordándole que en Benicassim me espera un hombre que a fondo conoce la literatura española y me enseñó a amarla.

—"Cierto. Perdón. Pero lo que no te dijeron es que, hoy, el chileno, el venezolano, el mexicano, el argentino, muy poco se acuerdan de que fueron españoles en épocas pasadas". —"¿Y por qué está usted aquí, entonces?" —"¡Ay, divina inocencia! Estoy aquí porque hay españoles que pelean *por algo* que me liga, a mí, habanero de dos generaciones, más cubano que nadie, con los hombres del Quinto Regimiento —esos que tienen detenidos a los moros de Franco en las puertas de Madrid; un *algo,* que me liga con los polacos y húngaros del Batallón *Dombrowsky,* con los franceses del *Commune de Paris,* con la gente del *Edgar André,* del *Garibaldi,* del *Dimitrov*— que llaman 'el de las diez lenguas', aunque en eso se quedaron cortos, porque en el Jarama, se cantó *La Internacional* en más de doce idiomas. . ." (*La Internacional:* ese himno que oí por vez primera, la noche aquella en que, apenas adolescente, asistí al duro parto de mi prima Capitolina, sabiendo de la sangre que cuestan ciertos engendros. . .) —"Quisiera saber algo de América Latina" —digo, por aplacar en mi interlocutor un tipo de entusiasmo al que debo la herida que contemplaré mañana: "Aconséjeme algunos buenos libros. En Benicassim dispondré de tiempo para leer". —"Difícil. Muy difícil, porque acerca de América hemos escrito tantos libros malos que nosotros mismos nos extraviamos en un laberinto de falsas nociones, biografías amañadas, panfletos o apologías, mentiras y tabúes, frases hechas, y hasta rescates y panegíricos de granujas y de cabrones (con perdón). Y nuestros grandes hombres —porque los hubo— están tan recocinados en la salsa de cada quien, de acuerdo con el adobo de cada quien, que a menudo acaban por perder su rostro verdadero. . . Pero subsiste la palabra *América*. . . Aunque no creo que puedas entenderla muy bien, porque. . ." Y el otro, puesto en habla generosa por el Valdepeñas bebido, se enreda en lío de pampas y cordilleras, pirámides y galeones, esclavistas y libertadores, catedrales barrocas, palacios de mármol y rascacielos que se yerguen en la proximidad de míseros *bidonvilles,* favelas y "barrios de yaguas" (no sé de qué se trata), que se me atropellan en el entendimiento como las imágenes de un documental cinematográfico cuyas secuencias se sucedieran harto brevemente y sin enlace lógico aunque estableciendo repentinas analogías con cosas por mí conocidas.

Quien ahora me habla evoca la ciudad de su infancia, ciudad de muchas columnas, infinidad de columnas, columnas en tal demasía —según él— que pocas ciudades en el mundo podrían aventajarla en eso, sin saber acaso que existen —¡tan ligadas a mi pasado!— otras alineaciones de columnas, innumerables columnas, en fachadas y peristilos clásicos que se tiñen de un amarillo singular, misterioso, incomparable, en las "noches blancas" —más ocres que blancas— de Petrogrado. —"Donde me ves" —dice, riendo, el soldado: "procedo de la burguesía más hedionda que pueda imaginarse". Y, medio cerrando los ojos, me cuenta de su casa natal, vestida de guirnaldas, forrada de mármoles, donde, más arriba de los capiteles, retozan niños montados en delfines; hay largos salones con paisajes de Hubert Robert en las paredes y donde, encerradas en marcos dorados, se abanican dos damas de Madrazo —vestida de encaje malva la recién casada, de encaje negro la garrida viuda de desdeñoso empaque—, entre paravanes chinos, habitados por centenares de personajes que se afanan entre pagodas rojas y puentecillos arqueados, cabezas hindúes con ojos dormidos sobre sus zócalos de pórfido verde, y allá, camino del invernadero, un alboroto de cacatúas y micos bailadores en gran tornasol de porcelanas rocócó. Y, detrás, alrededor de la mansión guardada por obradas rejas y mastines de bronce, son otros palacios, alcázares —así los ven mis ojos—, residencias, donde, entre palmeras y buganvilias, se conjugan todos los órdenes de la arquitectura tradicional. Y se pueblan las galerías, los pórticos, las rosaledas, de una humanidad que, si elimináramos los árboles, las plantas, que sólo conozco de nombre, se me vendrían a parecer, sorprendentemente, por el lujo de los atuendos, el relumbre de las joyas, la gracia de los peinados y la superficialidad de lo conversado por despreocupadas voces, a la humanidad, idéntica en gustos, afanes o inapetencias, que tanto he frecuentado, leyendo y releyendo las páginas de una famosísima novela nuestra: esas imponentes señoras, árbitros de modales, casamenteras de altura, pesadoras de títulos y fortunas, memorialistas y archivos de toda una sociedad barajada con magistral y pérfida mano izquierda —siempre atentas a las más nimias peripecias de una vida mundana llena de trampas, ascensiones, glorias y desplomes, guerrillas de salones e intermitentes escándalos debidos a adulterios llevados sin la prudencia y decoro requeridos por el caso; esa perpetua sucesión de saraos y besamanos, de recepciones y bailes, de comidas suntuarias, dispuestas, proyectadas, planificadas, con semanas de antelación; ese ir y venir de lacayos, porteros, cameristas, institutrices francesas; esos ricachos octogenarios, de añejos blasones, que morían dejando fabulosas fortunas y más de un hijo ilegítimo; esos jóvenes ociosos, seductores, bebedores, tarambanas, ocurrentes, que bien podían llamarse Dolokhov... Sí. Conozco ese mundo magistralmente movido en la novela genial. Es el mundo de los Rostov, de los Bolkonsky. Una tía suya, de quien me habla el cubano —condesa de no sé qué y de no sé cuántos— se me parece sorprendentemente a un personaje central de la misma novela. Las doncellas en flor de un Trópico que tempranamente les hincha los escotes y redondea las caderas, bien podrían llamarse Natacha o Helena; el *Country Club* de allá es trasunto del Club Inglés de Moscú, donde se ofreciera el memorable banquete a Bagration durante el cual tuvo Pedro Bezukoff la revelación de la infidelidad de su mujer. El mundo que me pinta el cubano viene a prolongar en otra latitud —con más de un siglo de retraso— el de *La guerra y la paz*. —"No tanto, no tanto" —dice el otro, riendo. Y afirma que hago mucho favor a la humanidad que él evoca, al compararla con la de los príncipes y duques de Tolstoi... —..."Porque si bien tenemos algunos marqueses y condes que ostentan auténticos títulos de abolengo colonial, otros muchos se compraron blasones y papeles con los cuales pretenden hacer creer que salieron del vientre de la Beltraneja o de Doña Urraca, o de la bragueta (y perdone) de Sancho el Bravo"... De repente, en súbito regreso a la hora de ahora, al minuto que transcurre, me asombro ante la realidad de que quien tengo delante y que me viene de un ambiente semejante al que, en mi patria, ha desaparecido para siempre, es un combatiente de las Brigadas Internacionales. Tiene manos finas. Sus modales responden a una urbanidad natural, nada forzada ni estudiada, y aun cuando suelta una palabreja la coloca donde suena bien, con previo gesto de excusa que autoriza su inesperada irrupción en un monólogo tejido de remembranzas —monólogo donde se mofa de despilfarros y alardes, de sobrepujas y remedos, con palabras que sólo me dejan entrever una ínfima parte de las imágenes y escenas que, de seguro, le acuden a la memoria en la penumbra, oliente a odres con muñones negros, hinchados de vino resinado, de esta taberna, aún viva en las muertas luces de la ciudad temerosa de mostrarse a los arteros cielos de la guerra.

3

...Con el vino y la charla se me ha amansado el dolor de la pierna operada que, a veces, cuando cambia el tiempo (y es el caso en esta noche de agosto en que pareció que iría a llover) me recuerda a punzadas que la herida es reciente. Y después de enredarme en lío de pampas y cordilleras, de pirámides y galeones, de esclavistas y hacendados que a la rusa esta deben parecérseles a sus boyardos de otros tiempos (y la verdad es que ambos blandían la misma tralla, aunque los míos usaran sombreros de Panamá en tanto que los suyos lucían bonetes de armiño, astrakán o piel de nutria); después de extraviarme en los recovecos de una Historia mal sabida, por no perderme en un laberinto de siglos y ser devorado por Serpientes Emplumadas, salgo por la Puerta Solar de Tiahuanaco, me brinco milenios de un tranco, y vengo a caer —de *fly,* como dicen los jugadores de base-ball— en casa de los míos, el día aquel... Día preparador de una absurda noche que trato de evocar con frases que sean inteligibles para quien desconoce los lugares, las caras, las cosas —gentes, topografía, moradas, vegetaciones, de una ciudad...—, aunque al pormenorizar ciertos episodios que a ella acaso parezcan nimios y hasta burlescos, me doy cuenta ahora, al verlos de pupilas para dentro, que a pesar del aspecto tragicómico de algunos hechos, todos fueron decisivos para determinar el quebrado itinerario de una existencia —la mía— cuyos despreocupados inicios no tardaron en tomar un rumbo dramático, apenas hubiese salido yo de adolescentes cavilaciones, al verme confrontado con las más imprevisibles y apremiantes contingencias... Y pensando, repensando, en el día *aquel,* situándome en el comienzo de los Grandes Cambios, no sabría decir por qué calles había rodado el auto de alquiler que me trajo de la Estación Terminal de Ferrocarriles a la Calle 17 —era una tarde de mayo—, metido como lo estaba, de narices, en un cuaderno donde quedaban mis mejores apuntes (mejores porque eran de factura rápida, briosa, de trazo muy suelto, con sombras conseguidas a yema de pulgar...) de viejas casas coloniales santiagueras, más toscas y provincianas, más añejas, por así decirlo, que sus contemporáneas de La Habana, por una cierta holgura dieciochesca, y que, por lo mismo, venían a completar útilmente mi documentación acerca de la arquitectura criolla, en vistas a un futuro ensayo o estudio, aun apenas esbozado, cuya laboriosa elaboración (nunca me fue fácil escribir) llenaba los tiempos muertos de constantes clausuras universitarias debidas a las repentinas y alternadas furias del dictador Machado. Después de un larguísimo viaje en tren —¡nunca me había dado cuenta, como esta vez, de lo larga que era mi estrecha isla!— había tomado notas que ahora metía presurosamente en una cartera de cuero, después de releerlas, pues el auto paraba frente a mi casa. Pagada la carrera, iba a llamar a la verja principal, cuando observé que sobre sus barrotes en forma de partesanas, se ostentaba una rara banderola tricolor: PLACE PIGALLE. ¡Ah, sí! ¡La tan anunciada fiesta! Y ahora, el smoking; la baraúnda hasta el alba; hablar con éste, con aquél, con el otro... Pero, al menos, esta noche, me emborracharía a domicilio, con la grata posibilidad de hallar mi cama a veinte peldaños del suelo, cuando el alcohol empezara a entorpecerme la lengua. Y como, tras de la reja de honor, se alzaban construcciones de madera y cartón-piedra, destinadas a ser demolidas mañana, pasé por el portillo del conserje, siguiendo el camino de los garajes, para entrar por el vestíbulo del servicio. Las cocinas estaban llenas de cocineros, de pinches, de marmitones, con altos gorros, afanados entre cazuelas, sartenes humeantes, mesas de trinchar, enormes bandejas, y que —desconocidos por mí— ni siquiera repararon en mi presencia. Era éste, desde luego, el personal supernumerario de las grandes ocasiones... Pero ya Venancio venía a mi encuentro, tomando mi maleta: —"La Señora Condesa quiere hablarle. Con toda urgencia. Suba a su cuarto ahora mismo". Y, bajando la voz: "Debo advertirle, caballero, que la Señora Condesa está encabronada. En día de gran despertronque. Los *joder* y los *puñeta* le salen por arrobas... y al estilo madrileño". (Mi tía, en efecto, de tanto codearse con la nobleza española, había adquirido el hábito, tenido por gracioso entre gente de título y blasón, de usar, en momentos de buen humor o de ira, un vocabulario de arrieros que, aun cuando se aplicara a remedar un dejo castizo, seguía teniendo, en su boca, un inauténtico sonido de cosa importada... Faltaba percusión a las "jotas" de sus *carajos*, como falsa le resultaba la "zeta", demasiado "ese", de *cabeza de la polla* —y eso que mucho se ejercitaba, desde que hubiese adquirido un segundo título condal para añadirlo al primero, en hacer claros distingos fonéticos entre las "ces", "eses" y "zetas" de su castellano de la Cibeles un tanto amulatado por una inevitable ecología de pregones callejeros que se le colaban a todas horas, quieras que no, por los altos ventanales de su palacio...) Subí presurosamente. Cristina y Leonarda, de cofia y delantal blanco, ayudadas por dos costureras, acababan de retocar un suntuoso vestido de encaje fucsia puesto sobre un diván. La Señora estaba terminando su "toilette" —como había de decirse—, pero sonreí pensando que no estaba en su baño sino en la cripta octogonal de mármol verde —templo de Astarté, santuario de la Diosa Siria, lugar de arcanas abluciones— cuyo centro era ocupado, solemnemente, por un monumental bidet de porcelana negra, con juego de llaves, potenciómetros, guías de aguas verticales, laterales, de fondo, con regulación de intensidades, control de temperatura y estabilizador general, de tan complejo mecanismo como el que requiere el pilotaje de un avión. Y, envuelta en una bata de un rojo cardenalicio, guarnecida de plumón de ave, entre pontifical y Eugenia de Montijo, apareció mi tía con la cara de euménide que enarbolaba en momentos de grandes cóleras. —"¡Buena la has hecho, conspirador de mierda, carbonario, agitador, petardista, laborante, renegado, enemigo del orden, ácrata, traidor a tu casta!... ¡Ay!... ¡Bien hizo tu santa madre en morir antes que ver esto!"... Yo estaba acostumbrado a esos estallidos trágicos, por motivos tan nimios, a veces, que resultaban cómicos cuando se trataba del drama de un peinado fallido, de un refajo mal planchado, la omisión, por un periódico, de algún donativo hecho por ella a los leprosos del Rincón, o un error de nombres, en crónica mundana, al enumerarse los invitados a una comida suya. Pero lo de hoy parecía caso de mayor gravedad, ya que su voz, pasada a grandes registros, se le subía al diapasón altisonante de Doña María Guerrero magnificando un gran final de acto. En este día en que toda la Sociedad de La Habana (y mayusculaba, con impostaciones vocales, esta palabra de *Sociedad* como si se refiriese a las gentes que hubiesen asistido a los esponsales de Fernando de Médicis con Cristina de Lorena, a la Entrevista del Áureo Paño, a la inauguración del Val-de-Grâce, al bautizo de algún delfín de Francia...); en este día en que toda la Sociedad de La Habana se iba a reunir en sus jardines, se había presentado la policía en esta casa. Sí. La Policía. (Aquí, mayúscula de Averno, de Torquemada, de Vidocq...) Y —aunque con todo respeto y excusándose mucho— los de la Judicial habían registrado mi habitación, hallando algunas proclamas subversivas, injurias para la persona del Primer Magistrado de la Nación, engendros de la cochina Universidad que nos gastábamos, universidad mulata, merienda lucumí, abierta a toda la morralla, incubadora de revolucionarios, semillero de comunistas, donde me había yo empeñado en estudiar, cuando me hubiese sido posible hacerlo en Yale, en Harvard, en Oxford, en Campbell ("Cambridge" —rectifiqué: "Campbell es una sopa") —"¡Y todavía se atreve a hacer chistes!" Y era Clitemnestra quien ahora me aullaba en la cara que había orden de prisión contra mí; que sólo a la bondad, a la indulgencia, a la caballerosidad del General Machado, hombre admirable, invitado desde hacía días a su fiesta, se debía que los de la Judicial se hubiesen retirado. Pero... (se ahogaba en jadeos). —"Pero... ¿en qué ha quedado la cosa?" —pregunté. —"Tú... Tú te marchaste ayer... huyendo al extranjero". —"¿Ayer? Ayer estaba yo en Santiago de Cuba.. Comí con los Bacardí"... —"Quiero decir que, para todo el mundo, te has ido ya. Me hice garante de ti ante el Presidente. Y mañana, a las siete, vendrá un policía, de paisano, a buscarte. Y a las ocho sale un buque. Aquí tienes el pasaje"... —"¿A México?" —"¡Al carajo! ¡A donde sea! No quiero verte más aquí. Se te pasará una mesada. Y ahora te encierras en tu cuarto y no te me asomas por ninguna parte. Estás ausente, fuera, lejos, de viaje, no sé, bogando... Se dirá que son antojos tuyos, de niño rico, que se permite el lujo de perderse la mejor fiesta que se haya dado en este país desde los tiempos de la Colonia... Fiesta que tú me has amargado... ¡Y cómo me la has amargado!" —"¿A mi cuarto, entonces?" —"¡Y bien encerrado! Y que no se te vea la cara". (Ahora se volvía hacia Leonarda.) —"Que le lleven una botella de wisky. O de lo que quiera. Y de cuanto se coma abajo... Y alégrate de que las cosas no hayan salido peor... Gracias a mí y al especial favor del General Machado, porque ya tus amigos comunistas están todos presos en la Isla de Pinos. Y ahora... ¡vete a hacer puñetas!... De buena te libraste... Un beso, a pesar de todo... Bendición... Leonarda: el vestido"... Y, sobre el rostro de la Condesa bajó, tal cortina en final de Orestiada, el vestido fucsia que en lo alto sostenían las camareras subidas en sillas, bajo la vigilancia de Madame Labrousse-Tissier, la modista en boga, quien, habiendo entrado quedamente hacía un rato, dirigía la operación: *"Elle vous va à ravir"* —dijo, volteando a mi tía hacia el espejo de tres lunas: *"On va remonter un peu l'épaule, et ce sera parfait"*.

Pasando de una a otra ventana de mi cuarto (eran, en realidad, dos habitaciones divididas por dos columnitas inútiles y un paraván lacado donde, en rojo y oro, danzaba una Salomé de estilo preciosista-maricón-inglés, que separaba mi dormitorio del lugar donde tenía mis libros y mi mesa de dibujo) se dominaban los jardines y dependencias de la casa —el invernadero de las orquídeas y plantas raras, y el patio grande, del servicio, lleno de bateas donde centenares de botellas de champagne se enfriaban bajo paletadas de hielo molido. Y, mirando hacia el teatro de verdura, delimitado por una ancha herradura de bojes tallados —allí donde mi tía había hecho bailar cierta vez a Antonia Mercé, "La Argentina", cuando ésta sólo era todavía una anónima taconeadora de fandanguillos y bulerías— confieso que no pude contener mi asombro ante lo que, en cuatro días de trabajo, había logrado un hábil decorador, construyendo, con delgadas tablas, gruesas telas, *contre-plaqué* y yeso, el Montmartre fabuloso e inverosímil —a la vez verdad y mentira, síntesis, en un imposible híbrido de Place du Tertre y de Place Pigalle— que, de lejos, se representaban quienes jamás se pasearon por él. Junto a un *Moulin Rouge* en miniatura, cuyas aspas adornadas de bombillas multicolores giraban lentamente, un bar ostentaba la enseña de *Le Chat Noir*. La entrada de *Le Ciel et l'Enfer*, así como la del *Cabaret du Néant*, habían sido reconstruidas de acuerdo con las postales-recuerdos que allí se daban a los turistas. Y, más allá, a un costado de un escenario donde una orquesta empieza a tocar *Paris, c'est une blonde*, al cabo de las platabandas de césped inglés y en el lindero de la rosaleda, *Le Lapin Agile* acogía ya algunos visitantes bajo su falso tejado, tras de la barda del emparrado donde Atilio, el viejo portero de la casa, servía "*cerises-à-l'eau-de-vie*" en toscas mesas de hierro, disfrazado de Père Fredé, con barbas postizas y traje de pana verde, acompañado de un borriquillo gris previamente almohazado y perfumado con esencias de vetiver. Aquí, allá, en espacios vacíos, había carteles imitados de Lautrec, que mostraban La Gaulue, Valentin-le-desossé, Yvette Guilbert con sus guantes de cabritilla negra, una payasa con bombachas de ciclista 1900, y el remolino, en blanco, rojo y negro, de un *french can-can*. Los mozos contratados para la fiesta y que ya pasaban bandejas por sobre las cabezas de los invitados cada vez más numerosos, llevaban chalecos a rayas amarillas y delantales blancos, remedando un tipo de *garçon de café*, cuya tenaz imagen pervivía en el mundo, aunque el personaje original hubiese desaparecido, hacía tiempo, del lugar de origen... Yendo a otra ventana, miro hacia la piscina. Ahí, el espectáculo era muy distinto: a la luz de reflectores, varios obreros yankees, de overol, se afanaban —visiblemente irritados por algo que no acababa de marchar, y más aún por las imprecaciones de un técnico sudoroso, congestionado, que corría de uno a otro con gritos y mentadas de madre— entre unos aparatos eléctricos conectados con tuberías paralelas que, colocadas en el fondo y en los bordes, estriaban extrañamente el rectángulo de veinticinco metros donde me bañaba yo, cada mañana, antes de ponerme a estudiar o salir hacia la Universidad. Piscina bastante poco utilizada, por lo demás, ya que mi tía nunca se hubiera arriesgado a mostrarse en traje de baño ante una servidumbre que, en ancilares malhabladurías de despensa, afirmaban que tenía los muslos *capitonnés* y tantas tetas como la Loba Romana —bronce comprado en Italia— que adornaba la biblioteca de muchos libros mejor empastados que leídos. Piscina que era usada, más bien, por la gente joven, primos y primas míos, que, un domingo que otro, olvidados de misas en la

Parroquia del Vedado, tomaban el crawl y la braza como pretexto para asar algún lechoncillo en barbacoa de ladrillo y carbón de leña, con tremendísima tragadera de Tom Collin's y Scotch-and-soda. Pero piscina donde ocurría algo raro, esta noche, ya que los obreros metían varas, termómetros, algo como termostatos, en un agua que se estaba enturbiando —como llenándose de nubes glaucas, espesándose, inmovilizándose— de extraña manera. Y, de repente, fue el milagro: se endureció repentinamente la superficie y, entre el ruido de los motores que giraban al máximo de sus posibilidades, y los gritos del jefe de los técnicos que arrojaba al aire su sombrero de alas dobladas al estilo de Dallas, el agua se hizo vidrio, cristal, hielo. —"Apaguen todos los reflectores" —gritó el hacedor de aquel prodigio: "Mientras menos calor haya aquí... Y fuercen las máquinas... Porque, con este jodido clima..." Sólo la Luna —una luna ocultada, a ratos, por rápidas nubes— se reflejaba ahora en el témpano entre palmeras que llenaba la cavidad rectangular revestida de mosaicos blancos. —"Pero... ¿qué coño es esto?" —pregunté a Leonarda, que me traía una botella de bourbon, soda y bretzels, señalando la pista reluciente de sólidas escarchas. —"Es para las patinadoras. Acaban de llegar y se van a vestir aquí. La Señora Condesa las hizo venir de Miami (la fámula, remedando las pronunciaciones de su ama, decía *Mayami,* como también decía *Niú Orlíns* y *Atlantic Siri*...) ¡Lo nunca visto en Cuba!"... Volví hacia la ventana que daba al jardín: la Place Pigalle estaba llena de gentes que iban, admiradas, de la caseta color de hoja seca del Père Fredé a la taberna del *Chat Noir,* al *Cabaret du Néant,* mientras una cantante vestida de smoking, cubierta por un canotier amarillo, estiraba el belfo, cantando, en chillona imitación de Maurice Chevalier:

Elle avait
de tout petits petons,
Valentine,
Valentine.
Elle était
frisée comme un mouton...

Y allí, copa en mano, barajados por el creciente remolino de grupos, en tornasol de rasos, encajes, tules y sedas, policromía de joyas, titilación de broches y aretes, alardes de peinados y escotes, se entremezclaban los Barones del Azúcar, los Adelantados del Latifundio, los Condestables del Tranvía y del Teléfono, los Procónsules de la General Motors y la General Electric, los Cancilleres del Ford y de la Shell, el Cervecero Mayor y el Proveedor de Mármoles Funerarios, con el Gran Zahorí de la Bolsa, los Altos Lictores de la Banca Norteamericana, el Hijodalgo de los Jabones, el Duque de los Detergentes, el Esculapio de las Mil Farmacias, dueño de Quinientas Casas —todos revueltos con los Grandes Combineros de la Política, el Embajador (y Señora) del Presidente Hoover, el Embajador del Rey Alfonso, el Director del *Diario de la Marina,* el millonario sefardita, famoso por su milagrosa videncia en cuanto a alzas y bajas de valores, algunos militares en uniforme de luces con el empinado quepis llevado debajo del brazo, y algunos huéspedes distinguidos: un sobrino del Conde de Romanones, varios Títulos españoles de menor cuantía, de los de balandro en San Sebastián y querida cupletista, y unos Condes de Novelo, venidos de Yucatán, donde poseían inmensas haciendas henequeneras, de los que, en los buenos tiempos de Don Porfirio Díaz, disponían de calabozos particulares para castigo de peonadas indóciles. En aquella humanidad en movimiento —en musicalizada rotación de figuras de tiovivo— se identificaba a los nuevorricos del régimen machadista por la tiesura de los fraques llevados con harta preocupación de guardar la línea, de alisarse los faldones, de cuidar de la compostura de los lazos y bien mostrar las botonaduras de platino y brillantes; los nobles criollos de vieja cepa, en cambio —ya dueños de cañaverales y trapiches en el siglo XVIII—, llevaban el smoking de poco aparato con la desenvoltura de quienes lo tuviesen encima a todo lo largo del año, andando, cuando eran ancianos, con el paso corto de la gente de pie menudo, sacándose del bolsillo, a veces, un abanico de seda negra que llevaban de sus propias sienes sudorosas a los hombros empolvados de una señora, en gesto desusado que les venía de los saraos de tiempos coloniales. Y ahí estaban todos, en espera de que llegara el Mandatario, a quien se había reservado una butaca de honor bajo un toldo de brocado, alzado por dos lanzas doradas, tras del cual estaban ya apostados sus guardaespaldas habituales. En eso apareció mi tía, con majestuoso empaque de gran actriz que sale a escena, y, cubriendo un crescendo de aplausos y cumplidos, rompió la orquesta a tocar: *"Tout va très bien, Madame la Marquise"*, aunque la cantante de hace rato hubiese sustituido, para el caso, *Madame la Marquise* por *Madame la Comtesse*, pese a que lo de *Comtesse* no rimara con *"il faut que l'on vous dise"*. Pero aquí lo importante era el *"Tout va très bien"*, puesto que, en realidad, todo iba a lo mejor en el mejor de los mundos posibles para aquellos grandes usufructuarios de una tierra que el Almirante de los Reyes Católicos hubiese descrito como "la más fermosa que ojos humanos hubiesen visto" en buena prosa de genovés cazurro que, al regresar de un primer viaje a estas Indias que no lo eran, con visión de buen publicista y anticipada técnica a lo Cecil B. de Mille, montara para sus soberanos, en el gran teatro de un palacio de Barcelona, el primer *West-Indian Show* de la Historia, con presentación de indígenas y papagayos, tiaras de plumas, collares de semillas, algún oro en bandeja, y una larguísima piel de majá que debió de parecer portentosa a quienes sólo hubiesen visto, en materia de sierpes, alguna viborilla de dos cuartas... Pero, precisamente, cuando en un *show* andaba pensando, se me llenó el piso de alborotosas muchachas norteamericanas —o eso parecían— que, ocupando los corredores y el deambulatorio de la rotonda, abrieron maletas y empezaron a desvestirse con total despreocupación de que alguien pudiese mirarlas. Al punto, el lugar se transformó en un tras-escenario del *Ziegfield-Follies* (o, al menos, así me lo imaginaba yo), de *Burlesque* newyorquino, con esta caída general de faldas y blusas, aparición de ajustadores, tremolina de muslos y alguna nalga entrevista en el ajetreo de las carnes en busca de sus galas profesionales. Pronto, unos pantalones a lo húsar se subieron a las piernas, los torsos se vistieron de túnicas alamaradas; sobre las cabezas rubias, pelirrojas, platinadas, se instalaron gorros blancos de imitación-zibelina, y, con largas bufandas de seda al cuello, tan polares como sudorosas en esta primavera con alientos de horno, bajaron las hembras, patines al hombro, por la gran escalera de honor, en seguimiento de una Capitana repintada, veterana del oficio, *majorette* pasada a entrenadora, cuyas órdenes y voces de mando eran las de una dura e implacable madre abadesa, militar y lesbiana... Pero, en eso, sonó el Himno Nacional, y, tras de la inmovilidad de rigor, fue el alboroto, el atropellamiento, la turbamulta. Entraba el General Gerardo Machado y Morales, seguido de dos ayudantes militares, guiado por mi tía que, con gestos autoritarios, casi irritados, trataba de apartar a quienes se arremolinaban en torno al Mandatario, en el empeño de tocarle la mano, de saludarlo, de recibir la merced de una respuesta al saludo, de ser visto por él, de hacer oír el sonido de sus voces, de atraer su atención —de obtener, de él, la gracia de una mirada, de una sonrisa, de un gesto nimio que pudiese interpretarse como demostración de simpatía. Las mujeres, sobre todo, lo rodeaban, lo circundaban, se le lucían, se puteaban, apretando, en torno a quien encarnaba el Poder —hacedor de fortunas, repartidor de prebendas, dispensador de dignidades y favores— un cerco de rostros ofrecidos, de brazos desnudos, de cuellos alhajados. —"¡Vamos... Vamos... Que me van a ahogar a *Gerardito*!" —decía mi tía, con una familiaridad, un aparente irrespeto, una campechanería, que eran casi insolente afirmación de los poderes debidos a su fortuna y a su rango, ante quien, magnánimo para unos, podía ser tan terrible para otros como el bíblico Señor de las Batallas. En clamoreo de cumplidos y coro de adulancias —en gran rastreo de cortesanos admitidos a seguir un paseo de Luis XIV por los jardines de Versailles—, se hizo visitar la Place Pigalle al Presidente, que, riendo, acarició las ancas del borriquillo del Père Fredé, llevándosele luego hacia la piscina helada, cuyos reflectores y guirnaldas de bombillas se encendieron a un tiempo. Pasé a la otra ventana. Ahora estaba el Hombre (como lo llamábamos en la Universidad) sentado en una butaca azul —la de Place Pigalle era encarnada— puesta sobre un pedestal de tres escalones, colocada bajo una semi-esfera nevada que debía figurar algo así como la sección vertical —arquitectónica— de un iglú. La orquesta, venida del jardín, instalada en un estrado abrillantado por escarchas de marcasita, atacó el vals del *Danubio Azul*, y las diez y ocho patinadoras salieron a la pista, en medio de aplausos. Y fue el espectáculo de los deslizamientos, las raudas giraciones, los saltos, piruetas, pasos de dos, de tres, de cuatro, estrellas y figuras que, a pesar de lo consabidos, cobraban, en tal latitud, entre flamboyanes y palmeras, una maravillosa singularidad. "Gerardito", atendido por mi tía, sentada a su lado, aunque un poco más abajo —un escalón menos— parecía divertirse enormemente bajo la cúpula gelatinosa y navideña de su falsa vivienda esquimal... Pero yo estaba olvidado del espectáculo. Apagada la luz de mi cuarto miraba, entre persianas, la cara de quien había ordenado prisiones y muertes, asesinatos nocturnos, torturas de amigos míos, ahorcamientos de campesinos, eliminación de hombres cuyos brazos —identificados por las mancuernas de las camisas— habían aparecido en los vientres de tiburones vaciados por pescadores que hacían el comercio de sus pieles y aletas en las caletas del puerto. Ahí tenía, a pocos metros de mí, a quien hubiese hecho derribar a balazos, en México, no hacía tanto tiempo, al recio, al magnífico Julio Antonio Mella —el hombre que me había dado una conciencia de mí mismo, que *me había enseñado a pensar por cuenta propia,* cosa bastante difícil cuando se ha nacido en un medio como el mío, donde nadie se topa con la Dificultad, con la Contingencia, con lo que ocurre más allá del lindero de sus pertenencias; donde se tiene por noción fundamental que toda Idea ajena a la Idea de poseer no es Idea válida; donde se cree que sólo son reales y útiles los acontecimientos que actúan en nuestro provecho, dentro de un ámbito que eliminaba del globo, borraba, excluía de los mapas, todos aquellos países donde no perdurara una "élite mundana", historiada y mitologizada por una prensa, como la que contemplaba yo esta noche... De repente, me vino una decisión —una de esas decisiones compulsivas que ni se razonan ni se contemplan en su posibilidad de implicaciones. Fui a la habitación de mi tía. Abrí la gaveta del velador. Ahí estaba el pequeño revólver con culata de madreperla, comprado hacía años en la armería de Gastinne et Rainette, en París, con la pueril idea de que, sin saber apretar el gatillo, aquella joya para cartera de señora, podría "defenderla" alguna vez, ante supuestos ladrones. Era joya para cartera de señora, ciertamente, y hasta con incrustaciones de oro, pero disparaba. Había seis balas, de muy pequeño calibre, en barrilete-miniatura. Seis diminutos plomos pero que, bien apuntados y disparados a una pechera almidonada... Abajo, en la pista, patinando en compás militar, las rubias de Mayami marcaban el paso de la *Marcha de los soldaditos de plomo* tocada por trompetas en sordina... El cañón de la pistola estaba bien asentado en una persiana puesta en justa inclinación. Primero, centrar la mira hacia los ojos, claramente delimitados por los espejuelos con aros de carey. Pero el Hombre mueve demasiado la cabeza, riendo, comentando, aplaudiendo. Y yo soy mal tirador. Bajar el cañón hasta tenerlo perfectamente dirigido al óvalo blanco de la camisa. Un poco más alto. No. Por el contrario. Buscar la media distancia entre el lazo negro de la corbata y la entalladura triangular del chaleco. Ahí. Ya está. Quitar el seguro. ¿Disparará esta porquería? ¿La habrán aceitado alguna vez?... Por lo menos saldrán tres de las seis balas. Creo, mi hermano, que ha llegado el momento. Comprueba bien la puntería. Afinca tu mano derecha en el antebrazo izquierdo. Ya... Pero hay un estruendo abajo. Tras de un crujido enorme, como de tronco rajado por un gigantesco hachazo, como de desplome de un andamio, de una techumbre de madera, es la confusión y es la turbamulta. Todo el mundo se levanta y corre. El Presidente ha salido de mi campo de visión. Algo tremendo ha pasado. No sé. No entiendo. Porque la gente clamante y gesticulante que abajo se agita no parece asustada por lo sucedido. Casi todos ríen —sobre todo las mujeres. Inclino las persianas: el hielo de la pista se ha roto de punta a punta, por el centro, dividido ahora por una grieta, una hendedura verdosa que se fragmenta en pedazos menores, entre los cuales chapalean las patinadoras, gritando y pidiendo ayuda —sobre todo aquellas que cayeron en la parte honda de la piscina, junto al trampolín, y son arrastradas hacia abajo por el peso de sus botas montadas en cuchillas de acero. Pero van subiendo, una tras otra, sacadas por los camareros, los músicos, los invitados, mientras la Madre Abadesa del chacó encarnado se desgañita y vocea, yendo de una orilla a la otra del catastrófico deshielo... Furioso conmigo mismo por haber perdido tanto tiempo en apuntar —¡si hubiese disparado, siquiera, quince segundos antes!—, me guardo el revólver en un bolsillo. Ahora Machado se me perderá en una multitud que, no teniendo nada que hacer en torno a la piscina, regresa a la Place Pigalle. Meto nuevamente el arma en la mesa del velador de mi tía —justo a tiempo, pues las patinadoras, despintadas, chorreantes, tiritantes, ya invaden el piso, clamando por un wisky que Cristina, Leonarda y Venancio les traen de a dos botellas en cada mano. Y sin reparar siquiera en mi presencia discreta —harto discreta, ocultándome detrás de una columna pues me agrada el espectáculo— empiezan a quitarse las ropas mojadas a todo lo largo del corredor y en el deambulatorio de la rotonda, quedando desnudas las diez y ocho mujeres en un gran revuelo de toallas y paños de felpa —puestos los ajustadores y pantaloncillos en espaldares de sillas y butacas. Nunca pensé, a la verdad, que la mansión de mi ilustre tía pudiese ofrecer, alguna vez, un tal aspecto de burdel. Esto es muy superior, en calidad de exhibición, al interesante momento en que Madame Lulú, la de Blanco 20, o Madame Marthe, la de Economía 54, procedían a la presentación de sus pupilas, al grito de *"Toutes ces dames au salon"*. Pero, ahora, era la voz de mi tía la que, en tono enfurecido, sonaba detrás de mí: "¿Te has creído que estás en un *bayú*? ¡Te dije, coño, que no salieras de tu cuarto!. . ." —"¿Y *el Hombre*?" —"Acaba de irse. Está encantado. Dice que este desastre fue lo mejor de la fiesta". —"¿A quién carajo se le ocurrió esto de helar una piscina, en La Habana, en pleno mes de mayo?". . . —"Yo no soy de las que reúnen a sus amigos para aplaudir a un fakir de merienda infantil. Cuando estuve en Buenos Aires, el año pasado, Dorita de Alvear, una noche, hizo bailar todo el cuerpo de ballet del *Teatro Colón*, en sus jardines de Palermo, con orquesta sinfónica completa, para treinta invitados. . . Se es o no se es". . . Volví a mi cuarto con una inmensa tristeza, rumiando mi despecho por el acto fallido, sintiéndome doblemente cobarde por haber aceptado la idea de subir a un transatlántico, dentro de unas horas, gozando de un privilegio que ignoraban mis amigos, mis compañeros de la Universidad, que ahora estarían corriendo malos sueños en sus camastros de hierro y lona —*caballos*, los llamaban, porque solían abrirse repentinamente, encabritarse, por algún movimiento del durmiente, arrojándolo al piso. . .— en los calabozos de la Isla de Pinos. Si poco habían confiado en mí hasta ahora —ésa era la verdad— me verían, desde mañana, como el clásico hijo de familia amparado por Altas Influencias... Agarré mi botella de Bourbon y, gollete en boca, me bajé un larguísimo lamparazo tras de la nuez. En eso, con una bata de baño echada sobre los hombros que a cada paso se le abría sobre el frente, entró una de las patinadoras en mi cuarto, sin tocar, pidiéndome agua de Colonia para darse una fricción. Y como yo me brindara, aunque en broma, a darle la fricción deseada, tuve el grato asombro de verla acostarse boca abajo en mi cama, diciéndome que, para empezar, le restregara las espaldas —ofreciéndome el panorama de su lomo y de lo que más abajo se le redondeaba en valores simétricos. Para mejor efecto del tratamiento le llené un gran vaso de wisky que empezó a beber a sorbos cortos pero seguidos. Y ahora me presentaba un costado, apuntándose a las costillas. Y luego se volvió al otro lado. Y finalmente se volteó del todo, quedando boca arriba: "Los muslos... Las piernas..." —"¿Aquí también?" —dije, poniendo la mano en un vellón rubio, casi lacio, particularmente suave al tacto. —*"Oh, boy!"* —dijo ella, riendo: *"Give me another drink"*. Para ganar tiempo le di la botella, empezando a desnudarme con los gestos desacompasados, urgidos, rabiosos, de quien halla interminable la resistencia del nudo de la corbata, la proliferación de los botones, la rebeldía de la hebilla del cinturón, el pérfido nudo inventado por los cordones de zapatos... Pero en eso la puerta se abrió con estrépito. Y la Madre Abadesa me levantaba la hembra de la cama, sacándola del cuarto a bofetadas y empellones. —*"Ne la regrettez pas"* —me gritó en un francés acentuado a lo Quebec: *"Elle n'aime pas ça. Elle est gousse... comme moi"*... Decididamente, todo me salía mal esta noche. Bebí lo que quedaba del wisky y puse el despertador a las 6. Abajo, la orquesta tocaba *Mon Homme* de Maurice Yvain, haciendo subir hacia mí una letra evocadora de un mundo de truhanes y bravucones que a golpes quitaban a sus mujeres, dóciles y enamoradas, los dineros que se guardaban en las medias, luego de haberlo ganado —era el caso de decirlo— con el sudor de *su frente*... Me dormí pesadamente, descontento de mí, descontento de todo, de todos, de mi inutilidad, de mi familia, de mi apellido, de mi destino, en una de esas borracheras tristes que le dan a uno el deseo de cambiar de piel, la sensación de estar de más —de ser un intruso— en este planeta. Más tarde, en medio sueño, tuve la impresión de que llovía —de que sólo en los grandes salones de abajo, entre los Coromandeles, Madrazos y porcelanas rococós, proseguía el barullo de voces, de fiesta, aunque la música hubiese cesado. Volví a dormirme, hasta que sonó el despertador.

Y acabábame de vestir y cerrar mis maletas —una de ellas dejada tal y como la había traído de Santiago— cuando Venancio subió a avisarme que, abajo, me esperaba un caballero que, aunque muy correctamente vestido de dril crudo, tenía, en fin, no sé, ese aire de ser de la Secreta que tienen todos los de la Secreta, sobre todo cuando no quieren parecer gente de la Secreta... La tiesura del fámulo que me hubiese visto crecer, la lenta y trastabillada minucia con la cual escogía sus palabras, me revelaban que pretendía disimularme los revuelcos de una mona fenomenal. —"Déjate vivir" —le dije, riendo, para desencartonarlo: "¿Qué tal la pasaron en las cocinas y el traspatio?" —"Ay, caballero" —dijo el otro, llevándose las manos a las sienes: "No quiero ni recordarlo, porque...". Y mientras escogía algunos libros para llevar, oí, sin prestar mayor atención, el relato de una juerga ancilar donde, entre llevadas y traídas de bandejas, había peleado un pinche con el Chef francés porque el pinche decía que una música que tocaban era un chotis y el Chef sostenía que era algo que llamaban *museta*, o algo por el estilo, y que faltaba acordeón, y que la gente de aquí no sabía tocar el acordeón sino tambores de negros, porque aquí nadie sabía nada de nada, y hubo bofetadas y copas rotas, y el Chef acabó por perderse con la lavandera Asunta en el invernadero, donde yo los sorprendí, bajo las orquídeas de la Señora Condesa, haciendo, bueno, lo que se supone, pero lo escandaloso es que el Chef metía la mano en una lata de caviar, para... Bueno, que no puedo contarlo, pero le digo a usted, caballero, que esos franceses son unos degenerados... —"Cada cual se divierte a su manera" —dije .—"Pero con orden, caballero, con orden". Supe que, después de pasadas las cuatro, la fiesta había sido aguada por un turbión fuerte y cerrado —como de mayo al fin, tiempo de los mangos. Y ahora lloviznaba: —"Que saque el caballero la mano por la ventana para que vea"... Bajé al salón donde me esperaba el detective, ceremonioso y cortés —pobre tipo, hombre de vergajo y patadas, seguramente, cuando tenía que vérselas con estudiantes provincianos, alojados en malas casas de huéspedes, pero ahora obsequioso y sonriente, por especial recomendación de que se me tratase con deferencia. Fui a la cocina, donde Atilio, despojado de su disfraz de *Père Fredé,* entre torres de platos sucios, bandejas en el suelo, copas amontonadas en los fregaderos, botellas vacías, se afanaba en prepararme un desayuno de cereales y *jánanegsss* —como llamaba, estilizadamente, los huevos con jamón. —"Deja eso: dame un poco de café y una copa de coñac". Salí por la puerta del servicio con el ánimo de despedirme de los mastines de bronce, de la Venus Calipigia del teatro de verdura, del jardín, de la piscina —de un nardo campesino que se había colado, como de contrabando, en lujosa platabanda— unidos a tantísimos recuerdos de infancia. Pero ahí sólo me esperaba un panorama de revueltos escombros, semejante a los que, tras de sí, deja la feria que en la noche desarmó sus carruseles, circos y barracas de tiro. En el claror naciente de un día nublado, todo respiraba suciedad, lodo, agonía de lo inútil; bajo un cielo de indecisas tonalidades, los céspedes eran un muladar de cartones mojados, de serpentinas muertas, de trastos descoloridos, entre lechadas de cal que, sobre charcos, se arrugaban como nata. De todo ello se desprendía una enorme tristeza: tristeza parecida a la del dancing amanecido, aún aneblado por los humos fríos del tabaco de ayer, con los ceniceros sin vaciar, las copas a medio beber dejadas sobre el bar, y la guardera del retrete que, con cubos de agua, se esfuerza por limpiar sus urinarios obstruidos por una espesa infusión de colillas. Y lo que se veía ahora, entre palmeras goteantes, flores encogidas, flamboyanes apagados, era un decorado de miserias: miseria de aquel *Lapin Agile* de enchapado, ya no marrón sino azafrán, con el falso tejado hundido por la lluvia; miseria de las negruras del *Cabaret du Néant* derretidas por el agua, corridas sobre el césped, en colada bituminosa que alcanzaba los canteros de la rosaleda; miseria de la enseña del *Chat Noir* que, tumbada por el viento, yacía en tierra marcada de tacones; miseria del *Moulin Rouge,* de *Le*

Ciel et l'Enfer, de los que sólo quedaban andrajos, telas laceradas, harapos, colgados de efímeros puntales, armazones febles, arquitecturas de listones, todo bamboleante y alicaído, entre vegetaciones manchadas de encarnado, amarillo, azul, grisblanco. Agonizaban los céspedes de tanta trementina tragada. Sobre el agua verdosa de la piscina flotaban trozos de papel, servilletas, un periódico abierto, tapones de corcho, una gasa higiénica con la roja huella de su uso, una damajuana de *Dom Perignon* que, flotando horizontalmente, con medio cuello de fuera, no acababa de hundirse. Y todo, entre restos informes de adornos, guirnaldas, claveles marchitos, alegorías y oropeles de cotillón... Me veía ante un cuadro de ruinas: pero no de altas ruinas de las que evocan la senectud de una cultura, la decadencia de una religión, la muerte de Dioses; ruinas que eran las de una verbena en derrota, de tarantines tumbados por una ventolera, de mascarada disuelta a palos, de juerga trasnochada, de carpa caída sobre el serrín de una pista abandonada por sus funámbulos y malabaristas. Y, con todo ello, ese olor a cola, a estraza mojada, a yute podrido —yute a veces bamboleante, mecido, colgante arriba, sobre un suelo embebido de bermellones, salpicaduras, relentes de licores a tiempo botados por quien se sintió harto de beber. Lúgubre, fatídicamente agorero, anunciador de desastres, se me hizo aquella visión de teatro en quiebra, de telones acuchillados, de bambalinas irrisorias, cuando, a las 7, acompañado de mi detective (y acababa de decirme: "No se dé por enterado. Pero soy *detective*... Para el caso, un amigo que va a despedirlo"...), abandoné aquella sólida y hermosa mansión de la Calle Mayor —la 17— donde, entre juegos, nataciones, bailes y risas de muchachas casaderas y ofrecidas (que harto sabían, por cierto, que un matrimonio conmigo no las condenaría a la pobreza) había transcurrido mi despreocupada adolescencia.

4

No sé por qué me acordé repentinamente de que era mujer, y, pensando en quien ahora me hablaba y acaso al mirarme me hallaba horrenda, traté, con gestos cortos que poco remediaban, de arreglarme una cabeza que traía despeinada desde París. Saqué de mi cartera un creyón de labios que, en fin de cuentas, no me resolví a hacer salir de su cápsula dorada porque, para usarlo, hubiese tenido que hacer feas muecas ante un espejillo. (Aunque mi trabajo, mi vocación, mi oficio, era el de estar a ras del suelo, atenta al metrónomo, al ritmo machacón y falso del pianista de ensayos, y a las voces de: 1 y 2 y 3, 1 yyý 2 yyyý 3, yyyyý 4... del maestro de baile, era una *intelectual* y las intelectuales no han de pensar en creyones de labios, arreboles, y otros atufos de mujercillas frívolas y burguesas, de las de bridge, mah-jong y canasta...). La hora. Pienso, de pronto, en la hora, porque mañana... Pero no: contrariándose con ello los hábitos noctámbulos del español, en estos tiempos de guerra, las funciones teatrales —en la Valencia donde estábamos, al menos— empezaban temprano. Así, el telón de *Mariana Pineda* había caído, en sus luces anaranjadas, bastante antes de la medianoche. Y cuando el cubano hubo terminado de contarme atropelladamente, en narración viva y presurosa, acompañada de ilustraciones gestuales y onomatopéyicas —manera suya de hablar a cuyo ritmo me había acostumbrado muy pronto— la cómica historia de un atentado fallido y de un deshielo tropical, apenas si las agujas de un reloj de pared, colgado sobre los barriles y odres de la taberna, acababan de juntarse en la cifra *XII* que romanamente señoreaba su esfera. —"¿Tiene usted sueño?" —preguntó mi compañero. —"No" —le dije, por temor a la soledad de varias horas —en insomnio, acaso— que me esperaba en la fría posada de paredes encaladas, con cama estrecha y reclinatorio a modo de silla donde sólo era permitido prender la luz eléctrica (bombilla única, colgada de su hilo...) con las ventanas cerradas —y grande era el calor aquella noche. Aquí, acaso, había más calor aún;

pero me sentía rodeada de presencias humanas, de gentes que, en caso de nuevo bombardeo aéreo —aunque me hubiesen asegurado que nunca se producía más de uno en una noche—, me dirían lo que había de hacerse: si bajar a un sótano, si tirarme en un zaguán, si arrimarme a una pared, si echarme, de bruces, en el piso... Y ya el otro, con la rapidez de elocución que debía ser propia de los de su latitud, me devuelve a la casa aquella donde, una noche, tantas cosas hubiesen cambiado para él —casa de la que pretendía huir, y, sin embargo, le pegaba al cuerpo, como a Gogol la Rusia que, cuando estaba en Roma, le llenaba todo Roma con sus "almas muertas"...

/...la rusa esta no entiende un carajo de lo que le digo; se ríe de mis gesticulaciones, de mis exuberancias verbales, pero me escucha. Y eso es lo que me importa, pues, esta noche en que la herida sólo me duele de modo intermitente, en regreso y alejamiento de punzadas, tengo ganas de hablar, de repasar mentalmente las peripecias de una aventura interior que me tuvo, durante largos años, viviendo en angustioso clima de dilemas... El espíritu de una casa crea una ecología y hasta sabe imponer sus leyes. Y mi tía, al regreso de sus acostumbrados viajes a Madrid, se traía cuadros que, colgados en galerías y salones, representaban la mejor pintura de nuestro tiempo —en todo caso: la más *estimada*, la más *apreciada*, pensaba ella. Así, convivían con nosotros los picadores y toreros de Zuloaga, los pescadores mediterráneos de Sorolla, los *Amantes de Teruel* de Muñoz Degráin, las embutanadas andaluzas de Romero de Torres, los remeros vascos, con bodegón en mesa, de los Hermanos Zubiaurre, bien alabados, estos últimos, y bien enterado de ello estaba mi tía, por Don José Ortega y Gasset —de quien nada había leído ella, pero cuyo nombre solía largar en comidas mundanas, como el de una Autoridad Irrebatible en cualquier materia, aunque a menudo le atribuyera pensamientos de su propia cosecha que, a lo mejor, procedían, a su vez, de *La vida comienza mañana* de Guido da Verona o de las viejas *Lettres à Françoise Maman* de Marcel Prévost. Cierto día, José Antonio, un compañero de estudios muy atraído por las artes plásticas, y que a ratos dibujaba con suma habilidad, atreviéndose ya con la "gouache"...), al ser traído por mí a la casa, había resumido su impresión ante aquella gran pintura española con un "¡Qué mierda!", cuyo eco giró por tres veces en el alto deambulatorio de la rotonda. Hacía tiempo que me barruntaba yo que esas majas, esos gitanos, esos versolaris de boina, con paisajes de Ondarroa, murallas abulenses, horizontes castellanos, tenían algo inauténtico, a pesar del virtuosismo innegable pero evidentemente superficial de su factura. —"¿Qué quieres?" —había yo respondido a José Antonio: "La Señora es rica; pero su fortuna no llega a *Las meninas* o al *Entierro del Conde de Orgaz*". —"¡Carajo! ¡Pero que no haya un Picasso, un Juan Gris, en esta casa!"... Mi desconocimiento de tales nombres me valió el préstamo de veinte y tantos números de una revista francesa —ya no muy reciente—, *L'Esprit Nouveau,* donde, en páginas impresas a color o en negro, se mostraban las reproducciones de cuadros desprovistos, para mí, de todo sentido. Líneas, manchas, superficies planas, formas sueltas o imbricadas, pedazos de papel, de tela, pegados sobre entrecruzamientos de trazos que eran como rejas de asimétricos barrotes; a veces, alguna remota alusión plástica a una fruta, una botella, un instrumento musical; a veces un asomo de cara, difuminada, torcida, como hincada de cuñas —todo desprovisto de significado, de asunto, y peor aún cuando se alcanzaba a la geometría ascética y huera, superficie sin contenido ni discurso, de un indignante "artista" que fabricaba sus "obras" a regla, escuadra y cartabón, encerrando, entre rayas negras, unos rectángulos de color tan uniformes y planos que parecían conseguidos con pintura destinada a usos industriales... —"¿Ya vas entendiendo?" —preguntaba José Antonio: "¿O sigues admirando a tus manolas y gaiteros, callejones sevillanos, morriñas gallegas, y postales zaragozanas de la Basílica del Pilar?" No. Era cierto. Algo se iba moviendo en mí. Las gentes que vivían en los cuadros de mi tía se me hacían cada día más ajenas; nada tenían que ver conmigo; eran intrusos metidos en mi casa. Me molestaban sus miradas suficientes y colonizadoras, sus intentos en constituirse en Consejo de Familia, en Permanencia de Ancestros, cuando los mismos giros de su lenguaje, su uso de los verbos, su acento, su estela, nos estaban resultando —y más en este siglo harto poblado de acontecimientos y mutaciones— tan extraños, tan exóticos, como el anacrónico tipicismo de sus atuendos. Repentinamente, me había cansado de tantos madroños, peinetas, monteras, capas y embozos, puestos en marcos excesivamente anchos y dorados. De buenas ganas hubiese entregado todas esas pinturas de Zuloaga, de los Hermanos Zubiaurre, tan alabadas por Don José Ortega y Gasset, a los camiones del aseo urbano que, cada mañana, recogían las basuras de gentes ricas en las puertas traseras de sus mansiones... Pero... ¿qué hubiese puesto yo en su lugar? No podía pensar en las incoherencias, las extravagancias, que me mostraban las páginas de *L'Esprit Nouveau.* ¡Claro estaba que si hubiese podido cambiar todo esto por un Greco, un Holbein, un Leonardo!... —"Acabas de acercarte a la verdad" —me dijo José Antonio, el día que le mencioné a Leonardo: "En su Tratado de la Pintura...". Y me hizo leer el Capítulo XVI del *Tratado*: *"Si contempla usted alguna vieja muralla cubierta de polvo, o las extrañas figuras de ciertas piedras jaspeadas, verá en ellas unas cosas muy semejantes a lo que entra en la composición de los cuadros: como paisajes, batallas, nubes, actitudes desafiantes, expresiones de cabezas extraordinarias, drapeados, y muchas cosas semejantes"*... —"Bueno: pero ahí lo que se busca es el paisaje, la nube, las caras, los drapeados..." —"No busques las nubes, ni los paisajes, ni los drapeados, y quédate con la vieja muralla y la piedra jaspeada —valores plásticos en sí. Cúrate de la manía de buscar un asunto —una historieta, una anécdota, un testimonio— en la pintura. Conténtate con lo que se vea, y con la quieta satisfacción que te procura el goce de una armonía de líneas, de un equilibrio de colores, de una serena —o atormentada— combinación de texturas, de intensidades, de valores, de tensiones. Mira un cuadro como se escucha una sonata clásica —sin buscarle cinco pies a la sonata ni preguntar por los amores o jodederas del músico. Nada hay menos erótico que la *Appassionata* de Beethoven. Ahí, la palabra *Appassionata* no viene sino a ser un índice de tensión. Al hablar de "pasión", Beethoven quiso decir "vehemencia" —vehemencia dentro de un discurso tan rigurosamente llevado como una demostración matemática. Lo importante, para Beethoven, era situarse en *un clima sono-*

ro. Nada más. Lo mismo que hace ese holandés que tan intolerable te parece —resueltamente desnudo, limpio, moderador consciente de toda puñetería anecdótica— que se llama Mondrian. Olvídate del asunto y mira la pintura. Reza, aunque no tengas fe —como aconsejaba Pascal. Todo llegará a su hora"... Y, una mañana, se produjo el milagro: una naturaleza muerta de Picasso, y luego otra de Juan Gris, y luego otra, de Braque, *empezaron a hablarme,* me entraban por los ojos y resonaban en mí. Entendí lo que habían querido lograr. Fui al jardín, donde miré los árboles con ojos nuevos. El árbol era un árbol y como árbol había de ser contemplado, olvidándose que, en ciertos casos, podía cumplir con una función de adorno. El árbol, visto como *adorno,* falseaba las nociones fundamentales del hombre. El árbol era árbol, y como árbol debía mirarse, entendiéndose que la arquitectura de sus ramazones respondía a ritmos, voliciones raigales, designios telúricos, contextos, que colmaban plenamente el ámbito de su propio desarrollo —como los *desarrollos* de la sonata beethoveniana invocada por José Antonio, cuyas reflexiones se estaban traduciendo, por cierto, en pequeños cuadros un tanto abstractos, de un estilo muy personal, aunque "todavía muy faltos de oficio", según lo reconocía él mismo... Aligerado de malos hábitos visuales, mi vida se aligeró de gente extraña, indiscreta, fisgona, colgante de paredes que se me tornaban cada vez más ajenas. Y, llevado por una pasión nueva —sed de austeridad, sed de ascetismo—, luego de renegar de flamenquerías y tauromaquias, me fui, en una mañana, al bando contrario, renegando también de Anunciaciones, Adoraciones de Magos, Bodas de Caná, retratos de Meninas, y hasta de Rendiciones de Breda, con su gran seguimiento de escenografías históricas que habrían de conducirnos (¡anti-pintura! ¡cosa de lente, trípode, fuelle y perilla de caucho!) a las escenas famosas de Bonaparte en el Puente de Arcola, o visto en la Retirada de Rusia, con el bicornio alicaído, la mirada sombría, y, desde luego, la inevitable mano metida en el inevitable chaleco, sobre el lomo de un caballo que —*¡of course!*— había de ser blanco... Buscando un antídoto contra la mierda —ésa era la palabra— que se acumulaba en casa de mi tía, me alimentaba, como en hambre atrasada, con las manzanas de

Cézanne, alguna legumbre de Chardin, una anguila de bodegón neerlandés, y lo que podía hallar, desde luego, en los fruteros de Picasso, Braque y Gris... Creo que ése fue el momento en que empecé a aborrecer la mansión de la Calle 17, sus pompas y vanidades —aunque sin desdeñar, por ello, la buena marca de los licores servidos, las galantinas del Chef francés, y el criollo salero de mis primas y de sus amigas que, por muy blanca que fuese su tez, por muy españoles que sonaran sus apellidos, tenían siempre, a la hora de correr y retozar en torno a la piscina, un enervante ardor de mulatas, alardosas de formas y turgencias prematuras que sólo lograban a alcanzar, muy tardíamente, las "*jeunes filles en fleur*" del famoso novelista francés a quien mi tía se jactaba de haber leído (por presumir de leída ante gente que nunca leía nada de nada...), aunque yo supiera que jamás había pasado del episodio de la magdalena mojada en una taza de té ("¡y cómo jode este hombre con la magdalena esa!" —le había yo oído exclamar un día, luego de agarrar el libro por vigésima vez, sin ánimo de seguir adelante...)... Las gentes de la carretilla y del pregón, del billete de lotería y del tendido eléctrico que entre los barrotes de altas rejas —o desde lo alto de los postes del alumbrado— miraban lo que en los jardines de la casa sucedía, veían en nuestros lujos y despilfarros, en la Hispano-Suiza detenida al pie de la escalinata de honor, en las cajas de flores que a todas horas nos llegaban, una estampa, puesta al día, de lo que hubiese podido ser el Paraíso Terrenal. Pero yo sólo sabía que era ya, de hecho y por propia voluntad, un expulsado de ese Paraíso. Mordida la manzana de Cézanne, crucé el Mar Rojo de la Calle 25, donde eran casi cotidianas las turbamultas estudiantiles y —para gran despecho de la Señora Condesa, deseosa de hacerme un oxfordiano o un harvardiano—, ingresé en nuestra "Universidad de negros" (como decía ella) para estudiar arquitectura. Allí se hablaba de cosas que parecían ignoradas por los de mi casta. Conocí hombres nuevos, distintos; hombres que abrían puertas, que despejaban caminos. Empezaba a mudar de carácter como, a los trece años, había mudado de voz, pasando de un atiplado casi femenino a una tessitura de bajo cantante. Me mostraba aburrido en las recepciones, taciturno en las comidas de etiqueta, hosco con los grandes muftíes del Negocio, distraído ante los shamanes de la Bolsa, olvidado de aniversarios, santos y cumplidos, alardeando de estar cansado cuando aquí se bailaba —cultivando una suerte de hamletismo que me libraba de compromisos mundanos y obligaciones hueras. —"Es un artista" —decían los del azúcar y la ferretería, observando lo que llamaban "mis rarezas". —"¡Ni que Dios lo quiera!" —exclamaba mi tía, santiguándose: "Todos los artistas mueren en el Hospital". —"Estás perdiendo el estilo" —me decía luego, cuando estábamos a solas. Y creo que, por lo mismo que estaba perdiendo el estilo exigido a quienes pretendieran vivir en el palacio de la Calle 17, entre los Julio Lobo y los Gómez Mena, tomé con repentina alegría, aquella mañana, el auto de alquiler que, en compañía de mi custodio, hubiera de llevarme al Muelle de Caballerías, de donde, dentro de dos horas, zarparía el *Reina María Cristina* para Campeche y Veracruz.

5

Atrás quedaron un día, pues, las ocurrencias de jardinero caribe —anti-Le Nôtre, anti-Schönbrunn...— de mis islas femeninas, casi todas de nombres femeninos, Isabelas y Fernandinas, donde aún crecen a su antojo, ajenas a toda ordenación o simetría, esas enormes hierbas prehistóricas que son la palma real, la caña brava, la ceiba, el plátano, últimos restos de un mundo donde lo vegetal y lo acuático, lo inmerso y lo volante, el reptil y el ave, se confundían en la simbiosis de monstruos híbridos, lagartos monumentales, esbozos de cóndores, murciélagos demasiado grandes para volar realmente, serpientes angustiadas por no saber —de tan largas como eran— dónde empezaban ni dónde acababan, ni si esas torpes muletas que llevaban bajo el vientre servían para andar por tierra, indecisas entre el nadar, reptar o caminar; atrás quedaron mis islas indolentes y barrocas, de vegetaciones anteriores al hombre, o, por el contrario, acomodadas al itinerante oportunismo de una caña de azúcar —algo bambú, pero con dinero en los canutos— venida de unas Indias que no eran occidentales, de un café descubierto el día en que los turcos, aburridos de beber café en el asedio de Viena, abandonaron unos sacos en la retirada... De lo verde revuelto, tropical y desordenado, voluptuoso y alentador de perezas, siestas y canciones, pasaba yo, en este amanecer cuyas luces primeras me hacían salir a la plataforma del vagón, al mundo esculpido, tallado, geometrizado, del altiplano del Anáhuac. Porque lo que veía yo dibujarse, definirse, afirmarse, en un tan universal silencio que llegaba a asordinar, a minimizar, el traqueteo del tren, acabando por hacerme olvidar su realidad, era un silencio tan vasto y telúrico, tan impuesto por las silenciosas formas que delimitaban el paisaje que, silencio sobre silencio, vencía, con su no-sonar, el crecimiento de todo ruido. Esas montañas que contemplaba yo eran Objetos: objetos que, en escala gigantesca, equivalían a los *ready-made* de Marcel Duchamp. Montañas-*ready-made* que, al quedar fijadas en el estilo final de un arrugamiento planetario, habían quedado allí, asidas de las manos, juntas pero no revueltas, hombro con hombro aunque separadas por la divisoria de quebradas medianeras, como monumentos cuyo secreto destino sólo conocían ellas mismas. Montañas-*ready-made*, montañas talladas por cinceles caídos del cielo; montañas de aristas geométricas, teoremas color de musgo, valores euclidianos traducidos a un idioma de rocas; el *Lo-que-queríamos-demostrar* hecho piedra y puesto entre nosotros, bajo la custodia de tres cimas nevadas —blancos puntos de referencia— que eran como vértices de las tallas ctónicas que reproducían, en distintas escalas, las arquitecturas de cartabones, de triángulos más o menos agudos —"más o menos", por cuanto sus cuestas fuesen más o menos empinadas. Este paisaje del altiplano mexicano me resultaba un paisaje *esculpido*, porque no solamente se me mostraban esculpidas las montañas sino también los magueyes que hasta sus faldas se alineaban, a veces, con lógica de líneas vectoriales, alzando su individualidad de plantas regidoras de la ordenación de sus propias hojas, de la administración de sus propias savias, con uniforme majestad de esculturas alineadas, cuyos brazos, de puntas a entronque, también —como las montañas— observaban relaciones precisas con la triangularidad horizontal y vertical de los ámbitos visibles... Ya estaba más que alzado el sol cuando, a mi derecha, aparecieron las pirámides de Teotihuacán —a las que conocía por fotos y grabados. Pero, ni me impresionaron, ni me parecieron pirámides debidas a la voluntad del hombre. Estaban de tal modo inscritas en un orden de formas; sus masas angulosas se asentaban con tal naturalidad entre las montañas-*ready-made* circundantes, que me parecieron engendros geométricos surgidos del suelo, engendros rigurosos y duros, concordantes con las voliciones profundas de un mundo —nuevo para mí— que me parecía organizado en volúmenes, combinado en sus elementos, dividido por sus más útiles vertientes, y con algo impasible, implacable, inexorable en su espíritu, cuando pensaba en las indulgencias, las indolencias, las curvas —las suaves lomas que por algo llamaban "tetas"— que había dejado atrás, a nivel de un Mar Caribe visto como "antesala del Nuevo Mundo" por los primeros que lo hubiesen navegado. Antesala donde había dormido, todavía, tres días antes, y ahora despertaba en el aire transparente y frío del altiplano, ante la tremebunda realidad de un continente que me acogía con volcanes en puerta, inmensos ujieres de bocas mudas, solemnes y helados, guardianes de enigmas que no eran tan sólo los que desasosegaban a los arqueólogos, sino que, bajando a mi nivel, y en la fecha de hoy, me rodeaban de arcanos en la mirada obscura de aquel cargador de huacales, en el hierático perfil de aquella vendedora de tunas, en la semejanza, en cuadratura y color, de veinte casas de adobe, como debidas a un tiro de dados que entre piedras negras hubiese caído, allí, en medio de un exiguo valle ofrecido a mi vista. Y todo me resultaba tan nuevo, tan desconocido, tan distinto de lo que hasta ahora hubiesen contemplado mis ojos, que, ante esta América de pronto dada a mi anhelo de entenderla, me sentía como el hombre consciente de su ignorancia en filosofía a quien, llevado ante los larguísimos estantes de una biblioteca filosófica, dijeran: "Empieza". ¿Por dónde empezar? ¿Por el comienzo? ¿Y dónde está el comienzo? ¿Dónde buscar el agua de Heráclito? ¿En el arroyuelo presocrático o en el brazo de mar hegeliano? ¿En el enunciado precursor, casi apólogo, célula primera pero ya explícita, o en el desarrollo monumental, en la expansión universal de una dialéctica arrolladora? Aquí, puede viajarse en dos sentidos. Remontar o descender las dos corrientes de un tiempo reversible... Porque igualmente en este México que, como Cortés, descubría yo por cuenta propia —tan Cortés como Cortés por la penetración de lo desconocido, por la revelación de cosas que me eran ignoradas— tenía, por vez primera en mi existencia, la impresión de vivir en un Tiempo Reversible. O, en todo caso, en un Hoy que si era Hoy para muchos, no era Hoy para todos. Convivían los días de un Calendario de piedra muy antigua y los días de los almanaques de papel traídos por el cartero. Había un latente y siempre activo enfrentamiento —aunque muchos no lo viesen— entre una Cosmogonía de Cinco Soles y una Creación en Siete Jornadas... Estas indias, que cargaban con cestas, cántaros y niños en los andenes de las estaciones que cruzaba nuestro tren... ¿eran mujeres del año que ahora transcurría, o mujeres de los años 1400, 1100, 800, 650, de nuestros cómputos gregorianos? ¿No estaban acaso más ligadas a sus Pirámides, a sus templos consagrados al culto de dioses de nombres impronunciables para mí, que al cemento de las fábricas que se alzaban allá, al cabo de los magueyes, alzando chimeneas cubiertas de letras negras —signos que ellas no entendían? ¿Son ellas o son los de mi raza, quienes están fuera de época? ¿Quiénes son, aquí, los Dioses auténticos? ¿Los del Copal o los del Incienso? ¿Los que aquí les bajaron del cielo, o los que les vinieron por el mar, traídos de países remotos? ¿Los que, desde un principio, hablaron el idioma de los Hombres del Maíz, o los que, nutridos de trigo y olivas, jamás quisieron aprender sus idiomas? ¿Los que nunca fueron discutidos ni controvertidos en sínodos y concilios, o los que padecieron cismas y herejías inimaginables para el mundo eclesiástico maya o azteca?... Hollaba yo por vez primera el suelo de la América Continental, y me sentía abrumado por una ignorancia tal de cuanto aquí existía en profundidad, que llegaba a sentir una vergüenza que calificaba —con aceptada grandilocuencia— de "vergüenza cósmica". Porque estas montañas, estos ujieres magníficos, otrora empenachados de fuego, lanzadores de lavas bullentes, no eran los únicos guardianes de relojes desajustados, de transcursos inconciliables, de tiempos des-sincronizados —contrapunto imposible de Siglos y Katunes—, de pasados recuperables o jamás perdidos... Allá, más allá de aquellas crestas, yendo hacia el Sur, siempre hacia el Sur, se me erguían otros Dioses, aún nebulosos y mudos para mi entendimiento, cargando con el peso de sus enormes mitologías —mitologías tan vastas y desmedidas como las selvas, los ríos, los páramos, las cumbres, por sus leyes regidas. Porque aquí no eran los Entes Celestiales gente de relicario ni de iconostasio, sino gente de constelaciones y galaxias, que, cuando creían necesario hacerse entender de nosotros, sabían usar un idioma de Portentos, Eclipses y Plagas —olvidado ya por quienes pretendían hacer convivir el silogismo con la revelación—, o simplificaban sus avisos, de repente, reduciéndolos a un giratorio lenguaje de huracanes y revoluciones, revoluciones que, dejando de ser las de algún astro en su órbita, o, en su sentido mecánico, "las vueltas de una pieza móvil alrededor de su eje", habían bajado al nivel de lo contingente y cotidiano.

Y ese cotidiano lenguaje de revoluciones, reducido

al mero término de *revolución* giraba en torno mío desde que, una mañana, me despertara en la transparente región del Anáhuac. No era nueva la palabra para mí, ya que yo venía de donde mucho la habían usado tantos amigos míos, hoy presos en la Isla de Pinos. Pero allá sólo la usaban unos pocos, todavía. En este México, en cambio, refugio de cuantos hombres hubiesen sido arrojados de sus países por las dictaduras de turno, la palabra "Revolución" me percutía en los oídos a todas horas, en tónica de acento andino, venezolano, guaraní, quechua o limeño, papamientoso o *créole,* pero sobre todo —¡sobre todo!— mexicano. Porque una larguísima revolución había pasado por aquí, y muchas heridas estaban aún sin cerrar —muchas paredes (lo había visto en Veracruz) ostentaban aún sus huellas de balas, viruelas de la metralla, y en muchas iglesias recién reabiertas al culto mostrábanse crucifijos retorcidos por el estallido de una bomba durante las recientes luchas libradas a los Cristeros. Y pronto, rodeado de jóvenes venidos de todos los extremos del continente, observaba yo cuán poderoso era el poder aglutinante de ciertas palabras, dichas ayer, dichas hoy, para establecer vínculos entre hombres que, de pronto, se veían las caras por vez primera. A fines del siglo XVIII, bastaba con que a un individuo se otorgara el título de "Filántropo" o de "Filósofo" para que, al punto, entrara a formar parte de una cofradía sin fronteras, que poseía sus criptografías, escondrijos, claves, guías, caminos secretos, albergues, para ayudarlo a socavar el orden establecido y burlar las policías de monarcas y déspotas. En nombre de *criollos* se habían hecho las independencias americanas, antes de que, apenas medio siglo después, el solo enunciado de *socialista* tuviese el poder de unir gentes de los más diversos oficios y procedencias —a menudo de muy diversos conceptos tácticos— en el santo y seña creado por cuatro sílabas nuevamente acopladas. "Soy librepensador", "Soy ateo" —decían, estrechándose manos repentinamente amigas, quienes, hacia los 1900, hubiesen abrazado la "Religión de la Ciencia", curados, por siempre, de achaques ontológicos... "*Revolucionario*", decíase ahora aquí, después de declinar nombre y apellido, como hubiese podido decirse "ingeniero", "matemático" o "doctor en derecho" —o como cuando un hombre, descendiente de Cruzados o de dignatarios carolingios, se presenta, eliminando el patronímico, bajo el solo nombre de "Bretaña", "Aquitania", o "Borbón-Parma". Pero ocurría que esto de ser —o de creerse— revolucionario, en este país, no era ficción. Aquí, la Revolución (acaso fallida, acaso más lograda de lo que se creía: había que esperar antes de emitir un juicio certero), después de hacerse carne en tierras bien embebidas de sangre —sangre de legítimos ancestros y sangre de intrusos— se había trepado a las paredes. Y, en esas paredes, revolucionariamente ocupadas por unos pintores, veía yo reaparecer, en superficies planas, las montañas-esculturas, los nopales-esculturas, los magueyes-esculturas, de un paisaje esculpido, donde la pirámide venía a ser una escultura más entre las infinitas esculturas que aquí habían tallado los Grandes Formadores de la Tierra. Y, en esos escenarios escultóricos que eran los frescos de José Clemente Orozco y Diego Rivera, se habían instalado los hombres-esculturas, las mujeres-esculturas, los niños-esculturas, de un remoto universo plasmado en las esculturas que escoltaban el gran Calendario Circular del Museo Nacional. Aquí, en estas gentes entregadas a guerras y fiestas, a danzas, trabajos, floralías, regocijos y ritos mortuorios, a quemas de Judas, bogas de chinampas, marchas de agraristas, labranzas, combates, mascaradas, alboroto de mercados aún semejantes a los que Bernal Díaz hubiese descrito en sus memorias, volvía yo a hallar los perfiles hieráticos, alargados, jamás llevados a la sonrisa, de los caballeros-águilas, príncipes, astrónomos, escribas y sacerdotes que esculpidos permanecían, desde hacía siglos, en las salas de su museo, en tanto que las hembras nacidas de pinceles, con sus caras vaciadas en moldes inmutables, con las colas de caballo que les colgaban del colodrillo, eran iguales a las mujeres-esculturas que historiaban los Códices de la Conquista —con la tiesura arcaica del huipil; con el drapeado tridimensional de los rebozos; iguales a las mujeres-esculturas que conmigo se cruzaban, venidas de algún pueblo cercano, en las calles de la ciudad... Todo ese mundo, dueño ya de villas y palacios cuando los abuelos nuestros vivían en bárbaros castillos de matacán y almena, había ocupado los edificios, ahora, al conjuro de la palabra *Revolución*... Yo no era insensible, desde luego, al sombrío, trágico, agónico vigor de José Clemente Orozco, ni a la insólita, descomunal, renacentista, potencia creadora de Diego Rivera. Sus frescos parecían decirnos, como los personajes del *Segundo Fausto*: "Acabamos de llegar... No nos preguntéis de dónde venimos; básteos saber que aquí estamos". Y, sin embargo, esa pintura me creaba un doloroso problema de conciencia. *Estaba ahí.* Respondía a una realidad. Era engendro lógico, legítimo, del suelo que pisaba yo ahora —que pisábamos todos, en este continente. Y ahora que acababa yo de *librarme del asunto;* ahora que, con tanto trabajo había yo llegado a entender que *una pintura no tiene por qué representar cosa alguna;* ahora que mi sensibilidad había conocido los gozos, las alegrías, de descubrir la belleza de una libre asociación de formas, de una armonía de colores, de líneas, de volúmenes, desprovistos de toda historieta, tenía que venirme al encuentro esta pintura altamente figurativa, narrativa, furiosamente significante, planteándome el problema de su legitimidad. Sin que él se percatara de mi presencia, miraba yo pintar a Diego Rivera, cada mañana, subido en sus andamios, de torso desnudo, pistola al cinto, triscando chile, mezclando sus colores en cubos y potes, enorme, truculento, fenomenal, y pensaba yo que este hombre había sido amigo de Picasso, de Braque, de Gris, que había sido cubista durante varios años, alabado por Apollinaire, famoso en Montparnasse, y que, habiendo dado un gran salto a lo desconocido, al universo mágico que Leonardo hubiese entrevisto en las nubes y paredes viejas, y también en la serena y universal belleza de las puras formas geométricas —poliedros y estrellas—, había regresado a este ámbito de lo resueltamente caracterizado, documental, historicista, con un espíritu que, si se miraba bien, no andaba lejos, a pesar de lo agigantado, del que hubiese inspirado las miniaturas del *Libro de horas* del Duque de Berry: desfile de trabajos y de días, repertorio de júbilos y labores, regidos por el ritmo de las estaciones en eterno transcurso... Acaso esto fuese necesario —y no lo negaba. Acaso respondía ese empeño a un deseo de *dar forma* —de poner *en formas*— de modo inteligible, el espíritu de un gran acontecimiento histórico que había devuelto al Indio algo de su personalidad perdida en la colisión de dos mundos —que era como decir: de dos planetas... Pero me rebelaba ante ello, sin dejar de admirarlo, aunque desde un punto de vista más debido al atractivo de lo pintoresco y documental que a una verdadera convicción plástica. Iba de duda en duda; de cavilación en cavilación. ¿Dónde estaba la verdad plástica de la época? ¿En *esto*, o en *aquello*? ¿En evadirse de la prisión de lo figurativo o en regresar a ella?... Claro estaba que había que contar con la Revolución, con la bendita Revolución, con la obsesionante *Revolución*, que ya estaba empezando a cansarme, a saturarme, de tanto como se hablaba de ella en México —y sin hallar que, a pesar de muchas conquistas evidentes, esa Revolución hubiese realizado trascendentales cambios, cambios profundos, en cuanto a las estructuras sociales puesto que si con ella el Indio había recuperado su prestigio, no por esto se había librado de una miseria harto generalizada en los campos y las ciudades... Con tales pensamientos y preguntas estaba yo instalando en mí el temible personaje goethiano de *La preocupación*: "*Aun cuando ningún oído me escuchara / igualmente sonarían mis palabras en tus entrañas. / Soy el compañero eternamente inquieto / al que siempre encontramos / aunque nunca lo busquemos, / a la vez acariciado y maldito...*"... Mi tía temerosa de verme regresar a Cuba, me colmaba de giros. Al encontrarme, una mañana, con tres mil dólares en el *National City Bank* —y recordando que el cambio estaba a casi cincuenta francos por dólar— tomé el camino de París, vía Tampico, pues quería evitar la escala habanera, inevitable entre Veracruz y Europa. Me marchaba con una vaga sensación de culpa: remordimiento, *preocupación*... Detrás, los Dioses del Continente me habían demostrado, con una crisis de conciencia, que la asignatura-América era una asignatura difícil. Sin llegar a ver la médula del árbol, me había ensangrentado las manos al tratar de arañarle la corteza.

6

La rusa me escucha, pero no estoy seguro de que entiende todo lo que esta noche traduzco en palabras que muy mal resumen imágenes, sensaciones, presencias, sacadas, como barajas barajadas, de los trasfondos del recuerdo. Porque, así como hay un tiempo-sonido y un tiempo-luz, hay también un tiempo-voz y un tiempo-idea. Cuando digo: *La Habana, México, París,* no paso del mero señalamiento de un lugar de acción. Pero cuando *pienso* La Habana, México, París, tras de la frente se me abre un gigantesco escenario que, en vertiginoso juego de tramoya, me trae actores, coros, semblantes, gestos, atuendos, ruidos, músicas, olores, sabores, perfumes, colores, edificios, iluminaciones, echándose todo a revivir, a rutilar, a subir o a ensombrecerse, en el instantáneo alboroto de una resurrección... La mujer para quien hablo esta noche (y hablo "hasta por los codos", como suele decirse, para desquitarme de largos, larguísimos días de inmovilidad y silencio en el hospital) ha tratado, probablemente, de imaginarse el México que le he nombrado, aunque comprendo que ese México, el mío, le es tan ininteligible —tan carente de corporeidad— como lo sería un Moscú que ella con palabras quisiera mostrarme en este momento. Mi México se quedó acaso, para ella, en la estampa de jaripeo, chinampas de Xochimilco, vista del Zócalo, mostradas por alguna postal, del mismo modo que *su* Moscú —si de él me hablara— no pasaría de ser, para mí, una imagen de la iglesia del Bienaventurado Basilio, con sus cúpulas periformes, listadas como caramelos de piñata... Sin embargo, la palabra *París* basta para situarnos en un mismo terreno. Ambos conocemos la ciudad; ambos la hemos vivido, y situados ahora, por un común recuerdo, ante el grupo escultórico de *La danza* de Carpeaux, empezamos a respirar un mismo aire. Pero breve será el compartido entendimiento. Porque somos dos en una misma ciudad. Y esa ciudad se hace dos ciudades, según el rumbo que toman las miradas guiadas por las preocupaciones de cada quien. Estamos en el atrio del Palacio de Garnier, ciertamente.

Pero ella mira hacia dentro, donde se está plantando un decorado, suena una orquesta, y se mueven las figuras, por ella conocidas, de Stravinsky, Prokofieff, Diaghilev, y Balanchine —sobre todo Balanchine, a quien tiene en altísima estimación como coreógrafo... Ella mira hacia dentro del edificio; yo miro hacia afuera, viendo gentes de una traza nueva para mí, y casas, muchas casas, que me resultan distintas de todas las que he conocido hasta ahora. Porque, aunque parezca raro, no es París, para mí, esa especie de "cuna a la que siempre se regresa por los universales caminos de la cultura", que nos pintaron tantos y tantos escritores latinoamericanos de comienzos de este siglo. Se dijo que aquí "nadie podía sentirse del todo forastero". Pero el hecho es que me sentía tremendamente forastero —todo ello me ocurría hace unos siete años— desde el momento en que el buque venido de América se hubiese inmovilizado en la escala de La Coruña —aunque mi abuelo hubiese nacido allí. Me sentía ajeno a un idioma hispánico que, además de ser tan mal hablado como lo era en Cuba o en México —¿y dónde se hablaba bien el "castellano" en el siglo XX, quisiera yo saber?— estaba marcado por un rocalloso acento que, en mi país, era inseparable de chascarrillos y sainetes nacidos en burla de cuanto nos viniese de una "madre patria" cuya maternidad se nos hacía cada vez más remota con el paso de las generaciones. Pero, si forastero me había sentido también ante los verde-lechuga y los verde-musgo de la Ría de Vigo, más forastero me encontré aún en un Saint-Nazaire, donde descubrí, con asombro de meteco tropical que, en carnicerías de color sangre, bajo doradas cabezas de caballo, se vendían costillas y solomos del animal que, en mi mundo, era visto, riendas en boca, bien apretado entre piernas de varón, como secular complemento de macheza —tanto que, en términos de habla popular, muchos decían "mi caballo", refiriéndose a la mujer amante y poseída... En París empecé, desde luego, a maravillarme ante todo lo maravilloso, yendo de Santo Lugar de la Fe a Santo Lugar de la Cultura, de Santo Lugar de la Poesía a Santo Lugar de la Revolución, en necesario, justo y ferviente peregrinar. Pero, después de mucho andar de gárgolas medioevales a entablamentos de Mansard, de la Place des Vosges —donde, por cierto, hallaba un no sé qué de arcada cubana, de soportal de Cuernavaca, con algo de tezontle mexicano en el color de la piedra— a la serena grandeza del Domo de los Inválidos, majestuosamente asentado en sus nobles y serenas columnas; después de ir de tumbas ilustres a campanarios de alta jerarquía, empecé, al azar de interminables caminatas, a descubrir lo que, de la ciudad, no se decía en guías ni Baedekers. Y entonces se me fue revelando una ciudad singular, ignorada —o no perceptible para un europeo nutrido de invariadas nociones—, cuyas extravagancias me llenaron de sorpresa. Para empezar, París era *La-Ciudad-de-los-Balcones-Desiertos*. Ninguna capital del mundo, creo yo, cargaba con tal peso de herrajes inútiles, puestos en balcones cortos, largos, corridos, esquineros, modestos, pomposos, clásicos, fantasiosos, alardosos, de buen estilo, de mal estilo, abiertos en entresuelos, o perdidos en pisos cimeros, o vecinos del asfalto, o difuminados por las brumas mañaneras, múltiples, tan incontables como lo eran las columnas de La Habana, con algo, según los casos, de cátedra, de púlpito, de estrado, de galería para asistir a un desfile real, a un cortejo de coronación, pero balcones al fin, balcones, balcones, más balcones, de Auteuil a Vincennes, de la Puerta de Clignancourt a la de Orléans, en torno a l'Étoile, frente al Élysée, a lo largo del Boulevard Saint-Michel, de la Avenue Kleber, proliferantes, vertiginosos, minúsculos o encumbrados, asimétricos o desgarbados, empinados, modestos o nuevorricos —balcones, balcones, más balcones, pero con la particularidad de que jamás, en estío como en invierno, dibujábase, tras de sus barandas, una forma humana. Me preguntaba para qué servían esos balcones, si nadie se asomaba a ellos. Había, sí, aquí, allá, arriba, abajo, una planta en tiesto, una siembra de geranios, un celestial cantero de flores, una mata friolenta; pero tales vegetaciones debían ser atendidas por jardineros-fantasmas o damas-duendes, puesto que nunca se hacía posible sorprenderlos en sus trabajos de tijerilla y regadera. Pero esa extravagancia de los balcones desiertos no era la única que advertía yo en una ciudad que encerraba verdaderos monstruos arquitectónicos, nacidos tras de los feroces desmontes y desbastes urbanísticos del Segundo Imperio y que revelaban, en ciertas edificaciones de comienzos de este siglo, un individualismo estético tan increíble, tan totalmente despreocupado de *lo que hubiese al lado*, que, en ochenta metros de una quieta calle del barrio de l'Étoile había visto yo con estupor, construidos de pared a pared, hombro con hombro, un palacio bizantino, un castillo a lo Chambord, un *hôtel particulier* de macarronadas novecentistas, una residencia gótica y una villa romana. Detrás, un remedo de la casa de Jacques Coeur se avecindaba con una morada evocadora de la Nueva Orléans, con columnas de hierro y rejas floreadas, *como edificadas por negros* cantores de spirituals. Había compañías de seguros alojadas en ciclópeas construcciones micenianas; había esquinas rematadas por altísimos domos, aun acrecidos por miradores condenados por siempre a la soledad, pues carecían de escaleras de acceso. Y había, sobre todo, una inmensa ciudad inútil, caótica, invisible, puesta sobre la ciudad, ciudad sobre ciudad, que, de repente, junto a las pétreas garitas, balaustradas, barroquismos cimeros, del Hotel Lutetia, en torno al art-nouveau del inmueble Berlitz, revelaba, a quien tuviese acceso a tales niveles, que allá arriba, entre mansardas, techos de color plomo y cuartos de criadas, toda una Pompeya ahumada y llovida se desplegaba, ignota, en medio de chimeneas de metal gris, semejantes a brazos de armaduras medioevales, conduciendo al puntiagudo capirucho astrológico de una torrecilla renacentista, muy cagada de palomas, que sólo conocían, por transitar sus vericuetos, los pizarreros y deshollinadores. Sobre sextos, séptimos pisos, allí donde en buhardillas hervía la sopa de coles en reverberos de alcohol, donde toda una miseria ancilar se ocultaba bajo mantas agujereadas o se ayuntaba en camastros de hierro, había escondidos Jardines Colgantes, terrazas, pasarelas, puentes, escalerillas al borde de patios abisales, foros enanos, cortijos normandos, nunca vista por la humanidad que abajo se afanaba entre los paraderos de autobuses y las entradas modern-style —"estilo comestible", lo llamaría alguien— de los trenes subterráneos donde el viajero era llevado de la Ceca de la Bastilla a la Meca de Notre-Dame, surgiendo a veces, atolondrado, de una estación BABYLONE, poco evocadora de un Orden Pitagórico que mucho reclamaban, sin embargo, en aquellos días, quienes, en nombre del Partenón y de su Serenidad, ejecutaban, en todas partes, sus noveleros Concertos para

Concretera y Bulldozer, con *obbligato* de perforadoras eléctricas: *"Grecia se continúa en la resultante numérica de un motor de aviación... Un sportsman, virgen de nociones artísticas y de toda erudición está más cerca del arte y de la poesía de hoy, que los intelectuales miopes que, etc., etc... Nuevos hechos de intensa alegría y jovialidad reclaman la alegría de los jóvenes de hoy: el estadio, el boxeo, el rugby, la gran ingeniería, los magníficos transatlánticos, el salón del automóvil y la aeronáutica, el cinema, el gramófono, la fotografía, la ciencia, la arquitectura nueva"*... Tales afirmaciones se contenían en un manifiesto catalán de 1928, llegado a Cuba poco antes de mi partida, cuyas firmas eran encabezadas por Salvador Dalí —manifiesto "puesto bajo la advocación" (sic) de Picasso, Jean Cocteau, Brancusi, Robert Desnos, Stravinsky, el católico Jacques Maritain, Ozenfant, defensor de un "purismo" ascético, y Le Corbusier, quien afirmaba aun que la casa no debía ser vista por el arquitecto sino como una *"machine à vivre"*. Mi tardío descubrimiento del cubismo, las prédicas de José Antonio, las teorías de compositores que proclamaban la necesidad de un "regreso a Bach", los llamados al orden, a la observancia del modulor y la Sección de Oro, el grito de "¡Chopin, a la silla eléctrica!", lanzado por los jóvenes "estridentistas" mexicanos, epígonos de los "ultraístas" madrileños, todas esas cosas me habían llevado a creer que me iba a encontrar con un Montparnasse —barrio dotado entonces de una mitología internacional— donde se alentara un culto a la geometría y la exactitud, el maquinismo, la velocidad, la disciplina, la creación en frío, entre los cálculos plásticos de un Mondrian, la pintura en blanco sobre blanco de Malevitch, una escultura reducida a esferas y poliedros, y, en música, un nuevo "Arte de la Fuga". La época era mecánica y dura, y el arte que de ella naciera había de responder a sus requerimientos, del mismo modo que las eras cristianas, en el pasado, nos habían dotado de mil Natividades, Huidas al Egipto, Crucifixiones, Danzas Macabras y Juicios Finales. Los siglos blandos, daban un Greuze, un Watteau; los años tormentosos producían un Goya. Los hombres de hoy, asombrados por el descubrimiento de realidades nuevas, debían renegar —era un principio fundamental— de todo Romanticismo, con sus prolongaciones en las misas laicas de Bayreuth y el hipertrofiado sinfonismo de un Mahler, hombre abominable. Éramos "modernos", y, como tales, debíamos detestar la sensiblería, la efusión, el pathos, el misterio.

Así pensaba yo, nutrido de informaciones que corrían por tierras americanas, y con tales ideas arribaba yo, muy seguro de mí mismo, al Montparnasse de los años 30... En el acto me interesé en saber dónde estaban, qué hacían, cómo vivían ciertos hombres que gozaban de gran prestigio en nuestras vanguardias literarias y artísticas. ¿Cocteau? —"Es un miserable" —me respondieron. ¿Ivan Goll? —"Un cretino". ¿Ozenfant? —"Pintor de botellas de leche". ¿Le Corbusier? —"Quiere hacernos vivir en cajas de zapatos"... Pero lo más imprevisible, lo más desconcertante para mí fue descubrir, un buen día, que había caído en un nuevo sturm-und-drang; que el Romanticismo había vuelto a instalarse entre nosotros, en círculos donde los términos de *inspiración, videncia, sueño, hipnosis, pasión, delirio poético,* cobraban una vigencia nueva: mundo de instintos liberados, de voliciones desatadas, de anhelo de tempestades, en total entrega a la emoción, al amor-mito, al sexo-mito, a la pulsión mitificante; mundo rehabilitador del numen, de la iluminación, del delirio adivinatorio, del estado profético, del verbo nacido de brotes subconscientes; exaltación del poeta-mago, del poeta-sibila, que había devuelto una perdida mayúscula a la palabra P o e t a. Aquí, el P o e t a, ora imprecatorio y clamoroso, ora sarcástico y sacrílego, ora cínico y cruel, o bien aplicado en desplazar, rebasar, traspasar, romper, las fronteras de lo imaginario, escuchaba, en espera de deslumbrantes revelaciones, de mensajes arcanos, las voces del Apocalipsis de Rimbaud y del Apocalipsis de Lautréamont. El Barco Ebrio navegaba, llevado y traído por nuevas tempestades, sobre el Viejo Océano de Ducasse. Nuevos clamores en Patmos eran los Cantos de Maldoror, donde el viejo Iaveh de las Escrituras se revolcaba, abominablemente borracho, en las resubidas del morapio bebido. En torno al P o e t a volvían a pintarse los fantásticos castillos renanos de Victor Hugo, con los espectros que habitaban sus arruinadas torres, en tanto que regresaban a escena las criaturas infernales, los peces maléficos, los huevos habitados por lémures, las diabólicas larvas, los aberrantes músicos de clarinetes hincados en el trasero, engendros de Jerónimo Bosco, pintor de tan espantables demonios, según afirmara Quevedo, *"porque no había visto ninguno"*. Y el P o e t a, nuevamente devuelto a sus funciones primordiales, nuevamente dotado de Poderes, deseoso de afincarse en una tradición, de buscarse antecedentes (como ocurre siempre que surge una vanguardia inesperada en literatura o en política...) había elegido sus clásicos: el Young de *Las noches,* el Lewis de *El monje,* Swift, con aquellas carnicerías suyas donde se ofrecían filetes, perniles, de niño; Alfred Jarry, supermacho y Doctor en Patafísica; Edgar Poe, vástago genial y aventajado de Sir Horace Walpole y Ann Radcliffe; el Marqués de Sade, Baudelaire, y un Raymond Roussel, desconocido para mí, cuyos extraños escritos se acompañaban de ilustraciones muy semejantes, en estilo y factura, a las que adornaban las primeras ediciones de Julio Verne. Y, en medio de todo ello, una Gran Voz que de lo profundo clamaba: "Lo maravilloso siempre es bello; todo lo maravilloso es bello; sólo lo maravilloso es bello". Y, con esto, la nueva mitología de Nadja, Gradiva, la *Femme 100 Têtes,* la Novia-desnudada-por-sus-propios-solteros, acompañadas por el Ave Loplop, el Elefante Cebbes, el caballo fantasma de Fuseli, en el inquietante misterio del "Palacio a las 4 en punto de la madrugada" de Giacometti —emparentadas todas con la Aurelia de Nerval y hasta con las criaturas rutilantes de pedrerías de un Gustave Moreau, cuyo olvidado y polvoriento museo se iba haciendo un lugar de peregrinaciones... Había caído —desconcertado... ¿y a qué negarlo?— en un nuevo Romanticismo, yo que de todo Romanticismo había renegado para siempre, por creer que, ajeno a las auténticas aspiraciones de la época, muerto para siempre era el Romanticismo. Salido de una detestable pintura figurativa —la de mi casa— me había curado en sanatorio de bodegones asépticos, purificándome de sensiblerías con cilicios y disciplinas cubistas, para toparme, en México, con una pintura que me había creado un problema de conciencia americana, antes de encontrarme con este imprevisto surrealismo cuyo envolvente y seguro poder de seducción empezaba a hacer mella en mi voluntad de creer en valores de muy distinta índole. —*"Nunca he podido entenderlo ni soportarlo"* —dice la rusa, ahora, a quien la palabra *surrealismo* parece sacar, repentinamente, de una modorra lúcida, poblada de imágenes interiores que, desde luego, no son las mías. —"Jean Claude decía siempre..." (recuerdo que Jean Claude se llama el herido a quien ella irá a ver, dentro de unas horas, a Benicassim)... "que en una época de terribles realidades, como la nuestra, era grotesco el intento de hallar remedios en lo imaginario". La huida hacia el mundo de los sueños era tan vana —decía él— como una huida en la inercia del quietismo, o la pasividad de ciertas filosofías orientales que, según Hegel, jamás se habían alzado al plano de una verdadera filosofía, permaneciendo en el campo elemental y gnómico de una sabiduría de proverbios, llamados al renunciamiento o normas de vida recta —que era lo mismo que decir *conformista*— agnóstica y resignada, de mirada puesta en el ombligo, reacia a cualquier lucha tenida, de antemano, por inútil... En eso estaban los surrealistas —pensaba Jean Claude a quien mucho debía amar la rusa esta para citarlo tanto: mujer eco, mujer reflejo, mujer espejo...—, quienes habían exaltado como nunca antes se hiciera los valores del *rêve*, del mundo onírico. Pero los relatos de sueños que ocupaban mucho espacio en los primeros números de sus revistas, habían ido desapareciendo de sus páginas, dejando paso a los sueños —cada vez menos auténticos— de los pintores empeñados en fijar fases de sueños en sus lienzos —falsos sueños, en fin de cuentas, sueños amañados, sueños inventados, por lo mismo que ninguna fase del sueño se deja agarrar y poner en marco como en marco se dejan encerrar e inmovilizar los marciales burgueses y síndicos de una "ronda nocturna" holandesa. Y es que lo vivido, lo sentido, lo contemplado, en sueños, es —como diríase en prosa de acta contractual— "estrictamente personal e intransferible". Jamás verá nadie, por mucho que se le describa, la morada sin puertas, el transeúnte enmascarado, la calle que gira sobre sí misma, el acantilado vertiginoso, los suelos movedizos, galerías infinitas, estupros delirantes, miedos, espantos, lujurias —la fornicación con un caracol, o con una lechuga, o con Marlene Dietrich, o con la vecina del sexto piso cuyas caderas nos rozaron, ayer, en el ascensor...— que pueden haberse sucedido en el transcurso de las involuntarias aventuras nocturnales corridas por otros... Acaso por lo mismo, cansados de perseguir fantasmas interiores, algunos surrealistas habían vuelto a poner los pies en la tierra, brutalmente, desertando las provincias del sueño para encararse con nuevas realidades, apremiantes y cotidianas, origen de mayores inquietudes que las que, al sonar el timbre del despertador, podían dejar las visiones de estatuas iracundas que hicieran gestos obscenos con el mármol de sus manos enguantadas de caucho —imposibles cirujanos, visitantes del alba... Y así como los músicos del momento empezaban a preguntarse angustiosamente, puestos ante nuevos problemas, si habían de hacerse atonalistas o neoclásicos, los poetas empezaron a preguntarse si no les había llegado la hora de ingresar en el Partido Comunista... Y, de pronto, la palabra *Revolución*, tan pronunciada ya en México, en Cuba, en todas las universidades de América Latina, empezó a sonar en un barrio de París cuyo nombre era, para espectadores lejanos, el de un lugar aglutinante y propicio a todas las ocurrencias más audaces del espíritu, pero donde, por lo mismo que ahí reinaba el *Espíritu*, quedaba desterrado el vulgar y detestable aguafiestas llamado *Política*. Pero ahora, lo *Político* se había hecho carne y habitaba entre nosotros... —"Y entonces empezó la agonía de Montparnasse" —dice la rusa que, evidentemente, era poco afecta a la política, aunque hubiese venido hasta aquí a sabiendas de que aquí llovían balas de plomo fundido en hormas políticas...— "Mero deber de orden sentimental" —dijo, adivinando mi pensamiento. Hubo una pausa. Las agujas del reloj de pared habían avanzado poco, a pesar de lo mucho pensado tras de lo rápidamente narrado. Y era ella, ahora, quien agarraba el discurso, con vehemencia un tanto agresiva: —"Cuando la política se instaló entre nosotros, muchos intelectuales se volvieron fanáticos, idiotas o simuladores". Y se dio a evocar una fauna nueva que, para decir la verdad, proliferaba sorprendentemente en el París de aquellos días en que esperaba yo, con ansiedad, la caída del tirano Machado para volver a mi país, el único lugar donde —fuera de toda presión de añoranzas que se me iban acreciendo en la lejanía— sentía yo que podía ser útil, hacerme *necesario* en algo. ¿En algo? ¿En *qué*? No lo sabía. Ni lo había sabido *allá*. Pero *aquí*, hasta ahora, no había hallado una orientación válida donde los manifiestos de grupos, de escuelas, se oponían a otros manifiestos de grupos, de escuelas, en una confusión de principios estéticos y filosóficos que chocaba, cada vez más, con la implacable realidad de las noticias traídas por los periódicos. —"Se hicieron fanáticos los recién iniciados, descubridores de palabras y conceptos que sólo para ellos eran nuevos" —decía la rusa—: "se volvieron idiotas los que siguieron la corriente por el temor de que se les tuviese por retrógrados; fueron simuladores quienes se jactaban de haber pensado siempre como ahora pensaban, exigiendo, en los demás, una definición, una militancia, que ellos jamás habían tenido". Bien los había visto llegar yo, con la Revolución en boca, esos nuevos pobladores de Montparnasse que ocupaban, durante días enteros, las terrazas del *Dôme*, de *La Coupole*, de *La Rotonde*, discutiendo con fruncido ceño de inquisidores, midiendo y valorando la pureza de cada cual, llevando un registro mental de quienes hubiesen dado muestras de blandura revolucionaria al pedir un tercer aperitivo, haber alabado las pantorrillas de una hembra que pasaba o haber citado un verso de Fray Luis de León; bien los conocía yo, esos Saint-Just, esos Robespierres, sentados a la derecha de Dios para juzgar a los hombres que, por haber ido a ver las primeras películas —películas "sin mensaje"— de Luis Buñuel, "perdían un tiempo" que debía consagrarse por entero, austeramente, empeñosamente, a la obra de Transformar el Mundo. Porque ellos sí que transformaban el mundo, sin acabar de revelar las arcanas consignas que traían tras de la frente, calvinistas de la idea, implacables denunciadores de los joviales y los voluptuosos, capaces de excomulgar a quien hubiese tenido la debilidad de complacerse en aplaudir a Josephine Baker o divertirse con la lectura de una novela policiaca, profesionales todos —por aquello de que Lenin hubiese establecido las reglas de una nueva profesionalidad— de una Agitación Permanente que no implicaba por ello, sin embargo, la afiliación a un partido ("revolucionarios de a uno en fondo", los llamaba el *catire* Hans, simpático alemán-venezolano que mucho andaba con los latinoamericanos del barrio, dándoselas de poeta, aunque nadie hubiese visto nunca un verso suyo). Pero, eso sí, cuando abandonaban el corro, urgidos por una prisa repentina, era porque "tenían que *asistir a una reunión"* —reunión acerca de la cual no se daban más detalles. Todos vivían en atmósfera de conspiración, de activismo, de supuesta clandestinidad: en eso estaban los severos, los intransigentes, los duros, los exasperados, impacientes por lanzarse a una *acción directa,* tan tremebunda como imprecisa en sus objetivos inmediatos; en eso estaban los que sólo sabían hablar confidencialmente, bajando la voz, para anunciar que muy pronto (acaso el mes próximo) se asistiría a tremendísimos acontecimientos, pues las masas estaban hartas, se sentían defraudadas, engañadas, y no esperarían más; los que, en hojillas mimeografiadas, tiradas a doscientos ejemplares, tomaban la palabra en nombre del pueblo, afirmando que ciertas tácticas revolucionarias estaban anquilosadas, denunciando la esclerosis de un marxismo cuyos fundamentos habrían de ser revisados de inmediato ya que poco habían tenido en cuenta los imperativos del sexo; los que compraban enormes cantidades de periódicos (desde *L'Action Française* y *L'Humanité,* hasta *New Masses,* el *Manchester Guardian, Le Libertaire,* el *Bulletin de la Gauche Communiste,* pasando por el *New York Times,* la *Pravda* y el *Corriere della Sera*), marcaban artículos al lápiz rojo, recortaban, deglutían, digerían, rumiaban, concluían, resolvían, citando editoriales de la prensa mundial, frases dichas en congresos políticos, fragmentos de discursos, con la sentenciosa y apodíctica autoridad de un talmudista en cátedra. Algunos presumían de recibir subsidios de un "Socorro Rojo Internacional", donde mucho me sospechaba yo que sus nombres eran poco menos que ignorados. Y así como habían proliferado, en Montparnasse, las ninfómanas y lesbianas del surrealismo, aparecieron, de pronto, en las cambiantes formas que en aquel ámbito adoptaba un generalizado odio al burgués, las ninfómanas y lesbianas de la Subversión. Extrañas mujeres, de horarios incontrolables, que viajaban de Londres a Bruselas, de Estocolmo a Berlín, en cumplimiento de secretas misiones, jamás explicadas, que siempre terminaban, aquí o allá, en el misterio de una cama —o de dos camas sincronizadas en contrapunto de sexos semejantes entre sí. Viviendo, al parecer, de traducciones a destajo; periodistas sin periódicos, autoras de libros nunca empezados y que, desde luego, tratarían de cuestiones trascendentales; sujetas a depresiones, saliendo de un psicoanálisis para entrar en otro (todas más o menos abonadas al mágico diván de Don Segismundo...), siempre avisadas de *Algo* que pronto iba a estallar —aunque jamás revelaran sus fuentes de información—, esas mujeres de raza nueva pasaban sus días fumando cigarrillo tras cigarrillo, mandando cartas *neumáticas* (todo era urgente), hablando entre dientes con tono reservado, entendido y casi sibilino. Y, tras de ellas, habían aparecido los jóvenes corsarios —"*corsaires aux cheveux d'or*", hubiese dicho Lautréamont—, filibusteros de la Dialéctica, contrabandistas del materialismo histórico. Ésos se habían pasado, con increíble rapidez, de *Le Coq et l'Arlequin* al *Capital*, de Serge Lifar a Lenin. Los ángeles caídos del *Boeuf-sur-le-Toit*, ayer contertulios de Marie-Laure de Noailles o de la Princesa Bibesco, nos llegaban al Boulevard Raspail con las miradas encendidas, crispados y duros, resueltos a incendiarlo todo, buceando en un tajante repertorio de citas recién memorizadas, donde la frase de Marx o de Engels se hacía tanto más irrebatible cuanto más se la oponía a las falacias y errores de Feuerbach, Dühring o Kautsky —aunque se notara siempre una cierta blandura de tono en quienes, a ratos, se acordaran de Plejanov o de Trotski. Un nuevorriquismo verbal de axiomas, edictos, anatemas, condenas, emplazamientos, sentencias de muerte —que nunca pasaban de la imaginación— había venido a sustituirse a las ya viejas querellas en torno a la pintura figurativa o no figurativa, al neoclasicismo o al atonalismo en música. Y gran revuelo causó en ese mundo ergotante y agitado, subversivo a horas fijas (hasta el cierre de los cafés), la noticia de que André Breton, habiéndose resuelto a ingresar en el Partido Comunista, había sufrido la afrenta, allí, de ser integrado en una célula de técnicos y trabajadores gasistas, cuando lo esperado por el Maestro del Surrealismo era que se le hubiese recibido con todo su equipo poético —o, al menos, que se le hubiese situado en categoría ajustada a sus videncias intelectuales. (También los sueños, las experiencias oníricas, las autocríticas del comportamiento sexual de los asalariados de *Peugeot* y de *Citroën* podían presentar algún interés...) Considerando que había sido objeto de una burla artera y premeditada, algunos amigos suyos, a modo de contrafuego, se habían pasado al trotskismo, en tanto que otros se replegaban sobre viejas posiciones anarquistas que permitían negarlo todo sin comprometerse a nada... En cuanto a mí, marcado acaso por una formación burguesa según la cual, cuando se quería trabajar en un banco, negocio o ingenio de azúcar, era necesario estudiar desde abajo los mecanismos de la empresa, hallaba muy normal que Breton hubiese sido puesto en una célula corriente, de obreros gasistas. Partiendo de la base, se hubiera enterado de cómo funcionaba una célula comunista, conociendo sus disciplinas y métodos, exigencias y observancias, recibiendo a cambio, en el tratamiento de *camarada,* algo que situaba el individuo en el seno de un conglomerado eficiente —relacionando el Uno con el Todo, en función de solidaridad... El Arte Poética no llevaba muy directamente al Arte de la Huelga. Pero a la hora de actuar, de arrojarse a la calle bajo un lanzamiento de bombas lacrimógenas, cualquier fontanero o albañil compartía, sin saberlo, los "inmortales sollozos" de Musset.

Debo decir que toda esa faramalla de conceptos, objeciones, teorías, abjuraciones, controversias, guerras de cafés *(La Coupole* contra el *Cyrano, Les Deux-Magots* contra *Le Palmier...)* se me estaba volviendo de una increíble frivolidad frente a los dramas reales y cruentos que se vivían en América Latina. *Aquí* se asistía, en estos momentos, a una pugna, de labios para afuera, entre quienes aceptaban las consignas de un partido revolucionario, los que aspiraban a un posible maridaje de revolución y poesía, y los que, queriendo mostrarse revolucionarios a toda costa se iban por los ya socorridos disparaderos del trotsquismo y del anarquismo donde nada se exigía a nadie, salvo una insaciable capacidad de decir "no", unida a la tenacidad del perro del hortelano. *Aquí,* se hablaba de una sangre posible; *allá,* la sangre enrojecía las aceras. *Aquí,* se hablaba de actuar; *allá,* se actuaba, y, harto a menudo, por actuar se moría. *Aquí,* se firmaban manifiestos de corrillo; *allá,* allá, disparaban los máusers sobre quienes firmaban manifiestos, dejando cadáveres en las escalinatas universitarias... Y eran numerosísimos los estudiantes cubanos que ahora se encontraban en París, por huir de la represión machadista, o tratando de proseguir sus estudios interrumpidos, *allá,* por los atropellos de la dictadura. A muchos conocía. Y con todos me entendía, unido a ellos por el odio a una misma tiranía, aunque dos tendencias se afirmaran entre mis compatriotas: la de *"Machado primero, lo demás después"*. Y la de quienes, de formación marxista, eran partidarios de llevar la lucha en profundidad, combatiendo la dictadura, y, a la vez, los factores que la habían hecho posible y que bien podrían traernos otra dictadura —y otras muchas, tras de la presente— cuando la de ahora hubiese caído. En la fórmula: *"Machado primero, lo demás después"*, me desagradaba el *"lo demás después"*, porque *lo demás* quedaba en nebulosa. Lo *demás* podía ser cualquier cosa. Pero, a la vez, pensaba que los marxistas eran demasiado optimistas al creer que, a noventa millas de unos Estados Unidos que por mucho menos habían desembarcado en la Nicaragua de Sandino, iban a tolerar los yankis que en puertas se les alzara un bastión del anti-imperialismo —escándalo que, de ser posible, no tardaría en repercutir a todo lo largo del continente... Entre tanto Machado no acababa de caer, y andaba yo desnortado en cuanto al rumbo propio. Al llegar a París, había ido directamente al taller de Le Corbusier, situado en un sexto piso de la Rue de Sèvres, donde el gran arquitecto trabajaba en un tremendo desorden de escuadras, reglas, lápices puestos en vasos, rollos de papel-calco parados en los rincones, copias de planos al ferroprusiato, fotografías recortadas, caballetes de pintura, telas arrimadas de cara a las paredes, revistas tiradas en arcaicas mesas de delineante —todo lo contrario de lo que yo hubiese esperado de un hombre tan dado a la exactitud, el orden, el horror al "espacio perdido". A la vez acogedor y distante, atento y replegado —aunque punzante en sus observaciones, intransigente en sus teorías, capaz de una concentración extrema cuando maduraba una idea— Le Corbusier me hizo trabajar a su lado durante algunos meses, aunque, para decir la verdad, no era hombre que irradiara el entusiasmo. Su frialdad de relojero suizo —¡por algo era de La Chaux-de-Fonds!— era conturbada, en esos días, por el pesimismo de quien se sentía rechazado por un espíritu francés que, dándoselas de cartesiano, quedaba muy apegado, en realidad, a una arquitectura Segundo Imperio, hecha de "espacios inútiles", ornamentaciones superfluas, cornisas sin objeto, escaleras pomposas, ascensores inverosímiles —todo lo contrario de lo que reclamaba su genio lógico y afecto a la simplificación. Se quejaba de la escasa atención prestada por Francia a sus grandes proyectos urbanísticos. Mientras sus teorías empezaban a tener seguidores en el mundo entero, en este país había construido muy poco —lo que era de muy escaso aliento para mí, ya que pensaba ejercer mi profesión en Cuba. Si aquí se prestaba poca atención a sus concepciones atrevidas dentro de lo estricto y funcional, me preguntaba yo si algo derivado de ello podría tener alguna aceptación en mi ámbito harto marcado por lo alardoso, floreado y barroco. Y, cuando pensaba en ello, mis recuerdos se me juntaban en afirmaciones de rechazo. Los pudientes, los acomodados, los ricachos, de mi país —es decir: aquellos que *allá* constituían la única clientela posible para un arquitecto— estaban obsesionados por las ideas de *palacio* y *palacete*, cuando no de "regia mansión", como decían, pensando en acantos y volutas, cariátides y almocárabes. Ahí estaba la suntuaria casa de mi tía, donde todo era "espacio perdido" —más que perdido: malbaratado. Y, detrás, el alcázar del Cervecero Mayor, con su cúpula de nácar sobre piedra roja; los aranjueces con seis garajes, de la gente azucarera; el plateresco californiano de los más, sin olvidar la ocurrencia del Ilustre Tribuno que había alojado su querida bajo almenas medioevales, el gigantesco juego de dominó anaranjado del Edificio Bacardí, la *Dolce Dimora* del ministro fullero que, añorando su Italia natal, había alzado una maciza mansión florentina cerca del ámbito universitario donde demasiado a menudo sonaban los disparos de la policía machadista... Aproveché un viaje de Le Corbusier para desertar su taller. Tomé un departamento —estudio con loggia, más bien— en la Rue Campagne Première, resuelto a buscar, por medios propios, una arquitectura mía, que pudiese seducir a algunos compatriotas inteligentes por una harmoniosa adecuación de "lo moderno" a nuestra ecología, nuestra luz, nuestro clima. Y empecé a trabajar solitariamente en aquella casa con fachada de mayólica amarilla, que habría de unirse —lo ignoraba aún— a acontecimientos de capital importancia para mi existencia. Abajo, en el *rez-de-chaussée*, vivía el brujo Man Ray, rodeado de cámaras fotográficas, trípodes, caballetes, focos eléctricos y objetos raros, conseguidos en rastros y ferreterías;

enfrente, el poeta chileno Vicente Huidobro, a quien visitaba a menudo para oírle hablar de piscos, piures y cochayuyos, en conversación que podía pasar, con la mayor soltura, de Alonso de Ercilla a Rabelais, de la historia de la Araucania a las *Memorias* de Saint-Simon o al *Pañuelo de nubes* de Tristan Tzara— dando muestras de una universalidad de cultura, frecuente en América Latina (y pensaba yo en Alfonso Reyes), que el francés había perdido —y perdía cada vez más— desde el siglo XVIII. (¿No había dicho André Breton, en un número de *La Révolution Surréaliste*: "Tengo horror a los idiomas extranjeros"?)... A veces me visitaba el "catire" Hans quien, mal acompañándose de un "cuatro" venezolano, me cantaba joropos y merengues con voz de tenor wagneriano y abominable acento alemán. Y, para alimentar mis nostalgias del Trópico, disponía yo de una buena colección de discos cubanos, cuyas letras hablaban de mulatas infieles, dioses yorubas, y bailes de tambor en las noches calientes de Manzanillo.

7

En aquel febrero, las llamas del incendio del Reichstag se reflejaron en todos los espejos de Europa. Otros incendios, más importantes y devastadores, de rascacielos, teatros, hoteles, circos, eran evocados por los cronistas de siniestros —sin olvidarse el terrible del *Bazar de la Charité*, sobre cuyos racimos de cuerpos calcinados había inventado un cubano, el Doctor Amoedo, las técnicas futuras de la odontología legal. Pero el incendio de ahora era distinto de los demás. Sin haber causado víctimas siquiera, ese incendio se acrecía en las mentes, cobrando la fatídica dimensión de una obertura de Apocalipsis. Era como si se nos hablara, en idioma de teas, de *lo que pronto habría de suceder;* del *caballo rojo-fuego* montado por quien *arrojaría la paz fuera de la tierra*, mandando que *nos degolláramos los unos a los otros*... Los ánimos se ensombrecieron, los rostros se crisparon, y una lacerante angustia acalló, por un tiempo, las risas de Montparnasse. Pero cuando, en proceso abierto contra los presuntos incendiarios, la aparatosa tragedia bufa de Leipzig se fue centrando en la voz de Dimitrov, millones de espectadores, asidos de su propia expectación, empezaron a prorrumpir en ovaciones ante las réplicas implacables, sarcásticas, restallantes, acusadoras (el reo se nos tornaba juez...), valientes en grado increíble, de Quien, por salvar su cabeza se jugaba la cabeza —el todo por el todo— en cada frase arrojada a la faz del tribunal. No. Todo no estaba perdido. Podrían las criaturas del *Mein Kampf* buscar un remedio a su despecho haciendo decapitar a Van der Lubbe, pobre retrasado mental, con el hacha medioeval de la Santa Vehme: todavía quedaban, en Europa, hombres del temple de Dimitrov para salvaguardar la dignidad de la condición humana... Y no se entraba aún en el otoño de aquel año, cuando, en todo el Barrio Latino, empezaron a sacarse maletas, a cerrarse baúles, en modestos hoteles donde, sonando de piso a piso, de buhardilla a buhardilla, corrían las estrofas del Himno Bayamés. Y eran abrazos y congratulaciones, y "ya tengo mi pasaje", y "ya estoy empaquetando", y "pronto nos veremos en el *Floridita*", y la última juerga en París, el último Pernod, el último *navarin-aux-pommes*, y la última noche con la amiga a quien se jura y se perjura que dentro de un mes ella también recibirá su pasaje para conocer la playa de Varadero y las viejas casas de Trinidad —y pregunta ella que si no sería conveniente vacunarse contra la fiebre amarilla, que si allá se conocen productos de belleza semejantes a los que ella usa, y que si un traje de baño dos-piezas como los que ahora se ven en Villefranche-sur-Mer no escandalizaría a las damas cubanas, y que si allá hay croissants y brioches, y que si a menudo nieva en la Sierra Maestra, para llevar los eskís y el anorak... Dicho estaba en los periódicos de una hermosa —hermosísima— mañana: Machado había caído, al cabo de una huelga general en mucho alentada por Rubén Martínez Villena. Enfebrecido por el miedo, había llegado el dictador a un hotel de Nassau donde el estrépito de una ventana, cerrada por un viento del cual ya Shakespeare tenía noticias, le produjo una crisis nerviosa de gritos, pataleos y temblores. Terminada era la abominable época de allanamientos y secuestros en la noche; de campesinos colgados, de a tres por soga, en ramas de guásima; de obreros arrojados en pasto a los tiburones, en las afueras del puerto de La Habana (y hasta hubo un poeta venezolano, Laguado Jayme, que, a ruegos de su General Juan Vicente Gómez, fue condenado a tal muerte por la complaciente policía del régimen derrocado)... Como los demás, me aseguré de un pasaje para regresar *allá* con la segunda o tercera hornada de repatriados, pero a tiempo fui inmovilizado, yo, el mal ubicado, el indeciso, el sin casta, visto con recelo por aquellos a quienes más deseaba acercarme —a causa de mi apellido, en las amistades que se me atribuían, la casa en que había vivido, etc., etc.—, fui inmovilizado, digo, por noticias que me incitaban a la cautela de una espera que, de seguro, *no pasaría de algunos meses.* (Hay un inconciliable desajuste entre el tiempo del Hombre y el tiempo de la Historia. Entre los cortos días de la vida y los largos, larguísimos años, del acontecer colectivo. Entre lo que se contempla hoy como realidad en gestación, próxima al alumbramiento, y lo que verán los ojos como realidad todavía incumplida, retardada, modificada, aún por hacerse, al cabo de la muerte de seis, siete, ocho calendarios, de hojas arrancadas y botadas al cesto, con lunaciones, santoral y chascarrillos). Y ahora me veía torturado en mi impaciencia por los inesperados tropiezos del devenir. A los cantos y júbilos de la noche gloriosa, sucedían las perplejidades de un amanecer incierto. En mi país, tras de una larga cotidianidad de lo arbitrario y lo horrible, de lo exasperante y lo asumido, de la sangre perdida y de la sangre vengada, el proceso de una readaptación a una vida normal se hacía arduo y penoso, demorado y contradictorio, en una realidad que, privada ya de un propósito central ("*Machado primero*...") se dispersaba en controversias —concilios de tres en esquina, bajo un farol, o asamblea de cientos en Aula Magna...— dándose la razón a quienes habían advertido a tiempo la importancia de "*lo demás*"... Ahora, para los hijos de familias acomodadas que, por un tiempo, hubiesen actuado como revolucionarios, "*lo demás*" significaba tácticas de repliegue sobre sus haberes y posesiones, maniobras de freno, en coros de voces que reclamaban la serenidad, la ecuanimidad, la prudencia, la moderación, dentro de la legalidad recobrada. Y demasiado visitaban la embajada de los Estados Unidos ciertos inconformes de ayer, muy presurosos de recordar, hoy, que alguna vez hubiesen transitado por los campus de Harvard o de Yale. Resurgían los viejos partidos políticos —los "generales" y "doctores" de otros tiempos. Y, andando los meses, frente a un Ala Izquierda universitaria que representaba una decidida voluntad de cambio verdadero, sonaba una siniestra advertencia en boca de un cultísimo intelectual, gran lector de Ortega y Gasset, que, en el ámbito —muy frecuentado por él— de mi tía y de sus familiares, me hubiese aparecido como un espíritu sumamente avanzado porque barajaba fácilmente los nombres de Picasso, Unamuno, Cocteau y Julien Benda: "Se acabaron las *alas izquierdas*" —clamaba ahora: "Se acabaron las banderas rojas y los retratos de Lenin. Los que quieran esto, que lo busquen fuera de las instituciones del Estado"... Yo nunca había sido hombre de banderas rojas ni de retratos de Lenin. Si en algo había tratado de ayudar a mis compañeros de Universidad, guardando y repartiendo proclamas, era porque me movía un innato horror a la arbitrariedad y al abuso de fuerza —digamos: un abstracto anhelo de justicia, que en nada me ligaba a lo que llamaban "masas" o "proletariado". Pero bastaba que quisieran privarme del derecho de levantar una bandera roja para que tuviese un irrefrenable deseo de izar banderas rojas en todas partes, aunque tampoco creía que un socialismo fuese posible en un país situado a noventa millas de las costas norteamericanas. Había, pues, que buscar una "tercera solución" —tercera solución que tampoco podía ser, desde luego, de tipo nazi o fascista. Pero esa "tercera solución" era la que no acababa yo de hallar —ni parecían hallarla, en la revuelta Cuba de ahora, mis compatriotas. Por lo tanto, me resolví a esperar. Y, ante la incapacidad en que me hallaba de responder a mis propias interrogaciones, opté por el agnosticismo, el no saber, no discutir, rehuir, no leer los periódicos, no reflexionar. Todo lo "intelectual" —en el sentido convencional del término— se me hizo odioso. Me jodían los pintores onírico-eróticos, los poetas surrealistas, los músicos atonales, los "cadáveres exquisitos", los manifiestos, los cafés literarios, las Nadjas y las Gradivas, el *Tratado del estilo* de Aragon, las greguerías de Ramón Gómez de la Serna, el cine que no fuese de vaqueros, de gángsters (*Scarface*...) o de muslos (*El ángel azul*...). Y una noche, alguno que creyese haberme visto entrar en el 42 de la Rue Fontaine, para subir las largas y empinadas escaleras que conducían al estudio de André Breton, hubiera quedado bastante sorprendido al comprobar que, en vez de ascender al mundo del Ujier de los Sueños, bajaba yo —¡y cuidado que cuando algo había bebido me era traicionera esa invertida escala de Jacob de estrechos peldaños!— al sótano, aneblado por el humo de cigarros de *"La Cabaña Cubana"*.

Arriba quedaba —olvidado para mí— el Gran Laboratorio Central del Surrealismo, instalado en estudio que adornaban silenciosas pinturas de sueños, el silencioso *Cerebro del niño* de Chirico, silenciosos caballeros-enlevitados-en-una-playa-nocturna de Magritte, silenciosas máscaras de las Nuevas Hébridas, el silencioso gramófono de un gran poeta que aborrecía la música, en tanto que abajo, en el subsuelo del edificio, me acogía, soterrado contraste, el gozoso, alborotoso, desentrañado estrépito de una percusión que por los oídos, por los poros, por las arterias me entraba, trayéndome el zumo de mis raíces. Tras de un bar oliente a ron del bueno, rodeados de gente que bailaría hasta después del amanecer, me esperaban los Ancestros todos de un mundo —mundo nacido del mestizaje de dos mundos— que, a falta de mejor definición, veía yo como un mundo tercero, o, mejor: un Tercer Mundo, nacido de indios, negros y españoles. Y el hecho era que ese Tercer Mundo estaba bien presente en un lenguaje sonoro absolutamente nuevo, sin antecedentes catalogados, que ahora se imponía en todas las capitales y provincias de un mapa cultural que, durante muchísimos siglos, se había otorgando a sí mismo funciones rectoras de Primer Mundo, único mundo, mundo proliferante, engendrador, promotor, codificador de reglas de buen vivir, bien comportarse y hasta bien bailar, en todas las tierras menores —o tenidas por menores— del planeta... Pero ahora resultaba que Osaín-el-de-un-solo-pie, señor de los ciclones, genio de la rotación, de la danza giratoria, en una órbita que iba de las bocas del Mississippi a las bocas del Orinoco, se había echado a andar bailando, y bailando, bailando rumbas, congas, sones, calipsos, contradanzas criollas, arrastrando el *blue* en su comparsa endiablada, se había instalado en París, en Londres, en Madrid, con el estimulante estruendo de su ctónica batería. Tras del *drum* de la Nueva Orléans, habían llegado, en escuadrón cerrado, las claves y maracas, bongoes, timbales, güiros, cencerros, chachás, dientes de arado, econes, marímbulas, de Cuba. Después de una útil ofensiva del hot y del swing norteamericanos —ahora harto imitados por las gentes de *acá* que ya le conocían las mañas— la música del Caribe había desalojado brutalmente los últimos violines zíngaros, las últimas "*Amoureuses*" de Rodolphe Berger, que aún sonaban, a ratos, en los comedores y hoteles de Monte Carlo. "*Lancez les fusées / les races à faces rusées / sont usées*" —había dicho, proféticamente, el poeta Robert Desnos. Y ahora, en este fuego artificial que de mis islas nos venía, los Conquistadores de otrora resultaban conquistados, alienados, sometidos —envueltos, ensalmados por la irresistible giración de Osaín-el-de-un-solo-pie, que ahora imponía sus pasos, contoneos, vueltas y revueltas, pulsiones rítmicas, ondulaciones de hombros, vientres y caderas, sincronías y diacronías gestuales, dondequiera que sus cantores y músicos hiciesen sonar calabazas, maderas, parches, botijas, cilindros de hojalata, pieles de chivos —materias elementales tras de las cuales recogíanse, al cabo de siglos de un hermoso trabajo, las cansadas tripas de los violines. El jazz de buena cepa sureña —auténtico por ser de negros— tenía sus estamentos en casa de la gruesa *mamy* Brick-Top y en el *Jockey* de Montparnasse, donde se bailaba en tal apretazón de cuerpos que los danzantes no se movían, ni podían moverse, como no fuese en cadencia de fornicación vertical; en dos grandes salas de la Rue Blomet y del Quai de Bercy tremolaban, como faniones de goleta, los madraces a cuadros de las martiniqueñas, en compás de bam-bam y biguina, en tanto que los cubanos, repartidos de norte a sur, ocupaban un enorme dancing —el *"Plantation"*— cerca de los Campos Elíseos, el sótano de *"La Coupole"*, más de diez boîtes en las calles Pigalle, Blanche y Fontaine, y hasta la *"Boule Noire"* de la Rue Bréa, compartida con gente de Fort-de-France y de la Pointe-à-Pitre, por aquello de que, entre insulares de maraca en mano, nos entendíamos todos... Pero las grandes Cancillerías de Palma Soriano y de Manzanillo tenían oficinas abiertas, del anochecer al alba, en esta *"Cabaña Cubana"* a donde iba cada vez más a menudo, ahora, acaso por curarme de lacerantes nostalgias. Allí actuaban, elevados a categoría mayor, ciertos músicos y cantores de un enorme talento a quienes había visto relegados, por negros, a los mugrientos cabarets habaneros de *"La Verbena"*, *"Boloña"*, o las equívocas tabernas portuarias donde las prostitutas criollas, de tanto andarse con marineros griegos, habían acabado por hablar el idioma de sus clientes, ajustando tratos al estilo de El Pireo o de las Cícladas. Y allí se me iba revelando la alta conciencia profesional del "músico de baile", más afecto a su arte, más exigente consigo mismo, en muchos casos, que sus aupados colegas de las orquestas sinfónicas. Fui amigo de Django Reinhardt, el gitano prodigioso que, con tres dedos solos (pues había perdido dos en un accidente), realizaba variaciones sobre un tema dado, tan diversas y reveladoras de un genio de la invención como las de muchos grandes compositores clásicos. (Django y su hermano Naná acabaron por ir a mi casa, frecuentemente, con algún saxofonista amigo o un trompeta hallado, de paso, en el *Tabac Pigalle*, por el mero placer de tocar para sí lejos del público, con la preocupación constante, casi obsesiva, de perfeccionarse en el oficio —de *faire du métier*, como decían...) En esas noches se me hizo particularmente grato, por su desenfado criollo, su desconcertante manera de pasar de la guasa a lo trascendental, un trompeta santiaguero, Gaspar Blanco, que, a fuerza de ejercicios que le torturaban los labios, había logrado rebasar las fronteras del registro agudo de su instrumento, paseándose por insólitas cimas de sonoridad. Enterado de muchas cosas, el mulato se mostraba orgulloso de ser coterráneo de Paul Lafargue, el yerno de Karl Marx: "Podría decir, como decía él, que en mis venas corre la sangre de varias razas oprimidas". Y llevaba un índice a sus mejillas obscuras. A nadie ocultaba que era comunista militante desde el año 1925, en que Julio Antonio Mella y Carlos Baliño hubiesen fundado el Partido cubano. Pero rara vez se traducía su militancia en prédicas hueras ante gentes que no lo interesaban. Sin chistar dejaba que el bandoneonista argentino, que ahora trataba de pasarse del tango a la guaracha, le hiciese un elogio de Mussolini; que el barman le dijese que en la Unión Soviética no se sabía lo que era un cocktail. —"Hay que trabajar donde hay que trabajar" —decía, en modo ambiguo. Y, luego de un descanso, regresaba al estrado de la orquesta alzando el puño izquierdo, mientras embocaba la trompeta. A veces, bordando variaciones sobre un tema —cosa que a menudo hacía— intercalaba algunos compases de *La Internacional* en las secuencias de un son montuno, con entendido guiño hacia mí: "Algún día las dos cosas andarán juntas". Y como una noche, entre rumba y bolero, le dijera yo que acaso fuese difícil hablar de socialismo en Cuba, si pensábamos en la ignorancia del campesino, en los muchos analfabetos que teníamos, etc., etc., Gaspar Blanco me dejó atónito con una cita de Lenin: "Si el socialismo sólo habrá de realizarse cuando todos, sin excepción, hayan alcanzado el desarrollo suficiente, sólo veremos el socialismo, si acaso, dentro de quinientos años". —"¿Cuándo dijo eso?" —pregunté, para poner su información a prueba. —"En el Primer Congreso Campesino del año 17, cuando el problema era el mismo de media América Latina" ("o Mulata", añadió, señalando su propia tez). —"¿Dónde lo leíste?" —"En un libro, *Diez días que conmovieron el mundo*. De un yanki socialista que está enterrado en la Plaza Roja. Deberías leerlo... Lo trae un librero ambulante que cae por los cabarets después de la media noche y también vende postales de relajo... Y ahora, oye el *Mama Inés* que voy a tocar. Fíjate hasta dónde voy a subir... ¡Ni Armstrong!" (esto, acercando los dedos a los émbolos de su reluciente trompeta, que acababa de frotar y refrotar con una gamuza, poniendo en ello la ternura de una madre que asea a su crío...).

Una noche en que una temprana y fuerte nevada había ensuciado las calles de la ciudad, cubriendo las aceras de un lodo resbaladizo cuya frialdad se trepaba a los tobillos, hallé *"La Cabaña Cubana"* casi sin clientes. Una pareja se abrazaba en un rincón, dormitaba un borracho solitario ante un wisky a medio beber, y los músicos, aprovechando la oportunidad de no tener que tocar, ensayaban un número nuevo —creo que era el *Negro Bembón* de Eliseo Grenet— buscando efectos instrumentales, al tanteo, a través de una larga improvisación. El percusionista Barreto, particularmente inspirado, llevaba el juego, enlazando los solos de piano o clarinete con furiosas secuencias de timbales y bongó. Me monté en un taburete del bar, observando que, cerca de mí, una mujer joven, de tez muy blanca y pelo muy negro, tomaba notas en hojas de papel, con aplicación y vacilaciones de colegiala —tachando, volviendo atrás, empezando de nuevo, con pequeñas gesticulaciones afirmativas, dubitativas o negativas. A veces dejaba el lápiz en suspenso, mecía la cabeza, escuchaba un rato, tachaba rabiosamente, volvía a comenzar, trazando arabescos, paréntesis, signos, sobre lo tachado. Traté de ver lo que escribía: era música, evidentemente, puesto que había notas, con barritas de esas que, creo, llaman *corcheas*. Pero yo tenía entendido que la música se escribía sobre cinco líneas (¿"pentagrama?") y la rara parroquiana esta lo apuntaba todo sobre una sola raya horizontal —a veces dos— sin que las notas pareciesen subir o bajar. A veces se acercaba al estrado de la orquesta, observaba atentamente a Barreto, y regresaba a su cuaderno con el lápiz entre los dientes. Yo sabía que en *"La Cabaña"* no se aceptaban mujeres solas, a menos de que fueran conocidas. —"Es una estudiante o profesora o no sé qué" —me dijo el barman: "Pidió permiso al dueño para apuntar lo que están tocando.

Lleva ya dos horas en eso. Parece seria. Así que no te pongas con *relambimientos"*... Pero pronto habíamos trabado conversación. Era alemana. Llevaba pocos días en París. Estudiaba pedagogía musical. Muy afecta a los métodos de Dalcroze, opinaba que los instrumentos de percusión —asiáticos o americanos— estaban llamados a desempeñar un papel capital en el entendimiento de la rítmica, llevando recursos nuevos al arsenal de la batería sinfónica —que en nada había evolucionado desde los días del *Tratado de instrumentación* de Berlioz, libro que, por lo demás, me era perfectamente desconocido. Y para estudiar mejor esos instrumentos y sus posibilidades, trataba de anotar los ritmos de la música cubana, lo cual le era —lo confesaba— terriblemente difícil: "Es que, entre lo que puede escribirse y lo que se oye, hay un *tercer elemento* inapresable; un *décalage* genial, debido a la inventiva del ejecutante. Y eso es lo que estoy tratando de agarrar, sin conseguirlo"... Y volvía a trazar notas. Y las anulaba. Y volvía a empezar. —"Tenga en cuenta también que están improvisando" —dije. —"Por eso sería ideal trabajar sobre discos. Discos auténticos. Grabados en Cuba. Aquí no se consiguen. Y, en Alemania, los que había fueron retirados de la circulación". —"¿Por qué?" —"¿Y lo pregunta?"... Yo tenía excelentes discos del *"Sexteto Habanero"*, danzones de Anckermann y Antonio Romeu, canciones de Sindo Garay. Si ella quería escucharlos... Y como quería escucharlos llegó a mi casa en la tarde del día siguiente, con varios cuadernos de papel pautado y un metrónomo que instaló sobre mi mesa de dibujo, apartando cartabones, bigoteras y pocillos de aguada. Aceptó una copa de ron del nuestro —"para ponerse en ambiente"— y, durante cerca de tres horas, haciéndome tocar y retocar ciertos discos, tenaz y empeñosa, estuvo trazando signos indescifrables para mí con tintas negras y rojas: "En negro las *constantes"* —decía: "En rojo lo que se sale del encuadre". Y yo la miraba trabajar con una rara sensación de bienestar, de calma, de asentamiento en mi propio ámbito. Hasta ahora había sido huésped en casa propia, ajeno a estos muebles, a estas paredes, entrando y saliendo como quien solo descansa —las menos horas posibles— en una habitación de hotel. Rehuía los atardeceres en soledad, con sus luces tristes, yendo a esperar la noche en cualquier café cercano. Y ahora me sentía resguardado, cobijado, bajo este techo donde, por vez primera, con aire de quien fuese el ama de casa, trabajaba una mujer, dándome órdenes: "No... empiece de nuevo... Más adelante... Éste es el pasaje... Alcánceme la libreta aquella... Déle cuerda al gramófono..." Afuera, seguía nevando. Aquí, había calor, música de calor, presencia de calor —de un calor próximo, inmediato, posible. Tuve, de repente, la idea de que esta mujer, de nuca inclinada sobre mi mesa de dibujo, habría de ser mi amante, por fuerza, porque era inevitable, porque no podía ser de otro modo. Más: me parecía que lo era ya; que ya lo había sido; que mañana era ayer; que el cercano marzo se llamaba enero. Una realidad, de pronto percibida, se me imponía en tales valores de futuro *ya vivido* que excluía todo razonamiento acerca de algo que "me arrastraba hacia adelante" —como hubiese dicho Claudel. Era así y no de otro modo. No sabía si su rostro, capaz dé pasar de la extrema tensión —concentración— a una risa repentina, era bello o no lo era. Acaso lo era, pero importaba poco: *lo necesitaba.* La voz de él brotaba, un poco grave y velada, ponía todos mis sentidos en espera. Nada sabía de ella. Pero mi voluntad se negaba a aceptar la idea de que fuese casada o de que hubiese hombre alguno en su vida. El único hombre posible era yo, había sido yo, sería yo. Su voz, que me seguía resonando en las entrañas, me imponía, sin saberlo, el aprendizaje de un vocabulario virgen, inaudito, ignorado por los demás, que sería acaso el de nuestros más íntimos coloquios nacidos de la noche, entendidos a medias palabras... —"Excelente trabajo, pero fatigoso" —dijo ella al fin, levantando un diafragma que había tocado, por décima vez, el disco de *Las cuatro palomas*. Cerró sus cuadernos, aceptó una copa, y hablamos. Era judía, y orgullosa de serlo, aunque no practicante: "Veo las esencias del judaísmo como una maravillosa herencia. Nada me conmueve tanto como el canto de las sinagogas. Pero no tengo la fe que requiere la honesta observancia de un ritual. Un ritual no es folklore. Responde a un sentido religioso que no tengo. Si, por dar gusto a mis padres, observara ciertas prácticas, haría trampa"... Muy dotada para el piano, desde la niñez, había tenido que abandonar sus adolescentes afanes de concertista a causa de un accidente que había quitado toda agilidad al dedo medio de su mano izquierda, menguando en algo, también, la soltura de la muñeca. Se había resuelto, entonces, a doctorarse en música para ejercer la enseñanza. Pero esto, en la Alemania actual, era imposible para quien perteneciera a su raza. Ahora proseguía sus estudios en la *Schola Cantorum* de la Rue St.-Jacques, aunque reconociendo que aquí las disciplinas musicológicas se llevaban con menos rigor que en Berlín: "El defecto principal está en que no aparean el estudio de la música con el de la filosofía. En la musicología francesa hay mucho amateurismo". Me atreví a confesar, tímidamente, que no veía relación alguna entre la música y la filosofía. —"La música y la filosofía siempre fueron muy buenas amigas" —dijo ella: "Aunque le pueda parecer raro, San Agustín había presentido y definido la música de un Anton Webern". Pero, a mí nada me decía el nombre de Anton Webern. —"Es natural" —dijo ella: "En París nunca tocan la verdadera gran música contemporánea. Prefieren los abalorios de Florent Schmitt o las bagatelas de Francis Poulenc"... Había empezado a nevar, como anoche. Los copos, atropellados por el viento, topaban blandamente en el ventanal del estudio, blanqueciendo el marco metálico de los cristales. —"¿Y si comiéramos aquí?" —dije, abriendo un armario, hecho alacena, donde guardaba botellas de vino, conservas, bizcochos, para descansar de restaurantes cuya comida me resultaba, a la larga, sumamente monótona. —"Yo pongo la mesa" —dijo ella, yendo a la cocina para traer varios platos mellados, cuchillos y tenedores disparejos, un enorme molino de pimienta, y unas horribles copas de bordes dorados que había ganado a la carabina en un tiro al blanco de la Foire du Trône. Aquella cena bohemia, en la ciudad de ruidos afelpados, al abrigo del mal tiempo que ahora arreciaba en silbantes ráfagas, nos trajo, a ambos, una impresión de enorme bienestar: éramos dos, en un espacio protegido de cuanto ingrato podía ocurrir en el exterior. Hablábamos alegremente de gentes, lugares, cosas conocidas por ambos, admiraciones mutuas, episodios íntimos de nuestras vidas, como si fuésemos gente de un mismo clan, de una misma cofradía, nacida para encontrarse y entenderse. Bebíamos el vino lentamente, sin que se nos subiera a la cabeza, olvidados de la hora. De pronto, ella tuvo un sobresalto: "¡Qué horror! ¡Se me ha ido el último *metro*! ¡Llámeme un taxi!" —"Si es cuestión de taxi, no hay por qué apurarse" —dije: "Se puede llamar en cualquier momento"... Dos horas después, teníamos la impresión de conocernos desde siempre. Nos tuteábamos como viejos amantes. —"¿Por qué no te quedas a dormir aquí?" —dije. —"Nada me lo impide" —dijo ella, poniendo la cabeza sobre mi hombro: "Nadie espera por mí".

8

Y fueron los tiempos del desorden, del insaciable cuerpo a cuerpo, de las anarquías del abrazo de formas machihembradas, revueltas, volteadas, en los albures del impulso y del deseo —hallazgo de sabores y calores, retozos, cuchicheos en la obscuridad, gimientes alegrías, risas al cabo del gesto, fingidas resistencias, deleitosas confusiones, palpitantes afloraduras de savias profundas; tiempos de la puerta sellada, de la llamada sin respuesta, del teléfono desconectado, del cartero inútil; tiempos del egoísmo compartido, del olvido de cuanto nos fuese extraño y ajeno —gentes, amigos, sucesos, deberes; tiempos de la jubilosa alienación, de la siempre superada cantata a dos voces, del dejar de ser para encarnarme en ti, antes de regresar, yacentes colmados, al leve y sonriente sueño de la ternura recobrada, de las carnes devueltas a sus aplacados contornos. De repente habíamos caído en un mundo fuera del mundo, dotados de un vocabulario propio, respirando un aire distinto en tierra de luces nuevas, horarios trastocados, días sin fecha, que era el de nuestros vertiginosos arribos a los confines de la mutua entrega. Ni yo dibujaba, ni ella iba ya a la *Schola Cantorum.* Ni nos importaban ya sino las músicas que nos sonaran al unísono, ni nos interesaban los libros que no pudiésemos leer a cuatro manos (a tres, diría yo, pues siempre sobra un brazo en tales momentos. . .) con las cabezas juntas en la almohada. No queríamos amigos, ni visitas, ni encuentros. Íbamos a cines de barrios lejanos, donde no conocíamos a nadie y estaríamos seguros de estar solos (viendo, de repente, *El gabinete del Doctor Caligari* o *Metrópolis* de Fritz Lang, películas ya vistas, como si fuesen portentosas novedades. . .). Nuestra soberana juventud, nuestra sensualidad siempre despierta, llenaban un universo sin cronómetros ni almanaques. Y cuando teníamos que separarnos durante una media tarde (a pesar de todo era preciso ir de vez en cuando a la peluquería, o a cobrar los giros que nos mandaban nuestras familias) volvíamos al estudio con regalos de azaleas en tiesto, árboles japoneses, cactos minúsculos, discos, estampas de Épinal, una marioneta, un acróbata de cuerda, frutas exóticas, latas de *laichí* conseguidas en Hediard, una botella de Traminer o de Zubrowka con bisonte en la etiqueta, esperando el uno a que regresara la otra —a menos de que fuese lo contrario— con la emoción e impaciencia de primera cita, pensando yo que ella había tenido un percance grave si tardaba en llegar, creyendo ella que yo había sido víctima de un accidente fatal si demoraba en reaparecer. El verano nos alcanzó con la noticia de que, por vez primera, habrían de transmitirse por radio los festivales de Bayreuth. Compré un magnífico receptor y, como hacía mucho calor aquella tarde, escuchamos desnudos, lado a lado, el *Tristán*, haciendo el amor en los largos intermedios, con un nuevo abrazo —el mejor, el más largo, el llevado en lentísimo *tempo*...— como fin de fiesta, tras de los últimos acordes del *Liebestod*... El mayor triunfo de los amantes está en la derrota de la razón, en el espléndido putearse de la loca de la casa, en la Minerva que se deshace del búho, largando el casco y la lanza, y hace un magnífico número de strip-tease ante el *Logos* estupefacto que no sabe si acudir a la ira de los Dioses o hacerse alcahuete. Puesta en duda, la Conciencia Inmanente acaba por preguntarse, ante una estupenda trabazón de miembros suficientes y eficientes, que quién carajo pudo inventar el absurdo de que haya algún mérito, alguna virtud, en la continencia, la inhibición, el cilicio. Montado en su Torre con ojos para ver, contempla el Espíritu ergotante y teológico de arriba, alguacil alguacilado, cómo las carnes puestas fuera de su jurisdicción, soliviantadas y revueltas, anudadas y gimientes de gozo, se entienden perfectamente entre sí, fuera de toda ley, de toda traba, llevadas por sus voliciones profundas, raigales, sin hacer caso de un *pienso, luego soy* dejado fuera de una partida donde lo que vale es el *sentimos, luego somos*, y no entendemos más razón, más filosofía, que la razón de la sinrazón de nuestras anatomías confundidas. De repente, con el hallazgo de una Mujer, el amor físico se me alzaba al nivel de un medio de Conocimiento... Había creído que conocía el amor porque, en La Habana, hubiese tenido algunas experiencias más o menos cabareteras, un breve lío con una bailarina mexicana de la compañía de Lupe Rivas Cacho, y, en París, una amable *affaire*

—interrumpida por el regreso de ella a su país— con una linda norteamericana, de Kalamazoo, que estudiaba dibujo en la Academia de *La Grande Chaumière.* Pero ahora, para deslumbramiento mío, sabía lo que significaba la palabra de cuatro letras, con todas sus maravillosas implicaciones —y todo lo que quedaba fuera de su órbita había dejado de tener importancia para mí. Quedaban aplazados los propósitos, proyectos, trabajos, que hubiese concebido antes de ponerme a vivir con Ada ("nombre raro para una judía", había dicho yo, pensando que mejor debía llevar un nombre bíblico tradicional: Rebecca, Deborah, Judith. "Las primeras mujeres que aparecen en las Escrituras tuvieron nombres brevísimos" —decía ella: "Eva, Ana, Lía, Ada"...); sólo existía —me sentía existir— en lo inmediato y deleitoso, abrevándome de cuanto pudiese ofrecerme una jornada pasada frente a Quien se me alzaba como una pantalla protectora contra las fealdades y miserias de la época. Dejaba sin desenrollar los periódicos que me mandaban de Cuba. No compraba revistas por muy sensacionales que fuesen los anuncios de su contenido. No leía los diarios para no enterarme de las lepras que aparecían en la piel de esta Europa enferma de expectación... Y sin embargo, por el minúsculo ventanillo iluminado del aparato de radio, me llegó, un 17 de julio, la noticia del levantamiento de la legión española en Marruecos, bajo el mando de un —para mí obscuro— general Franco. Luego los acontecimientos de Madrid: la toma del Cuartel de la Montaña; el pueblo armado que marcha sobre Alcalá y Toledo. Sublevaciones militares (¡decididamente la Madre Patria se nos estaba latinoamericanizando!...) en Canarias y las Baleares. Resistencia en Asturias. Un tal Queipo de Llano —nombre ayer desconocido— alzado en Sevilla, desde donde nos hacía saber, en emisión cotidiana, que si ayer había bebido coñac, hoy tomaría manzanilla. Se organiza la resistencia en la capital. Los facciosos se apoderan de Málaga y de Córdoba. Y, ante el horror del mundo, el asesinato de Federico García Lorca. No era sino la muerte de un poeta —es decir: del más inerme, del más inofensivo, del menos peligroso, de todos los seres humanos. Y sin embargo, las balas sobre él disparadas penetraron también en las carnes de millones de hombres y de mujeres en el mundo, como un aviso de próximos cataclismos que a todos nos afectarían por igual. Todos los latinoamericanos de Montparnasse, artistas en su mayoría, y bastante despreocupados de la política, abrazaron la causa republicana reuniéndose aquí, allá, en corros hirvientes de noticias y conjeturas que pronto me sacaron de mi harto feliz encierro. La comunicación —la información— se hacía necesaria. El mismo Picasso, tan apartado de todo, solitariamente entregado a su obra por esquivar los engorros de la celebridad, reapareció en el *Café de Flore*, con el anhelo de saber algo más de lo que podía hallarse en los diarios donde las noticias solían mostrarse confusas y contradictorias —y tanto más ahora que lo publicado respondía ya, claramente, a una pugna ideológica entre bandos de izquierda y de derecha. Se supo de los mil ochocientos republicanos ametrallados en Badajoz y de los siete dirigentes fusilados en plaza de toros, ante un público de tres mil personas que sólo hubiesen necesitado alguna música de pasodoble, de rondalla o de colmado cañí, para que el contento se le rebosara de las gradas. Y, el 12 de octubre, llamado Día de la Raza, el apóstrofe arrojado por Millán Astray al rostro de Miguel de Unamuno: "¡Abajo la inteligencia! ¡Viva la muerte!". Toda una España negra, de autos de fe, túnicas azufradas, sambenito, tablado mayor y garrote —suplicios del Berruguete, betunes macabros de Vázquez Leal, *El miedo* de Goya...— resurgía de pronto tras del drama que se estaba representando tras de los Pirineos. Replicaban los reaccionarios que, en Cataluña, los anarquistas quemaban conventos y violaban monjas. Pero la violación de monjas había sido asunto, a través de los siglos, de tantos chistes situados en el ámbito de los trotaconventos, ocurrencias de Boccacio y cuentos droláticos, que poco impresionaban a las gentes, como tampoco los monasterios incendiados, cuyas llamas no acababan de tener identidad ni ubicación —es decir: no sugerían imágenes concretas, como tampoco *las monjas* despersonalizadas, entelequias un tanto abstractas. La inmolación de García Lorca y el grito innoble de Millán Astray, en cambio, nos arrojaban de lleno en una tragedia con protagonistas conocidos, de caras sin máscaras, cuyo horror presente, cercano, inmediato, nos crispaba en catarsis de furor. De repente, todos aquellos que, nacidos en América Latina o amamantados en ella, solían hacer mofa del *gachupín,* reconociendo sin embargo —y como en broma— que tenían un abuelo gallego o asturiano; todos aquellos que, ufanos de haber edificado vastas y hermosas capitales ultramarinas, se complacían en decir que Madrid era una aldea grande, detenida en un pasado verbenero y localista, se volvían apasionados defensores del Madrid de hoy, visto como realidad y símbolo opuestos a Burgos, que le olía ahora, retrospectivamente, a carnes de indios quemados y sangres derramadas por Conquistadores feroces —y, caray, para cerciorarse de ello no era menester acudir al testimonio de Bartolomé de las Casas, sino leer sus propios anales y memorias— cuya historia trataban algunos de transformar en Leyenda Áurea, cuando quedaba por siempre, para gran despecho de los Luca de Tena, en auténtica y fidedigna Crónica Negra —tan negra que acabábamos por olvidar, a causa de su negrura, la llegada, en segunda hornada, de hombres tan admirables como Sahagún, el enciclopédico, Fray Pedro de Gante, o el obispo "Tata" Vasco de Quiroga. Para mí, cubano, el Madrid de la República —anti-Burgos, anti-Queipo-de-Llano— era la España que había amado José Martí, aun cuando combatía su inepto gobierno, en tanto que Burgos quedaba en España de Valeriano Weyler, aquel que, durante la Guerra de Independencia del 95, había creado en mi patria unos puntos (o lugares) llamados "de *re-concentración*" —palabra que pronto, con una sílaba menos, habría de cobrar una tremebunda actualidad en Europa... En los rostros de Picasso, de César Vallejo, de Vicente Huidobro, leíase la misma ansiedad ante las noticias. Vivíamos pendientes de los periódicos y de la radio. Yo, que había creído posible sustraerme por un tiempo a las contingencias de la época, me veía sacado de mi retiro, de mi marginalidad, para ser arrojado brutalmente al gran torbellino del mundo —torbellino que demasiado empezaba a parecérseme a la siniestra "*machine à décerveler*" de Alfred Jarry. Después de tenerla muy olvidada —de verla en suntuoso pretérito de Lepantos y campos de Montiel—, España, la que sentíamos nuestra, la que nunca habíamos combatido realmente en América aunque echásemos de nuestras tierras a sus procónsules, esa España, muy tenida a menos desde hacía más de un siglo, volvió a hacerse carne de nuestra carne. Y, por ello, cuando empezaron los bombardeos sistemáticos de Madrid, cada obús nos retumbó en las entrañas.

Una mañana, Ada fue despertada por la entrega de un telegrama, puesto en Berlín, que le traía una rara noticia en mensaje firmado por un desconocido: desde hacía más de dos semanas, no se sabía dónde se hallaban sus padres. Sin anuncio de viaje ni de ausencia prolongada, habían salido de la casa al anochecer de un sábado y no se les había visto más. —"Mucho me temo" —dijo mi amante, con la cara inmovilizada por una angustiada crispación: "Demasiado me temo que..." Y dejó la frase en suspenso, empezando a sacar ropas de un armario: "Debo ir allá. Este telegrama ha sido puesto por uno que no se atreve a dar su nombre verdadero. Razón de más. Yo sola puedo hacer algo. Saber qué ocurre. No sé"... Me ofrecí a acompañarla. —"De nada serviría. En este momento, el interés puesto en el caso por un extranjero, su presencia a mi lado, no haría sino embrollar las cosas. Yo puedo saber algo..." (marcó una pausa)... "a través de *mi gente*". La llevé a la Gare de l'Est. Quedamos en que me escribiría diariamente durante una ausencia que, por lo demás, no habría de durar más de ocho o diez días... Pero transcurrieron ocho, nueve, diez días, y se entró en la quincena, sin que tuviese noticias. Envié varios telegramas a la dirección que me había dejado Ada, sin recibir respuesta. Al fin, incapaz de sobrellevar mi propia ansiedad, enfermo de la ausencia de Quien me era *necesaria* —más que necesaria: indispensable ya— para sentirme vivir, insoportablemente devuelto a la cotidiana realidad de mi cuerpo solitario, tomé el expreso de Berlín, presentándome, a la mañana siguiente, en la casa situada en una corta calle próxima a la estación de ferrocarril de la Friedrichstrasse, donde vivían los padres de mi amante. Llamé a una puerta del tercer piso. Me salió una mujer espesa, ceñuda, displicente, que hablaba un poco el francés. No. Nunca había conocido a aquella gente. Ni tenía por qué haberla conocido ni haberla tratado: acababan, su marido y ella, de instalarse en el apartamento, ofrecido en alquiler desde una fecha reciente. No. No sabía nada. Que acudiese a la policía. Y acabó por tirarme la puerta a la cara, visiblemente irritada por mi insistencia... Y ya estaba yo en busca de la comisaría más próxima, cuando pensé que mejor sería ver al "catire" Hans, tan metido siempre en las peñas latinoamericanas de Montparnasse, y que ahora vivía en Berlín. De acá me había mandado postales con su dirección: era cerca del Hotel Adlon, precisamente, a donde había llegado yo, aunque advertido de que era bastante caro, por no saber de otro. El "catire" Hans —"catire", por ser muy rubio, lo habían llamado en Venezuela, cuyas ciudades hubiese recorrido durante años, como representante de la firma Bayer— me recibió con grandes muestras de contento y alardosos abrazos a la criolla. Me explicó que había abandonado los productos farmacéuticos ("¡la aspirina, la Santa Aspirina, cuyos anuncios azules con una cruz blanca forman parte de todo paisaje latinoamericano, como el nopal, la palmera, el águila y la serpiente, la vicuña o el volcán!" —decía, riendo...) para trabajar en un servicio de prensa del Gobierno: "Se aprecia mucho, ahora, a quienes hablan el español y conocen vuestros países". Su vinculación con un organismo oficial me pareció algo excelente para el propósito que perseguía. Pero, cuando le expuse la situación, se le enserió la cara: "Sí... Desde luego... Sí... Comprendo... Raro... Muy raro, en efecto... Sí... Comprendo"... Le propuse que fuésemos juntos a la casa: "Mejor voy yo solo: entre alemanes nos entendemos. Espérame aquí... Hay botellas en el aparador. Sírvete. Y, en mi mesa, hay revistas de Cuba, de México, *Elite* de Caracas"... Regresó al cabo de dos horas: "No sé... La encargada del edificio es una idiota. No pudo explicarme. Nunca vio a la joven... Parece que el viejo estaba metido en líos... Fui también a la policía... No se sabe nada... Y como nadie ha señalado la desaparición..." Hoy era sábado. Mañana, día perdido. El lunes, por conductos oficiales, proseguiría sus investigaciones: "No pongas esa cara... La gente no desaparece, así, así, sin dejar huellas... Pasado mañana sabremos algo". Y, para calmar mi angustia, me propuso que fuésemos a Weimar en su automóvil. No estaba yo para paseos turísticos, pero acepté: siempre, en momentos de zozobra, de ansiedad, de dolor, me procuraba un gran alivio *rodar en algo* —autobús, tranvía, ferrocarril, lo que fuera. Además, desde mi llegada a Berlín, respiraba un aire demasiado oliente a botas, a fustas, a correajes, a tahalíes. Había demasiada arrogancia, demasiada suficiencia, insolente aplomo, en muchos jóvenes que, con brazales al emblema de la swástica, andaban a paso casi militar, sonando los tacones, cuidando del desdeñoso porte, dueños de la calle aunque no fuese más que para sacar sus perros a mear... Por suerte, los pinares, las encinas, los nogales del camino, con sus húmedos efluvios, uno que otro campanario gótico, me devolvieron a una Alemania que respondía a mis nociones. —"Madame de Staël" —decía Hans— "afirmaba que esta gran permanencia del árbol en nuestro suelo era indicio de que la civilización alemana era todavía de muy reciente formación. Y estaba en lo cierto. Porque nuestra cultura sólo viene a cobrar verdadera forma mucho después de que la española, francesa o italiana, hubiesen alcanzado la madurez. Nuestro *Aufklärung,* nuestro *Sturm-und-Drang* se producen más de dos siglos después de Rabelais, Cervantes y Shakespeare. Y no hablemos de Dante o de Petrarca". —"Lo que demuestra que las *razas puras* no suelen anticiparse a las *mestizas* en cuanto a las obras de la inteligencia. Sin olvidar que cuando vuestra escultura andaba en pañales, ya los negros de Nigeria..." —"Mira, cubano: esto, aquí, más vale no *meneallo*". Llegamos de noche a Weimar, donde nos alojamos —*¡of course!*— en el Hotel del Elefante. Comimos algo —¡tenía que ser!— en la Taberna del Oso Negro, y, cansados ambos, renunciamos a la idea de dar una vuelta por la ciudad —"ciudad que debe verse de día"— decía Hans—, yendo a dormir temprano. Con un somnífero quería huir, librarme una vez más, de aquel temido personaje de Sorge —la Preocupación— que en el *Segundo Fausto* se substituye a Mefistófeles, relegado a la modesta condición de capataz de obras; el Sorge por quien el Doctor de Supremas Apetencias, pasado de ser aprendiz a maestro, más fuerte que el Demonio mismo, habría de ser torturado ahora, teniendo al tenaz y pérfido huésped alojado en las entrañas, infinitamente más temible que todos los diablos catalogados en los tratados de demonología por cuanto nos roe *por dentro*... La habitación tenía graciosos muebles de madera obscura, con rejillas y cojines, y una palangana antigua con jofaina de porcelana historiada en azul sobre blanco... Lejos, en algún lugar de la noche, un excelente pianista hacía sonar las *Harmonies du soir* de Franz Liszt, con gran lujo de acordes arpegiados y repentinas tormentas cromáticas.

9

Al día siguiente, salimos temprano. Un sol, algo difuminado por transparentes neblinas, ponía una iluminación un tanto teatral —como conseguida por un inteligente maestro electricista— sobre una ciudad (y era ése uno de sus encantos) que mucho tenía de decoración teatral admirablemente lograda. Todo aquí, las casas, el color de los techos, las proporciones, las perspectivas, los árboles, parecían colocados, combinados, puestos en su exacto lugar, con juegos de sombras y asimetrías, por un magnífico escenógrafo a quien hubiesen confiado la tarea de reconstruir el ambiente de una pequeña ciudad alemana de fines del siglo XVIII. Estaba todo tan bien conseguido que parecía ficción, obra de un señorial y magnífico Intendente de Espectáculos. —"Estamos en el *Heimat aller Deutschen* —"el hogar de los alemanes todos" —dijo Hans. Nos asomamos a la iglesia de Herder para contemplar, un rato, el tríptico de Cranach, con su *Lutero interpretando la Biblia* sobre un trasfondo —¡buena advertencia!— de campamento militar, aunque al Cranach de los Testamentos prefiriese yo el otro Cranach, el de las deliciosas "Venus" de sombrerito redondo, tetas chiquitas y ojillos maliciosos, bastante *flappers* y algo cachondas, que tanta gracia hacían a Ada —y su recuerdo, repentinamente impuesto a mi mente, me hizo salir del santuario para respirar aire fresco. Bajamos nuevamente hacia el Hotel del Elefante, contemplando a distancia, en vuelta de una esquina, las dos ventanitas bajo techo empinado de la buhardilla de Schiller, cuya modestia —casi pobreza— contrastaba con el empaque burgués, acomodado, casi pomposo a pesar de la sencillez de su fachada, del cuerpo central de la casa de Goethe. Todo respiraba, allí, el bienestar, la respetabilidad, la ausencia de preocupaciones materiales, del olímpico poeta. Y debo decir que el interior de la morada me decepcionó un tanto por su ausencia de fantasía, de ocurrencias, de originalidad, en el moblaje y la decoración. Los enormes modelos de esculturas romanas y griegas, en yeso, puestas en estancias harto pequeñas para encerrar tales Medusas, tales Demiurgos, tales barbas, tales cuellos, tenían algo enojosamente desproporcionado —casi teratológico. La Cabeza Colosal de Juno metida en el salón de música, parecía la de una giganta decapitada cuyo cuerpo ensangrentado yaciera en algún horrible sótano vedado a los visitantes. Por su tamaño, esos modelados que tenían, además, la desagradable textura —algo blanda y harto blanca— del yeso, devoraban cuanto les circundaba, haciendo olvidar la presencia, en las paredes, de valiosas pinturas y exquisitos grabados. En el saloncillo de Cristiana, me llamó la atención —por el rasgo de carácter que significaba— el pequeño estrado donde se colocaba la esposa para atender las damas que acudían a visitarla —sentada ella en un nivel más alto, burguesamente regio con relación a los muchos que, otrora, tanto le hubiesen criticado su libre convivencia con el Genio, muy valiente por cuanto significaba un desafío a la sociedad weimariana de la época. En el Gabinete de Trabajo, supe que Goethe solía escribir de pie ante un pupitre —como Hugo, como Hemingway. ("¡No compares, por Dios!" —exclamó Hans...) Y finalmente —¡no podía ser de otro modo!— demoramos un tanto en la sencilla, casi pobre, habitación del M e h r L i c h t!... Al salir pregunté al "catire" por el edificio donde había estado la *Bauhaus* construida por Henry Van de Velde. (Como aspirante a arquitecto quería ver el lugar donde, juntos, habían trabajado Walter Gropius, Paul Klee, Kandinsky, Moholy-Nagy y tantos otros...). —"No sé" —respondió Hans: "Los talleres fueron trasladados a Dessau". —"¿Y desde entonces?" El otro me miró con mal humor: "¡No hagas preguntas pendejas!" Tenía razón. Mi pregunta era una trampa pues yo estaba más que enterado de la dispersión del magnífico equipo de la *Bauhaus*... Anduvimos en silencio hasta la casa de Schiller, algo obscura y melancólica frente a la autosuficiencia, sólida y asentada, de la morada goethiana —y diría que ya romántica, por el casi medioeval empinamiento angular de su techumbre. —"Aquí se trastocaron las decoraciones" —dije, por decir algo: "Veo mejor a Fausto en la habitación de Schiller que en los salones de Goethe, en tanto que éstos serían una decoración ideal para la tragedia burguesa de Luisa Miller". El "catire" se adosó a una pared: "Ésta no debe tener oídos" —dijo, con gesto de auscultarla. (De cuando en cuando pasaba un autobús de turistas, una niña de faldas muy planchadas, un viejo ciclista con ristras de cebollas colgadas de las guías de su manubrio. Pocos transeúntes: en esta temprana hora dominical los jóvenes de la pequeña ciudad debían haberse ido temprano a los bosques cercanos, en tanto que sus padres se vestían de obscuro para asistir a los oficios religiosos...) El sol, repentinamente librado de neblinas, iluminó una calle: *"Mehr Licht!"* —dije. —*"Mehr Licht!"* —repitió el otro, como en eco. Y luego de un descanso, como si pasar a la otra acera le hubiese costado un gran esfuerzo, prosiguió, en tono de quien habla para sí mismo: "El poeta acaba de ser sacado de su modesta cama de madera de pino y sentado en una butaca, frente a su ventana. Pronuncia —magnífico 'comediante de sí mismo' hubiese dicho Nietzsche— su admirable frase de desenlace en acto final de una suntuosa existencia. Los criados descorren las cortinas y abren las ventanas. El poeta contempla por última vez el paisaje del mundo —de *su* mundo. Pero no transcurre el año 1832. Estamos en 1937. Y Goethe tiene la suerte de que la ventana de su cuarto mira hacia el sur. Porque, si hubiese dado hacia el norte, su mirada, pasando por encima de los techos, saliendo de la población, tramontando la selva del Ettersberg, hubiese caído en un lugar llamado Buchenwald. ¿No sabes lo que es Buchenwald? Un enorme rectángulo cerrado por cortinas de árboles olientes a piñones y bellotas donde, tras de alambradas electrificadas, vigilados por guardias implacables armados de metralletas, millares y millares de hombres hambrientos, depauperados, miserables, golpeados, torturados, enfermos o no, tienen que arrastrar carros llenos de piedras sacadas de una cantera cercana. Y tienen que hacerlo *cantando*. Ésa es la orden. Y, por ello, esos harapos humanos son llamados: *'Los Caballos Cantores'* —caricatura muy fina, muy propia del régimen, de *Los maestros cantores* wagnerianos. Y así como el Intendente de Espectáculos Goethe decía en el Prólogo de *Fausto*: 'Quien bien quiere trabajar escoge sus herramientas, usando de muchas maquinarias y decoraciones', en Buchenwald hay herramientas y hay maquinarias y hay decoraciones: lóbregos barracones donde gemir y agonizar; trallas, cepos y cadenas; una plaza donde los hombres son tenidos inmóviles, a veces, durante diez y ocho horas; prisiones, como la de *Fidelio*, pero en cuyos calabozos sólo se cabe de pie. Hay un horno crematorio, y hasta una increíble 'enfermería' donde, sobre mesas de mármol gris, paralelas, se entregan unos cirujanos de pesadilla, a experimentos sobre mellizos, enanos, seres físicamente deficientes, realizando operaciones inútiles, de tipo comparativo, trastocando vísceras, intercambiando órganos, desollando, cortando, aserrando, taladrando, en carne política desafecta al régimen... Y sobre la puerta de entrada de ese campo del horror, esta inscripción abyecta: 'A CADA CUAL SU MERECIDO'... *'Mehr Licht'* —dijo Goethe. Y, puesto en el año 1937, miró por sobre los árboles del Ettersberg, y murió de asco y de vergüenza"... El "catire" volvió a cambiar de acera, con paso de quien carga con un cuerpo harto pesado... —"¿Y hay judíos allá?" —pregunté cuando volvimos a detenernos. —"Sin duda: pero más por ser comunistas que judíos". —"¿Mujeres?" (aquí me tembló la voz). —"Creo que no. *Todavía no*". Hubo un silencio. Anduvimos por calles y calles, pisando, acaso, donde hubiesen pisado Juan Sebastián Bach, Wieland o Franz Liszt. Pero yo no estaba en Weimar para pensar en Bach, Wieland, Herder, Franz Liszt ni en la madre que los parió. Y, de repente, me estalló una pregunta que, desde hacía rato, se me hinchaba en la garganta: —"¿Por qué coño me has traído aquí?" —"Porque en Berlín no me hubiese atrevido a hablarte. Mi apartamento —no sé, no se sabe, nunca se sabe, pero se dice...— está habitado por micrófonos que, al parecer —no sé, no se sabe, nunca se sabe, pero se dice...—, llevan cuanto se habla a Altos Oídos que tienen los poderes discrecionales e inapelables de los jueces encogullados y terriblemente anónimos de las Inquisiciones oficiosas —aquellas que reúnen sus tribunales secretos en un edificio cualquiera donde, a lo mejor, las ventanas se adornan de canarios en jaula y tiestos de geranios. No podía llevarte a la cervecería de la estación de la Friedrichstrasse: demasiado barullo de viajeros, y no se sabe si éste, que se te sienta al lado, y finge leer un periódico... En otros lugares, me conocen... Me aconsejan que cultive mis amistades latinoamericanas, pero cuando alguno de ustedes llega a Berlín, me siento vigilado... Digamos que tengo miedo... Te dije lo de Buchenwald —trayéndote hasta aquí, donde las paredes tienen menos oídos— para ponerte en el borde del horror de lo que hoy se llama, en la propia cuna del *Aufklärung*, un 'campo de concentración', así, a secas...". —"¿Y la gente de Weimar sabe que eso existe?" —"¿Cómo ignorarlo, si lo tenemos al lado? Si fuésemos hacia allá, en el auto, pronto veríamos cerrado el camino por un perentorio letrero... Y es que, detrás, empiezan las alambradas"... —"¿Y se sabe algo de lo que allí ocurre?" —"Algo se filtra. Pero, junto a los que *saben* —que saben más de la cuenta—, están los que prefieren *ignorar-sabiendo*. En todo caso es tema de conversación que se evita... en homenaje a estos dos que se congratulan en perfume de laureles". (Y señalaba, sarcástico, al Goethe y al Schiller —Schiller ya despechugado a la romántica con un manuscrito de bronce en la mano, Goethe aún dieciochesco, con su larga levita y sus pantorrillas colosales asentadas en zapatos de hebilla— que se alzaban, geniales y magnánimos, sobre un alto pedestal, al centro de la Theaterplatz): —"Son *ésos* precisamente" —dije— "quienes debieran incitar las gentes de aquí a alzarse contra esa abominación; a armarse de fusiles, pistolas, dagas de panoplia, hierros, garrotes, guadañas, lo que sea, para acabar con esa deshonra del espíritu alemán". —"*¡Qué ejperanza, che!*, diría un argentino. El Campo de Concentración de Buchenwald se ha vuelto un mejor negocio para Weimar que la misma casa de Goethe. Los panaderos, trabajando día y noche, no dan abasto para hornear panes destinados a los custodios y presos del enorme establecimiento. Los farmacéuticos realizan magníficos beneficios, y también las tiendas de comestibles. Ayer —lo viste— la Taberna del Oso Negro estaba repleta de uniformes. Los carceleros mayores y carceleros menores favorecen los comercios de libros, estampas y 'souvenirs', comprando vistas de Weimar, postales con el retrato de Cristiana Vulpius o Carlota Stein, pisapapeles, grabados, guías, y hasta casitas de Goethe, en piezas de madera por armar, de madera, que son el más lindo juguete que pueda imaginarse, para mandar a sus novias, esposas, niños... Buchenwald se nos ha vuelto el Pactolo. El *Big-money*. Reina la prosperidad... Rückert llamaba a Goethe, Wieland y Herder: 'los tres matadores'. Ahora podría hablar de mil, dos mil, tres mil matadores. Una ciudad de matadores"... —"Pero, en fin, no me dirás que todo el mundo aquí está de acuerdo con..." —"Evidentemente que no. Pero están los del *laissez-faire*, los de 'yo no tengo la culpa', que son una enorme mayoría. Si *saben* lo que ocurre tras de las alambradas, fingen que *no lo saben*. Y ya que las cosas son como son, y que ni *tú* ni *yo* vamos a cambiar nada, pues... ¡que viva la Pepa! como dicen los españoles". —"Pero, en fin: una rebelión del espíritu, de la sensibilidad, un instinto de solidaridad humana". El "catire" me miró de frente: "Oye: en mayo del 33, los nazis quemaron los libros de Freud en una de las tantas hogueras de la cultura que encendieron en Berlín. Y creo que hicieron bien, puesto que ya no se necesitaban libros de Freud, allí donde Hitler le había robado toda la clientela posible con un método mucho más sencillo y más económico que el psicoanálisis... Adolfo ocupaba, manu militari, el consultorio de Segismundo. Y para sacar energías de los inhibidos, de los frustrados, de los débiles; para librar de sus fantasmas y complejos a los 'ninguneados' y humillados, a los amargados, los insatisfechos, los cornudos, los fetichistas, los sado-masoquistas, los maricones inconfesos, los obsesionados, los lumpen indecisos, los hambrientos de autoridad, los déspotas con las medias rotas, los Ávidos de Insignias y Mando, los aprendices-asesinos del Padre, no hay como el regalo de un par de botas, un cinturón de fuerte hebilla y un brazal rojo y negro. El derecho de aullar *Sieg Heil!* a todas horas del día vale por todo lo que pueda largar un paciente, a retazos, en larga y difícil catarsis del subconsciente. El día en que un olor a talabartería invadió el país, la partida fue ganada. Millones de corazones obscuros latieron a cuatro tiempos en compás de marcha militar; salieron garras a los borregos, se auparon los enanos, se hicieron feroces los serviles, las apetencias reprimidas se calzaron de cuero embetunado, y los homosexuales se enredaron en una maraña de correajes y de arreos militares que, al punto, se les hizo consentida y deleitosa prisión. Cantando el *Horst Wessel Lied* y autorizado a proclamarse Hombre de Pura Sangre y representante de una Raza Electa, cualquier mierda se encasquetó un yelmo de Caballero Teutónico para instaurar un Reinado de Mil Años (siempre 1 000, el viejo milenarismo que nunca se contenta con un lapso de uno, dos, tres siglos —y ya sería bastante— sino que necesita de tres ceros para afirmarse en número redondo). El vencedor del buen Segismundo exaltó los valores de la brutalidad, de la suficiencia, del desprecio a las categorías intelectuales, para quienes el mundo intelectual y filosófico resultaba ajeno por inaccesible. ¡Al carajo las categorías kantianas! ¡Al carajo la lógica de Hegel! Ahora, cualquier vendedor de aspiradoras eléctricas o de pólizas de seguro, cualquier cultivador de ruibarbo (¿ignorabas que el ruibarbo, por ser alemán, es superior a los mejores limones del mundo? ¡entérate por nuestra prensa!), cualquier fabricante de llaveros o broches con la efigie de Hitler (y existe, de esto, toda una industria como la que explota la mitología wagneriana en Bayreuth), se ve como el 'junco pensante' de Pascal; en todo caso, un Superhombre ventajosamente desplazado del plano de Nietzsche al plano de *Mein Kampf*"... Tras de la torrencial tirada, el "catire" había quedado sin resuello. Y era yo, ahora, quien oficiaba de Abogado del Diablo: "La gente que tú me pintas parece sacada de un enorme esperpento de Valle Inclán. Pero los noticieros cinematográficos nos muestran algo muy distinto. Porque no sólo con gente esperpéntica se llenan los estadios inmensos donde el Führer congrega a sus adeptos. Allí hay hermosas muchachas, vigorosos jóvenes, recios padres de familia —y hasta muy sólidos discípulos de Heidegger. Esto, por no hablar de los magníficos músicos, de los prestigiosos directores de orquesta, que se han sumado a las grandes bandas militares del régimen". —"Eso. Eso, es lo terrible: la gente saludable, la gente inteligente, que está marcando el paso. Porque ésos no van engañados. No. Todos han leído *Mein Kampf*. Todos han escuchado y analizado los discursos de Hitler. Y *han escogido*. Eso es lo tremendo: *han escogido*. Han *optado* por la violencia, la arbitrariedad, la ley del más fuerte, formando bárbaros escuadrones destinados a la quema de libros, la destrucción de partituras, la expurgación de museos y bibliotecas. Ley de la tea, del hacha y de la cachiporra. Y con ello, esos fuertes, esos orgullosos, han empezado a desempeñar su papel de Electos, de Egregios, a tenor de lo publicado por Rosenberg, el pensador, el filósofo, el racista integral, el máximo ideólogo del sistema con la sorprendente particularidad de que él, Rosenberg, es ruso de nacimiento y que sus teorías se alimentan del francés Gobineau y del Chamberlain yerno de Wagner, inglés de pura cepa que sólo se hizo ciudadano alemán a la edad de sesenta y tantos años...". El "catire" respiró hondamente: "Perdóname la *descarga* —como dicen ustedes los cubanos; pero me era necesaria". —"Bien... pero tú estás al servicio de ese régimen". —"Porque no me queda más recurso. Los que trabajamos en el departamento de propaganda dirigida al extranjero —publicaciones, radio, etc.— sabemos, por fuerza, de muchas cosas que responden a propósitos aún tenidos en secreto. Preparamos caminos para acciones futuras que se están elaborando. De ahí que se nos tenga terriblemente vigilados. Yo sólo podría viajar fuera de aquí (es decir: huir de esto) si tuviese un pretexto válido. Y ése es el que no acabo de hallar". —"¿Hay en Alemania alguna clandestinidad?" —"¡Vaya si la hay! ¡Hasta se las arregla para publicar una *Rote Fahne* en edición miniatura!" —"¿Y por qué no la buscas?" —"Los Altos Ojos me verían muy pronto. Digamos que padezco también de eso que ustedes, gente de machismo, llaman 'falta de cojones' ". —"¿Y cómo caíste en la trampa?" —"Por la estúpida pretensión de ser *apolítico* en este siglo. Sí. No me mires así. Nos conocimos cuando en Montparnasse se propagó aquella fiebre de la politización, del comprometimiento —¿recuerdas?... Yo quise imitar a los demás. Pero ¡eso sí!... sin *enrolarme.* Ingresar en el Partido significaba la aceptación de una disciplina. Preferí, pues, esa izquierda más a la izquierda que la izquierda tenida por izquierda, que es la de las 'Terceras Soluciones'. La fórmula es fácil: se rechaza la sociedad capitalista (actitud rebelde, simpática, juvenil...), pero se proclama, a la vez, que el marxismo está caduco, anquilosado, superado, rebasado, gagá (¡a mí no me la hacen! ¡no soy de los borregos que aceptan consignas!) y se busca una salida que lo mismo puede conducir a Munich que al budismo zen. Yo fui hacia Munich. Y, de repente, dejé de ser el Hombre-Aspirina-Bayer para volverme Hombre-Nacional-Socialista, adscrito a un importante organismo estatal, encargado de una misión trascendental. En una noche troqué el maletín del viajante de comercio por la espada de Sigfrido. Por ser rubio —'catire'— tengo el derecho más que legal, aconsejado, alentado, de tirarme a todas las hembras rubias de la

Creación. ¡Todas las nalgas de Rubens, para mí! ¡Todas las diosas olímpicas filmadas por Leni Riefenstahl, de ésas a quienes el salto largo, el crawl y el cien-metros, endureciendo íntimos músculos, han puesto un maravilloso cascanueces donde yo sé! ¡Un sueño! ¡Y mil años por delante!"... (Cambia el tono, bajando, de pronto, el diapasón de la voz.) —"Mil años para ver lo que en un poco más de uno empecé a ver y a saber" (señaló hacia Buchenwald). "Mi drama es el de quien, por no comprometerse, cayó en el peor de los comprometimientos: el comprometimiento con la guerra. Porque la Guerra, la grande, la que nadie puede imaginarse, está ya en marcha (estamos preparando, incluso, los ánimos propicios de los alemanes que viven en Chile, Bolivia, Paraguay, México...). El ensayo general es en España, con Legión Cóndor y todo. Y en esa guerra hallaré probablemente la peor de las muertes: *la de caer en combate por una causa en la que ha dejado de creerse*. La muerte inútil. La muerte más pendeja que pueda cerrar una vida". —"Caer por caer: mejor caer por trabajar en la clandestinidad". —"Tengo un miedo atroz a la tortura. Si me *apretaran* haría más daño que haciendo lo que hago"... De pronto, viendo que de nuevo regresábamos hacia el Hotel del Elefante, detuve a Hans y lo agarré por las solapas: "¿Y con tan heroico ánimo ante Altos Ojos y Altos Oídos, como tú dices, te vas a ocupar *seriamente*, mañana, del asunto que me interesa?" El otro puso una cara tan vencida, tan estirada para abajo —temblorosos los labios— en el último gesto dilatorio de limpiarse los espejuelos con un pañuelo, que, antes de oírlo, sentí el miedo que se siente ante la inminente revelación de una temida verdad. —"Por fin me obligas a soltarte *el paquete*" —dijo: "Desde que salimos de Berlín, vengo retrasando el momento, de hora en hora". Y, alzando repentinamente el tono para darse valor: "No hay nada qué hacer. ¿Me oyes? Nada. Ya lo averigüé todo"... El padre de Ada, privado de ejercer su profesión de abogado por ser judío, había creído que en su condición de veterano de la guerra del 14, condecorado en Verdún, podía hacer valer sus méritos patrióticos, conjuntamente con otros profesionales judíos, también antiguos combatientes, que estaban en su caso. Promovió reuniones —pronto denunciadas por la portera. Y, una tarde, todo el mundo fue arrestado. Y cuando llegó la hija, al enterarse de lo sucedido y ver que el apartamento había sido brutalmente registrado —cerraduras rotas, armarios abiertos, gavetas volcadas, papeles dispersos— cometió el irreparable error de acalorarse, gritar, acusar, y largar una bofetada que demasiado sonó en una cara nazi, atronando la calle entera... Aquella misma noche se la llevaron los hombres de Himmler... —"Pero..." —"Eso es sin apelación. Responde a una fórmula que consta de dos palabras sumamente poéticas: *en la noche y en la niebla* parece frase de Novalis. *En la noche y en la niebla.* Nadie ha visto nada, nadie ha oído nada, nadie sabe nada. Viaje a un país sin correos, que no figura en los mapas. Viaje del que nunca ha regresado un judío"... Y como nada más tenía que decirme, me tomó por un brazo, guiando hacia el hotel mis indecisos pasos de hombre caído en estupor. Creo que le oí decir algo que me volvió a la mente, varias horas después, en el expreso que me llevaba a París: "La Historia tiene raras ironías: Freud amaba particularmente un lugar de la Baviera. Sí. Un lugar llamado Berchtesgaden".

10

...Cuando ahora despertaba, tarde en la mañana, tras de un sueño denso y pastoso, conseguido con somníferos, regresaba a un mundo intolerablemente desprovisto de sentido. Todo me parecía ajeno, deshabitado, huero, inerte, irritante, inútil, sin valor ni calidad, en un aire que no podía respirarse por dos bocas. Había enmudecido el cotidiano —y tan grato— contrapunto de abluciones, grifos abiertos, pomos movidos, pasos ligeros, respiro de llamas azules en la cocinilla de gas, bajo un globo de vidrio donde ya burbujeaba un café, recibido de Cuba, que me devolvía, por unos segundos, el ámbito de mi infancia —*"C'est alors que l'odeur du café remonte l'escalier"*, había escrito Saint-John Perse en sus admirables *Elogios*. Sólo en el recuerdo quedaban los graciosos escorzos de un cuerpo desnudo en busca de zapatillas extraviadas bajo la cómoda; las risas y luchas por la posesión de una esponja, por la convivencia en el área de un espejo —yo, tratando de afeitarme por sobre su hombro, ella desalojándome a codazos para peinarse; los imposibles intentos de coexistencia de ambos en el agua jabonosa de una bañadera harto estrecha para tales acomodos. Había días en que, al regresar a mi cotidiana soledad, aún amodorrado, buscaba, con el brazo derecho, la tibieza de un talle dormido, hallando sólo la frialdad de sábanas desertadas, y ante el yermo de mi propio cuerpo, puesto en aislada y estúpida unicidad, me alzaba sobre el encogimiento de mi agobio hallándome tan vacío por dentro como vacío hallaba el espacio de mi vivienda. No podía ser quien era cuando no amanecía mirándola en su profundo sueño —acaso colmada por el largo y ascendente ritual que, horas antes, la hubiese vencido— que implicaba (tal era su estilo) un increíble desorden de almohadas revueltas, abrazadas, medio colgantes fuera de la cama, caídas al suelo, puestas entre las rodillas —siempre donde no les tocara estar. A veces levantaba yo la sábana que mal la cubría para contemplarla largamente, con mirada que se detenía con ternura sobre todo lo que, en noche siempre nueva, siempre distinta a la anterior aunque se repitieran los mismos gestos, hubiese sido fuente de gozo en el cimero ritmo de los paroxismos. Jamás hubiese creído —hombre de aventurillas volanderas— que un ser pudiese verse tan totalmente consustanciado en otro. No me bastaba ya con mi piel para delimitar mi contorno; las venas me quedaban cortas; mis manos buscaban el asidero de otras manos; hablaba con voz que me parecía distante y ajena por sonar en frases triviales, de mero rebote verbal, si tenía que responder a una pregunta o devolver un saludo. Me rasuraba, me vestía, salía, comía cualquier cosa, regresaba con periódicos que quedaban doblados, sin haber sido leídos; salía otra vez, bebía, bebía enormemente aunque el licor me trajese muy poco alivio, incapaz de poner atención en nada, de seguir una conversación, de saber lo que ocurría en la pantalla cuando —incapaz de tolerar a las gentes, buscando la compañía de sombras— entraba en un cine, para irme a media proyección, importándome poco saber si el asesino era el mayordomo siniestro, el falso paralítico o el raro detective de Scotland Yard. Padecía un mal de ausencia que me venía por crisis intermitentes, ramalazos, embates de fondo, que, de repente, me hacían odioso cuanto me rodeaba. Era un agobio silencioso y adentrado que me arrojaba de todas partes, tratando de olvidarme de mí mismo en la movilidad, el aturdimiento, el renuevo de las cosas visibles, que me brindaban —sin calmarme por ello— el autobús o el metro. Viajaba de estación terminal a estación terminal, sin objeto, sin bajarme en ninguna parte, leyendo maquinalmente, al revés y al derecho, todos los letreros que me salían al paso y cuya inversión me ofrecía algo como los vocablos de un idioma desconocido: *Menier-reineM — Emulsion — noislumE — Orangina-anignarO... Reinem, noislume, anignaro...* Pero al cabo de esos viajes siempre había un bar. Un bar que siempre conducía a otro bar. Y así fue como, una noche, deambulando de bar en bar, fui a dar a *La Cabaña Cubana,* a la que no había querido regresar hasta entonces, porque era allí donde había conocido a Quien *en sombras y en silencio* se hubiese abismado en una noche sin término. Sin embargo fue un alivio para mí encontrarme con Django Reinhardt trabado en animada conversación con Gaspar Blanco durante un receso de la orquesta. —"¿Estás decidido?" —preguntaba Django. —"Sí". —"¿Tanto te gusta la guerra?" —"A nadie gusta la guerra. Pero creo que ha llegado el momento de trabajar donde hay que trabajar". —"Si es así..." —dijo Django, sin que su hermético rostro de gitano reflejara la menor sorpresa: "...y... ¿cuándo te vas?" —"Termino aquí la semana próxima". —"Cada cual hace lo que puede hacer. Un guitarrista al que faltan dos dedos sería poco útil en una batalla" —dijo Django: "¿Y tú conoces los toques militares?" —"Pienso tocar la carga con *La Chambelona*" —dijo Gaspar que tenía la trompeta descansando sobre la madera del bar: "Verás que no es cosa de slow". Y, embocando el instrumento hizo sonar, pero ahora con timbre cobrizo, brutal, imperioso, las notas de aquella comparsa nacida en baraúnda y faramalla de una campaña electoral, pero que, esta noche, llevada en pulsión agresiva, cobraba un tremebundo empaque marcial. ("*Aé, aé, aé la Chambelona*", la que tanto se había tocado en mi isla, con letras paródicas, intencionadas, impúdicas a veces —como había ocurrido en México con *La Cucaracha*— que llegaban a hacer burlas del Presidente de la República, en tanto que su Primera Dama era despachada a la *Zona* —de tolerancia, se entiende: valga decir, al barrio de las putas...) —"Música que da ganas de pelear" —dijo Django plácidamente, pagando una copa tomada con la lentitud de gestos —casi de película en cámara lenta— que yo le conocía: "*Good luck*, Gaspar. Mañana también viajaré al sur. Pero yo voy a la peregrinación de Santa María del Mar, patrona de los gitanos. Para la Virgen improvisaré, ante su altar, sobre el tema de *Honeysuckle Rose*. A la Virgen le gusta el jazz"... Y enfiló por la escalera, cargando con el estuche negro de su guitarra prodigiosa... Pero yo mal entendía de qué se había estado hablando. —"Nada. Que voy a pelear a España" —dijo Gaspar: "Ya basta, ¿no?" Y acariciaba su trompeta: "Me fue difícil dominarla: más fácil, una hembra. Años de trabajo. Pero fue agradecida: me sacó de una banda municipal de pueblo para traerme a Uropa. Gracias a ella conozco la tumba de Napoleón, la Torre de Londres, el *Tívoli* de Copenhaguen, el niño meón de Bruselas, los osos de Berna, y la Maja Encuerá del Prado —de poca masa y poca teta para mi gusto". (Vuelve a mirar la trompeta.) —"Hay días —¡palabra!— que me pregunto si es ella la que me arrastra o soy yo quien la empuja: si no va ella delante, y yo detrás. Ahora siento que está cansada de tocar para diversión de inútiles, vagos con dinero, cabrones con smoking, burguesas putas y putas profesionales —que no son las peores. Ella quiere cambiar de vida. Mírale el color. Se me está poniendo pálida en este sótano. Hay que sacarla al sol. Ella quiere sonar al aire libre". (La volvía a acariciar, de los émbolos al pabellón, con mano amorosa.) —"Pero te llegó la hora, m'hijita. Ahora sonarás en las Brigadas Internacionales. Batallón *Abraham Lincoln*. A ver si te portas como macho"... Reventó la orquesta en un *break* de alerta a los bailadores. Gaspar volvió a su atril. Quedé solo. *"Ingrimo y solo"* —como solía decir Hans, remedando el habla venezolana. *Ingrimo*. No sé a ciencia cierta lo que significaba esa palabra. Pero, por la desolada sonoridad de sus sílabas, se me antojaba que fuese la expresión del máximo desamparo posible. En el estrado, haciendo de Ángel de la Anunciación sin proponérselo, el trompeta lanzaba hacia mí las notas percutientes de *La Chambelona*, promoviendo, en mis entrañas, un parto de exasperaciones y aborrecimientos adentrados. Detrás de los Pirineos, millares de hombres venidos de todos los extremos del mundo peleaban contra una realidad, un sistema, y, sobre todo, un *espíritu* —¡demasiado alta la palabra para lo que, en este caso, designaba!— que era el de los hombres que habían asesinado a Julio Antonio Mella, que habían encarcelado, torturado, derribado, a tantos compañeros míos de la Universidad; los mismos que habían creado las gehenas de las islas Lípari; los mismos que, con bombas de alta potencia, habían exterminado a los nobles jinetes medioevales de Gondar; los mismos que habían instalado el horror de Buchenwald en el ámbito de Weimar; los mismos que gritaban: *"¡Abajo la inteligencia! ¡Viva la muerte!"*; los mismos que me hubieran privado de la única presencia que me hubiese sido *necesaria* alguna vez y que ahora, abismada en la noche y en la niebla, acaso muda, acaso muerta, perdida para siempre, llenaba de un odio compulsivo, vengador, por largo tiempo soterrado, hoy llegado a madurez, al Hombre Deshabitado, sin voluntad ni rumbo, que era yo aún hacía media hora. Mi decisión fue repentina, venida de adentro, sin reparo posible. Era como si me llamaran, como si mi nombre me entrase por los oídos, agigantado por un eco múltiple, dominando el rebramido de una tormenta —como si hubiese hallado un modo de *recuperarla;* como si, sumiéndome voluntariamente en el infierno de una guerra, rescatara, tal Orfeo en los Reinos Tenebrosos, a la que ahora era Sombra entre Sombras. Era deber. Era deuda. Dejaría de ser el *Ingrimo* —"el viudo, el inconsolado", el de "la torre abolida" de Nerval: *"ma seule étoile est morte"*— para hallarme a mí mismo, nuevo Yo, entre hombres que eran de mi misma lana, con los cuales viviría en hermandad de lucha contra todo lo que había aprendido a detestar en el mundo... Y ya el Orfeo de la divagación anterior, librado repentinamente, como por operación de medicina instantánea, de todo el alcohol bebido desde el atardecer, se ve a sí mismo con un arma en la mano: dispararla, desahogarme, desquitarme. Vivir para *algo* ya que no podía vivir ya para *alguien*: NO PASARÁN. En este minuto hago mía una consigna hasta ayer remota: "EL FRENTE POPULAR DE MADRID ES EL FRENTE POPULAR DEL MUNDO". Vivir en dimensión mayor —días, semanas, meses, ¿quién sabe?— aunque fuera al precio de una existencia hasta ayer inútil. —"Ven acá, Gaspar... ¿Qué debo hacer para irme contigo a las Brigadas?" —"Inscribirte. Mañana te llevo. Hay veinte cubanos más, que acaban de llegar. Entre ellos, varios médicos, con equipo sanitario y todo. Saldremos juntos. Por la Gare d'Austerlitz. Hasta Perpiñán. De ahí a Figueras —creo que por la montaña. El Partido se ocupa de todo". —"Pero..." —"¿Qué?" —"Es que yo no soy del Partido". —"En este caso, no importa: te conozco y basta. Lo que vale ahora es tener cojones, ganas de pelear y voluntad de acabar con el fascismo hijo-de-puta. NO PASARÁN". Y levantó el puño a la altura de la sien, con los dedos medios cerrados sobre los émbolos de la trompeta.

Las del alba serían cuando cené con Gaspar en aquel *Mitchell's* de la Rue Fontaine donde, en trastienda reservada a profesionales e iniciados —había allí un piano vertical de mala vida, un *drum* comprado en casa de empeños, un contrabajo, de amo desconocido, abandonado en su rincón en noche de borrachera...— se reunían los músicos de jazz, tras de su jornada nocturna, para esperar la mañana en olor de hamburger, welshrarebit, hot-dogs y cebolla frita. (Ahí había yo oído tocar, así, por gusto, por mejor conocerse unos a otros, por buscar variaciones posibles sobre una melodía, por divertirse, por jugar, por juntarse inesperadamente en prodigiosas *jam sessions,* a Duke Ellington, Louis Armstrong, Django, su hermano Nana, los nuevos trompetas Bill Coleman y Dizzy Gillespie, la guapa mulata Aida Ward, la otra mulata, Bessie, amante por un tiempo del poeta surrealista Robert Desnos —en inagotables combinaciones aleatorias, tríos improvisados, conciertos de clarinete y batería, saxo y tecla, que a menudo arrancaban sobre los temas ya clásicos de *Lady be good, I got rhythm, The man I love,* o esas ya venerables piezas de antología que eran *Tea for two* o el *Tiger-rag*. . .) Pero mi ánimo a la vez vivificado y ansioso, proyectado hacia el futuro inmediato, se había desprendido de todo lo circundante. Y surgían preocupaciones nuevas: "No sé disparar un arma" —"Allá te enseñarán". —"¿Tú crees que yo sirva?" —"Eso se ve a la hora del arrancapescuezo. Sobre eso no hay nada escrito. Hay cañengos y ñangueados que se portan como héroes; hay machotes, de boxeo en gimnasios y musculaturas olímpicas, que se mean al oír el primer tiro". . . —"¿Y la muerte?" —"Mira: si ya estás pensando en la muerte, quédate en París". (Llamó al mozo para pagar lo comido:) —"A mí, de las guerras, no me sorprende el número de los muertos; lo que me asombra es la enorme cantidad de vivos que quedan para contarlas. En el juego de la Charada China, que tú bien conoces, el 8 es *muerto grande,* pero el 9 es *elefante,* animal que muere de viejo, parando la trompa. Quien va a la guerra debe pensar que, la hora del sorteo, más gente ganará con el 9 que con el 8. Así que, aplícate el cuento. Yo, por lo pronto, me apunto para el 9". . . Regresé a mi casa, que me pareció menos vacía, menos siniestra, que en días anteriores. Por fin —¡carajo!— había tomado una verdadera decisión en mi vida. Por fin había algo *a mi voluntad debida* —acción emprendida sin verme zarandeado por los acontecimientos o por dictámenes ajenos. Y eso, rebajándome a la peor condición que pudiese contemplar la gente de mi casta: la de quien un aristocrático general francés hubiese calificado, a principios de siglo, de "artilugio táctico elemental" —valga decir: soldado raso. Soldado raso y bien raso sería porque me daba la gana —y pensaba en el escándalo promovido por la noticia en los saraos, tés de damas, meriendas de ringorrango y recepciones dadas en la Calle 17, cuando de ello se hablara en casa de mi tía, en cenáculos presididos por el sobrino de Romanones y los Títulos que en expectación y resguardo prolongaban sus permanencias en América Latina, entonando loas a Francisco Franco Bahamonde, los Tabores marroquíes, Millán Astray, Queipo de Llano, y otros hijos, en espíritu y obra, de ese Valeriano Weyler (perdóneseme la fijación) que había hecho morir a millares de compatriotas míos en sus abominables campos de *re-concentración*, cuya Capital del Espanto fuera el Jaruco de las flores y montañas en escaleras, donde los cadáveres de muertos por hambre o por enfermedad se dejaban pudrir al pie de las ventanas, en hervor de gusanos, sanies de carroña y ralea de auras tiñosas, por no haber energía suficiente, ni carros, ni carretillas para llevarlos al hoyo... Soldado sería y, pensando en ello, adquirí algunas cosas que un soldado podría necesitar al acercarse a la guerra: un reverbero mínimo, con pastillas de alcohol endurecido, una cazuelita plegadiza para calentar café; agua oxigenada, bolas de cera para los oídos, tubos de desodorante, espejuelos obscuros, y hasta un periscopio extensible, de espejos montados en tijerillas metálicas (que doblado cabía en un bolsillo) para mirar por sobre el parapeto de las trincheras. —"Tienes alma de boy-scout" —dijo Gaspar, riendo enormemente al ver mis compras aquella tarde: "Tira toda esta mierda a la basura, y apunta lo que debes llevar". Y, dictando: "Ungüento contra las ladillas; permanganato en sobrecitos (que el permanganato rinde mucho, abulta poco y sirve para todo); una buena cuchilla mixta, de esas que tienen abrelatas y tirabuzón; esparadrapo, algún jabón corriente que lo mismo te sirva para lavarte que para quitar la grasa al plato del rancho; un poco de algodón, aspirina en polvo y un suspensorio... Y —¡se me olvidaba!— dos docenas de preservativos, por lo menos, porque cuando se vuelve del frente después de no oler una hembra en tres semanas, cualquier cáncamo, cualquier churriosa, te parece una Mae West". (Decididamente Gaspar era aficionado a las mujeres "envueltas en carnes", como decimos allá...).

Faltaban cinco días para partir. Pensé, de repente, que

fuera bueno proveerme de una base ideológica para asentar mi acción en algo sólido. Y abrí, por vez primera, *El Capital* de Marx. Empecé a leer: *"La riqueza de las sociedades donde reina el modo de producción capitalista se enuncia como una inmensa acumulación de mercancías"*. (Al punto mi imaginación se aparta del texto para presentarme imágenes: las de los vastos almacenes de La Habana Vieja, donde mi tío, el "Señor Conde", guardaba enormes cantidades de sacos, balas, cajas, toneles, fardos, tambores de manteca, jamones salados, bajo las vigas de antiguos palacios de escudo en puerta, desertados, hacía muchos años, por sus amos primeros...) *"La mercancía es, ante todo, un objeto exterior, una c o s a que por sus propiedades satisface las necesidades humanas de cualquier índole. Que esas necesidades hallen su origen en el estómago o la fantasía, en nada desplaza la cuestión."* De pronto, Marx —nunca hubiese pensado en ello— se me revelaba como un magnífico escritor: *estómago* y *fantasía*, lo bajo y lo alto, lo intestinal y lo ascendente, la bestia y el *n o u s*: contraste logrado con la mayor economía de palabras. Quien yo me había imaginado como un árido teórico de cifras y plusvalía, me va interesando como prosista. Desde la primera página, va directo a la cuestión con una asombrosa funcionalidad del vocablo: *"Cada cosa útil, como el hierro, el papel, etc., puede ser considerada bajo un doble punto de vista: el de la calidad y el de la cantidad. Cada una reúne un conjunto de propiedades diversas, y puede ser útil, en consecuencia, bajo distintos aspectos"*... Pero ahora contemplo los tres tomos de mi edición con enorme desconsuelo: ¿cómo no haber pensado antes en leerlos? Ya no quedaba tiempo. Si acaso, hojear. Y, saltando páginas, me maravillo ante la cultura humanística de quien, para hablarnos de algo tan trivial y prosaico como la *mercancía*, se apoya en un Aristóteles que, en dos frases bien citadas, "expresa claramente que la forma *dinero* de la mercancía no es... sino la expresión del valor de una mercancía en otra cualquiera". El Mercader de Venecia asoma la nariz fisgona donde el filósofo, al referirse a la gran industria, traza, con un solo verso certeramente escogido, un retrato de las "gentes de cantidad" —ya que no "de calidad"— a las que demasiado conozco: *"Me arrebatas la vida si me quitas aquello que me hace vivir"*. Má^ atrás, considerando la *moneda*, va donosamente de la carta escrita en Jamaica por Cristóbal Colón a la *Antígona* de Sófocles, pasando por Shakespeare soberbiamente invocado en los soberbios versos de *Timón de Atenas*:

Gold? yellow, glittering, precious gold?
Thus much of this, will make black, white; foul, fair;
Wrong, right; base, noble; old, young; coward, valiant...

Pero, no. Ya no me quedaba tiempo sino para admirarme ante los aspectos literarios del texto, sin calarlo en profundidad. Rápidas caen cinco hojas del calendario. Y llega la noche de la partida, noche en que por vez primera en mi existencia, perdido en una muchedumbre de futuros combatientes —serían cuatrocientos, quinientos, no sé...—, uno entre muchos *unos*, unos que sumaban un conjunto, un todo, una colectividad, parte, a su vez, de una colectividad mucho más cuantiosa y universal, tengo la impresión de integrarme *en algo*, de hallarme a mí mismo *en algo* que, envolviéndome, arrastrándome, tonificándome, me trasciende, cobrando un valor ontológico... Y son risas y despedidas, y besos a la mujer, y gritos y apóstrofes en diez idiomas, y barullo de acomodo en los compartimentos invadidos por hombres, aún sin uniforme, pero que ya llevan mochilas terciadas y gorras casi militares... Y a las 10 de la noche, bajo las vastas cristalerías de la Gare d'Austerlitz, el tren se pone en marcha. Entonces, enorme, multitudinaria, tremebunda, en andenes repletos de gente, y en los vagones que ya empiezan a rodar, suena, solemne, sobrecogedora, *La Internacional* —tal Magnificat cantado en nave de altas bóvedas, sobre el *organum* de la locomotora que, con un largo silbido, toma el rumbo de los Pirineos.

II

...reflejo de la Historia sobre alguien que, por casualidad, se halló en su camino.

ALEJANDRO HERZEN
(Pasado y meditaciones)

11

Durante las primeras noches en que se duerme, se malduerme o se trata de dormir, en una ciudad amenazada de bombardeo —lo sabría yo desde ahora— la conciencia se erige en centinela de sonidos para tener en estado de alerta a quien trata de hallar algún descanso en la engañosa calma de la queda. Pero, al iniciar sus menesteres de vigilancia, el centinela se muestra harto inexperto en descifrar el código de las estridulaciones, silbidos, vibraciones, crujidos, topetazos, ruidos afelpados, rumores confusos, voces indefinidas, que enderezan al yacente en la obscuridad, de ojos repentinamente abiertos e interrogantes, pasando señales equivocadas a los oídos y a las antesalas del entendimiento. Y se advierte, entonces, que el horrísono tiro de ametralladora señalado por el centinela harto imaginativo, no era sino el paso de una motocicleta con el escape abierto; que la explosión de hace un segundo no era sino el estrépito de una puerta brutalmente cerrada por el viento, en tanto que esos aviones —¡muchos aviones!— que poco antes hicieron temblar los cristales de la ventana, no eran sino camiones pesados —esos camiones militares, siempre verdosos, siempre amarillosos, siempre grisosos, siempre tristes, que en fila desfilan en horas de madrugada, llevando enormes bultos bajo sus desgastados hules, sus desteñidas lonas un tiempo pintadas de leopardo o de arlequín... Así, cuando me levanté tras de breves adormecimientos entrecortados de sobresaltos, me sentí más cansada que la víspera, maltrecha, como engripada y algo febril. Mi rostro, visto en el pequeño espejo empañado que era el único lujo de la habitación, se me mostró feo, estirado, marcado por el cansancio. Abajo sonaba ya el claxon impaciente de un automovilito azul, de cuatro puertas: *Servicio de Aviación.* El cubano, apoyado en su bastón, me esperaba en la acera. —"El camarada Jacinto" —dijo, señalándome al chofer, vestido de mezclilla añil-blanca. Y, volviéndose hacia mí: "La camarada... Oye... pero... ¿y cómo te llamas?" —"Vera". —"La camarada Vera". —"También tengo apellido. Soy Vera Kal..." El otro cubrió con su voz las "ches", las "kas" y la "i" griega, que seguían: "Basta con que seas *la camarada Vera.* Tu apellido debe ser de esos, cirílicos, que sólo saben pronunciar los archimandritas". (Subí al auto crispada por una repentina ira: *Camarada.* ¡Yo, *camarada*! La *Camarada Vera.* ¡Lo único que faltaba!... También las gentes de Diaghilev, al saber de la revolución bolchevique, se habían proclamado "camaradas", unos a otros, llegando a sacar banderitas rojas a la escena, en tanto que Stravinsky y Ramuz proyectaban un viaje a la Rusia de Lenin —a tiempo cancelado... (Pero poco, muy poco, había durado esta instalación de *camaradas* en un mundo de zapatillas, mallas y tutúes que vivía de lujos y munificencias burguesas, con el apoyo económico de altas damas del Faubourg Saint-Germain o de la corte de St. James —y hasta de banqueros amantes de bailarinas que se inscribían, así, en las más sanas tradiciones del resplandeciente, enjoyado, casi mítico Teatro Imperial de San Petersburgo...) —"¿Por qué pones esa cara de tranca?" —"Nada, *camarada*... No tengo otra cara". —"No te quejes, porque fea no eres". —"Favor que usted me hace, como dicen los españoles". —"¡Y que tus colores son naturales! Nada de creyón de labios ni de rimmel". —"No me pinto. Para eso, los payasos". —"¿Y cuando sales a escena?" —"Oficio de payasos. Obligación profesional". El cubano se echó a reír: "¡Y con qué tono lo dice!... Lo de siempre. Porque son artistas, porque son *intelectuales*" (subrayó la palabra de modo casi agresivo) "se creen obligadas a renegar de todo lo que pueda embellecerlas. Pero eso no es nada: peor es cuando se estrenan de militantes políticas: cabellos podados a tijeretazos, cejas hirsutas, axilas con sombra, zapatos de tirilla sobre el empeine, traje sastre reglamentario —casi siempre de color gris. ¡Folklore de nuevo género! Ada, en cambio, no creía que el jabón y las lociones estuviesen reñidos con la inteligencia. ¡Podías olerla de arriba abajo a cualquier hora del día! ¡En eso parecía cubana!"... Confieso que caí en la trampa de una susceptibilidad pueril frente a quien manifestaba un enojoso chauvinismo en punto al aseo personal, creyéndome obligada a recordarle que, en mi oficio de atleta-sílfide, las duchas nunca estaban lejos de las barras, ya que el Espectro de la Rosa, la Fille-mal-gardée, Odette-Odile y la Reina de las Wallis sudaban como hércules de estiba o corredores de cien metros. El otro, para arreglar las cosas: "Ya te dije que fea no eres; pero lo mejor que tienes es esa mirada rara, de un verde raro, entre gato y 'yo no fui' que..." —"¡Cualquiera se reconoce en ese retrato!" —"Eres modelo que se mueve mucho, y yo soy mal retratista. Digamos que eres persona 'de buen ver', como dicen aquí, aunque no al gusto español. Algo distinto, no sé..." —"No me venga usted con el misterio eslavo". —"Yo no hablo pendejadas —¡perdón!—... En lo general te me pareces un poco a Clotilde Sakharoff". —"Pues, lo siento. Porque *eso* no es bailarina ni es nada". —"Eso lo dicen ustedes, las *clásicas,* cuando ven una bailarina de pies desnudos que no pretende hacer de Giselle o de Cisne Negro. Lo mismo decían de Isadora Duncan". —"¡Bah! Una yanki loca —o 'chalada', por usar la palabra de aquí". —"Así pensaba Anna Pávlova". —"¡No me toque usted a Anna Pávlova!... Sería como injuriar al Papa ante un católico... Además... ¿qué puede saber un cubano de quién es, cómo es, qué significa Anna Pávlova?"... El otro hizo un irritado gesto de protesta, pero el paso estruendoso de tres camiones militares interrumpió nuestra conversación. Y luego, fue el mar, a la derecha. Su inmensa vastedad, su quietud, tuvo para mí la acción de un sedante —*"la mer, la mer, toujours recommencée"*... Ajeno a las humanas contingencias, lo teníamos ahí, uno y múltiple, varón y hembra (Jean-Claude me había revelado que, en castellano, podía decirse *el* mar y *la* mar), camino de naves que por el garbo de las arboladuras pregonaban el siglo a que pertenecían —imagen efímera del tiempo humano para el agua sin tiempo que en este litoral depositaba sus algas y medusas desde los Siete Días que Conmovieron el Cosmos. Mirando el mar, me sentí más segura, más vuelta a la integridad de mi propio cuerpo, que si me hubiesen bajado a las silenciosas honduras de un abrigo subterráneo... Acaso, tras del horizonte, vienen hacia nosotros mortíferos aviones en formación triangular. Pero, no. No lo creo. No puede creerse, ante la inmensa fiesta de roleos y espumas que nos entra por los ojos. Hay plata de escamaduras a la sombra de las redes puestas a secar. Al arrimo de una barca (llamada *"Numancia"*: distingo las letras) que descansa al sol, calentando sus maderas muy trajinadas, dos pescadores juegan a la brisca... Creo que me duermo sin dormir. Que algo he dormido. Una voz: "Aquí estaba Sagunto...". Ni miro siquiera. Creo que, en un tumbo del auto, mi cabeza ha ido a caer en el hombro del cubano —que cuida ahora de no moverse, para servirme de almohada... Y otra vez la voz: "Castellón de la Plana. ¿Vienes a comer algo?" —"No". Y aprovecho de que el hombre baja, para medio acostarme en el asiento trasero. Rodamos de nuevo. El cubano se ha instalado delante, con el chofer. Creo que hablan de mí: —"La cogió el bombardeo de anoche". —"¿Se mearía de miedo?" Risas. Sueño. Y, de repente, la impresión de que hemos llegado. Me enderezo. Un cartel: tres cabezas de soldados con cascos de hierro sobre un orbe centrado en una estrella de tres puntas: TODOS LOS PUEBLOS DEL MUNDO ESTÁN EN LAS BRIGADAS INTERNACIONALES AL LADO DEL PUEBLO ESPAÑOL. —"Pero esto no parece un hospital" —digo, viendo casas pequeñas, rientes, rodeadas de árboles, en un marco de playa y huertos. —"No lo es. Aquí hay unas treinta villas y quintas donde descansa la gente. Las oficinas y servicios están en aquel edificio, que antes era hotel o club náutico, no sé... Te voy a presentar a la Directora... La camarada Yvonne Robert".

Siento de repente cuanto de madre lleva dentro toda mujer, aunque nunca se le haya hinchado el vientre en preñez, cuando veo a mi amante, sentado frente a una ventana que da al mar, con los codos apoyados en las rodillas, la espalda doblada, menesterosa, como vencida por grandes padecimientos. Yo me había acercado a su habitación, atragantada de rencores, presta a soltar de entrada —para perdonar después, lo sabía de sobra...— todo lo que me había amargado el ánimo durante estos últimos meses: su huida al alba, este viaje a España que me hubiese tenido en secreto, su alistamiento en las brigadas, que me había ocultado. El disimulo, el silencio, la mentira en obras. El abrazo a obscuras por temor, acaso, de que el engaño se le pintara en la cara. Y ahora que lo tengo asido de mi cintura, llorando, con la mejilla puesta sobre mi carne, todo el alegato preparado como para que un recio soldado lo recibiera a pie firme, se me disuelve en compasión, lástima, ternura —y hasta diría: en reproches a mí misma. En efecto: si me hubiese expuesto su propósito, si me hubiese hablado de su decisión y de su partida inminente, se habría topado con mi total incomprensión, pasada a ira, protestas, llantos, y resubidas de viejos enconos. —"Tú no acabas de entender que el siglo este es el de una nueva Guerra de Religiones" —decía: "No hay término medio entre las hogueras de Felipe II y las hoces y guadañas de la Reforma. Salvo que hoy no se lucha por desagraviar a Dios de la corrupción y simonía de sus dignatarios, del uso torcido de las Escrituras, sino por desagraviar al Hombre de los milenarios sufrimientos padecidos por la instauración de un Orden que empezó a viciarse el día en que una comunidad primitiva se hizo villorrio, los hechiceros se constituyeron en cuerpo legislativo, y hubo un astuto trepador que pasó de cacique a Príncipe". Y todo eso me parecía logomaquia de las peores, discursos de "*songe-creux*", debidos a la generosa ingenuidad de quien hubiese desconocido las duras y reiteradas experiencias que yo había padecido desde la infancia. Era fácil soñar con revoluciones desde la envolvente y cálida paz de nuestra vieja casa de la Rue de la Montagne Sainte-Geneviève —con vista sobre la iglesia donde yacían los restos de Pascal y de Racine. No sólo tiene el hombre una inmensa capacidad de sufrimiento, sino que a menudo parece desear, buscar, apetecer, el sufrimiento. (O si no que lo digan esos alpinistas —¡nunca he podido entenderlos!— que, sin objeto práctico alguno, pasan tremebundas noches de ventisca y helada sobre el horror de un abismo aneblado, metidos, engurruñados, en un saco de hule colgado de un pitón que bien puede desprenderse de la pared de roca donde lo hincaron —cosa frecuente— estrellando al durmiente, ochocientos metros más abajo, en los filos de altos cuchillos de esquisto...) Yo, en cambio, a medida que adelanto en años, huyo, con casi mórbida cobardía, de cuanto me pueda traer algún padecimiento. Y toda Revolución —¡si lo sabré yo!— llega, tras de heroicos clamores, de himnos triunfantes, con una segura secuela de pruebas, dolores y penurias. Dicen que esto debe soportarse, porque mañana... Mañana... Mañana... Pero yo vivo en el Hoy. En el Hoy-por-Hoy. De ahí que demasiado hubiésemos discutido, Jean-Claude y yo durante años, hasta que, de común acuerdo, tomamos la decisión de nunca abordar tema político alguno en nuestras conversaciones. Él era un marxista militante en tanto que yo era una cochina burguesa, conservadora y reaccionaria, añorante de Grandes Pascuas Rusas, pompas imperiales y *Obertura 1812*. Él era de *Izquierda;* yo, de *Derecha*. Él iba a sus reuniones de célula, a sus mítines de *"La Mutualité"*, mientras yo iba a mis escenarios de ballet, a mis Castillos de la Bella Durmiente. Pero, en ello, había un equilibrio frágil, una paz inestable. Aunque no habláramos de política, la política nos entraba por las ventanas, era clamada en la calle, estremeciendo, a todo lo largo del año, las ondas que conturbaban el éter. Y puede convivir un ateo con una católica practicante; un teósofo con una descreída; un atonalista con una pianista mozartiana; un maestro del cubismo con una pintora de cromos; un sabio con una tonta: lo imposible es establecer una armonía duradera a base del silencio político, cuando hay preguntas, cada vez más apremiantes, que caen del aire, nos vienen con los periódicos, ponen treguas heladas en las reuniones mundanas, enconan las peñas de café, rompen amistades, promoviendo subidas de tono, desafueros verbales, revisiones de trayectorias, puertas tiradas, platos rotos —querellas sin término. Lo que, a comienzos del siglo se hubiese producido en Francia con el *Affaire Dreyfus*, se repetía ahora, aunque en dilema más simple, con la Guerra de España. Se era *rojillo*, o se era falangista. Se estaba con la República o se estaba con Burgos —Claudel se había ido a Burgos; Malraux estaba en Madrid y Picasso pintaba el caballo de Guernica. Y, montado en ese caballo, había tratado mi amante de alcanzar los aviones de Malraux. Y ahora, abrazado a mi cintura, me miraba con expresión infinitamente triste, haciéndome sentir un poco madre y bastante *Pietà*. Aunque bronceado por el aire de montes y llanos y el barniz de cien resolanas, su rostro había adelgazado mucho. Demasiado le brillaban los ojos pardos y sudábanle las sienes. Sus manos estaban húmedas. A ratos temblaba un poco. —"¿No estás curado del todo?" —"Creí que lo estaba, pero..." —"¿Qué?" —"No sé. El médico no se explica este malestar que me va y me viene. Cuando llegué aquí, parecía perfectamente restablecido. Pero nada de eso importa. Malestar pasajero. Lo importante es que hayas venido". Y, de pronto, se le quebró la voz en un sollozo mal tragado, seguido de otros —y esto en quien yo había admirado siempre el poder de frenar sus propias emociones por horror a lo que llamaba "las lágrimas estilo Delly". —"Tú no eras hombre hecho para una guerra", dije a media voz, pensando en el intelectual que se había doctorado con una notable tesis sobre *Las fuentes hispánicas de Corneille,* siendo ya el autor de un excelente libro sobre *El Abate Marchena, girondino español,* y ahora, al venir para acá, había dejado terminado —aunque sin revisar totalmente el manuscrito— un estudio, a mi juicio monumental, sobre Aurelio Clemente Prudencio, el gran poeta hispanolatino de Calahorra que, hacia el año 400, publicara su extraordinario *Libro de las coronas.* (Durante su ausencia había yo leído y vuelto a leer ese texto que incluía hermosas traducciones de los Himnos a los santos zaragozanos, extremeños, calagurritanos, o bien oriundos de Tarragona, de Gerona, ciudades por las cuales acababa yo de pasar en mi angustiado viaje a Valencia. Y siempre había yo quedado asombrada por el carácter sombríamente español, precursor de Berruguete, de Valdés Leal, de Goya, del Picasso de *Guernica,* que tan tempranamente se manifestaba en el poeta, capaz de enternecernos con la blanca imagen de Olalla, predestinada mártir de doce años —"*chicuela, rechazaba los juguetes; pequeñita, ignoraba el alborozo, y hasta congoja le daban las rosas*"...—, como de llenarnos de horror con largas, crueles, pormenorizadas descripciones de tormentos, descuartizamientos, decapitaciones, cuerpos arrojados a la hoguera, puestos en la parrilla de San Lorenzo, alanceados, desollados, empalados, tan lacerados, a veces, que sólo girones de ellos quedaban entre los abrojos y breñales de ibéricos calvarios... Pero nada tan terrible como la extraña, inimaginable pasión de Casiano, el maestrescuela de Imola, entregado —refinamiento sin precedente en Áureas Leyendas— a la ferocidad de sus alumnos. Casi de memoria recordaba yo, de tanto haberlo mostrado a poetas surrealistas, a Georges Bataille, que era amigo de Jean-Claude, ese texto alucinante, donde el pedagogo, acorralado en un rincón de su clase, ve avanzar hacia él una caterva de niños feroces, armados de afilados estiletes: "*Todo el odio*" —escribía Prudencio— "*que cada cual había acumulado en su secreto rencor se desbocaba ahora en iracundia. Los unos le desgarran el rostro y le rompen en la cara sus frágiles tablillas de escribir... Otros lo asaltan con el hierro de sus punzones sirviéndose de las partes filosas que en la cera escriben y borran lo escrito. Traspasan, cortan, desgajan la piel, la carne, del confesor de Cristo. Doscientas manos, juntas, hieren sus miembros, y de cada herida mana la sangre. El niño que sólo hincaba la epidermis era verdugo más cruel que aquel que perforaba profundamente las vísceras, pues aquel que más ligeramente lastimaba sabía que, demorando su muerte, más sufría el mártir. —'¿De qué te quejas, maestro?' —grita uno de ellos: 'si tú mismo nos diste este hierro y has armado nuestras manos. Hoy te devolvemos el millar de notas que ante ti, de pies y llorando, tomábamos al dictado. No te enojes de lo que ahora escribimos: tú mismo nos enseñaste a no tener el estilete inactivo. Ya no te rogamos que nos concedas las vacaciones que tantas veces nos negaste. Ahora practicamos la caligrafía en la piel de tu cuerpo. Anda: corrige nuestras faltas; dínos si mal trazadas están las letras'. Y así era cómo los niños se divertían con el cuerpo de su maestro, cuya sangre se derramaba, como por pico de regadera, brotando de los manantiales interiores de las venas, arrojando la savia vital de las entrañas*". Y concluía su himno Prudencio "*cantando alabanzas a Casiano, abrazado a su sepulcro, entibiando, con los labios, su altar*. . ." —"¡Y hay quien se atreva a hablar, hoy, de *niños terribles*!" —decía mi amante, en chanza, cuando releía su traducción. . .). —"Tú no eras hombre hecho para una guerra" —repetí, en voz más alta, pensando en su evidente vocación de escritor. El otro, de repente, curado de lágrimas, se puso de pie, cruzando los brazos en gesto alardoso de autoridad y energía: "En febrero, estuve en la batalla del Jarama; en marzo, en Guadalajara. Y antes, en la defensa de Madrid. Sí. Batallón *Comuna de París*. Y te aseguro que a nosotros, los de las Brigadas, nos tuvieron siempre en la línea del fuego. No porque fuésemos mejores que los españoles. Pero nosotros todos éramos disciplinados, sabíamos marchar y obedecer a nuestros superiores —cosa que demasiado tardaron en hacer los benditos anarquistas". Sí. Había estado en la defensa de Madrid. En los peores tiempos. Los de la Ciudad Universitaria. Cuando el *Comuna de París* ocupó Filosofía y Letras, y se hicieron parapetos con libros: de Kant, Goethe, Cervantes, Bergson. . . y hasta Spengler. Pero mejor cuando eran autores de muchos tomos, porque a Pascal, a San Juan de la Cruz, a Epicteto, los hubiesen traspasado con una sola bala de fuerte calibre. Lo que allí servía eran los setenta y cuatro tomos de Voltaire, los setenta de Victor Hugo, las obras completas de Shakespeare, la *Biblioteca de Autores Españoles* de Rivadeneyra, empastados y en papel de mucho cuerpo... —"Ahí supe, de bruces entre bibliotecas transformadas en parapetos, que las letras y la filosofía podían tener una utilidad ajena a la de su propio contenido... Ahí, metiendo el cañón de mi fusil entre tomos de Galdós —otro autor muy apreciado, por prolífico, en tales momentos—, pude decir como Mallarmé: *La chair est triste, hélas! et j'ai lu tous les livres*"... Había llorado al verme aparecer, así, inesperadamente, en alivio de un largo remordimiento, avergonzado de su cobardía frente a mí cuando, en gran secreto, hubiese concebido y madurado su propósito de alistarse. Y ahora, liberado por mi presencia de algo que lo venía torturando desde su partida, reconocía, riendo, que menos valor era necesario para arrostrar los riesgos de una guerra que para desafiar el temible enojo de una mujer amada. Y el tiempo dio marcha atrás. En un segundo se borraron, se esfumaron, los meses del encono, de los reproches rumiados, monologados, dramatizados, ensayados —y bien envenenados— para el caso de un posible reencuentro; cargos, alegatos, acusaciones, como sólo se recocinan en infernal calor de despecho —lamentos de Dido abandonada, imprecaciones de Medea; propósitos de desquitarme, de vengarme, en la entrega ("a cualquiera, al primero que pase...") a un hipotético amante que nunca llega a tiempo para desempeñar su necesario papel en la maquinación urdida para escarnio de un tercero a quien ni siquiera conoce. Todo se venía abajo ante un hombre que había sufrido —y mucho había sufrido en su carne y en su espíritu— por su fidelidad a Ideas que excluían toda apetencia llevada hacia otra mujer —ideas que, por el contrario, entrañaban una suerte de ascético renunciamiento a toda dispersión afectiva. Así, seguía yo siendo la Única —a pesar de una mentira, de una fuga, de una traición. Y esa Única, haciendo borrón y cuenta nueva, sólo anhelaba un olvido de odios nocturnos padecidos en incontables insomnios, la destrucción de un puente transitado en soledad, y que, juntadas las dos orillas de la falla abierta por los terremotos de la época, la tierra, firme y entera como antes, volviese a ser la de un camino recorrido de día en día, a paso parejo, por un Hombre y una Mujer. Y él me abrazaba ahora, impaciente, algo jadeante, duro, como tanto me agradaba *sentirlo.* —"¿No te hará daño? ¿Tu médico...?" —"Eso no lo preguntes a mi médico..." Y ambos nos confundimos en cama de hospital que al punto dejó de ser cama de hospital para hacerse cama de amantes, en gran trastorno de todo lo blanco, ordenado y aséptico, con la manta de lana que voló a un rincón, y las dos almohadas que cayeron en el piso. Creo que en ese instante, alguien —enfermera, médico, no sé...— llamó a la puerta. —*"Foutez-moi la paix!"* —gritó Jean-Claude desde el hueco de mi hombro, apretándome más fuerte, de manos mías presas entre las suyas, anudadas hasta la raíz de los dedos —penetrada, vencida por un cuerpo que, pesando ansiosamente sobre mí, se me hacía casi liviano y danzante, de ritmo cada vez más emparejado con el mío, en un tiempo que volvía a ser el de otros tiempos.

12

Aquella tarde nos vino a ver el cubano, muy alegre —traía dos botellas de vino compradas en Castellón de la Plana, y me barrunto que el contenido de una tercera le había bajado ya entre pecho y espalda— a interesarse por la salud de Jean-Claude. Se miraron ambos, y: "Brunete", dijo el visitante, poniendo una mano en su pierna lastimada. —"Brunete", dijo mi amante, señalándose el vientre. —"¿Metralla? ¿La puñetera metralla? El arma más cochina que se ha inventado". —"Poco importa el tipo de bala. Lo que sé es que me entró". El cubano miró socarronamente hacia la cama que yo estaba arreglando con fingida desenvoltura, palmoteando en las almohadas: "Veo que aquí no se pierde el tiempo". Y, sin preocuparse por el disgusto que hubiese podido ocasionarme su poco discreta salida, fue por el vaso de dientes y otros dos, con poso de medicinas, puestos en el velador, que lavó en el grifo del baño. Me extrañé de que pudiesen traerse botellas de vino a un hospital. —"Hospital de convalecientes" —dijo el cubano: "Después de muchos remilgos, de mucho catecismo puritano-revolucionario, de espectaculares anatemas largados por André Marty, un *bayú* sigue funcionando en Castellón de la Plana. Y hay cola para entrar. Porque los hombres devueltos a la salud tienen tremendas ganas de joder —con el perdón de la dama". —"Veo que el espíritu revolucionario tolera los prostíbulos" —dije, con artera intención. —"La prostitución no es cosa que se elimine por simple decreto. . ." —"Habría que reeducar a esas mujeres" —dije. —"Por ahora, hay demasiadas ocupaciones esenciales. Ganar la guerra, primero. Luego, habrá tiempo de pensar en las lacras sociales. Entre tanto. . .". En ese momento, se oyó un ruido de motores, y tres aviones pasaron en tromba sobre los techos de Benicassim. Di un grito y, movida por el terror, me agazapé en un rincón, con las palmas apretadas a las orejas. —"Son '*chatos*' nuestros que están patrullando la costa" —dijo plácidamente Jean-Claude: "Siempre pasan a esta hora". Avergonzada de mi miedo, me asomé a la ventana, viendo cómo, hacia el sur, desaparecían tres aves negras. —"Tampoco los otros bombardearían un hospital" —dije, vuelta de mi atolondrado pavor. —"Los *Caproni* italianos bombardean a su mismísima madre" —dijo el cubano. —"Salvo El Escorial, que siempre respetaron, aun cuando los nuestros andaban por ahí" —dijo Jean-Claude. —"Por deferencia a los cretinos, tarados, lujuriosos y fornicadores que yacen en el Panteón de los Reyes, y a Doña María Cristina que está acabando de podrirse en el Pudridero... Digamos también que los muertos esos no son marxistas". —"Además, nadie muere dos veces"... De pronto la palabra *muerte* cobró para mí una inmensa dimensión en aquel cuarto de paredes blancas. Nadie, hasta ahora, me había hablado aquí de muertes ni de muertos. (Y en aquel momento pensé en el prodigioso y terrible cuadro del *Triunfo de la muerte* de Brueghel, del Museo del Prado, que me era conocido por reproducciones.) —"La idea de Muerte debe estar constantemente ligada, aquí, a la idea de Guerra" —dije. Los otros se echaron a reír. —"Nadie habla de muertos en una guerra" —dijo el cubano. —"Pero se ven... ¿no?" —"Lo que se ve cada día deja de ser singular. Entra a formar parte de lo cotidiano. La guerra, ves tú, simplifica tremendamente los problemas: se trata sencillamente de ganarla —si es posible— tratando de que no lo jodan a uno. *That's the question.* Si estás de buenas, pasas; si te pones fatal, te frunciste. Más nada". —"Pero, en fin" —dije: "No me va usted a negar que la guerra del 14 inspiró profundas meditaciones sobre la muerte. Ahí están los libros..." —"¡Bah! ¡Literatura de retaguardia!" —dijo Jean-Claude. —"Aquí nadie habla de la muerte" —repitió el cubano. De repente, mi amante adoptó una expresión grave y ceñuda que mucho me agradaba verle: era la suya —muy suya— cuando se preparaba a dictar una clase en el Colegio de Francia. Y ahora, la voz volvía a sonarle *como antes*: "Ganaremos esta guerra"... —"Es que ya la estamos ganando" —dijo el cubano. —"...La ganaremos, y entonces los escritores que la hicieron —y que son muchos— escribirán novelas donde más de un soldado-filósofo meditará una noche (fondo de estrellas: impasible decorado) en el lodo de una trinchera (légamo primero: símbolo), sobre el destino del hombre ('y no saber a dónde vamos ni de dónde venimos', *of course*), el más acá y el más allá (auto sacramental), el sentido de la guerra, el horror de la guerra, el poder energético, o vitalizante o desmoralizador, de la guerra —y habrá hasta quien, en tal oportunidad, cite a Nietzsche o a Jünger, hable de Danzas Macabras o Apocalipsis, y hasta se lance por los disparaderos de la ontología y la escatología... ¡Todo falso! Literatura de retaguardia. El hombre que va a la guerra deja sus filosofías en el ropero del primer cuartel donde habrá de vestir el uniforme, junto con su traje de corte civil, su corbata y sus zapatos a la moda. Si Hamlet se hubiese llamado Fortimbrás, jamás habría existido Hamlet, porque quienes hacen la Historia no tienen el tiempo de meditar sobre la calavera de Yorick" —"¡Sola vaya!" —dijo el cubano. —"¿Y el alma?" —dije. —"¡Ay, qué ganas de armar líos!..." —"Pero, en fin, el alma..." —"Que por mí conteste Spinoza" —dijo Jean-Claude: *"El alma no tiene imaginación y sólo puede acordarse de cosas pasadas en tanto le dura el cuerpo que la aloja."* —"¿Y después de la muerte?" —"Lo que subsiste de seguro es un espíritu, o, si quieres, *una idea* —en el sentido platónico del término". —"Eso es aceptar el concepto *alma*". —"*Alma* es palabra que poco uso. Pero, si hago una excepción, es para decirte que si tú ves el alma como algo personal, prolongación de ti misma, yo vería el alma más bien como algo transferible y que puede ser compartido por muchos. Llamemos el alma, *espíritu*. En ese caso, existe un *espíritu imperial* que pasa de Alejandro a Tamerlán y de Carlos V a Napoleón, como existe un *espíritu musical*, que va de Mozart a Beethoven y a Debussy". —"O un espíritu de putería" —dijo el cubano, riendo— "que va de Mesalina a Clara Bow, pasando por la Reina Castiza de Valle-Inclán y la gran Catalina de Rusia". —"Catalina de Rusia tenía otros méritos que usted parece ignorar" —dije, agria y casi ofendida. —"...como existe un *espíritu revolucionario* tremendamente proliferante desde la Toma de la Bastilla, que pasa de Robespierre y Saint Just a Lenin, después de *descansos* o *moradas* —como diría un clásico español— en los cráneos de Fourier, Saint-Simon, Proudhon, Karl Marx, Louise Michel o Rosa Luxemburg. Y es que, filosóficamente hablando..." —"¡Al carajo con la filosofía!" —gritó el cubano: "Ya hemos caído en el blá-blá-blá y el ñá-ñá-ñá, el sentimiento trágico de la vida, mi circunstancia y yo, la trascendencia, y otros revoltillos con pasas y aceitunas de los pensadores de cámara que nunca metieron la cuchara en una paila de infantería. Y esto de gastar palabras en vano lo debemos a una bailarina de mallas y tutú que se nos ha metido en el gran teatro real que es el de la guerra, teatro de candilejas explosivas donde al pan se le llama pan y vino al vino y, cada vez que se alza un telón, el hombre vive en la 'hora de la verdad' de los toreros. Nada hay menos intelectual, menos histórico, a la hora de pelear, que una guerra. Los soldados que hoy defienden Madrid son los mismos que resistieron el asedio de Troya". —"Pero en Troya no había cañones" —dije. —"Pero había armas proporcionadas, en cuanto al poder de destrucción, a la densidad y capacidad de resistencia de las poblaciones" —dijo Jean-Claude: "Cruel evidencia, pero evidencia al fin. Simple problema de correlación de fuerzas". El cubano echó mano a una de las botellas que había traído, y, luego de echarse un largo lamparazo a pico de botella: "Troya nos valió algunas películas de mucho aparataje y mucha figuración, con rugido final del león de la Metro-Goldwyn, porque en otros tiempos la guerra era más teatral que ahora. Pero, por lo demás, Homero cantó una guerra hecha por hombres que jamás pensaron en ser protagonistas de la *Iliada*... Y es que lo propio de la guerra está en que quita al individuo toda propensión a pensar *para adentro*. Si se va a pelear voluntariamente —y tal es nuestro caso— se parte de una convicción que nos empuja hacia adelante. Pero, una vez asimilada esa convicción de saber por qué se pelea, y transformada la convicción en empeño, se piensa *para afuera*. Hay que sacarse los músculos del cuerpo, reanimar instintos dormidos, reavivar los reflejos de defensa y conservación, someterse a disciplinas físicas, aprender a armar y aceitar un fusil, afinar la puntería, conocer el calibre de las balas y el sonido exacto del disparo de cada arma... Luego, en vísperas de subir al frente, gozar plenamente, a fondo, de una hembra, una botella de vino, un plato de calamares o un trozo de lechón, una juerga en que largas el alma —o una última noche de sueño, en paz y tranquilidad, conociendo la gloria de una almohada de plumas o de miraguano—, y en tales vísperas más pesa una paella a la valenciana que *El discurso del método,* un par de tetas —¡perdón!— que toda la *Suma Teológica*... Y a la hora de los mameyes (es expresión cubana, pero diremos, para no complicar demasiado, que es la misma 'hora de la verdad' de los toreros) toda angustia metafísica se te va a la mierda, toda filosofía se sitúa al nivel de los cojones (¡perdón, otra vez, a la dama!). Y cuando faltan pocos minutos para la salida al ruedo, te meas de miedo —y al decir 'mear', digo poco. Todos tienen miedo. Todos tenemos miedo. Y es la orden, el grito, o el cornetazo —aunque también en eso del 'cornetazo' hay mucha literatura, porque (o que lo diga Gaspar Blanco, que también está aquí, convaleciente, y para visitarlo he venido a Benicassim), tocar la corneta, en ciertos momentos es la mejor manera de avisar al enemigo de que un ataque se le viene encima. Y es el tirarse a campo abierto... Entonces, fenómeno extraño, el miedo desaparece. Se entra en un estado segundo. Silban las balas, pero bala que silba es bala que ya pasó: la que está para ti, nunca la oirás —y hasta es posible que te entre sin que sientas dolor. Entonces, todo el problema está en adelantar, salvando el pellejo. Llegar a aquel murito de piedra que te defenderá de la metralla por unos minutos; aprovechar el menor accidente del terreno; alcanzar, lo más pronto, aquella iglesia, aquella casa en ruinas, aquella cresta donde podrás tirarte boca abajo y tratar de ver lo que hay del otro lado. Hay que ocupar aquella cota de a macho, y nada más. Y si vuelven a sonar las ametralladoras, tirarte de bruces, arrastrarte, y tratar de pasar debajo del tiro. Y entonces, lo más importante que existe en el mundo es un desnivel del campito que atraviesas, un bache, un hueco en el suelo, un embudo de mina, un lodazal donde chapalear como cochino, tratando de avanzar. En tal momento, un simple pedrusco puede salvarte la vida —una lápida de cementerio, un caballo muerto, el brocal de un pozo, un arado abandonado... ¡Y en cuanto a la batalla!... Apenas sabe el combatiente en qué tipo de batalla se encuentra, ni cuál es la amplitud del frente, ni cuáles son los objetivos generales. Sabe, desde luego, lo que se propone el alto mando. Pero la batalla, para él, se desarrolla en los metros por recorrer que le quedan hasta llegar al punto aquel —cualquiera. Y, si hay neblina muy cerrada, avanza a ciegas, mirando al suelo, fiándose del oído para orientarse... Hubo mañanas en que fui fantasma entre olivos, y viéndome solo tuve el terror de perderme y de ir a dar, como pendejo, a las líneas enemigas. Hubo días en que, con el agua por los huevos, no pudimos salir, durante horas, del cauce de un arroyo... Y eso fue todo lo que vimos de la batalla"... El cubano se desperezó con un bostezo. Y habló Jean-Claude, medio recostado en la cama: "Las batallas se vuelven batallas de verdad, cuando se han ganado o perdido. Entonces cobran un nombre y —si son importantes— pasan a la Historia. Y se encargan de describirlas brillantemente, en trozos de bravura, unos hombres que, por lo general, jamás combatieron en una guerra. Y ahí te viene eso: Sedán, por Zola; Trafalgar, por Galdós; Borodino, por Tolstoi. Ésos lo encuentran todo hecho y disponible: el panorama general, el paisaje, los partes del Estado Mayor, el número y tipo de armas, monto de los efectivos en presencia, uniformes, horarios, desarrollo general de las operaciones... Te sientas ante tus cuartillas y escribes. Pero el soldado que *hizo la batalla* no se enteró de nada. De ahí, la genial reflexión que pone Stendhal en boca de Fabricio del Dongo: '*¿Era batalla la que había visto? ¿Y esa batalla... era la de Waterloo?*'." Y habló el cubano, andando sin bastón de ventana a puerta, como contento de observar que apenas si sentía alguna necesidad de cojear: "Fuimos dos en una misma batalla y si habláramos de ella, daríamos dos versiones totalmente distintas. Él, además, recordaría que, al dejar de oírse el odioso maullido de los obuses, sólo tuvo ganas de... en fin, algo muy natural; yo sólo pensé en comer un pedazo de turrón medio derretido que tenía en la mochila, mientras otro, que traía cazalla en la cantimplora, se la enfilaba de un solo trago. Nos dijeron entonces que habíamos ganado. Magnífico. ¡Hurrah! ¡Tanto mejor! ¡No pasarán! ¡Pasaremos!... Y entonces, sí: orgullo. Orgullo de haber ayudado en algo. De haber estado ahí. De haber sido modestos peones en una gran jugada llevada acaso por la Reina y los Alfiles. Pero, sin los peones, poco pueden hacer la Reina y los Alfiles. Y se olvida uno del mal rato que pasó, y se golpea uno el pecho como King-Kong —y digamos la verdad: como si uno lo hubiese hecho todo. Y entonces es cuando te das cuenta de lo sublime que es una sopa caliente, una escudilla de lentejas, una cebolla cruda con pan y aceite". —"Y una bota de vino resinado" —dijo Jean-Claude. —"¡Eso es la gloria!" —"Pero gloria que nos duró bien poco, porque, unos días después... ¡adiós Brunete! Tú y yo, que habíamos subido montados en nuestras piernas, regresamos en una ambulancia". —"Entonces, nada había servido para nada" —dije. —"Todo sirve para algo en una guerra revolucionaria" —dijo Jean-Claude: "Incluso, perder una batalla". —"No es la primera vez que oigo decir eso" —dije, con maligna intención, recordando ciertas reuniones tenidas en mi casa en que mucho —¡demasiado!— se había discutido de política. El cubano tuvo un gesto de impaciencia: "Por culpa tuya, estamos hablando de cosas que demasiado conocemos por haberlas vivido. Pero aquí dejamos de pensar en lo que acabamos de vivir, porque es historia pasada, y aún no podemos pensar en lo que mañana haremos, porque nuestra futura historia está en las manos de los que, ahora, se han quedado *allá* (y señalaba hacia el oeste) peleando por nosotros. Y, aunque todavía llevamos el olor a pólvora en las narices, somos incapaces de pintar cabalmente una guerra a quienes, como tú, no tienen más nociones acerca de la vida militar que las que pueden adquirirse viendo la *Love Parade* de Maurice Chevalier y Jeannette MacDonald"... —"La verdad es que la guerra lo ha vuelto a usted bastante malhablado y brutal" —dije. —"En esto, señora, no se queda usted atrás". —"¿He pronunciado alguna palabra grosera? ¿He sido descortés con alguien?" —"Conmigo, sí. ¿De dónde sacaste eso de que yo, como cubano, nada podía saber de Anna Pávlova? Desde por la mañana tengo clavada esa espina"... Era cierto. Yo lo había dicho, pensando en la frívola superficialidad del mundo que anoche me había pintado. Pero el otro me habla ya de su niñez. De un *Teatro Nacional* donde la Incomparable, la Única, había bailado durante varias temporadas, invierno tras invierno —cosa que yo ignoraba. Su tía —¡no tan ignara, entonces!— había conocido a la maravillosa ballerina. Y ahora, sentados de cara al mar, dando las espaldas a los frentes de combate que tras de nosotros se extendían, nos olvidamos de la guerra, de Benicassim, y, en un lento crepúsculo que sembraba el cielo de anaranjados cipreses, quietos entre gárgolas, o máscaras, o hidras ya medio desvanecidas en sombras, evocamos, complementando evocaciones mutuas, a la genial mujer que hubiese muerto seis años antes, en la gloria de su propio altar, de su personal mitología, tan seguida de adeptos que había logrado el milagro de inmortalizar muy débiles músicas por la mera operación de su Presencia. Él había sabido de su existencia en La Habana; yo, en Londres. Y a medias palabras, acudiendo a los recuerdos, reconstruimos la noche —la gran noche— que hubiese marcado nuestra sensibilidad de idéntica manera.

El espectáculo había comenzado convencionalmente —por no decir mediocremente— con un mal abrebocas consistente en números interpretados por segundas partes (*Friska* de la *Rapsodia Húngara, Nº 2*, el *Minuet* de Boccherini, la *Poupée Valsante* de Poldini) y todo lo que esto acarreaba en cuanto a botas magyares, corpiños acordonados, trenzas con lazos de color, taconazos en el piso, antes de pasarse a los preciosismos remilgones de marquesas para tapa de bombonera, olientes a naftalina de guardarropía, o a las pujadas gracias de la otra, aspirante a estrella, que remeda gestos de autómata —reminiscencias de *Coppelia*— con ojos amuñecados por el maquillaje y dos chapas de bermellón en las mejillas, al surgir de una caja parada en medio del escenario como una garita de centinela, sobre una cortina de terciopelos claros... Pero, de pronto, hubo un gran silencio, el telón de fondo se hizo nocturnal, las candilejas pasaron de amarillo a azul, un rayo de luna se colocó en su lugar, empezó a sonar una melodía harto famosa, y el Espíritu de la Danza se hizo carne y habitó entre nosotros, creando un transcurso propio que detuvo el atropellado correr de los instantes... Anna Pávlova, vestida de tules y armiños, estaba ahí, y al punto su cuerpo delgado y sin peso, desplazándose en arqueada y despaciosa trayectoria transfiguró el empalagoso cisne de Saint-Saëns en inefable cisne de Mallarmé. ("*Un cisne de antaño recuerda que es él / magnífico, pero que en desesperanza se libera / por no haber cantado una región donde vivir / cuando del estéril invierno resplandeciera el tedio. / Todo su cuerpo se estremecerá en blanca agonía / ...transparente helero de vuelos que no se alzaron*".) En pocos segundos entendimos lo que podía ser bailar en un ámbito trascendido por la forma, situado más allá del baile. Y era ese moverse sobre el tablado de la escena sin tocar el tablado de la escena, salvo por unas diminutas puntas que apenas si rozaban el suelo, alzando un estremecido cuerpo, ingrávido, elevado por el aire que delimitaba su albura, a la vez pluma, espiga movida por casi imperceptible brisa —blanca llama lejana, como la de esos arcángeles vibrantes, alargados, prestos a volar en la ascensión de una pincelada, vislumbrados más que vistos en ciertos planos remotos del Greco—, de brazos recogidos sobre el pecho, de perfil aquietado sobre un hombro, ente fabuloso que se deslizaba sobre lagos imaginarios, haciendo ondular, de pronto, en un aletear de su evanescente arquitectura, las manos más bellas que pudieran verse. Cantaba el violoncello, allá abajo, en las sombras de la fosa, su doliente frase, y aquella mujer-ave, intangible, inalcanzable, vivía como en soledad, como si nadie la mirara, el drama de su propia muerte, burlando el efímero transcurso del minuto presente por el señorío de una harmonía gestual que daba dimensiones prodigiosas a lo que era una mera suma de segundos. Poco a poco, la Forma, como herida por un dardo invisible, se replegaba lentamente sobre sí misma, el rostro casi caído en las rodillas, atenta a los casi imperceptibles pálpitos de una pudorosa agonía, dejando en inmovilidad y descanso lo que un telón a tiempo cerrado arrebataba al mundo de acá... Olvidados de todo, movidos por una emoción visceral, traída por el distanciamiento auténtico de lo que era teatro —teatro de verdad, en su poder de sacarnos de lo cotidiano, banal y transitado—, aplaudíamos, aclamábamos, sin oír que los demás también aplaudían y aclamaban, exigiendo que la cortina se abriera una y otra vez, y viésemos reaparecer, en flexión de humilde reverencia, a Quien acabó por señalar a su violoncellista, como si él hubiese sido el hacedor del milagro cada noche renovado.

Me callo ahora, y, ante el mutismo del cubano que parece seguir el hilo de sus propias remembranzas, pienso en lo que no habré de contarle... *(Después de la función mi madre se empeñó en ir a saludar a la danzarina. —"Pero... ¡no la conoces!" —dije, con el repentino miedo de quien es llamado a penetrar los arcanos de un rito muy secreto. —"No importa. Entenderá que somos unas compatriotas refugiadas, recién llegadas, víc-*

timas de la vergonzosa situación que..." El movimiento de público no me dejó escuchar lo que seguía diciendo, mientras se acercaba a un caballero de frac —creo que era Max Rabinoff, el administrador de la compañía— con quien parlamentó durante unos minutos, haciéndome señas para que me acercara. Abrióse una puertecilla de hierro; cruzamos un escenario lleno de maquinistas que desmontaban las decoraciones y cortinas, y, temblando de emoción, incapaz de hablar, mirando por todos los poros, entré al camerino de Anna Pávlova... Estaba sudorosa, de rostro fatigado, aunque siempre enérgico y nervioso, despeinando su cabellera obscura, mientras bebía, a pequeños sorbos, las tazas de un té muy ligero que alzaba una camerista hasta sus labios. Vista de cerca, tenía acaso el cuello demasiado largo, las clavículas descarnadas, los brazos harto delgados, con algunas pecas sobre la musculosa lisura de las carnes; lejos de parecer endeble, sin embargo, todo en ella respiraba la decisión y la voluntad. "La muchacha está estudiando la danza clásica" —dijo mi madre, después de los cumplidos usuales y de que ella y la ballerina se hubiesen enternecido mutuamente sobre el triste destino de Rusia. Anna me atrajo a ella, y fijando en mí sus ojos de mirada honda, como traída de muy lejos, me pasó un brazo alrededor del talle. —"Elle est gentile, votre petite fille" *—dijo, mientras yo husmeaba, con devoción, con deleite, el olor de su maquillaje, la humedad de su cuerpo devuelto a la inercia, después del esfuerzo enorme que, visto en el escenario, había sido como el juego natural —sucesión de gestos, geometrías y ablandamientos espontáneos, casi instintivos— de un cuerpo sin peso real. En las paredes había retratos de Custine, de Marius Petipa, y una foto del Zar, con admirativa dedicatoria. Metí el rostro en su cuello para besarla, y ella me respondió con mimos de cortesía, como los que se hacen a los niños. —"La muchacha iba a hacer alguna figuración en un ballet que su maestra, Madame Christine..." —"La conozco..." —"...iba a montar sobre la* Obertura 1812 *de Tchaikowski, cuando tuvimos que huir del horror que usted tan bien conoce..." —*"Encore des grandes machines!" *—dijo Pávlova: "Que su niña baile cosas más simples: algo de Minkus, de la suite Cascanueces (La Danza del Hada Almendrina, por ejemplo), una* Gavotte-Mignonne *—olvidé el nombre* *del autor— que yo bailaba con Custine. Todo eso de bailar sinfonías de Beethoven, la* Danza Macabra *de Saint-Saëns, son excentricidades traídas por la idiota norteamericana, esa, que llaman Disidora, Isidora o Isadora... no sé. Un apellido escocés o irlandés..." —"¿Duncan?" —preguntó mi madre. —"Sí. Creo que sí..." (y había en su voz un evidente tono de desprecio). Y, cambiando bruscamente: "Esta noche llueve. Aquí siempre llueve... ¡Oh! Acabo de bailar en una ciudad hecha para mí: Javann" (¡ahora es cuando vuelvo a entender que, aquel día, en aquel momento, había querido decir: Habana! Yo había buscado muchas veces, en atlas, en enciclopedias, aquella ciudad de Javann, más invisible que la de Kitège, pues no aparecía por ninguna parte, y que, a falta de una ubicación posible, hubiese acabado por situar, para mi imaginación, en los antiguos reinos de Golconda o de Malaca...) —"Adoro los climas tropicales" —proseguía la bailarina: "¡Ahí se calientan los músculos con una facilidad!... Si no fuera porque estoy instalada en Londres, donde tengo a mis cisnes-maestros-de-baile"... Y, acaso con ganas de que ya nos despidiéramos: "¿Quieres algo, muchacha?" —"Sí. Un ratrato. Y si fuese posible..." —"¿Qué?..." —"Una zapatilla suya. Usada. Rota. Es igual. Me servirá de talismán". Tuve mi foto: Anna lucía en ella su traje pastoril de* Amarillis. *Y una zapatilla descolorida, cuya suela firmó con mano rápida... Salimos a la calle como quien, luego de asistir a una suntuosa liturgia de Pascuas, se halla en una escalinata ruinosa, poblada de mendigos harapientos. Después de las luces y magias, la lluvia, la niebla, y aquel sucio metro con sus paredes desconchadas, pringosas, ennegrecidas por manchas de humedad...)...*

Y ahora, el cubano que me dice: "La primera vez que la vi bailar *El Cisne,* mi tía fue a saludarla. Recuerdo el perfume del talco que, derramado aquí, allá, blanqueaba el piso de su camerino. Y el mastic que, tras del esfuerzo, se había cuarteado en su cara como se resquebraja el óleo en un viejo retrato sin restaurar. Aun así, me pareció bellísima: iluminada por una fuerza interior había una extraordinaria intensidad en su mirada. No acababa de secarse el sudor con una toalla de felpa. Y, sin embargo, afirmaba que amaba el Trópico; que en este clima —decía— "los músculos se le calentaban" con una enorme facilidad. Y habló de unos cisnes-maestros-de-baile que mucho me gustaron, porque parecían personajes de *Alice in Wonderland* o de los cuentos de Calleja. —"¿Se enamoraría usted de ella?" —dije: "¡Si yo hubiese sido un hombre!"... El cubano se echó a reír: "¡Oh! ¡Todavía yo no llegaba a hombre! Tímido adolescente pecoso, si acaso... Pero, en cuanto a eso que llaman 'malas intenciones', aunque son las mejores que puedan darse, te confieso que he sido poco atraído por el gremio de la danza clásica. Tú conoces la dura frase de Théophile Gautier: *Fría como una bailarina*". —"¿Y qué sabe usted de eso?" —"En todo caso, Pávlova no debía pasar tremebundas noches de locura con su Monsieur Dandré —bastante viejo, y cojo como lo estoy yo ahora, por añadidura". —"Pávlova era un ser inmaterial". —"Pues, carajo, no sabía lo que se perdía —exclamó, tras de nosotros, una voz de alegres inflexiones acriolladas. Inútil fue decirme que se trataba de Gaspar Blanco: venía con su trompeta colgada del cuello por un cíngulo eclesiástico, y el instrumento, al topar a cada paso con el cabestrillo de su mano izquierda enyesada, le sonaba a lata vacía. —"¡Estate quieta, coño!" —dijo, empuñando la trompeta con su mano sana. —"Mi compañera" —dijo Jean-Claude, señalándome. (Esto de "compañera" me sonaba feamente a *querida*...) —"A los pies de usted, señora" —dijo el músico, inclinándose con deferencia entre burlona y provinciana: "Perdone las malas palabras, pero nosotros los soldados... Trataré de pulir la *jabla*". Y, volviéndose hacia el cubano: "Oye, Enrique... Tú, hablando basuras aquí, y abajo va a cantar Paul Robeson... Vamos. Y apúrense, que aquello ya está *¡full!*"... Y abrió la marcha a cornetazos, para gran escándalo de enfermeras que fueron apareciendo en las puertas de los cuartos, a todo lo largo del pasillo, como los personajes automáticos y despersonalizados de alguna *Metrópoli* de Fritz Lang.

13

Ol'Man River
That Ol'Man River...

El gigante negro estaba erguido, junto a un piano de cola chocarreramente pintado en gris perla y oro por algún veraneante nuevo-rico, de los muchos que la guerra hubiese arrojado de esta costa, en medio de un escenario techado y de ancho alero, adosado a la playa de tal modo que sus luces no fuesen vistas desde el mar. Arriba, un letrero: THÉÂTRE HENRI BARBUSSE. Llenando una explanada tenida en la obscuridad ("no deben iluminarse amplios espacios como éste" —me explicó Jean-Claude, aunque ya yo hubiese entendido el porqué) se apretujaba un público en sombras donde pronto se advertían, sin embargo, las inmóviles blancuras de vendajes y enyesados junto al ambulante andamiaje de mentoneras, minervas, entablillados y cabestrillos. Pero, entre quietos y menos quietos, eran cientos los rostros tensos, convalecidos por el gozo, quienes miraban el gran retablo donde, al pie de la pantalla destinada a muy recientes proyecciones de *Tchapaïeff, Los Marinos de Cronstadt* o *Tempestad sobre el Asia* de Pudovkin, cantaba Paul Robeson el Magnífico, con su voz grave y corpulenta, brotada de la atlética anchura del pecho. Y la hermosa melodía de *Show-boat* que conocíamos todos, viniéramos de donde viniéramos, nos volvía a llegar esta noche, llevada en tiempo casi ceremonial, con el nuevo prestigio de un himno que hubiese nacido realmente en las riberas nutricias del Mississippi, en campos nevados de algodón, entre capillas de tablas donde sonaran celestiales charangas de harmonio, trompeta, saxo y banjo:

Ol'Man River
That Ol'Man River...

Alzado en la punta de los pies para mostrarse en la máxima dimensión de su corporeidad física y moral —como si no fuese suficiente la realidad de su descomunal estatura de futbolista, nieto de esclavos, pasado de los estadios de Rutgers y Columbia a los escenarios de *Othello* y *Emperor Jones*—, Paul Robeson acalló las aclamaciones de los oyentes que, en su deseo de aplaudir con más estruendo que los demás, entrechocaban muletas y bastones, para atacar la balada de *Casey Jones*... Y contaba ahora la rechinante historia del esforzado fogonero que se inmoló ante el horno de su locomotora —negro había de ser— para imperecedera gloria suya y, más aún, de la *Southern Pacific Railroad* que tan buenos sueldos le pagaba, y después de rematar con un sarcástico *Casey Jones got a job in heaven!* levantó el cantante de sus asientos a los muchos que podían incorporarse, con el anuncio de que ahora nos daría su versión personal del "negro spiritual" *Heaven bound soldier* qùe, para sus compatriotas, era ya más conocido —gracias a él— por *Join in the fight*:

O brother,
don't you weep,
don't you pray.
Salvation isn't coming that way.
All together
let's press on the fray;
black and white,
will rebuild the world.

Y fue la impresionante antífona llevada por el negro de New Jersey con responso de los muchos que aquí hablaban o entendían el inglés —y me explicaba Gaspar, señalando hacia aquí o hacia allá, que con nosotros había gente de Jamaica, Australia, Canadá y Filipinas, y hasta surafricanos que, con su acción en las Brigadas luchaban, en frente distante, contra algo que llamaban *apartheid*, palabra desprovista, para mí, de todo significado... Pero pronto, fuesen de donde fuesen, todos los que me rodeaban, arrastrados por el ritmo, por la casi litúrgica repetición de una frase, se iban sumando al coro, por grupos, como un "amén" de oficio religioso:

Join in the fight,
—O negro comrade.
Join in the fight,
—O struggling comrade.
Join in the fight,
—O hard pressed comrade.

Join in the fight,
—And stand up straight now.
Join in the fight,
—The dawn is late now.
Join in the fight,
—We must not wait now.
Join in the fight,
—Black and white,
we'll rebuild the world.

—"¡Carajo! ¡Cómo canta el negro este!" —aulló Gaspar Blanco, cuando Robeson remató el "spiritual" a la vez agresivo, unánime y fuera de fronteras, con el re bemol grave que sobre la palabra "mundo" daba a su voz una resonancia de tubo de órgano en vasta nave de catedral fraterna, de donde negros y blancos hubieran de surgir para echar abajo las perecederas torres de Babilonia (y ahora cantaba Robeson algo que trataba de Babilonia, precisamente), tantas veces comparadas, en la moderna literatura norteamericana, con los rascacielos de Manhattan. Y el nuevo "blue" se nos volvía increíblemente bíblico, en este rincón de costa española, evocando al David, vencedor de Goliath, que con su triunfante honda descornaría, de paso, al Becerro de Oro de Wall Street, acabando con todos los Leviatanes del universo. Y blancos y negros marcharían de concierto para edificar una Ciudad del Hombre, hecha a la medida del hombre, por siempre librada de harto exigentes Demiurgos, nunca saciados de laudes, hosannas y rogativas *—O brother, don't you pray. / Salvation isn't coming that way*... Así entendía yo todo lo que aquí se estaba clamando y cantando. Pero lo dicho en lo clamado, lo afirmado en lo cantado, no me alcanzaba, dejándome a solas con la música deslastrada de todo discurso. La música me llegaba a las entrañas, sin quebrar la coraza que me defendía de las palabras. Me sabía más fuerte que las palabras y nunca se me había conquistado con palabras. Pero, en el gigante Paul Robeson hallaba yo otra fuerza de convencimiento, totalmente independiente de las palabras que acarreaba: fuerza del arte, de la elocuencia trascendida, magnificada, universal y sin tiempo, debidas a una presencia todopoderosa que, en terreno muy distinto, hubiese sido la de Anna Pávlova. Un imposible, exótico "*pas de deux*", contrastado hasta el absurdo, aunque harmonioso a pesar de todo, se concertaba en mi imaginación, entre el gigante negro que aquí veía y el etéreo cisne mallarmeano que habitaba mi recuerdo, y más ahora que el nieto de esclavos, a pedido de oyentes ingleses y yankis, deseosos de escucharlo en una breve acción dramática, se dirigía a la invisible blancura de Desdémona —Desdémona, cisne agónico, identificado con Anna bailando su propia muerte— en el monólogo cimero de la tragedia shakesperiana:

It is the cause, it is the cause, my soul;
Let me not name it to you, you chaste stars!
It is the cause. Yet I'll not shed her blood,
Not scar that whiter skin of hers than snow,
And smooth as monumental alabaster.
Yet she must die, else she'll betray more men.

Volvió Paul —tenía yo que llamar Paul a Paul, porque no había otro Paul semejante, como había llamado Anna a Anna, porque Anna era una sola— a hacer fluir de sus manantiales profundos el *Ol'Man River* que por dentro le corría, y lo sentaron, glorioso y con empaque de rey, al pie del escenario, en un sillón episcopal de madera tallada —medioeval por la implacable tiesura del espaldar— que debió de haber llegado hasta aquí en un camión atestado de implementos militares, superviviente de las llamas de algún edificio religioso incendiado por los anarquistas o por los inventores de las tantas siglas que aquí alineando mayúsculas y puntos, me suenan (*no-suenan*), por ausencia de un significado que me sea inteligible, a silencio de total vacío... Rodeado de oficiales que esta noche han recobrado la salud en el marcial entesamiento del uniforme bien planchado, y de otros, de guerrera echada sobre los hombros, con desenfadado porte, junto a aquel, francés seguramente, cuyo "bonnet de police" se escora sobre una corona de esparadrapo, Paul se aprestaba ahora a presenciar un espectáculo. Pero el espectáculo no aparece. El escenario permanece vacío. Más: casi le bajaron las luces al nivel de la obscuridad que cierra la playa rumorosa de atrás. Y todo el mundo espera (espera... ¿qué?). Unas voces muy lejanas que, nacidas a distancia calculada para lograr el efecto, se alzan, coralmente, pianíssimo, como si estuviesen muy lejos —acaso donde esparcidas y débiles olas lamen la arena que, aquí, nos huele a sal y a líquenes. *(¡Oh! este olor que me persigue desde los años de mi infancia en Bakú...)* Y esas voces, con un himno lento, apoyado en las notas tenidas (órgano, *organum*...) de un acordeón, o de varios acordeones (mal conozco ese instrumento que no se usa en mis quehaceres de ballet) se acercan, se levantan, crecen, en palabras

(...Die Heimat ist weit,
doch wir sind bereit.
Wir kämpfen und siegen für dich:
Freiheit!...)

que se hinchan, nos circundan, y, de repente, se definen en apariciones de hombres que parecen haber andado un largo camino ("son los del *Thälmann*" —me dice Jean-Claude), ocupan el pequeño escenario, en cuatro filas de un alineamiento perfecto, rigurosamente militar, haciéndolo temblar, literalmente, con la percusión de la palabra *Freiheit* ("libertad", me sopla el cubano) que largan, a fin de estribillo, en dos enérgicos martillazos verbales que caen sobre las "e" abiertas en "a": *frAi-hAit*, con un crescendo cortado en seco sobre el HÁIT... Levantan el puño para responder a los aplausos, y, saliendo del teatro a pasos medidos, se van como vinieron, por el foro, dejando morir allá, en la orilla del Mediterráneo, como un reflejo lejano, como un eco, sabiamente organizado por un director de coros que acaso pudiera haberse llamado Hans Eisler, el himno donde todavía suena en mayúsculas el FREI, en tanto que el *heit* se disuelve en minúsculas letras tragadas por la noche.

Pero ahora, con luces que vuelven a prenderse, se ilumina el tablado y, bullangueros y desgalichados, entrando por derecha e izquierda, sin orden ni concierto, surgiendo del público, o llegando a todo correr de una residencia cercana, se agrupan, despechugados y con alborotoso humor, los que ahora ("franceses" me dice Gaspar) ya cantan:

Madam' Veto avait promis,
Madam' Veto avait promis,

de faire égorger tout Paris,
de faire égorger tout Paris.
Mais son coup a manqué
grâce à nos canonniers.
Dansons la Carmagnole,
vive le son, vive le son;
Dansons la Carmagnole,
vive le son du canon!

A pesar de mí misma, me siento arrastrada por el másculo ímpetu de un canto revolucionario cargado de historia. Y es la Historia, la que me lleva —pienso— ya que, por convicción profunda, por el trauma recibido en la infancia, rechazo —aborrezco— toda idea de revolución. Pero, de pronto, estoy en el Museo Carnavalet, ante la gran maqueta de la Bastilla que en su entrada se exhibe. "Madame Veto" está ahí, de peluca empolvada y lunar en la mejilla sonrosada por el arrebol, sonriendo antes de la tormenta que habrá de arrebatarle la cabeza tocada, *aquel día,* por el mismo gorrito de las pescaderas del mercado —perdida ya la corona en las celdas de la Prison du Temple. Recuerdo la enseña del *Petit Bacchus,* la taberna que vio avanzar a paso de carga la batería de tambores de Santerre. Pienso en la profecía de Cazotte, en Restif de la Bretonne, de ancho sombrero, deambulando por las calles de París en las noches del Terror; pienso en los garitos del Palais-Royal, en el fabricante de títeres vestidos a la republicana de *Los dioses tienen sed;* en *La rosière republicaine* de Gretry (la he bailado en los días de euforia cultural del Frente Popular, en el *Vel d'Hiv,* tras de la representación de una pieza de Romain Rolland), partitura donde el cantor de *"¡O Richard, ô mon Roi!",* dejando a tiempo la bandera blanca por la tricolor, hubiese intercalado, más que oportunamente, una *Carmañola* al final de su acción coreográfica.

Ah, ça ira, ça ira, ça ira,
tous les bourgeois a la lanterne!
Ah, ça ira, ça ira, ça ira,
tous les bourgeois on les pendra!

cantaba el alegre coro que se me transfiguraba, por un momento, en coro del *Comité des Piques,* antes de pasar a otra *Carmañola* cuya letra —ignoraba yo que existieran esas versiones— saltando vertiginosamente por encima de los años, de las décadas, enlazando acontecimientos distantes y distintos, nos hablaba de la Comuna de París, de Octubre del 17 en Rusia, para desembocar en el más actual de los conflictos:

Monsieur Franco avait promis,
Monsieur Franco avait promis,
de faire égorger tout Madrid,
de faire égorger tout Madrid.
Mais son coup a manqué,
Il s'est cassé le nez.
Tout' l'Espagne en rigole,
vive le son, vive le son;
Tout' l'Espagne en rigole,
vive le son du canon!

Se fueron los de la *Carmagnole* y el *Ça ira,* y un coro de Brigadistas, que mezclaba gente de los más diversos países (advertí la presencia, para mí inequívoca, de algunos rusos, acaso aviadores —"más bien técnicos", me dijo Jean-Claude), cantó la lenta, majestuosa, grave y muy eslava melodía de los *Partisans,* que, con su tonalidad algo ensombrecida por la presencia de cuatro bemoles en la armadura, más parecía un nostálgico lamento que un himno enardecedor... Luego vinieron los italianos con la *Canción de los Garibaldinos* y *Bandiera rossa* —pronto enlazada con *Die Rote Fahne,* entonada por los del batallón *Edgar André.* Con unos catalanes invitados, tuvimos la solemne, amplia, casi arcaica melodía de *Els Segadors* —que, según me dijo Jean-Claude, andaba desde el siglo XIV por tierras adentro—, y observé que el gran Paul prestaba especial atención a aquel canto, de una escansión casi litúrgica, acaso sobrecogido por la singular grandeza de su diseño sonoro: "Parece un *spiritual*" —creo que dijo. A mí me recordó un tema de *Boris Godunof* —y un poco, también, *Triste es la estepa,* de Gretchaninov... Pero, en eso, irrumpiendo de todas partes, trayendo panderos, zambombas, guitarras, instrumentos de romería y villancico, y hasta artefactos de hacer ruido de los que, sin duda, mencionaría alguna vez el Arcipreste de Hita, llenaron el escenario los españoles que, aunque no fuesen de la colonia de

Benicassim, habían venido para saludar a Paul Robeson y darnos un fin de fiesta a su manera. Y en alegre ambiente, más regocijado que guerrero, sonó el vito del Quinto Regimiento —*"con el quinto, quinto, quinto, con el quinto regimiento"*. . .— seguido por la tonada de *Los cuatro muleros* que a estas horas había dado ya la vuelta al mundo (hacía tiempo que se oía en París) con sus nuevas coplas, coreadas ahora por todos —desde los búlgaros del *Dimitrov*, a los yankis del *Lincoln*, a los polacos del *Dombrowski*, pasando por los alemanes del *Thälmann* y del *Edgar André*, y los brigadistas de *La Marseillaise*, cada cual con su acento propio, lo cual comunicaba a las palabras, por momentos, una rara sonoridad de esperanto:

Puente de los Franceses,
Puente de los Franceses,
Puente de los Franceses,
mamita mía,
nadie te pasa,
nadie te pasa.

Madrid, qué bien resistes,
Madrid, qué bien resistes,
Madrid, qué bien resistes,
mamita mía,
los bombardeos,
los bombardeos.

Y, para cerrar la función, el general alborozo de lo que Jean-Claude veía, por el corte y el estilo, como emparentado con el *Trípili-trápala* de la tonada dieciochesca llevada por Granados a la partitura de *Goyescas* (y la había visto bailar yo por Antonia Mercé "La Argentina") y hasta con las coplas del *Marabú* recogidas por el Amadeo Vives de *Doña Francisquita*: el *Anda, jaleo, jaleo,* que fue uno de los más enérgicos cantos de aquella terrible guerra en cuya victoria republicana confiaban todos los aquí reunidos en esta noche sin más estrellas —pues estaba el cielo nublado— que las de ciertos uniformes, y la grande, roja, de tres puntas, que adornaba el fondo del escenario:

Yo me subí a un pino verde
por ver si Franco llegaba,
por ver si Franco llegaba.
Y sólo vi al tren blindado,
lo bien que tiroteaba,
lo bien que tiroteaba.
—Anda jaleo, jaleo, jaleo,
silba la locomotora
y Franco se va a paseo,
y Franco se va a paseo.

Al segundo estribillo, Gaspar Blanco estaba ya en el escenario, embocando la trompeta, alzada de pabellón en alto, como las que emergen, en esculturas de coro catedralicio, de ciertos conciertos angélicos. Al tercer estribillo —*Anda, jaleo, jaleo, jaleo*...—, Paul Robeson se erguía en medio de los demás, pasándose, en una cabeza, por encima de los quepis, gorros y boinas de quienes lo rodeaban. Y, quedando de solista —pues los demás habían callado para escuchar, sonrientes y divertidos, su gracioso español que, articulado a la manera de Harlem, transformaba Mola en *Moula* y Queipo de Llano en *Kueipo de Lano*—, alzó al coloso una mano enorme, de predicador en comentario de Apocalipsis, y, tras de un silencio que hizo audible el rumor de las olas cercanas, atacó *La Internacional* en inglés:

Arise! ye starvelings from your slumbers,
Arise ye criminals of want,
For reason in revolt now thunders,
And at last ends the age of cant.

Y ahora, como quien reparte papeles en un elenco, con segura intuición de nacionalidades reflejadas en las caras y en el porte, fue señalando, hacia un lugar de su auditorio, a cada vuelta de copla:

Alemanes: *Wacht auf, Verdammte dieser Erde,*
Die stets man nach zum Hungern zwingt!
Das Recht, wie Glut im Kraterherde,
Nun mit Macht zum Durchbruch dringt.

Italianos: *Compagni avanti il gran partito*
Noi siamo del lavorator.
Rosso un fiore in petto c'é fiorito,
Una fede c'é nata in cor.

Franceses: *Debout, les damnés de la terre,*
Debout, les forçats de la faim.
La raison tonne en son cratère,
C'est l'éruption de la fin.

Pero en eso hubo una interrupción. Un mulato joven se plantó al lado de Robeson declarando que, único guadalupano en las Brigadas, y sin nadie para hacerle coro, quería sin embargo hacer escuchar su versión del himno al que titulaba: *La Internacional de las Antillas.* Y, con voz blanda, y visiblemente emocionada, cantó, forzando el tono para ser oído hasta últimas filas:

Debou nou toutt kapé soufrí
Debou pou nou toutt pa mourí
Pou nou fini avek mizé
Eksploutasion sou toutt la té.

"¡Todos ahora!" —aulló Paul, marcando el compás con ambos brazos, proyectando sus gestos de director de orquesta hacia los que en su torno se apiñaban. Y, dominándolo todo, se concertaron, a la derecha, a la izquierda, delante, detrás, los grupos españoles:

¡Arriba, parias de la tierra!
¡En pie, famélica legión!
Los proletarios gritan: ¡Guerra!
Guerra hasta el fin de la opresión.
¡Borrad el rostro del pasado!
¡Arriba esclavos, todos en pie!
El mundo va a cambiar de base,
Los nada de hoy todo han de ser.

Pero cuando se alcanzó al estribillo, los franceses, irrumpiendo con formidable ímpetu en el conjunto, devolvieron a la música de Degeyter las palabras exactas de Eugène Pottier que, al parecer, eran conocidas por casi todos los presentes ya que, al repetirse la estrofa, ésta sólo sonaba ya en su idioma original:

C'est la lutte finale
Groupons-nous et demain,
L'Internationââââle,
Sera le genre humain!...

Y, luego de los aplausos, gritos y aclamaciones, abrazos y alborozos que habían de terminar el extraordinario concierto, los espectadores, por grupos, tomaron el camino de sus pabellones, en tanto que los españoles invitados iban hacia la carretera, donde los esperaban camiones y autobuses de focos apagados. —"¡Salud!"... "¡Salud!" Puños alzados a la altura de la sien. —"¡Salud!"... "¡Salud!"... —"Vengan a mi casa un rato" —dijo Gaspar: "Todavía es temprano. Y tengo una botella de *Fundador* que me conseguí esta tarde". —"Vamos" —dijo Jean-Claude: "De repente, me siento algo fatigado. Creo que un trago de coñac me hará bien"... Quedé algo atrás con el cubano: "¿Emocionante, eh?" —"Desde luego" —dije con voz incolora. —"No me *guabinees*". —"No entiendo". —"Contéstame: 'sí' o 'no'". —"Paul Robeson estuvo maravilloso". —"¿Y lo demás?" —"Bueno: los himnos siempre son impresionantes. Vienen con su carga de emoción colectiva". —"Cuando son revolucionarios. A mí el *God save the King* no me dice nada". —"Pues a mí me emociona muchísimo *Dios salve al Zar*". —"No creo que tengas oportunidad de oírlo muy a menudo". —"Más de lo que usted cree". —"En reuniones de rusos blancos, seguramente. O en la iglesia ortodoxa de la Rue Daru". —"No. En conciertos: *Obertura 1812*". El cubano se echó a reír: "Victoria del Himno Zarista sobre *La marsellesa.* Si Tschaikowski viviese hoy, le encargarían una *Obertura 1917,* y entonces oirías una victoria de *La Internacional* sobre el Himno Zarista". —"Pero, como nadie compuso semejante obertura..." —"Nosotros estamos preparando la *Obertura 1938*: Victoria de *La Internacional* sobre *Giovinezza* y el *Horst-Wessel Lied.* A lo mejor la oyes el año próximo, escrita por algún compositor español, y dirigida por Pablo Casals, que está con nosotros". Sí. Pablo Casals estaba dirigiendo conciertos en Barcelona. Había visto su nombre, tres días antes, en un cartel. Pero no me imaginaba a Casals accionando una batuta. El arco era la prolongación natural de su mano. Hombre-violoncello, puesto que, cuando se instalaba tras de su instrumento, medio oculto por él, abrazado a él, reluciente la calva como barniz cremonense, el hombre se consustanciaba con el violoncello. Bach, *Kol Nidrei, El Cisne.* —"Pienso que la melodía de *Ol'man River* le hubiera sonado magníficamente" —dijo el cubano. Yo también lo había pensado: la voz de Paul tenía pasta de violoncello en el registro grave. Más que asociación de ideas, asociación de músicas, sonoridades, imágenes, palabras: "...*whiter skin of hers than snow*". Robeson-Pávlova prolongaban en la noche un portentoso e imposible "*pas de deux*".

Excelente era el *Fundador* de Gaspar —tan excelentísimo que las conversaciones y risas debidas a su aroma nos sacaron del tiempo que marcaban los relojes de hoy. Pero las horas acabaron por imponerse a nuestro descuido, con la aparición de una sonriente enfermera mulata, que nos llamó al orden en un español de marcado acento norteamericano: "Son más de las dos. ¿No sería bueno descansar un poco?"... Y ahora que en sombras olorosas a resinas de pino caminamos hacia el edificio principal, adivinando acaso que con ello acalla un escrúpulo mío, me dice la enfermera que puedo quedarme a dormir (está visto el asunto) en la habitación de Jean-Claude (no dijo: *con* Jean-Claude), porque, tratándose de una esposa que hizo un viaje tan incómodo para ver a su marido (y guiña un ojo la mulata) puede (¿cómo diríamos?) *atropellarse* un poco el reglamento. Pero, para cubrir las formas y dar un mayor carácter conyugal a mi visita, la Doctora Yvonne Robert (ella sabe perfectamente que no estoy casada con Jean-Claude porque se lo dije al llegar) ha mandado a poner una pequeña cama plegadiza junto a la del convaleciente. Puestas las cosas en terreno despejado, pregunto si *mi presencia* no sería perjudicial, en este momento, a la salud de quien... —"Está curado" —dice la enfermera: "Un poco fatigado, a veces, porque la recuperación fue lenta. Sí. Pudimos temer que había algo en el páncreas, pues sucede que no se advierte cuando se practica una operación abdominal de urgencia, como fue la suya. Pero, nada. El termómetro no miente". Quiero saber más, porque eso de "operación de urgencia" me suena a expeditiva acción de bisturíes —presuroso remiendo, por decirlo mejor— a orillas de un campo de batalla. La fea palabra "páncreas" me hizo mal efecto: es una víscera vulnerable y, para mí, misteriosa, de utilidad mal definida, situada quién sabe dónde... Pero la mulata parece segura de lo que dice: si el órgano hubiera sufrido una lesión, el proceso hubiese sido implacable: "Dos o tres días con 38°. Terribles sudores. Pérdida de conocimiento. Y muerte en la madrugada". Lo de *muerte en la madrugada* me escalofría. (Amanecerá dentro de tres horas. Pudo ocurrir una noche como ésta. El condenado. El emplazado. Y los siniestros visitantes blancos que al filo del alba entrarán en el cuarto para decir que sí, que así fue...)... Pero la mulata, ahora, cambia de tono: "¡Qué bien que haya podido venir! Eso es lo que más necesitaba él: una presencia de mujer. Muchos, aquí, tienen esposas, compañeras, amantes... Pero éstas han quedado en países fascistas. Además, el gobierno republicano no puede dar salvoconductos, así, así, a toda mujer deseosa de visitar a un combatiente —porque, en fin, tengo entendido que los brigadistas nuestros pasan de cuarenta mil. ¿Y usted? ¿Cómo hizo para venir?" Le explico que un escritor español, Max Aub, amigo de Jean-Claude, me lo había arreglado todo. —"¡Qué bien! Nada mejor podía haber ocurrido. Ahora conocerá su compañero una convalecencia verdadera. Porque, en fin, supongo que ya volvieron *a encontrarse*..." —"Sí. Volvimos *a encontrarnos*..." —¡Magnífico! El deseo de *eso* es el mejor indicio de curación. Cuando vemos que un ex herido se levanta una mañana, se baña solo, se afeita, busca brillantina para peinarse, se pone la camisa mejor planchada, y sale a caminar por la costa buscando *no sé qué* —y se le van los ojos tras del primer par de tetas que le sale al paso— sabemos que está curado. ¡Qué bien que haya venido! Así, su compañero no correrá el peligro de agarrar una venérea (la norteamericana pronuncia: *viniria*) en Castellón"... Nunca sentí, como en aquel minuto, la brutalidad de cuanto ocurre en el ámbito de una guerra. Las crudas verdades se expresan con crudas palabras. Caen los disfraces y cada cosa se pone en su sitio. Y me veo como desnuda ante los ojos de otra mujer que, a fuerza de recibir confidencias de hombres rescatados, salvados en última instancia, devueltos a la vida, piensa en mi *utilidad* en un plano que no es el de las más sublimes efusiones. Por un instante dejo de ser la *Pietà* que quise ser, para verme arrastrada en el bullanguero cortejo de vivanderas y de ribaldas que, en todos los tiempos, siguieron en los carros entoldados de Collot, las estrepitosas marchas de lansquenetes, picas reales y Grandes Compañías, por caminos de Flandes, Piamonte, el Milanesado y Nápoles, metidas en belicosa turbamulta de hierros, trompeterías, relinchos, ajetreo de vivaques, fuegos de fragua, reparación de corazas, chirridos de bisagras, de ejes, de poleas, trasiego de cacharros y concertantes de coplas cochinas. Como ellas, soy *una solución* —solución al problema que silenciosamente se plantea aquí cada vez que un hombre recobra la salud. Los más van a "resolver" (creo que oí esta expresión elíptica en boca de Gaspar Blanco) a Castellón de la Plana, mientras Jean-Claude, privilegiado por mi visita, podrá *resolver* más fácilmente y con mejor suerte. Me rebelo ante una indignante brutalidad de conceptos y de idioma. Las horas de la Guerra no son las mías. Mis cronómetros no son los de aquí. Y, sin embargo, vuelven a ser míos al marcar las dos y cuarenta de la madrugada en que, traída al más presente de los presentes, apartando la cama adicional metida en la habitación por las hipocresías del reglamento hospitalario, aceptamos, Jean-Claude y yo, la complicidad de la manivela de la cama mayor para variar las inclinaciones de nuestros cuerpos —cabecera más alzada, menos alzada, casi vertical, bajada un poco más, puesta en nivel Cero, levantada de nuevo, "no, basta; un poco más, así". . .— y nos reíamos, al usar de esa mecánica añadida a la habitual mecánica de nuestras pulsiones hasta que, al regreso de un largo viaje al país de una concertada entrega, mirando hacia la ventana, vimos que, remota aún, apenas pintada sobre el filo del mar, pero ya hermosa, apuntaba el alba. Y dormimos varias horas, mientras el sol invadía la habitación. (Aquel día, la mulata enfermera tuvo la discreción de no venir a tomar la temperatura de Jean-Claude. . .) Y es la alegre voz de Gaspar la que habrá de despertarnos: "¡A la playa, coño! ¡Son las once! ¿O se van a pasar el día encuevados?" Y apenas si tengo el tiempo de ocultarme en el baño, cuando ya está en el cuarto el músico, trompeta en alto, agitando el brazo izquierdo aún doblado por una toalla puesta en bandolera, pero libre del yeso: "¡Ya me quitaron el repello!" —grita: "¡Se jodió la humanidad si cuenta conmigo para escribir el Quijote! ¡Me salí del gremio de los mancos!"

14

Y ya estamos en la pequeña playa, tan repleta de bañistas como podría estarlo la piscina de Ligny, en París, un domingo de verano, cuando el sol puede hacer creer a las gentes que son menos sucias que otros días las aguas del Sena. Y sólo habría hombres sobre la poca arena y las muchas gravas —que de gravas son casi todas estas riberas del Mediterráneo— si no se viesen algunas enfermeras, francas de servicio, que llevan castas trusas enterizas y son vistas más como camaradas que como mujeres —esto se observa en el trato un poco viril de que son objeto— por los convalecientes de Benicassim. Yo estoy cubierta de cuello a tobillos por un vestido de lino que resguarda mi piel de todo bronceado —aunque ganas no me faltan de tostarme—, pues debo pensar en la escena nocturna de *Giselle,* en *El lago de los cisnes,* en *Las sílfides,* donde mal luciría una Walli, un ave de blanca y fantasmal textura, con cara, hombros y brazos de mulata. Mientras Jean-Claude y Gaspar se instalan en el espacio sombreado por un arbusto, camino a lo largo del mar. Observo que aquí —y era de esperarse— los combatientes, lejos del frente, se agrupan por corros de nacionalidades: los franceses, tirando cartas sobre un paño de felpa, vuelven a encontrar las partidas de *belote* de cualquier *Café du Commerce;* unos italianos, sentados en ruedo, celebran a un compañero, dotado de alguna voz, que les canta *Funiculí-funiculá,* "Celeste Aída" y el "Adiós a la vida" de *Tosca,* con gran lujo de calderones demasiado prolongados o fuera de lugar; varios alemanes se pasan un balón; los yankis, más allá, se han concertado en ese juego del *base-ball,* nunca practicado en Europa, y que nadie, fuera de ellos, entiende... Al resguardo de un murito, cuatro mozos rubios, de procedencia escrita en el rostro, leen plácidamente, acostados en una lona, con libros puestos de pantalla ante los ojos. Libros en ruso. Autores y títulos desconocidos para mí: Leonoff, Vsevolod Ivanov *(El tren blindado),* Constantino Fedin, Nicolas Alexeivitch Ostrovski: *Cómo se templó el acero.* De pronto me invade una inmensa curiosidad. Yo, que hago cuanto puedo, desde hace años, por ignorar la literatura soviética, me veo alcanzada por ella, de repente, en esta ensenada del Mediterráneo. Quisiera arrebatar los tomos a esos hombres de mi misma raza, sintiéndome como celosa de que conozcan el idioma de mis padres. Distinguiendo unas letras que muy pocos entienden, acaso, en esta playa, tengo la impresión de que me hurtan, de que me arrebatan algo muy mío, muy íntimo, que sólo me debiera pertenecer en este lugar. Por primera vez quisiera hojear esos volúmenes y enterarme de cómo es esa literatura "nueva" que, según me dijeron, endilgan masivamente al pueblo ruso los encargados de fomentar su cultura. Seguramente que esos jóvenes atletas que han venido aquí para ayudar a los combatientes españoles de alguna manera —ya que en las Brigadas no hay soldados rusos, me dijo Jean-Claude— ignoran los grandes autores modernos de su nacionalidad: Andreief, Korolenko, Alexei Remizov, Bunin, y el espléndido, el fascinante Merejkowsky. Si conocieran a esos autores quedarían deslumbrados. Tengo ganas de hablarles en su lengua, pero pienso que, en el acto, nos enfrascaríamos en una larga e ingrata discusión que, en tal lugar y momento, era preferible evitar. Además, si buscaran ciertas obras que mucho admiro y podría recomendarles, tampoco las hallarían en su país, donde, como es sabido, sólo se imprimen los viejos clásicos —y no todos— y fastidiosas monsergas de propaganda. Así pues, me quedo con Juliano Apóstata y Leonardo, suntuosamente evocados por Merejkowsky, las cándidas hagiografías de Remizov, y hasta con el cósmico horror de la risa roja de Leonid Andreief, y... que sigan ellos con sus trenes blindados, sus tormentas de acero, cantados por el régimen: todo lo duro, lo feo, lo metálico, lo aceitado, lo pringoso, lo oliente a sebo, a alcuzas, con las horrorosas palabras que vienen detrás: industria, industrialización, industria ligera, industria pesada, producción, rendimiento, normas, tractores, máquinas —máquinas como las que hubiese querido evocar Prokofieff en aquel estrepitoso *Paso de acero* que Diaghilev nos había obligado a bailar, años atrás, atropellando todas las tradiciones de la danza verdadera, en una decoración *constructivista* que incluía discos de señales ferrocarrileras en movimiento. (Por suerte esa boga del "mecanicismo", en mucho debida a los futuristas italianos, se estaba quedando atrás: ya poco se tocaba el *Pacífico 231* de Honegger, canto a la locomotora, y, menos aún, la horrísona *Fundición de acero* de Mossolov —acero y más acero— muy aplaudida en conciertos, a comienzos de esta década.) Volví a la sombra del arbolillo donde ya descansaba Jean-Claude, de diminuto "slip", junto a Gaspar que, de lejos, seguía el juego de base-ball de los norteamericanos, evocando a los grandes campeones cubanos Marsans y Adolfo Luque. Pero en eso llegó Enrique ("¡Hola, rusa!") trayendo impresos, periódicos, revistas, no sé, apretados contra su pecho *con las dos manos.* —"¿Y el bastón?" —le pregunté. —"Lo tiré al mar esta mañana. Ya no me hace falta". Y, puesto de cuclillas, soltó su carga de papeles: "Lectura". —"Viene bien" —dije: "No tenía nada qué leer". Y ante mí se abre un abanico de publicaciones —y hay muchas más, me dice Jean-Claude— de las Brigadas: *Le Volontaire de la Liberté, Elore, Adelante la 15, Dabrowska, Commune de Paris, Pasaremos, Il Garibaldino, Our Fight, El Soldado de la República, Venceremos, Dimitrovac, Salud.* (En sus portadas: hombres con bayonetas agresivas, banderas desplegadas, puños alzados, cascos militares, fusiles, estrellas, emblemas...) Pero también, distinguiéndose por una tipografía distinta, donde hay espacios blancos dejados por estrofas poéticas de un escalonamiento irregular y los grabados —a línea o en madera— ofrecen imágenes bélicas tratadas con un estilo personal, es la revista *El Mono Azul,* ya más interesante para mí, puesto que en sus páginas encuentro artículos sobre la literatura, el teatro, el cine —terreno de universal entendimiento, aun para discutir. Pero pronto la dejo al enterarme de la existencia de *Hora de España,* otra revista, mucho más voluminosa, impresa por Manolo Altolaguirre, de quien Jean-Claude tradujo algunos poemas al francés. Me asombro de que, en época como la que aquí se vive, pueda mantenerse activa una publicación como ésta, consagrada a los más cabales valores de la cultura, siempre encabezada por algún aforismo de Juan de Mairena, donde encuentro los nombres, para mí conocidos, de Rafael Alberti, Miguel Hernández, Luis Cernuda, José Bergamín, Vicente Aleixandre, León Felipe... (Empiezo a hojear un número reciente de la revista y me detengo sobre un texto donde el poeta argentino González Tuñón nos habla de un Madrid cuyo solo nombre me hace estremecer, en estos días, con el estridor del *"drid"* que suena a telón lacerado por un cuchillo. Si en Madrid pudo verse durante muchísimos años el apocalíptico *Triunfo de la muerte* de Brueghel, ahora que estaba clausurado el Museo del Prado los personajes de esa Danza Macabra —mucho más Danza Macabra que las de Orcagna y Holbein— andaban sueltos por las calles, entre los incendios que cada noche prendían las teas caídas del cielo. No concebía, no me figuraba, no me explicaba cómo podían las gentes vivir en esa ciudad perennemente bombardeada, golpeada, demolida, castigada por quienes —y mucho antes de que a esta guerra se diese el carácter de una lucha revolucionaria— descargaban su ira contra una población cuyo gran delito no había sido sino el de negarse a aceptar una asonada de generales felones. Y me decía ahora, en su prosa, el emocionado testigo argentino: "Con decir: Madrid, uno siente gusto a sangre, a tierra, y eso es bien simple y verdaderamente original... La verdad es que el sentido de la tierra renace, se apodera de todo. La evacuación, las inyecciones antitíficas, ni siquiera agregan una nota. Todo ocurre como debía ocurrir. El milagro consiste en que no existe el milagro. Una ciudad se defiende en todos sus frentes. No hay ausencias, no hay recaídas. Con la guerra, el olor de la tierra está más cerca. Los familiares himnos, la patria, las cartas que se escriben hablando de sucesos, de acomodamiento, de posibilidades. Sin que el viento, liviano y tremendo, de la Revolución, pierda su antiguo decoro... Abrí los ojos y nací a las cinco de la mañana. Desde que estoy en Madrid no había oído estruendo igual. Tan constante. Nada, posiblemente, ni los tanques, ni los aviones, puede ser tan impresionante como los obuses que, ésos sí, no se sabe de dónde vienen ni adónde van... Pensaba: hay quienes, en este momento, trazan rayas en un papel por cada obús que llega. Hay quienes recogen a los heridos y a los muertos. Hay quienes les dan entrada en los hospitales y en los cementerios; en esos libros manoseados que la Historia suele manosear después. Tal vez haya muerto una mujer que vi en la cola del tabaco. O el niño que cantaba, en Santo Domingo: 'Cuando viene la aviación, la aviación, la aviación / tira balas de cartón, de cartón, de cartón', con música de

Los tres cochinitos de Walt Disney. O aquel hombre que dijo: 'El obús que me toque tendrá que llevar esta inscripción: Gregorio García'. Mejor así. Para Gregorio García. Es más correcto...". Y yo añadiría que ese reto era profundamente español. Ignacio Sánchez Mejía no podía morir sino *aquel día,* y aquel día muy precisamente *a las cinco en punto de la tarde,* allí donde los toros acudían inexorablemente a ciertas citas, con la puntualidad, también inexorable, del Convidado de Piedra, invención española... Y quienes permanecían en Madrid en estos terribles días sabían que allí cada cual tenía un reloj puesto en *su hora,* que era hora de morir o de saber que aún se seguiría viviendo. ¡Atroz verdad que rebasaba el alcance de mis nociones!...) Trato de leer un poco más, pero se me cansan los ojos de tanta luz reflejada en el papel blanco. Dejo un poema de Emilio Prados a media estrofa para acostarme de bruces en la arena —más grava que arena—, emperezada por una modorra debida a los deleitosos insomnios de una noche magnífica, y entre el dormir y el no dormir, el deseo de dormir y el deseo de oír algo, también, de lo que se dice en torno mío sobre el abejeo de idiomas que cubre la playa (me llegan sonoridades de habla inglesa, garrasperas alemanas, palabras italianas, *merdes!* bien francesas debidas, seguramente, a los jugadores de *belote*...), sin levantar la cara me entero que al grupo se ha sumado un Evan Shipman, poeta norteamericano, muy amigo de Hemingway, de quien me habló Jean-Claude. Y sobre mi medio sueño se traba una conversación que sigo a retazos, oyendo lo dicho por voces de distinto timbre y acento: primero es la voz blanda, como indolente y perezosa, de Shipman: tiene antojos de *peanut butter;* ha buscado *peanut butter* por toda la costa, pero aquí no se sabe lo que es el *peanut butter*... (Ahora, Gaspar:) ...*en cuanto salen del fuego, todos vuelven a lo suyo.* (Jean Claude:) ...*los franceses sacan el* pinard *de donde sea; no sé cómo se las arreglan para conseguir el* pinard, *y tiene que ser del tinto... Dicen que el de Alella se les parece al Beaujolais.* (Enrique:) ...*los ingleses quieren salsa Worcester y sueñan con las mermeladas de Cross and Blackwell, cuando no pelean con los irlandeses; hace días hubo otra reyerta, en Albacete, entre ingleses e irlandeses. La cosa fue de enfermería y todo. / ...los franceses detes-*

tan el bacalao y el garbanzo: para ellos, no hay nada como el bifteck-frites. */ ...los cubanos se quejan de que no hay duchas; tienen una obsesión del baño que llega a la "sicosis"... ¡coño!... creí que no me saldría la palabra / ...los alemanes rechazan los embutidos españoles; quieren salchichas de las suyas. El pimentón ha creado todo un problema /* peanut butter *y* Worcester sauce... *Había de todo eso en la lancha de Hemingway, en la que salíamos a pescar, de Cojímar... / pescarían un mojón... / muy buenos pargos, de un largo así... / dispensando el modo de señalar... / una noche, estando en alta mar, nos tropezamos con una lancha de la policía machadista. Sí. Que llevaba cuatro cadáveres atravesados en la proa. Vieron que la embarcación de Ernest era de matrícula yanki, de Tampa, y por eso no acabaron con nosotros; más: en el acto tiraron los cadáveres al agua. Venían lastrados, porque no salieron a la superficie. Se hundieron como plomo... / serían estudiantes, obreros, seguramente... / y hay gente que pregunta qué estamos haciendo aquí... / lo importante es que lo sepamos nosotros... / ¡bueno! pero es que somos* voluntarios... */ eso es lo distinto. En otras guerras, la mitad de los combatientes van al frente porque si no fuesen los llevarían a patadas por el culo... / pero hay demasiadas divisiones entre ustedes. Porque no todos los que están aquí son comunistas... / hijo: yo lo que sé es que en el mierdero político que se armó en Cuba después de la caída de Machado, los únicos que actuaron con lógica y sentido común fueron los comunistas... / pero, entre los cubanos que están aquí, hay dos o tres tendencias, no me jodan... / hay tendencias, sí; pero todos pelean, porque no me vas a decir que los de la Centuria Guiteras hicieron un mal papel en las Brigadas... / la cuestión es joder a quien hay que joder... / bueno, sí; pero ustedes no han tenido fascismo, todavía, en América Latina... / pero tuvimos veinte dictaduras que anunciaban el fascismo. El fascismo está retoñando en nuestros cuarteles. Los próximos golpes militares que se produzcan en nuestros países serán de carácter cada vez más fascista... / pero el fascismo está en Italia, en Alemania. Ustedes hablan de lo que puede suceder. Yo hablo de lo que sucede hoy... Italia... Alemania... / no olvides la Francia del Coronel Conde de La Rocque. Por poco nos da su golpe en febrero del*

34... / y mientras más chance *tenga el fascismo de crecer acá, más pronto se implantará en otras partes... / los italianos que están aquí piensan en Mussolini... / los alemanes, en Hitler... / yo, lo que sé, es que soy comunista, y aquí, ahora, es donde hay que amarrarse los pantalones... / lo que nos viene a unir, más que nada, es el rechazo de ciertas cosas: yo aborrezco eso que llaman* "American way of life"... */ eso equivale, con* pop-corn *y* hot-dog *más o menos, a lo que nosotros llamamos "el orden burgués"... / o digamos, el sistema capitalista, con sus principios, sus instituciones, sus jerarquías, su concepto de la familia, y esto tú lo conoces como yo, Evan, ya que, como yo, eres de familia rica... Pero no vamos a gastar saliva en hablar de cosas que todos sabemos, que la mañana está preciosa... / baja la voz, que la rusa está dormida... / la cuestión es ganar esta guerra, porque cuando la hayamos ganado, será más fácil hacer una revolución en Cuba. Así lo entendía Pablo de la Torriente Brau... / ¿quién?... / uno de los mejores escritores jóvenes de mi país; su estilo tenía muchos paralelos con el "estilo brutal" de tu amigo Hemingway, aunque no pienso que Pablo hubiese pensado en buscarse modelos literarios; era lo menos "literato" posible. Ni falta que le hacía: fue uno de los hombres mejores de mi generación...* (Gaspar se había puesto de pie ya que su voz, ahora, me llegaba de arriba:) *Cayó en Majadahonda, siendo comisario político; tuve el honor de dirigir la banda de la división 46, que tocó en sus funerales: sesenta músicos; la marcha esa, que es: reeee-laaaá, sol, fa, mi, re, laaaaá, sol, fa, mi, re, miiiiiiií, miií, mi... ¡Ay, me acordé de mi banda!... Por suerte estoy curado. Dentro de una semana...* (Enrique:) *yo también. No vine aquí para calentarme los cojones en una playa...* (Shipman:) *a mí me falta más de un mes todavía; me paso los días yendo de un pabellón a otro; me aburro terriblemente...* (Gaspar:) *¿porque no tienes* peanut-butter? (Shipman:) *...las únicas novelas norteamericanas que tienen aquí son unas de Upton Sinclair, y Upton Sinclair es un mierda, como Sinclair Lewis, Theodore Dreiser, y otros* son of a bitch *del naturalismo tipo Medán-Brooklyn que se editan y reeditan allá, en tanto que un formidable poeta como Cummings es ignorado por el público...* (Hubo una larga pausa. Los hombres, al parecer, miraban algo: acaso a los yankis que jugaban al base-ball. Me lo confirmó la voz de Gaspar:) *¿Te acuerdas del negro Quintero?...* (Enrique:) *¡me parece estarlo viendo!...* (Gaspar:) *Nunca se vio un lanzador de granadas con semejante puntería. Donde ponía el ojo, ponía la granada. Si quería meterla por una claraboya, ahí te iba eso... Las tiraba por arriba, por abajo, sobre un techo, en un hoyo, a que cayera tras de un cañón, a voluntad... No fallaba una... Y cuando se trataba de entrarle a un tanque, de lleno, así, bajito, entre las dos cremalleras, parecía que tuviese un tiraflechas en el brazo... Y la gente no entendía el misterio... Decían que era un fenómeno...* (Enrique:) *Lo que pasaba es que era un formidable lanzador de base-ball...* Pitcher *del "Almendares"... Y al tirar las granadas decía, en lenguaje de pelota: "ésta va de* fly*", "ésta de globito", "una recta al* center*", "ésta va de* estrai*"...* Ríen los otros, y vuelvo a oír la voz de Gaspar: *"Y tú, Jean-Claude, ¿cuándo regresas al frente?"...* Era la pregunta que yo temía. Ladeé un poco la cabeza, a tiempo para ver que Jean-Claude, mirando hacia mí, se llevaba un índice a la boca, en ruego de silencio. Me incorporé violentamente, y mi cólera repentina se expresó en el tono agresivo, gritado, de una pregunta: "¿Y cuando ganen esta guerra, qué van a hacer? ¿El comunismo en España?" —"Eso lo verán los españoles" —dijo Enrique, plácidamente. —"Ganarla, primero: veremos después" —dijo Gaspar. —"¿Y si no la ganan?" —"Si no creyéramos que vamos a ganarla, no estaríamos aquí" —dijo Jean-Claude. —"¿Y en el peor de los casos?" —"Nos quedará el consuelo de haber permanecido fieles a una idea" —dijo Jean-Claude: "Lo importante para un hombre es estar en paz consigo mismo". —"En paz consigo mismo cuando es a costas del sacrificio de otro" —grité. Hubo un silencio desagradable. Mi amante miraba hacia el mar. Gaspar empezó a hojear *El Mono Azul.* Shipman fijaba en mí sus ojos claros, sin entender. Al fin, Enrique optó por reír: "La bailarina ha vuelto a meternos en filosofías" —dijo: "Y aquí no hay mejor filosofía que la de ésos, que solo piensan en su partida de *belote,* echando mano al tintazo, y los yankis aquellos que se empeñan en jugar al *base-ball* con una duela de barril a falta de bate". —"Y que juegan bien fulastre" —dijo Gaspar: "Y eso que la metafísica de la pelota está en

Boston". —"Ustedes no quieren pensar" —dije. —"En una guerra, mientras menos se piense, mejor" —dijo Enrique: "Vamos a almorzar a Castellón de la Plana. El chofer Jacinto se me va esta noche. Hay que aprovecharlo". —"Y no pongas esa cara de perro" —me dijo Jean-Claude: "Aprende a vivir *en presente*, como nosotros". —"¿En presente y no hacen más que soñar en el *mañana*?" —"Ese *mañana* llegará de todos modos". —"¿Por qué tanta lucha, entonces? ¿Por qué tanto sacrificio... propio *y ajeno*?" —"Porque hay que apresurar el alumbramiento". Me eché a reír: "¡Ah! ¡Ya sé! Conozco la tonada de 'La Partera de la Historia' ". —"No seas cretina. Vamos. Tengo hambre y sed". —"¿Hambre y sed... de justicia?" —dije, engolando la voz. —"Hambre y sed de jamón y vino". En aquel momento desapareció mi enojo. El sol y el mar eran hermosos. Yo también tenía hambre y sed de jamón y vino. —"Estás aprendiendo a vivir" —dijo Jean-Claude. En eso pasó un avión, a baja altitud, sobre Benicassim. Todos metimos la cabeza entre los hombros, en automático afán de hacernos más pequeños. —"Posición prohibida a las bailarinas" —dije, bajando los brazos. —"Primera virtud del soldado en combate: vigilarse a sí mismo" —dijo Enrique, riendo: "Vamos progresando". —"¿No decía usted que en una guerra no había que pensar?" —"En eso, sí. En pendejadas, no"

Y quedó la guerra abolida. No se volvió a hablar de ella. Y comprendí que era yo quien, desde la víspera, traía el tema a las conversaciones, en mi imposibilidad de *entender* algo que me parecía monstruoso, inaceptable, fuera de toda razón, de toda lógica. Pero ellos *entendían*. Entendían, como también entendían Ludwig Renn, Gustav Regler, Jef Last, y tantos otros hombres de libros que aquí, en estos días, llevaban el uniforme —después de mucho haber renegado del uniforme, ellos que, no hacía tanto tiempo, eran tan antimilitaristas como Jacques Prevert o como el Aragon que, al final de su *Tratado del estilo,* se hubiese *cagado en la totalidad del ejército francés.* Para nuestro grupo quedó la guerra abolida —repito. Y cuando por algo había de mencionarse, de tarde en tarde, era señalando hacia el Oeste, y diciendo: "Allá"... Almorzamos, pues, en Castellón de la Plana, donde tuvimos el jamón y el vino apetecidos, y aún más, mucho más —tortillas de patatas, aceitunas, algo de embuchado— pues, me explicaban, en esta costa no se sentían aún las penurias que se conocían "allá" —y "allá", con el gesto correspondiente, significaba Madrid. Y cuando quise que Jean-Claude me contara algo más del Madrid actual, me dijo que nada, que allá la gente vivía como si nada, que la gente *se había acostumbrado,* que había colas de muchachas en las perfumerías, que los cines "echaban" películas de Greta Garbo, que los combatientes iban al frente en tranvía, y que a la torre de la Telefónica llamaban "el colador", por los muchos obuses que la habían traspasado. Pero, por lo demás, se refería a las ruinas de la ciudad como puede hablar el turista de las ruinas de Baalbek o de Volúbilis: referencias al pasado, vestigios de otros tiempos. Y pronto cambió de tema, al advertir que Enrique hablaba de décimas guajiras cubanas, en las cuales podían hallarse variantes y vestigios de viejos romances españoles. Gaspar cantó una, escuchada por él en una ciudad llamada Trinidad, que, según mi amante, vendría a ser una variante más del romance de la *Delgadina,* tan difundida en el mundo que, según Menéndez Pidal, había llegado hasta Islandia. Y fueron reminiscencias de coplas de América, cantares del medioevo, presencia de Gerineldo, las tres moricas de Jaén, el Conde Alarcos, el Señor Don Gato, Bernardo del Carpio, la cautiva de Antequera, Melisenda y Don Gayferos, revueltos con tonadas de payadores, troveros, letras de corridos y fulías, refalosas y guarachas, hasta el crepúsculo en que, muy bien bebidos todos —y yo, por una vez, olvidada de una disciplina exigida por mi oficio, también metida en copas— emprendimos el camino del regreso, observando, de paso, que en esta costa había nacido un arte nuevo: para defender sus vidrieras de la deflagración causada por posibles explosiones, los comerciantes habían pegado tiras de papel a los cristales. Pero, en vez de disponerlas en cruz, que era lo más socorrido, se habían ido, tijeras en mano, por una imaginería de astros, alegorías republicanas, citas poéticas, escenas taurinas y siluetas del Quijote, que me recordaban ciertos "collages" de la pintura moderna. —"Aquí hay un Picasso" —decía Jean-Claude... —"Miren ese Miró" —decía Enrique... —"Con el vino que han bebido acabarán por ver a la Mona Lisa" —decía Gaspar: "que *mona* lisa y bien lisa es la que llevamos encima"... Y pasaron varios días durante los cuales viví en presente, tratando de no pensar en una terrible fecha que se aproximaba. Vuelta a Jean-Claude, me eran cada vez más necesarios sus brazos, el contacto de su piel —recia en el pecho, suavísima en sus muslos—, el olor de su cuerpo todo —olor por siempre prendido en mí, del primer hombre que me hubiese poseído. Me ovillaba en su calor, sumiéndome en el tiempo sin tiempo del pálpito compartido. Y, a veces, abriendo los ojos en la noche, me sosegaba en la casi certeza de que, por algún motivo fortuito, no tuviese él que regresar *allá*, o que lo licenciaran por algún motivo, o que, al menos, su presencia resultara indispensable en alguna actividad administrativa (...su conocimiento de idiomas...) lejos del frente. Y prodigioso me parecía despertar cada mañana junto a su cuerpo desnudo, como en los *meses aquellos* en que, roturada por su ardor, cobré mi verdadera condición de mujer.

Pero, un lunes, se manifestaron los signos amenazadores. Demasiado ceñudo estaba Enrique; demasiado afanoso, Gaspar. Aquel día no fueron a la playa, llegando de Castellón, a mediodía, con demasiados paquetes. Habían comprado medias de lana —a pesar del calor que aquí reinaba—, ropas interiores —no sé qué más. Se jactaban de haber hallado, en una farmacia, cepillos de dientes "mucho mejores que los del hospital", y hasta cuatro jabones "Heno de Pravia", anteriores a la guerra. Advertí con irritación que Jean-Claude se alegraba demasiado con el recuento de esas adquisiciones, como si algo, en el lote, hubiese de tocarle. Lo miré fijamente. Tan fijamente que me volvió las espaldas, asomándose a la ventana. —"¿Para cuándo es?" —pregunté, al fin. —"Mañana". —"¿Mañana?" —"Sí". —"¿Y regresas *allá*?" —"Sí". —"¿Con ellos?" —"Sí. Los tres. Primero vamos a Albacete que es donde está nuestro centro. Y de ahí..." —"¿Y de ahí?" —"Pues: *a reintegrarnos*..." —"No entiendo". —"Bueno: a pelear. Acaso a primeras líneas que es donde todo resulta más claro..." —"Es imposible" —dije: "imposible, imposible, imposible". Y repetía el "imposible" como si la palabra tuviese un poder de ensalmo para ahuyentar una realidad que me negaba a admitir. "Imposible", ante el veredicto; "imposible", ante el fallo; "imposible", ante la sentencia de quien tuvo la ingenuidad de confiar en la indulgencia del tribunal. "Imposible, imposible". Y, de repente, en palabras —y hay momentos en que las palabras se deslastran de todo significado— los razonamientos inoperantes: tú ya cumpliste con tu propia conciencia; ya peleaste; fuiste herido, con tu sangre pagaste tu tributo a la Idea; no eres español; estás aquí de voluntario; regresa conmigo a París; allá te esperan tus verdaderas tareas; tus libros interrumpidos, tus versiones de Prudencio; tú eres hombre de bibliotecas; no eres hombre de batallas. Avisa a tus jefes que quieres regresar; te lo tienen que permitir; hablaré con Yvonne Robert: ella entenderá; tú no tienes la salud de Gaspar, del cubano Enrique; es que no puede ser, no puede ser... Jean-Claude me acalló con una frase: "Quien se alista en las Brigadas se compromete a pelear hasta el fin de la guerra". —"¿Y cuándo será el fin de la guerra?" —"*Chi lo sà?* Tal vez muy pronto. *Ou ce sera peut-être assez long*"... Nada que hacer, sino llorar, mientras mi amante preparaba su magro fardaje de campaña. Hubo una cena que podía haber sido alegre, pues Gaspar, hábil como siempre en conseguir cosas inconseguibles, se nos apareció con cuatro botellas de "*Codorniu*" —champaña catalán, a falta de champaña de la Champaña, pero... "*à la guerre comme à la guerre*", decía—, cena que fue casi silenciosa, a causa de mi obstinado mutismo, de mi expresión que reflejaba el desgarramiento interior de quien quedaba vencida sin lucha posible, porque no era una contingencia humana la que me dejaba fuera del juego. Aquí se rompía un entrañable convenio de dos por la irrupción de un tercero en discordia. Y ese tercero en discordia no era una persona semejante a mí ante quien me hubiese defendido ferozmente —o una circunstancia, una rivalidad, a las cuales siempre hubiese medio de sobreponerse— sino una *Idea,* algo impalpable, sin carne donde herir, sin imagen destructible: algo pavorosamente llamado *Idea.* Fuerza invisible y casi abstracta que me arrebataba lo único que me fuese indispensable en el mundo... Aquella noche hicimos el amor tres veces, furiosamente,.desesperadamente, con agónico anhelo de detener el tiempo, rotos mis gemidos de gozo, cada vez, por los sollozos que se me prendían de la garganta. Y, al alba, fue la despedida. Tanto nos habíamos besado en la obscuridad, que no volvimos a hacerlo a la luz del día, junto a la camioneta militar donde ya esperaban los dos cubanos. Mi amante me hizo una caricia en la mejilla, con la mano, como se hace a los niños, y montó al vehículo. —"Adiós". Varios adioses. Y una nube de polvo en la carretera. Sola ya, me invadió un repentino terror. Terror a esta tierra que, súbitamente, se me hacía ajena; terror a la guerra; terror al avión que podía aparecer sobre el horizonte; terror a la gente de vendajes, muletas, bastones, enyesados, entablillados, minervas, que en este lugar arrastraban sus convalecencias. Sin darme cuenta de ello, había realizado un descenso al Reino de las Sombras. En él estaba, y de él tenía que salir cuanto antes... Y de él salí, tras de un interminable viaje en un tren costero, de continuas paradas, que tardó más de treinta horas en alcanzar el túnel de Port-Bou donde un cartel nuevo había substituido aquél, del canguro, visto por mí al venir: un cartel que ahora mostraba un cadáver de niño: DEFENDED MADRID... Y fue el tránsito en noche, y la salida a la luz —*la mer, la mer, toujours recommencée*...—. Pero, en Cerbère, la calma, la indolencia, la despreocupación de las gentes, me pareció casi indecente. Cerbère, Cerbero, Cancerbero. Guardián de los reinos de la muerte... Pero ahora no sabía si los reinos de la muerte eran los que había dejado atrás o los que aquí encontraba. Los hombres de *allá,* esperaban algo. Los hombres de *acá,* nada esperaban, atentos tan sólo a sus juegos de bolas y a que los anisados de sus copas cobraran calidad de ópalo al recibir el agua de garrafas heladas. Vuelvo al mundo de los indiferentes, de las buenas conciencias, de los pasivos, de los Oblomov —del *laisser-aller,* del *laisser-faire.* Y me siento como culpable de aceptarlos, de *aceptarme* a mí misma. Recuerdo un verso de San Juan de la Cruz que a menudo citaba Jean-Claude:

Vivo sin vivir en mí.

15

Íngrima y sola. No sé a ciencia cierta lo que significa esto de *íngrima/íngrimo.* Había oído por vez primera esta palabra la noche en que el cubano Enrique me hubiese contado, en Valencia, las peripecias de su dramático viaje a Weimar. Pero no sé por qué tiene el vocablo, para mí, en este momento, un sabor a colmo de soledad, ahora que me he bajado del tren, en Perpiñán, con el propósito de dormir una larga, larga noche. En busca de un somnífero anduve como una autómata a lo largo de una avenida de palmeras, deteniéndome ante una glorieta idéntica a otra que había en Bakú, también rodeada de palmeras —aquella donde daba retretas una banda de cosacos que mucho me agradaba, cuando era niña, porque sus músicos se movían como grandes marionetas, siguiendo los gestos de un director de alto kaftán. Regreso a mi fría habitación de hotel adornada por una vista de Sète —lugar del *Cementerio marino*— donde, por misteriosa asociación de recuerdos, vuelvo a vivir, con increíble precisión de detalles, aquel día de 1917, en Petrogrado, poco después de mi llegada de Bakú, en que asistí, por así decirlo, al parto de mi prima Capitolina. Día en que vi por vez primera —era Sacha— un herido de guerra; día en que por vez primera escuché un canto que ahora, luego de haber pasado nuevamente por el trágico túnel de Port Bou-Cerbère, me persigue aquí como una obsesión, canto entonado en Benicassim por voces de hombres tan parecidas a las que *allá* se hubiesen mezclado con los gemidos de un alumbramiento. De ojos abiertos en la obscuridad, sin haber tragado aún el comprimido de Valium que espera sobre el velador, retrocedo en el tiempo, regresando a una ya remota Natividad...

...Aquella mañana —no serían las nueve—, se presentaron los dolores. Dejándonos a medio desayuno, Capitolina había ido a acostarse de nuevo, retorciéndose, gimiendo, gimiendo tanto, por momentos, que el gemido se hacía grito, protesta, imploración, para volver al gemido, que caía en estertor doloroso, respiro desacompasado —tregua angustiada ante la esperada ame-

naza de un nuevo sufrimiento. Sudaba, se crispaba, en espera de otro embate que le viniera del fondo de las entrañas, haciéndola gritar de nuevo. —"No estés ahí como una tonta" —me dijo mi madre: "Ya te tocará a ti algún día... Vete a la cocina y calienta toda el agua que puedas. En el caldero, en el escalfador...". Y mandó la sirviente en busca de una comadrona que vivía en el edificio contiguo. A poco apareció la mujer, vestida de negro, con ademanes de monja y la solemnidad de quien se las entiende con misterios trascendentales. Entré en el cuarto de la parturienta, seguida de mi madre. —"Vete al comedor y trata de leer, armar un puzzle, *hacer un solitario, o de entretenerte en algo. Esto es tan natural como comer o dormir; pero el proceso es feo y te impresionaría demasiado". Mi padre doblaba las hojas de los periódicos del día sin acabar de prestar atención a las noticias: "Un nacimiento en una casa es siempre una bendición" —dijo para dar sentido al gesto de llenarse una gran copa de coñac. Allá adentro, al final del corredor empapelado de amarillo, seguía la penosa alternativa de gemidos, gritos, quejas, descansos aparentes, sollozos sin lágrimas, pausas que nos hacían suponer que todo hubiese acabado. —"El parto se presenta difícil" —dijo mi madre, yendo por unos paños: "No es de extrañarse: es primeriza. Pero no hay peligro. Va lento, pero normal". Dieron las diez, dieron las once. Sonó el cañonazo de las doce en la fortaleza de Pedro y Pablo (cañonazo que aquí marcaba la "hora en punto" del día...), sin que se hubiese llegado al término de un dolor que se nos hacía interminable, intolerable, casi exasperante. En los momentos de aquietamiento se oían los rezos de la comadrona, hurgadora del sexo en los paroxismos, recitante de Escrituras y Evangelios en las treguas: "Madre de Dios, alivia el dolor de la que tanto padece por su condición de mujer..." (gemidos)... "porque Dios dijo: Yo acreceré el dolor de tus embarazos y en el dolor parirás a tus hijos..." (gemidos)... "Cuando Elisabeth hubo oído el saludo de María, el niño se estremeció en su seno" (grito largo, desgarrado, y también gritaba la comadrona ahora:) ..."Bendita seas entre todas las mujeres, bendito sea el fruto de tu vientre"... "Puja... Puja hacia abajo... Puja fuerte... Otro pujo... Ya falta poco". Suena la campanilla de la puerta: "¡Sacha!" Y era un*

Sacha inesperado en tal día que nos venía con vendas de varias vueltas en la frente: "He sido nuevamente herido en combate. No lo escribí a Capitolina, porque..." (se tocó el vientre). Sonó un grito que lo sobresaltó. —"Sí. Capitolina está... en eso". —"Debe haberse equivocado entonces: me dijo que era para el mes próximo" (gemidos)... "Y la criatura se estremeció en mi vientre... Y la criatura se estremeció en mi vientre"... "Otro pujo... Otro... Lo más que puedas..." —"Es mejor que no te vea ahora... Los vendajes... Estás pálido, demacrado..." —"Sí. Es mejor. Esperaré. Dame una copa de algo. Vengo a pie desde la estación. No hay coches ni automóviles. Estoy rendido". Mi padre lo abrazó silenciosamente y fue a ponerse la pelliza: "Esto dura demasiado: voy a buscar al Doctor Skuratoff". Quedamos solos en el comedor, Sacha y yo: —"¿Es grave lo tuyo?" —"Casi curado: en estos días me quitan las vendas. Pero háblame de ella, de ella"... "Madre de Dios; alivia el dolor de la que tanto padece por su condición de mujer. Intercede ante el Señor... Ya viene... Creo que ya viene... Valor... Puja ahora.... Otro pujo bajo...". Y dieron las cuatro, dieron las cinco. Por fin apareció el Doctor Skuratoff, yendo derecho a la habitación de los gritos, maletín en mano, después de arrojar el gabán y el sombrero en una silla. Mi padre apuró medio vaso de coñac: "Toma tú también, Sacha"... Madre de Dios, ayúdala... Alivia su dolor... Virgen Santa... (ahora un gemido largo, interminable, intolerable). Y la voz del médico: "Ya viene... Por fin... Déjeme a mí"... "Gracias, Madre Bendita... Gracias, María, que fuiste venerada por los siglos de los siglos"... El médico: "Ya está... No te retuerzas... No te sigas agitando... No aprietes los dientes"... (un silencio largo, durante el cual nos acercamos todos a la puerta, tratando de oír algo...) "Una hermosura... Debe pesar más de seis libras... (ahora un vagido, otro vagido, otro más...) —"Es varón". —"¡Gracias a Dios!" —exclamamos, como si el nacimiento de una hembra en la casa hubiese sido un acontecimiento de menor cuantía, por no decir desafortunado. Mi padre descorchó una botella de vino. —"Fue un parto difícil" —dijo el médico, luego de lavarse las manos: "Pero yo, de todos modos, no hubiese usado el forceps sino en última instancia. Ustedes conocen mis principios. Cuando se puede, hay que dejar actuar la Naturaleza". Yo estaba agotada; cada grito de mi prima me había repercutido en las entrañas; me sentía llena de latidos que me subían del bajo vientre a las sienes. Un día, tras de mi virginidad rasgada, tras de mi carne penetrada, crecería en mí otra carne, como ésa, con ojos, con manos, que habría de expulsar aullando como aullaban, en el pasado —pasado no tan remoto—, los amputados sin anestesia. —"Ahora que descanse" —dijo mi madre, despeinada, sudorosa, advirtiendo la presencia de Sacha: "Además, tus vendas la impresionarían. Mañana la iremos preparando; le diremos... lo que quieras que se le diga". —"Está rendida" —dijo la comadrona: "No era para menos. Yo temía que no acabara hoy". Y, tomando la botella de cognac, llenó una taza a falta de copa, apurándola de un solo trago... Al fin, después del crepúsculo, pude ver al niño. Por vez primera me hallaba ante un recién nacido. Me enternecí ante la miseria, la fealdad, de eso que venía a añadirse a nuestra casa. Un pequeño ser rojizo, informe, arrugado, todavía más embrión que niño, primo hermano, por así decirlo, de los Cristos más esmirriados, más atribulados, que se nos presentaban, en las iglesias de aldea, sobre las rodillas de Vírgenes tristes, sin joyas encajadas en la aureola, en pinturas de algún imaginero local, para el cual Quien-hubiese-nacido-en-un-establo debía identificarse con la estampa de la miseria. Ciego aún, ignorante del sonido, con los testículos vacíos, las manos apenas sensibles, era, en este tránsito larvario de su existencia, la prefiguración de su propia senectud. Mi madre: "¿Lindo, eh?" No me atreví a decirle que lo encontraba horrendo, y volví al comedor donde la sirvienta desempaquetaba dulces y bombones, traídos de la pastelería de abajo. En ese momento, oímos voces que se alzaban en la calle; eran las de hombres, al parecer muy numerosos, que cantaban al unísono:

De pie los pobres de la tierra,
De pie los hombres sin pan.

—"Es La Internacional*", dijo Sacha: "La novedad del día... Composición de un obrero francés... Escuchen... Escuchen":*

Es la lucha finaaaal
Juntos todos cantemos:
La Internacionaaaaaal
Será la Humanidad.

—"No sé lo que les cuentan de la guerra. Pero el ejército se desploma. Los soldados desertan en masa. Por regimientos enteros. Dicen que esta lucha no les incumbe. Ya no saludan a sus oficiales. Los que no consiguen el modo de colgarse de un tren o de treparse a un camión, caminan y caminan, hacia la retaguardia, hacia sus pueblos, hacia las ciudades, quemando las culatas de sus fusiles cuando tienen demasiado frío. Botan las balas por el camino, porque les pesan mucho. No digo que todo está perdido. Hay posibilidades todavía para los que, como yo, han conservado el sentido de la disciplina. Hay soldados que aún aclaman al Zar cuando visita los frentes. Pero... por lo demás... Los desertores cantan La marsellesa *y* La varsoviana, *como desafío al gobierno imperial... Hay una letra que dice:*

Los reyes nos tenían ciegos,
Que nuestra paz derribe a los tiranos.
Hagamos huelga de soldados,
Cese el fuego y rómpanse las filas.
Así se empeñen los canallas
En que seamos unos héroes,
Sabrán pronto que nuestras balas
Serán para nuestros generales."

El médico tomó un libro en la biblioteca del salón: "Dostoyevsky ha tenido respuesta para todo esto: Es la fiereza de escolares amotinados que han arrojado a su maestro". (Y pensaba yo, en este hotel de Perpiñán, en el terrible poema de Prudencio, traducido al francés por Jean-Claude...) *"Pero habrá un término para la alegría de los párvulos, y esto habrá de costarles caro. Derribarán los templos e inundarán la tierra de sangre; pero acabarán por darse cuenta, niños estúpidos, que sólo son débiles revoltosos, incapaces de luchar por mucho tiempo".* (¿No era este párrafo de Dostoyevsky como una remembranza, imposible por el desconocimiento de un texto, aunque posible por la universal repetición de temas en todo lo escrito, del martirio sufrido por el maestrescuela de Imola, entregado a la ferocidad de sus discípulos, en el *Peristephanon* cuyas páginas abiertas había yo visto tantas veces en la mesa de trabajo de mi amante, con aquel título alzado en nobles caracteres elzevirianos: PASSIO SANCTI CASSIANI...) *"No hay pasión más lacerante para el hombre que la de hallar cuanto antes un ser en quien delegar ese don de libertad que el desdichado trae consigo al nacer... Entenderán por fin que la libertad es inconciliable con el pan de la tierra repartido a todos porque jamás sabrán repartirlo entre sí mismos"...*

De pie los pobres de la tierra,
De pie los hombres sin pan.

—"Pero... ¿no hay tribunales militares?" —preguntó mi padre. Y habla Sacha: "¿Qué quieres que hagamos? ¿Que los fusilemos a todos? Tampoco hay prisiones para tanta gente..."

Del pasado hagamos tabla rasa,
De pie, esclavos, de pie:
El mundo va a cambiar de base,
¡No éramos nada, seamos todo!...

El médico volvía a la lectura del libro: "En Europa el pueblo se subleva ya contra los ricos: en todas partes sus jefes lo incitan a la matanza y le enseñan que su cólera, es justa. Pero maldita sea esa cólera, porque es cruel". "Es cada vez más necesario que ganemos esta guerra" —dijo Sacha: "Yo, por lo pronto, volveré al frente en cuanto sane de mis heridas". La comadrona sacó la cara del vaso de coñac: "El Señor salvará a Rusia, como la salvó tantas veces". Mi madre habla: "Sin quererlo estás citando una frase de Dostoyevsky... Pero ¿por qué, en vez de releer párrafos de ese libro siniestro, no comen y beben, para festejar la Epifanía que ha venido a bendecir esta casa?" Mi padre se llenó otra copa: "Es, en efecto, un libro siniestro". El médico volvió a colocarlo en su lugar: "Es cierto. Pero hay que leer y releer a los grandes autores rusos. Ellos son los custodios de nuestras mejores esencias espirituales, jamás contaminadas por los venenos de Occidente. Ruso fue Gogol en Roma; ruso Turgueniev, en Francia; ruso

Dostoyevsky, en Alemania; y ruso sigue siendo Gorki en Sorrento. Como ruso y bien ruso es ese discípulo de Rimski, el joven Stravinsky, que acaba de desencadenar un escándalo nunca visto, en París, con un ballet (paré la oreja al oír eso de *ballet*...) *inspirado en los antiguos ritos de nuestra Rusia pagana, la que aún adoraba la Tierra —nuestra tierra— y con sacrificios propiciatorios saludaba el advenimiento vernal. Sí. Si bien recuerdo, la obra se titula:* La consagración de la primavera..." *En ese momento se oyeron nuevas voces en la calle, que cantaban, en un francés mal sabido:*

Allons, enfants de la patrie,
Le jour de gloire est arrivé.
Contre nous de la tyrannie
L'étendard sanglant est levé,
L'étendard sanglant est levé.

Y ahora prosigue el conocido himno, aunque sin oírse las palabras porque, entre los que ya conocen la letra y los que todavía la ignoran, a más de los que cantan sobre meras vocales fingiendo que pronuncian lo que no pronuncian, se arma un barullo verbal que conduce, sin embargo, al cabal estribillo, aunque con variante final recién añadida:

Aux armes, citoyens,
Formez vos bataillons!
Marchons, marchons,
lalaralá, laralalaralá,
Vive la
Revolution.

Sacha se lleva las manos a las sienes: "Esto que es, en Francia, un himno nacional, se ha vuelto aquí una llamada a la insurrección armada". Mi madre: "Dios ampare a Rusia". (Adentro se oyeron sollozos del niño). —"Los que nacen, lo hacen llorando, porque saben lo que les espera acá abajo" —dijo la comadrona... La noticia del nacimiento había llegado a todos los pisos del edificio. El apartamento empezó a llenarse de gente. Y, aunque un creciente malestar reinara en la ciudad, con los cantos subversivos que se aproximaban, pasaban, se alejaban, cada cual estaba como ansioso de huir de la realidad, riendo, fumando, bebiendo demasiado. —"El inocente niño ignora que los adultos se están emborrachando a cuenta suya" —me dijo Sacha. —"Todavía no ha abierto los ojos y ya está en las bodas de Caná" —dije, después de apurar dos copas a hurtadillas. La sensación era grata. También yo tenía ganas de cantar La marsellesa *con los que abajo pasaban y volvían a pasar. —"¿No es lindo tu sobrinito?" —me preguntó mi madre. —"Como niño es terriblemente feo; pero como cochino es muy bonito" —respondí, citando a Lewis Carroll. —"¡Vaya a acostarse en el acto!" —gritó mi madre, furiosa, advirtiendo acaso que yo había bebido un poco...* Pero mi cita de Lewis Carroll no se debía a un mero alarde de pueril erudición. En los años de mi infancia habían aparecido, uno tras otro, ocupando gran lugar en mi estimación —y hasta desplazándose unos a otros al calor de mis momentáneos favoritismos— los personajes de Sindbad el marino, el viajero Sadko, Gulliver, la Sirenita (¿cuál va a ser? ¡No hay sino una!...), la Virgen Fevronia de la Ciudad Invisible, Till el flamenco, el Barón de Münchhausen, y hasta Buster Brown, en espera de que fuesen todos echados abajo por Alice, la del *Wonderland*, con quien me hallaba portentosas afinidades —y de ahí mi desafortunada confusión, de aquel día, entre niños y cochinos, porque, para mí, cuanto decían la Liebre de Marzo, el Sombrerero y el Lirón del interminable té en torno a la interminable mesa del té interminable, era cosa tan real como la existencia de Rurik, Cirilo y Metodio, Pedro el Grande, o la gran Catalina, amiga de Cimarosa y de Diderot... Y un párrafo del libro, en particular, me había quedado en la memoria, acaso porque estuviese cargado, para mí, de misteriosas premoniciones: aquel en que Alice pregunta al Gato: *"¿Quisiera usted decirme qué camino debo tomar para irme de aquí?" —"Eso depende, en mucho, del lugar a donde quiera ir" —respondió el Gato. —"No me preocupa mayormente el lugar..." —dijo Alice. —"En tal caso, poco importa el camino" —declaró el Gato. —"...con tal de llegar a alguna parte" —añadió Alice, a modo de explicación. —"¡Oh!" —dijo el Gato: "puede usted estar segura de llegar, con tal de que camine durante un tiempo bastante largo"...* Pocos habían caminado tanto como yo, a través del espacio y de la época, en un desesperado afán de huir de lo que atrás dejaba y *llegar a alguna parte.* Bakú, Petersburgo, Suecia, Londres, París, y después de tanto andar, andar siempre, a ninguna parte había llegado. Y ahora, después de un inmenso viaje, estoy, una vez más, en Punto Cero. No he adelantado en un paso. En esta ciudad desconocida que me alberga por una noche, tomo conciencia, con dolorosa resignación, de que mi vida carece de sentido, de rumbo, de vértice. Jean-Claude está equivocado, empecinado, obcecado, en una tenacidad de convicciones que, de antemano, rechazan toda objeción —lo creo y cien veces se lo he dicho. Pero, equivocado o no, tiene una fe. Yo en nada tengo fe —ni siquiera en los iconos de mirada obscura y patética, puestos en las penumbras de los templos que en el pasado construyeron los de mi raza.

16

París me recibe con una que otra *Internacional*. Pero no es ya la que tan triunfalmente hubiese sonado el 14 de julio del año pasado, en el gigantesco desfile que yo había contemplado con cierto pavor —lo reconozco—, llevada por Jean-Claude, desde las ventanas de un apartamento donde tuve la sorpresa de encontrarme con el poeta Robert Desnos y con un Picasso tan emocionado por el espectáculo de las masas en marcha que su rostro reflejaba una turbación, una interrogante sorpresa llevada a bruscas pulsiones de entusiasmo bastante reñidas —para mí, al menos— con la expresión habitual de quien solo parecía habitado por una casi sarcástica tensión crítica hacia todo y hacia todos. *La Internacional* que ahora suena a veces en las calles, menos enérgica y briosa que antes, es la que se alza a ratos, más como eco que como afirmación, en las inciertas prolongaciones de un Frente Popular desmembrado, debilitado acaso (y sépase que nada entiendo ni quiero entender de política) por su imposibilidad de cumplir con ciertas promesas. En cuanto a mí, trato de estar lo menos posible en la casa donde demasiado queda presente mi amante en papeles y libros (...y esas ropas suyas que quedan en el armario blanco, y esos mocasines algo usados que escondo en lo más hondo de un closet, y esa brocha de afeitar, como petrificada por las secas espumas de la última enjabonadura, y esas mancuernas suyas, tréboles de platino, viejo recuerdo de familia...). Por no pensar, por no saber de la época, por olvidarme de mí misma —"*vivo sin vivir en mí*"— me atonto a fuerza de trabajar. He vuelto al ballet —mi mundo auténtico— matándome a ejercicios, cuando no me toca participar directamente en un ensayo. Trabajo encarnizadamente, como una principiante, atenta a pequeños progresos, todavía posibles, aunque conozco mis limitaciones y carencias. Carezco de verdadera gracia, lo sé. (Mi gracia, cuando la tengo, no me viene de duende ni de ángel: es mera imposición, a mi anatomía, de normas académicas bien asimiladas); carezco de *elevación*, lo sé (algo del ave que debe tener toda bailarina cumplida, no acaba de aligerar mis gestos); soy *pesada,* irremediablemente *pesada;* lo he sido siempre, desde que trabajaba, en Petrogrado, con Madame Christine; desde los días en que parecía que iba a *elevarme,* levitarme —¡ingravidez por fin conseguida!— sobre mi propia estampa, yendo hacia arriba, desprendida del suelo, como los pequeños Niños puestos en punta de brazos por las Vírgenes españolas de Montañés —madera aupada hacia el firmamento—, como las figuras de fuego y nieve —una vez más recuerdo a Pávlova— que se vislumbran en ciertos trasfondos del Greco. No acabo de tener gracia espontánea, lo sé: encojo los hombros, enderezo la flexión del codo, apenas me descuido; mis *puntas,* aunque correctas y equilibradas, conservan siempre un cierto rigor de ejercicio, bien hecho, sin lograr el armonioso desenfado (necesario en tal caso) del andar natural; mis "fouettés", mis piruetas, se ajustan demasiado cabalmente a la música, sin adquirir la soltura de quienes tienen el maravilloso don de imponer su *tempo* al *tempo,* dando la impresión de que se pasean holgadamente, con sobrado espacio, en una estrecha medida de 2/4 o 3/4 o 6/8. En escena *me muevo;* pero pocas veces logro *deslizarme,* como auténtica sílfide. Estoy entrando en el trigésimo año de mi vida sin haber salido nunca de interpretar papeles secundarios, y, a mi edad, debo abandonar la esperanza de llegar a *prima ballerina assoluta,* lo sé, lo sé, lo retesé, aunque de ello no puedo culparme: trabajé enormemente, siempre que pude hacerlo. Mi frustración *en activo* se debe a la vida dispersa, inconexa, de estudios empezados aquí, interrumpidos allá, recomenzados más allá, que las circunstancias me obligaron a llevar. (Recuerdo que Jean-Claude solía burlarse de una fórmula de "yo y mi circunstancia", muy usada por el filósofo español Ortega y Gasset, afirmando que carecía de todo valor metafísico. Pero si "*circunstancia*" es lo que, viniendo de fuera, lo tuerce a uno, lo obliga a hacer lo que no quiere, lo zarandea a uno de la ceca a la meca, debo decir que, en mi caso, la *circunstancia* es lo que jode —por emplear el vocabulario del cubano Enrique, con perdón del Señor Ortega y Gasset y su *Revista de Occidente,* cuya colección completa se amontona, en rimero, sobre una de las tres mesas en las que trabaja —¡trabajaba! Jean-Claude...) Lo importante para mí ahora, lo necesario, lo vital, es poder hundirme en el universo del ballet; huir de la luz diurna que harto me lastima los ojos con sus títulos de periódicos, su iluminación de horrorosas realidades demasiado unidas a mis íntimas congojas; olvidar la claridad de un cielo que, cada mañana, se cierne sobre calles implacables, para acogerme al amparo de los teatros en sombras donde serán artificiales los amaneceres o plenilunios, y donde las salas de audiencias y palacios se transformarán en chozas o cementerios a voluntad de tramoyistas, y las plazas y las ágoras estarán pobladas de gente vestida a usanza de otras épocas, y habré de asistir hoy, mañana, a la gran feria de la Plaza del Almirantazgo de San Petersburgo donde, cierto día del siglo pasado, pudo asistirse al asesinato de Petrouchka, el títere, a manos de un títere moro, por amor a una bailarina títere —bailarina títere que, en estos días difíciles, resulta hecha a mi imagen y semejanza pues, como a ella ocurre en el primer cuadro del ballet, renazco cada noche al llamado de la música. Y fui criatura infernal en los dominios del brujo Katschei del *Pájaro de fuego,* señora de polisón e impertinentes en *La boutique fantasque,* cortesana más que veneciana, goldoniana, scarlattiana, en *Las mujeres de buen humor,* coqueta, retozona y ambigua, vestida por Marie Laurencin, en *Las corzas* de Poulenc, donde obtuve aplausos más largos que de costumbre después de haber perfilado bastante bien —lo digo con profesional orgullo— el lindo *Adagietto.* E iba de las yurtas del *Príncipe Igor* a la Chiarina del *Carnaval* de Schumann, de los cancanes y medias negras de *La vie parisienne* a la tensión coreográfica de *El hijo pródigo* de Prokofieff, en los decorados sombríamente bíblicos de Rouault, cuando, una noche, al salir de escena, después de una lograda aparición en *Presagios* —sobre el tema lento, solemne, que introduce el último tiempo de la 5ª *Sinfonía* de Tschaikovsky— me fue entregada una carta procedente de España:

"DON FÉLIX DE LOS SANTOS MARTÍNEZ, capitán JEFE de la sección administrativa de las Brigadas Internacionales en la Subsecretaría del Ejército de Tierra.

CERTIFICO que D. Jean-Claude Lefevre, afecto a la XIV Brigada Internacional, FALLECIÓ a consecuen-

cia de heridas recibidas defendiendo al Gobierno de la República, en el sector de Coll del Cosso",

el día tal, de tal, de tal, de tal, y que, en consecuencia, etc. etc. etc. etc. etc. FALLECIÓ: la única palabra dotada de algún sentido en aquella comunicación de rutina, escrita por una máquina de cinta gastada, con frases de prosa administrativa intercaladas en los espacios dejados en blanco por una alineación de fórmulas consabidas, avaladas por la *"firma y rúbrica del Jefe"* (ininteligible) y un sello oficial (borroso por la mala calidad de la tinta...), donde se me revelaba, además, que mi amante percibía un sueldo de 300 pesetas mensuales, y que, si yo tenía interés en cobrar los emolumentos pendientes, etc. etc. etc. etc. etc... Me llamaron a escena y entré nuevamente en luz de candilejas sin haber entendido muy bien lo que había leído... —"Estuviste magnífica" —me dijo Olga. —"Estuviste magnífica" —me dijeron Helena y Liuba. —"Estuviste magnífica" —me dijo el mismo Coronel de Basil, después de la función: "Habremos de ver cómo se te pone a interpretar papeles mayores...". Pero yo no entendía nada de nada. Como movida por un sordo estupor leía y releía la carta recibida, sin aceptar que la noticia fuese noticia. Y, de repente, al dejar la mesa donde, sin comer, había acompañado a los del ballet en una cena habitual de media noche, caí desmayada. Recuerdo que me llevaron a mi hotel; que vino un médico; que con algo me hicieron dormir hasta muy tarde al día siguiente. Fui a un ensayo, sin embargo, donde volví a desmayarme. —*"¿Elle est enceinte?"* —preguntó alguien, para colmo. —*"Je crois qu'elle fait de la dépression"* —dijo otro. Pero nada me importaba lo que dijeran unos y otros. Me dejaba llevar por Olga, por Liuba, a donde quisieran: médicos, especialistas, laboratorios donde me sacaban sangre de los brazos y de las orejas. Y como el Coronel de Basil afirmaba que estaba necesitada de reposo, me hicieron descansar con drogas. Al fin alguien pensó —pues todos pensaban por mí— que era necesario llevarme a ver a un psicoanalista. Y en su consulta fue donde desperté repentinamente, al cabo de varios días de inercia, de astenia, durante los cuales se me había alimentado con caldos y manjares desprovistos —para mí— de todo sabor. Y digo que *desperté* porque se produjo en mí un estallido debido a una brusca toma de conciencia de lo ridículo de la situación. Yo que siempre me había burlado de los que buscaban en el psicoanálisis un remedio para eludir conflictos debidos a sus propias imprevisiones, perezas o vicios —cuando su mal consistía simplemente en una voluntad cazurra de *no mostrar fuerza de voluntad,* para seguir disfrutando de indulgencias ajenas; yo que siempre me había mofado de quienes buscaban en el psicoanalista un híbrido de médico y confesor, loquero y confidente, taumaturgo a ratos, intérprete de sueños, detector de secretos, dispensador de indulgencias y absoluciones, brindando a todos el providencial diván del Mago de Viena para que cada cual se aliviara en catarsis de fantasmas, me hallaba ahora ante un psicoanalista que trataba de penetrar sigilosamente en un subconsciente sin misterios ni escondrijos. —"¡No pierda su tiempo!" —grité, repentinamente devuelta a la realidad, con una reacción colérica, elemental, semejante a la que hubiese podido tener cualquier campesina, cualquier simple mujer, en semejante trance: "¡Me mataron a mi hombre! ¿Está claro? ¡Me mataron a mi hombre!"... Y habiendo entendido, de repente, la intolerable evidencia, regresé a mi trabajo —lo único que aún podía dar algún significado a mi existencia. Y volviendo a andar, a moverme, a actuar, a contar compases y a medir pasos, fui personaje de pesadilla, vestida por Derain, en *Los sueños* de Darius Milhaud; y giré sobre mí misma, como extraviada, en la escena de baile de la *Sinfonía fantástica,* y, bajo un traje imaginado por Joan Miró, fui guía de ruedas infantiles y rebrincos de rayuela en *Juegos de niños,* y me vestí de cortas túnicas, algo franciscanas aunque no tanto, en la *Nobilissima visione* de Hindemith, bailando lo que se quisiera, saltando cuando hubiese de saltar, perdiéndome en el torbellino de mí misma, hasta que se habló, en nuestra compañía, de volver a la problemática, conflictiva *Consagración de la primavera* de Stravinsky, cuya partitura se tocaba ya en todas partes, pero que, como ballet, seguía siendo una obra malograda por el recuerdo de la absurda coreografía ruso-dalcroziana del estreno, no muy superada, para decir la verdad, por la harto esquemática concepción de Massine, en 1920. Era todavía un ballet por hacer; la empresa era altamente interesante, pero las dificultades eran grandes. Para montar la obra había el escollo de la enorme orquesta requerida, con sus ocho trompas y el formidable aparato de la percusión que exigían, por sí solos, la movilización de varios músicos supernumerarios. Pero, por otra parte, *La consagración de la primavera* era título taquillero: cartel que cargara con él atraía público. Por ello, en espera de los fondos necesarios a la representación (desde los tiempos de Diaghilev estábamos acostumbrados a pasar del triunfo a la quiebra, de la apoteosis a la casa de empeños, de las cenas suntuarias a las comidas de dos sandwiches para cuatro, de acuerdo con los altibajos de la munificencia mundana y snob...) empezamos a trabajar por grupos los distintos cuadros: *Augurios primaverales, Juego del rapto, Juegos de las tribus rivales, Cortejo del sabio, Círculos misteriosos de los adolescentes, Glorificación de la Electa, Evocación de los ancestros,* que exigían movimientos colectivos, impulsos repentinos, contrastes gestuales, en una renovada disciplina de los conjuntos. Y sobre el hermoso tema de Roerich inspirado en los ritos de la Rusia primitiva —la de los mástiles con caras humanas, de los totems hincados en las orillas de los lagos— nos iba conduciendo, la portentosa música de Stravinsky, a la *Danza de la consagración* final, en que la orquesta toda se fraccionaba, rompía con sus funciones tradicionales, creando una métrica nueva, ajena a toda periodicidad de acentos, donde los elementos sonoros, vistos en función de elementalidad —y aquí volvían los instrumentos a ser *maderas, cobres, tripas, pieles tensas,* devueltos a su condición primera, a sus quehaceres en una liturgia tribal— eran llamados a expresar una enorme pulsión telúrica, marcada por paroxismos de expectación, espera, violencia contenida o desbordada. Bajo la sangre vertida de la Virgen Electa —en ceremonia agónicamente propiciatoria— habría la Tierra que sacarse las entrañas ante el sol naciente de un nuevo año —de un nuevo ciclo nutricio— para dar sustento a los hombres que, viviendo, procreando y muriendo sobre su faz, la adoraban. Y para que la Tierra fuese propicia a quienes la adoraban en este nuevo año —ni mejor ni peor que muchos años anteriores— los hombres de ahora, semejantes en todo a los de ayer, inmolaban una virgen —"una más", pensaba acaso el Sabio del cortejo, testigo del paso de las generaciones a quienes durante su larga vida hubiese visto sacrificar, en parecidas primaveras, a tantísimas vírgenes. Ahora, el cuchillo bendecido y guardado en el Arca de los Grandes Ceremoniales se hundiría en la carne de una virgen más, en espera de que con ese asperjamiento rojo pariera la Tierra... Y, al acercarme, marcando los pasos, a la Virgen Electa de hoy (¡difícil de medir, este 3/16, 2/16, 3/16, 2/8 que, en reiterada sucesión, encierra toda la genialidad del fragmento!...) no veía a *la que iba a morir,* sino a la que padecía su muerte en vida, que la asumía, la lloraba, la sollozaba, plañidera de sí misma, como yo asumía, lloraba, sollozaba, en las noches solitarias de mi hotel, mi desesperanza causada por una idea —la *Idea,* la eterna *Idea,* religiosa o política, unida siempre a la existencia de un sacrificio, *Idea* a la que estaba pagando el tributo de mí misma sin haberla aceptado jamás. Frente a la Sacrificada de la ficción coreográfica, pensaba en quien se hubiese sacrificado en algún lugar de bárbaro nombre, muy lejos de aquí (en la siniestra carta recibida estaba escrito algo como *Coll del Cosso...*), convencido de que la sangre era necesaria para el advenimiento fecundo de nuevas primaveras en el mundo. (¿No había escrito su amigo, el poeta Miguel Hernández, en auténtica oda a la sangre: "*La sangre llueve siempre boca arriba, hacia el cielo... Para la libertad sangro, lucho, pervivo*"...) Volvíase, en el fondo, a una muy vieja noción que nos venía de los tiempos sin historia, anteriores a la Historia y que ahora había resurgido brutalmente, para mí, en la historia de mi época —historia a la que quise permanecer ajena, pero que ahora me alcanzaba, apólogo del Jardinero de Ispahán— donde pude creerme a salvo de ella... Sigo marcando los pasos de la *Danse sacrale,* pero, al sonar el acorde final, extrañamente traído por una cromática de flautas, pienso que aquí podría empezar un segundo ballet, jamás escrito, y que acaso no se escriba nunca: los Dioses no se dan por satisfechos con el sacrificio. Piden más. Pero los de abajo, creyendo haber cumplido y harto atareados en los trabajos de la siembra, no descifran sus misteriosas advertencias, manifiestas en las formas de las nubes, el vuelo de los pájaros, o los leños que saltan, con irritados chisporroteos, de los últimos fuegos invernales, próximos a ser apagados. Y el cielo se hace peligrosamente azul de horizonte a horizonte, viene la sequía, se cuartea el suelo, desmedran las cosechas esperadas, y se secan como sarmientos las ramas frutales, y los árboles, de tanto dar pobre sombra, acaban por tener mala sombra. Y los manantiales que dejan de hablar, y los pinos que recogen su olor, y las regias y solemnes rocas paradas de la montaña que doblan el lomo, ahora, como llorando, de espaldas a quienes las miran, y lo verde que amarillea, y la tierra que se alza y huye en polvaredas levantadas por un viento malo, con hálito de horno, que pone la violencia y el arrebato en las mentes, y, para colmo, esa invasión de insectos, desconocidos en la comarca, que cae de arriba como un granizo negro y hediondo, devorando todo lo que queda sobre los surcos de la aradura. Dice el Sabio, cuyos ojos están nublados por los años, que otras veces ha sido igual, que cuando no fue sequía fueron las inundaciones —pues los Grandes Dispensadores de Lluvias suelen ser también Grandes Repartidores de Calamidades. Pero ahora, olvidados de la Virgen Electa inmolada en la primavera, los adolescentes, los sembradores y recolectores, las mujeres grávidas, los ancianos que mucho recordaban y el hechicero metido en su mundo interior dicen que es necesario derramar la sangre, nuevamente, para aplacar a los Dioses del Estío, envidiosos, acaso, de los Dioses de la Primavera, colmados por dádivas y ofrendas oportunas. Y, para ello, habrá un nuevo sacrificio. Y vendrán las danzas del otoño, y los sueños del invierno de cuyas largas noches salen las hembras empreñadas, y vendrán los *Augurios*, y volverán a asomar las cabezas los retoños vernales sobre las últimas nieves dormidas al pie de los abetos, y pensarán los hombres que para propiciar los partos de la Primavera, hará falta otro sacrificio. Y se olvidará el pasado sacrificio para organizar uno nuevo, pues buenas razones habrá siempre para ello... E interrumpo mi divagación en torno a ese imaginario ballet, complemento del otro, que sería, en verdad, el ballet del nunca acabar, sintiéndome, una mañana, rebelde y dura, repentinamente liberada de la depresión y del agobio. Habíamos terminado una temporada en Monte Carlo y ahora proseguíamos, en París, los ensayos de *La consagración,* aunque se rumorara, en la compañía, que asustado por el costo de la empresa, acaso renunciara el Coronel de Basil a representarla. No importaba. El difícil trabajo de estos últimos meses nos había sido útil a todos, sacándonos de los motivos académicos de la *Mozartiana*, y del *Choreartium* de Brahms. Olga y Liuba se asombraban de mi repentino deseo de hablar, de decir tonterías, de salir de un huraño mutismo para ir a la plaza cercana, así, de *collant*, con un impermeable encima, para comprar un cucurucho de helado de frambuesa en el primer puesto visible. —"Lo que necesitas ahora es un amante" —me decía Olga. —"Un hombre" —decía Liuba, más expedita. —"Tal vez. Pero de lo que pueden estar seguras es que, esta vez, no me acostaré con un intelectual.. Buscaré un deportista, un estibador, o un hombre de negocios, como creo que hizo la viuda de Mozart. Alguien que piense lo menos posible". —"Lo malo" —decía Liuba, siempre suelta en el hablar— "es que, entre agarrada y agarrada, hay que hablar de algo". Olga, más recatada en la expresión de conceptos que tal vez fueran los mismos, se iba por caminos menos directos: "Tú eres de las mujeres que se entregan muy fácilmente en hipótesis. Total: (ahuecando la voz) *eso es tan normal como comer o dormir*. Pero a la hora de ir a la cama, le tienen pavor a la cama". —"Es que, con la cama se sabe siempre cómo se empieza; lo que no se sabe es cómo se va a acabar. Una cama es cosa de cuatro patas y una almohada... pero ¡caray!... lo que puede salir de eso..."

Un día en que volvía de comprarme un pequeño árbol de Navidad para alegrar mi apartamento ("nuestro", decíase antes) que, desde mi regreso de Monte Carlo, se me hacía más tolerable, llamaron a la puerta. Era Enrique, el cubano, enflaquecido, de mejillas en sombras, sin rasurar, vestido de ropas harapientas, con un sweater agujereado ("*jer-sey*", llaman a eso los españoles) puesto sobre un pantalón desteñido, de corte vagamente militar. —"No creas que vengo a pedir limosna" —dijo, con alegría de falsete: "Acabo de llegar de España. Tengo dinero en el banco, pero antes de ir a cobrarlo, necesito bañarme y afeitarme. Luego, te contaré"... Y, con desenfado de pariente que regresa al hogar, se dejó caer en una butaca, empezando a quitarse unos botines cuyas arrugas grises parecían cargar con el polvo de muchos caminos. —"¿Tienes una navaja?" Le traje la Gillette de Jean-Claude que yo usaba ahora para rasurarme las piernas y las axilas. —"La cuchilla está mohosa"

—dijo: "Pero, con jabón y lágrimas, servirá". Y, quitándose el sweater y una camisa arrugada y sucia, quedando de torso desnudo, empezó a aclararse las mejillas y el mentón, al tiento, caminando del baño a la biblioteca y de la biblioteca al baño. Luego se encerró, haciendo correr largamente las aguas de la ducha. Cesó el ruido y se abrió la puerta: "Algo para el pelo". Y reapareció, poco después, con las mismas ropas mugrientas, pero de cara semejante a la que yo le había conocido en Valencia, la noche de *Mariana Pineda.* —"Son las tres. Todavía tengo tiempo de ir al *National City* de los Campos Elíseos. No te muevas de aquí. Te invito a comer en la *Perigourdine*"... A eso de las seis, regresó transfigurado, vestido con un flamante traje de confección de *Esders,* una camisa de *Les Troix Quartiers* con corbata bien entonada, unos mocasines de *"Old England"*, y un ramo de flores, acompañado de acebos y muérdagos navideños... —"No me digas que no parezco un caballero, aunque el traje, en fin... pero lo necesitaba en seguida, y tenía que ser de *'apéame uno'*. Y ahora, vamos a comer"... Y observaba yo, poco después, en el restaurante, la gula, la apetencia de todo —ostras, salmón, carnes, quesos, hojaldres, vinos...— con que él ordenaba una comida, excesiva para mí, que habría de desquitarlo de muchas privaciones: "Imagínate: semanas y semanas sin comer más que harina de maíz. Harina de maíz en sopa, en frituras, en albóndigas, en dulce. Harina de maíz en pan, ya que el pan, un día, dejó de ser blanco para volverse amarillo..." Y tragaba golosamente todo lo servido, en redescubrimiento de ciertos alimentos, bajándolo todo con enormes lampazos de *Sancerre* y de *Château-Neuf du Pape.* A la hora de los postres pareció aquietarse, ahíto ya. Pidió coñac del más caro, un puro de lo mejor que hubiese, y, mirando a lo lejos: "Perdóname que aún no te cuente. Pero es que lo tengo todo demasiado pegado al cuerpo. ¡Haber luchado tanto! Y, la enorme decepción. Las Brigadas disueltas, licenciadas, en octubre, por razones políticas. Mi unidad fue disuelta en Figueras, hace una semana. Grandes discursos de despedida. Que si seguíamos siendo hijos predilectos de España; que si volveríamos en la paz. Muy emocionante todo. Pero hubo que pasar la frontera conteniendo lágrimas de despecho. Pero, no. Sin llorar. En buena formación militar de a cuatro en fondo. Harapientos, pero erguidos. Espantosamente tristes, pero sin mostrar tristeza. Lamentables, pero todavía enteros —al parecer— y corajudos. Muchos fueron metidos en campos de concentración, tras de alambradas —¡otra vez!— en Argelès-sur-Mer, en Amélie-les-Bains. Yo tuve más suerte. Por ser cubano. Un policía afirmó que Cuba era colonia norteamericana —lo cual es verdad en parte— y como los franceses tenían instrucciones de no mostrarse extremadamente duros con los yankis, pasé... Gran discurso de Marcel Cachin, al llegar: 'Aquí continuarán ustedes el trabajo iniciado *allá*'. Pero eso está bueno para los franceses. A mí me botarían del país a patadas... *Garçon: un autre cognac*... ¿Y tú?" —"Acepto". —"*Ça fait deux, alors...*". Hubo un silencio, en tanto volvía el mozo con las copas y la botella. —"¿Usted sabe que Jean-Claude...?" —"No sabía. Pero, al ver que no me hablabas de él... En el sector donde él estaba la batalla fue espantosa. La debacle". Marcó una pausa: "Bueno... La guerra es la guerra". Empezaron los sirvientes del restaurante a retirar manteles de las mesas. —"Te acompaño". Remontamos la Rue de la Montagne Sainte-Geneviève. —"La mochila se me ha quedado en tu casa". Subimos. En un armario hallé una botella del Armagnac *de otros tiempos*. Animada por el licor, hablé un poco de mí, del ballet, de la temporada en Monte Carlo. —"Perdóname que no te hable de la guerra" —me dijo él, enormemente abatido aún, aunque no acabara de confesarlo, por un único tema: "Pero, en estos últimos meses, las cosas se pusieron muy feas. Además: las guerras se hacen; no se hablan. Es difícil explicar cómo fue esto o aquello..." Hubo una larga pausa: "El silencio. Aquí vuelvo a *oír* el silencio. No te enojes si me callo. Te contaré mañana... ¿Te molesta que me quede un poco más?" La verdad era que su presencia, esta noche, me sacaba del gran aturdimiento en que había vivido durante los últimos tiempos. Alrededor de él, los libros, los cuadros, los muebles, volvían a tener un significado. Mi viaje a España dejaba de ser un ingrato recuerdo, para insertarse en una realidad que tenía un *ayer* y acaso tendría un mañana. El presente cobraba una consistencia nueva. Y las horas pasaban sin sacarnos muchas palabras, trayéndonos el inesperado contento de una placidez compartida. —"¿Dónde va usted a dormir?" —pregunté de pronto, al advertir que eran las tres. "—¡Oh! ¡No importa! En cualquier hotelito del Barrio latino: *Chambres de voyageurs; chambres à la journée*... Con tal de que no sea un hotel de putas". De repente se le enserió la cara: "Sé que debo marcharme. Y me asusta la idea de hacerlo. ¿Sabes por qué? Porque tengo miedo, sí, miedo, a hallarme *solo* en una habitación de hotel —de esas que tienen una vista de la Torre Inclinada de Pisa en la cabecera de la cama. No podría explicarte por qué. Pero he vivido —¡piénsalo!— decenas de meses en convivencia estrecha con otros hombres. Nunca he estado solo en ese tiempo... ni siquiera para... Y ahora me doy cuenta de que acostumbrarse a la soledad *exije un aprendizaje*". —"¡Dígamelo a mí!" El cubano tentó el diván donde estaba sentado: "¿Podría dormir aquí?" —"Un poco incómodo. Los resortes están vencidos". —"¡Oh! Después de haber dormido en hoyos de tierra; a menudo en trincheras llenas de fango, bajo la lluvia..." —"Bueno: a menudo Antonin Artaud se ha quedado a dormir en ese diván". —"Me quedo" —dijo, zafándose la corbata. Pero no nos resolvíamos a darnos las "buenas noches". Y ahora, ayudados por otras cosas, hablamos mucho: recordamos nuestro encuentro en Valencia, los días de Benicassim, Paul Robeson, las ocurrencias del trompeta Gaspar Blanco. ¿Y qué se había hecho de Gaspar? —"Lo ignoro. En aquella desbandada... ¡figúrate!"... El amanecer se nos anunciaba en clarores apenas perceptibles: saliendo de las sombras, los techos de pizarra iban recobrando lentamente su color gris-plomo y la flecha de Saint-Étienne-du-Mont emergió de la noche. —"Tengo la rara sensación de regresar a una vida normal" —dijo el cubano. —"A mí me pasa lo mismo" —dije. —"Ahora es cuando tengo ganas de hablar. Pero tú tienes que dormir". —"No tengo sueño" —dije, y, con el insaciado deseo de seguir escuchando el sonido de una voz de hombre en esta casa que había dejado de ser la casa del silencio, seguía ahí, sin moverme, sentada frente al que había roto con mi condición de "*íngrima*"... De pronto, su mirada se detuvo en la mía, en largo y mudo diálogo. Se levantó y vino hacia mí, acreciéndose en cada paso. Sus manos se prendieron de las mías. —"No" —dije. —"Sí" —dijo él... Y fue el alba del sábado y la madrugada del domingo, y sonaron a media mañana las campanas de Saint-Étienne-du-Mont, hasta que al anochecer, no quedando ya tablillas de chocolate, bizcochos ingleses ni mermelada de naranja a qué echar mano en la casa, nos resolvimos a salir: "vencidos por el hambre, como los habitantes de una ciudad sitiada" —dijo Enrique, riendo. —"La verdad es que el cerco no fue muy cruel" —dije. Nos vestimos, y, casi abrazados bajo un paraguas porque empezó a llover, fuimos a dar a un restaurante cercano, acaso el *Cluny*, donde llegamos en tal aura de contento que un camarero, hábil en el arte de promover la generosa propina, nos condujo a una mesa del fondo, esquinada bajo una anémica palmera en tiesto, advirtiendo, con tono confidencial y entendido: "Esta mata es discreta: no repite palabras de enamorados".

III

¿Habré de ser otra vez sembrado?

(Poema náhuatl)

17

Vera, acostada en una fresca lona, ora boca arriba, ora boca abajo, ofrecida al sol en la cubierta del *Burgerdyck* —viejo carcamán holandés de mohosa y renqueante estampa— estaba entregada a la tarea de tostarse la piel, con aplicación y empeño, usando, para acelerar el proceso, de un aceite color topacio que, a pesar de su gloriosa marca, me olía a feo menjurje de barbería. —"No me importa broncearme" —decía: "Pasarán algunos meses, seguramente, antes de que vuelva a bailar". Y cuando, al quinto día de travesía entendí que ella confiaba en "volver a bailar" muy pronto, me di cuenta de lo peligroso de mi intento de insertarla en un contexto nuevo, totalmente ajeno a su idiosincrasia, formación y ambiciones... Puesta por mí ante la evidencia de que una guerra inevitable se nos venía encima —pese a la inconsciencia de millones de franceses adormecidos en la vergonzante ilusión de paz traída por el Pacto de Munich—, Vera, repentinamente atenta a las contingencias políticas, había sentido muy pronto la ascensión de los peligros, compartiendo mi ansia de cruzar el Océano antes de que tronaran los cañones sobre una Europa enferma de arengas ladradas en estadios empavesados de swástikas o grandes Plazas de Italia cuyo abolengo era usado para fines de propaganda. Y lo que en mí era temor debido a razonamientos y percepción de lo circundante, se había vuelto para ella un miedo que no lograba apartar de su mente, miedo al que se añadía el recuerdo de otros miedos conocidos en la niñez ante acontecimientos que, como los de ahora, la habían amenazado en carne propia. Y ese miedo, miedo de miedos, se le acrecía, de semana en semana, al saber que muchos lo compartían en Francia, puesto que, desde comienzos del año, era casi imposible conseguir pasajes a bordo de buques que zarparan hacia América. E íbamos de las oficinas de la *Transatlántica Francesa* a las de la *Cunard Line*, de la *Hamburg-Amerika-Line* a las trapisonderas compañías griegas, cada vez más angustiados por la impresión de estar presos en un edificio minado, cuando un agente de viajes nos señaló la posibilidad de conseguir un camarote exiguo, bastante incómodo, en un carguero que en mayo saldría de Amberes con destino a Cuba —"pero no esperen confort alguno, ni bar, ni diversiones a bordo; compartirán, en la mesa de los oficiales, la comida de la tripulación, comida holandesa, desabrida y bien monótona". —"Toma los pasajes ahora mismo" —dijo Vera: "Lo que importa es partir cuanto antes. Viajaremos en cubierta, en la cala, en la carbonera. En lo que sea..." Y, al volver a la casa, dominada por una obsesión de fuga que en ella se hubiese despertado al contemplar una actualidad que acaso comprendía por vez primera: "Lo que me sigue aterrando es pensar que todavía falta un mes. ¡Y en un mes pueden pasar tantas cosas! ¡Oh! ¿Y si cancelan el viaje? ¿Qué hacer, Dios mío? ¿Qué hacer?" Y quiso ir a la iglesia rusa de la Rue Daru para orar ante Santa Paraskeva y Nuestra Señora de Kazan —cosa que me sorprendió bastante, ya que, desde que la conocía más que íntimamente, jamás me había hablado de religión, como no fuera en terreno literario, refiriéndose a los escritos (desconocidos para mí) de monjes-cronistas rusos o de viejos teólogos ortodoxos como Gregorio Palamas o Serafín de Sarov, y, en cuanto a unos iconos pequeños cuyos nimbos de oro viejo adornaban los entrepaños de un librero, eran, según ella, "meros recuerdos de familia". Y, por no quedarme solo con un desasosiego semejante al que ahora la impulsaba a rezar, la acompañé a la Catedral de San Alejandro Nevsky, cuyas cúpulas, acaso parecidas a las de la *Dormición* de Moscú, cobraban singular exotismo, tras de la austera y aséptica *Salle Pleyel* (maravilla de arquitectura moderna pero fallida en acústica, que era aquí lo más importante...), en bullanguero barrio de cines, billares y cervecerías. Unas ancianas, vestidas de negro, fuera de moda y época, estaban arrodilladas al pie de la Virgen Mayor, entre los pendones procesionales y los kiots de madera labrada. Y observé que allí también eran objeto de adoración la Virgen de Fedorov, San Vladimiro, príncipe de Kiev y evangelizador de Rusia, y varios bienaventurados más, de escasos prestigios para un católico; todos dominados por el Cristo Pantocrátor, de brazos abiertos en un rayo de luz caído de la cúpula mayor —mediadora, por destino ritual, entre lo de la Tierra y lo del Cielo, receptora de preces, sahumerios y rogativas. Un funcionario o sacristán de ancilares modales se afanaba en torno a unas damas de solemne porte, botines novocentistas y tocas de luto, a las que daba los títulos de "duquesa" y "princesa". Al pie de un pequeño altar consagrado a San Jorge agachaba la cabeza, persignándose de derecha a izquierda, un viejo caballero a quien, momentos antes, alguien hubiese saludado como "general y edecán". Y, ante esos supervivientes de un régimen abismado, se acreció en mí la impresión de hallarme en un mundo increíblemente caduco pero donde aún quedaban empeñosas manos aferradas al pasado, dispuestas a ofrecer sus últimas energías a todo aquel que les hablara de recuperar lo perdido, de salvaguardar títulos y haberes, de inmovilizar, apuntalar, defender, aquí, allá, donde fuera, un presente propicio a sus añoranzas, presente colmado de abusos y alienaciones, pero harto aprovechado por los muchos que, para aliviar los resquemores de sus malas conciencias, hubiesen llegado a crearse una filosofía, enseñada en sus universidades, academias y sorbonas, en defensa (y pensaba yo en los "perros guarderos", invocados por aquel contertulio mío de otros tiempos, a quienes algunos llamaban "el bizquito Nizan". . .) de sus estamentos morales y materiales. (Una prensa increíble —*Rivarol, Candide, Je suis partout*— había llegado a hacer creer a muchos ingenuos, en aquellos días, que *El capital* de Marx era algo así como un manual de la subversión semejante a *La técnica del golpe de Estado* de Curzio Malaparte, y que existía un "Peligro Rojo", venido del Oriente, en todo parecido al "Peligro Amarillo" que tanto hubiese alarmado a nuestras abuelas, poco deseosas de verse violadas por jinetes mongoles de los que cabalgaban con sus meriendas de carne cruda bajo el arzón. . .) Bien lo habíamos sentido nosotros, combatientes de las Brigadas Internacionales. No podía yo olvidar nuestra salida por Le Perthus, en perfecta formación militar, orgullosos y altivos bajo nuestras ropas de miseria —y en ello habíamos puesto nuestro pundonor—, pero derrotados, al fin, y no en acción de guerra, sino por componendas diplomáticas urdidas en Ginebra, en una Sociedad de Naciones donde actuaban, triunfantes, entre los frescos cándidamente optimistas de José María Sert, los peores usufructuarios de una capitulación ante los Grandes Bramadores del momento. En un día se había roto nuestra hermosa gesta que algunos calificarían, en el futuro, y no sin razón, de Cruzada. La amargura, el desconcierto y hasta el enojo, habían sido enormes en nuestras filas al saberse lo del licenciamiento de los batallones —a pesar de las ya inoperantes casuísticas de ciertos comisarios políticos— y, en mí, el deslucido y amañado final de lo que fuera una auténtica epopeya, se había traducido en silencioso agobio, sorda congoja, pérdida de la esperanza: impresión de haberme entregado con demasiadas ilusiones a una causa perdida de antemano porque —y esto sólo venía a verlo ahora que estaba lejos del fragor de las batallas— nuestras retaguardias estaban larvadas, carcomidas, socavadas, por energías ajenas a las de nuestra incondicional entrega a la Causa que, no tantos meses antes, hubiese logrado el milagro de integrar, compactar y llevar al fuego, las Legiones de Babel. Y ahora que una grande y generosa pulsión quedaba rota, volvería España al "¡Vivan las *caenas*!", al "Líbranos, Señor, de la peligrosa manía de pensar!", en una apoteosis de corozas y sambenitos, charoles de la Benemérita de San Fernando, tabores marroquíes, gorras de cuartel llevadas con sesgo entre castrense y flamenco, el suntuoso penacho llorón de Valeriano Weyler, y, tras de una represión feroz llevada por los ahora triunfantes matadores de García Lorca, habría gran Fin de Fiesta —fin de República— con brillante figuración de charreteras y moarés, espadones y azafatas, narigudas marquesas resurrectas, cohetería y monsergas, todo en escenografía y luces de un Palacio de Oriente habitado por gente tan anacrónica, en doctrina y obras, como las "duquesas", "princesas" y "generales de la guardia imperial", que hoy oraban, aquí, fuera de época, cargando con el lívido peso de sus propios fantasmas. Algún nuevo García Lorca volvería a ser asesinado; se pudriría en prisión algún Miguel Hernández, y sonaría, en *el antiguo y conocido campo de Montiel,* el innoble grito acorneador de Millán Astray. Esta Europa —la de acá— estaba jodida. Había yo acudido a ella en busca de infinita inteligencia, y, en vez de cabezas pensantes, me entregaba cráneos vacíos con hueca resonancia de xilófono. Sócrates esperaba su fin en Buchenwald. El fascismo de mierda tenía demasiados adeptos manifiestos o embozados. Era tiempo ya de abandonar estas Romas, estos Nuremberg, estas

Ciudades Luces, faros de la Cultura, ágoras del Saber, cunas de la Civilización (toda cuna acaba oliendo a meado...), ciudades putas que hoy se entregaban, aquiescentes y despatarradas, al primer declamador que, hinchando el tórax, sacando el belfo o alzando un brazo a la antigua, les prometiera prepotencia y colonias. Poco podía esperar yo de un continente donde Ricardo Strauss, Furtwängler —¡nadie dirigía, como él, la *Quinta Sinfonía*!—, Gieseking, Clemens Kraus, Paul Claudel, Louis Ferdinand Céline (cuyo *Voyage au bout de la nuit* había fascinado a Georges Bataille), Drieu La Rochelle, Henri de Montherland (éste había llegado a decir: "*Alemania ha sido puesta junto a Francia como Jantipa fue puesta junto a Sócrates: para darle una oportunidad de superarse*"!!!...), y muchos del equipo neo-tomista de Maritain, hubieran abrazado una causa identificada con el sacrilegio de Guernica, el cotidiano cañoneo de Madrid y el bombardeo de ciudades españolas por la Luftwaffe, que había encontrado su máximo respaldo filosófico en la frase del insigne Martin Heidegger: "El Führer mismo y en sí mismo *es* la realidad alemana, presente y futura y su ley" —*dura lex, sed lex* que ya estaba costando millones de cadáveres a nuestra época. ("*Y'a d'la joie*", cantaba París en estos momentos, a compás del optimismo contagioso de Charles Trenet... "*Y'a d'la joie*"...) No sé por qué Martin Heidegger, por lo monstruoso de su adhesión al NSDAP —por aquella foto suya en que tuvo la increíble ocurrencia de adoptar un gesto típicamente hitleriano, ostentando, con orgulloso semblante, la insigna de *Hörtszerchen* que lo erigía en "Führer" (sic) de la Universidad de Friburgo— se me hacía el Ordenador, el Bastonero, el Violín Concertino de la Danza Macabra que, en 1936, se había desatado sobre Europa. ("*Amusez-vous; foutez-vous de tout*", cantábase en los cabarets de Montmartre...) Danza Macabra de la que huíamos ahora, Vera y yo, a bordo de este *Burgerdyck* pronto a avistar el Morro de La Habana. Y, en vísperas de llegar, me asaltaban ciertos temores en cuanto a la posibilidad de adaptación de mi amante a una nueva vida, a una manera de concebir la existencia, distintas de las conocidas por ella hasta hoy. Y esos temores me habían llegado, una mañana, al verla "hacer barras", calzada de zapatillas, usando, para tal ejercicio, de una barandilla de la cubierta. La danza, bien lo sabía yo, era su razón de ser. En nuestra fuga de Europa, pues fuga había sido, se había olvidado un poco de su actividad primordial. Pero, apenas pasamos el canal de las Azores y remotas se nos hicieron las pesadillas dejadas atrás, me había hablado, muy naturalmente, de bailar de alguna manera, a poco de llegar. No tuve el valor de decirle que, en mi país, no había un ballet constituido, ni creía que mis compatriotas tuviesen una especial afición a la danza clásica. Tampoco era ella una estrella de mayor magnitud —y no pretendía engañar a nadie— habiendo interpretado, hasta ahora, papeles más bien secundarios. Tomando conciencia, acaso, de esta verdad, Vera me había hablado entonces de la posibilidad de enseñar. Pero sólo las muchachas de la burguesía podían interesarse por semejante cosa, aunque mal las veía yo —por indisciplinadas y frívolas— entregadas a las duras disciplinas de un entrenamiento coreográfico. Tal vez alguna niña pequeña, alguna adolescente, por aquello de que el baile —decían— era un buen ejercicio físico, afinaba la silueta, daba elegancia en el andar. Pero ese tipo de clases duraba seis meses, un año, con muchas interrupciones y faltas de asistencia, después de lo cual, nuestras vigorosas vírgenes criollas, ya bien regladas, bien desarrolladas de pechos y todo lo demás, abandonaban un "arte de adorno" sin mayor utilidad, para hacer lo que llamaban "vida social"... Por el momento, había que esperar una doble prueba: la de mi propia readaptación al medio, y la otra, más temible, de observar cómo ella soportaba el transplante sin reaccionar adversamente o alejarse de mí —hacérseme extraña, forastera— en el difícil proceso de un reencuentro con mi propia esencia. Llegábamos a los peligrosos tránsitos en que espectáculo sería yo de mí mismo, frente a una espectadora que, para mí, sería espectáculo a su vez... Y en el vasto escenario de La Habana entramos ella y yo una mañana, después de haber dejado nuestras maletas en el *Hotel Unión* de la ciudad vieja —habitado a menudo por Hemingway— pues yo quería regresar *de incógnito*, como quien dice, esperando algunos días antes de presentarme en casa de mi tía para saber cómo habría de recibir a quien consideraba —bien me lo barruntaba yo— como un

Hijo Pródigo cuyo regreso, de seguro, no promovería festines ni regocijos.

Y fue mi deslumbramiento ante una ciudad re-descubierta, vista con ojos nuevos, con mirada capaz, ahora, de establecer nuevas escalas de valores, de comparar, sopesar, desentrañar —alcanzar el hondón de las cosas. Hijo pródigo, paseaba pues por *mis* calles (¡jamás una calle de París me había dado la impresión de ser *mía!*...), hallándome a mí mismo tras de largo extravío —nuevo *yo* que ahora renaciera/naciera en lo circundante y percibido. Me detenía, atónito, ante un viejo palacio colonial que me hablaba por todas sus piedras, ante la gracia de una cristalería polícroma que me arrojaba sus colores a la cara, ante la salerosa inventiva de una reja un tanto andaluza en cuyos enrevesamientos descubría yo algo como los caracteres de un alfabeto desconocido, portador de arcanos mensajes. Una repentina emoción me suspendía el resuello al sentir la llamada de una fruta, la musgosa humedad de un patio, la salobre identidad de una brisa, la ambigua fragancia del azúcar prieta. El aliento de los anafes abanicados con una penca, la leña de los fogones, el estupendo sahumerio gris del café en tostadero, el sudor de la caña en molino de guarapo, el potente aroma de los grandes almacenes de tabaco, próximos a la Estación Terminal; el vetiver, la albahaca, la yerbabuena, el "*Agua de Florida*" de la mulata puesta en olor de santería —ya que no de santidad—, el nardo ofrecido en los altos portales del Palacio de Aldama, las repentinas presencias del ajo, la naranja agria y el sofrito en vuelta de una esquina, y hasta el acre hedor a marisco y petróleo, brea y escaramujos, en los muelles de Regla, me conmovían indeciblemente, resucitando en mi memoria decenas de personajes ausentes/presentes. Por aquí había transitado un día en que, habitado por pensamientos tenidos por culpables, me dejé atraer por una voz que, entre persianas, me invitaba a que...; en esta fonda de las mamparas, en esta misma, sí, fue donde, aquella vez, tanto se había discutido de...; ahí, sí, ahí, fue la Gran Risa, al cabo de la cual...; ¡ah!... y en esta casa había pasado una noche con esa que...; y allá, en ese entresuelo de ventanas azules, fue dónde, aquel domingo —un domingo que no fue como otros domingos—, tan largamente me hubiese hablado Rubén

Martínez Villena de su pérdida de entusiasmo ante una poesía de expresión meramente literaria y de su decisión de abandonarla ante las urgencias de una distinta *poïetica* posible, pintada ante sus claros ojos visionarios... Y como visitante que en un vasto museo transita de cuadro a cuadro, de testero a vitrina, andaba yo por esta Habana que, de pronto, se hacía recuento de mis raíces. Tabla de claves era para el entendimiento de mi esencia puesto que en ella había nacido y crecido (y reconocía la tónica de ciertas calles, la vejez de aquel tejadillo, la permanencia de un emparrado, vivo aún, en un traspatio de la Plaza del Cristo...) deteniéndome ante cuanto, para mí, reavivaba un recuerdo, me rememorara una imagen, o me hiciera hojear, de derecha a izquierda, de índice a prólogo, el libro inicial de mi propia historia... Aquí estaba el Colegio donde había cobrado amor a las letras y aborrecimiento al álgebra, cuyas galerías, a las que me asomaba furtivamente, buscando mis huellas en el cemento del piso, seguían despidiendo su invariado olor a urinarios y creolina, con resonancia de una voz cascada que, todavía presente en un aula de pequeños, repetía la misma definición de *idioma o lengua,* que a mí mismo me hubiese machacado otrora, con idéntico tono: *"El conjunto de palabras y modos de hablar de un pueblo o nación..."* Aquí estaba la barbería donde había pasado del sillín de niños al suntuoso sillón de adultos, blanco y aséptico, giratorio y articulado, levitado o bajado a palanca o pedal (el mismo que Chaplin utilizaría genialmente en una escena de *El gran dictador*) frente a espejos que, al mostrarme el ennegrecimiento de un bozo que se me iba espesando en barba, me acrecía en estatura de Hombre. Era aquélla una sabrosa barbería criolla, con tazas de café, billetes de la lotería, y preservativos en sobres con elegantes etiquetas de estilo vienés (marca "La Viuda Alegre"...) entre navajas y pulverizadores, perenne tertulia de ociosos, agencia de noticias, oficina de recados, mentidero y corrillo —y hasta discreto buzón de correos para algunos clientes— donde, tras de la enseña espiraloide en azul-blanco-rojo, mientras fingía yo que estaba sumido en la lectura de alguna revista del mes anterior, escuchaban mis oídos adolescentes las más divertidas historias de putas y celestinas, adulterios y engaños, droláticas hazañas en el ámbito del Hotel Venus o de la Academia de Baile de *Marte y Belona* (y me encantaba esta mitológica presencia del dios de sabinos y romanos, y de la feroz auriga de su carro de batalla, en caliente atmósfera de cantineros, ficheras, cornetín y maracas...), enterándome además, con apetente atención, de la existencia de las grandes cortesanas del momento, ilustres tusonas de banqueros, hacendados, negociantes —"gente de dinero", como solía decirse— cuya presencia activa, un tanto misteriosa, casi mágica y ensalmadora dentro de la urbe mercantil y burguesa, cuidadosa de apariencias, a la vez hipócrita y "decente" (había que ser "gente decente", tratarse con "personas decentes", ser "decente"...) que era la nuestra, les confería, ante mi aguzada curiosidad, algo de la sacralidad otorgada por los antiguos a las hembras que ritualmente se prostituían en los templos de la Diosa Siria, algo de la clerecía erótica que por algo respetaba Aristófanes al mencionar, sin ofenderla nunca, las muy fogueadas y codiciadas cortesanas de Corinto. Y en imaginarios pedestales se me alzaban, como puestas a izquierda y derecha de un camino que condujera a los arcanos de una iniciación necesaria, aquellas mujeres-flores, mujeres-totems, mujeres-hierofantas, cuyos nombres y apodos se acompañaban de atributos y accesorios, hábitos y galas, que eran alimento de otras tantas mitologías enriquecidas por la crónica verbal de quienes se jactaban —en la barbería siempre— de haber gozado de sus favores: *La Macorina* (intrépida amazona de un *Panhard* rojo, de carrera, que embestía los atardeceres con un estrépito de cohetería...); *La Tigresa Real* (cristalería verde de un pavo real de Lalique en la cabecera de su cama...); *La Muerta Viva* (palidez de *Pierrot Lunaire*, maquillaje de albayalde, en honda limousine de casi luctuosa estampa...); *La Reina Católica* (se sabía que a menudo empeñaba sus joyas...); *Norka la rusa*, que se decía ex amante del Gran Duque Cirilo y poseía el único samovar jamás visto en La Habana; Evelyn y Grace, rubias temporeras de Atlantic-City que reaparecían aquí, cada año, apenas las garzas de La Florida iniciaban su migración hacia las ensenadas calientes del Caribe; *Juana la Loca* (excéntricos atuendos debidos a una modista de barrio cuyo genio barroco se magnificaba en la contemplación de Gloria Swanson y Nazimova, cuando éstas se metían en el mundo de Salomé o del *Cantar de los cantares*...); *La Revoltosa,* con algún pasado teatral en el Madrid de la Plaza de la Cebada o del *Edén Concert,* que se jactaba de haber taconeado en el tablado de La Macarrona y hasta de Pastora Imperio; y, tras de los desnudos de marca mayor, las academias, más accesibles, de la Camelia, la Verónica, Gaby, Rachel o Altagracia, divertidas busconas todas —estupendas aforadoras del valor-mercancía de cada hombre—, sentimentales a ratos y hasta capaces de una entrega desinteresada, pero que, en lo habitual, ocultando el seguro anzuelo tras de un porte altivo y desdeñoso, hacían perdurar en el Trópico, aunque con enorme retraso, la clásica tradición de *La Torpille* balzaciana, las *Nanás* del Segundo Imperio francés, y las hetairas de alto vuelo que habían amenizado la *"belle époque"* con el tornasol de sus sombrillas y el cascabeleo de sus caballos de tiro, dejando sus nombres inscritos en la pequeña historia de este siglo... Pero andando quedaban atrás esos recuerdos, y andando un poco más me hallaba ante la librería del francés Morlhon, donde había trabado conocimiento, años atrás, con Swan, Saint-Loup, Albertina y Charlus, cuando empezaba a cansarme de frecuentar a Jerónimo Coignard, Doña Perfecta y el Marqués de Bradomín... Y siempre estaba ahí, en el paseo del Prado, con su portal de columnas, la añeja mansión del Conde de Romero que encerraba —si aún estaban en su lugar— un asceta de Zurbarán, una degollación de inocentes de Monsú Desiderio, y, sobre todo, un suntuoso cuadro de la inauguración del Teatro Real de Madrid —función de estreno con *La favorita* en escena y la Reina Castiza en su palco rojo y gualda debido a un estupendo discípulo de Goya... Estando siempre en su lugar de estar, me recibían las enseñas de *"Los Reyes Magos", "El Potro Andaluz"*, el ángel volante de la funeraria *"La Simpatía"*, el mono con catalejo y bombachas a lo Drake, filibustero ujier de un comercio de artefactos ópticos, antes de que se me impusiera, por su austeridad, el majestuoso letrero de *"La Filosofía"* —tienda, esta última, de ropas femeninas, con ricos muestrarios de camisas transparentes, fajas rosadas, pantaloncillos y sostenes, artículos todos que justificaban un concepto de *filosofía* debido acaso a una juiciosa interpretación del axioma de Baruch Spinoza, según la cual "podemos imaginar ciertas cosas en ausencia de su existencia presente", y más, teniéndose en cuenta (escolio final de la *Ética*) que *"todo lo hermoso es difícil"* (de conseguir, desde luego...)... Y andando, andando: no habían cambiado de aspecto los cines modestos y algo misteriosos de frente al Capitolio, más apreciados por su favorecedora obscuridad que por la calidad de sus películas, donde se proyectaban tremebundas historias de Drácula, Frankenstein y el Doctor Mabuse, viejos westerns rayados, recortados, empatados, remendados, cuando no aquellos filmes norteamericanos, doblados en Madrid antes de la guerra, donde los Lanceros de Bengala hablaban como el Alcalde de Zalamea, en tanto que Richard Barthelmess y Myrna Loy, al encontrarse en un ángulo de Times Square, se saludaban con un gallardo: *"¡Ea, chavala!"* —*"¡Hola, majo!"*... Y me detenía ahora ante el edificio de las monjas Ursulinas, con su increíble fachada inspirada en el mozárabe de la Sinagoga de Toledo, junto a una capilla esquinera alzada antaño para limpieza de almas, pero caída ahora en ancilares menesteres de tintorería (*"En una hora dejamos su traje como nuevo"*...) y andando, andando, andando siempre (no me cansaba de andar por mi ciudad, con derecho de propiedad sobre cuanto en ella veía), alcanzaba *"La Casa de los Vinos"* para probar el Alella de una pipa recién avillada, y, pasando frente a la pecaminosa casa de Juana Llovizna, cuyos bailes de encerrona eran famosos, a la vista del Castillo de Atarés —de hosca y almenada figura—, llegaba al barrio de Cristina, herrumbrosa capital de la chatarra, baratillo de hierros parados, acostados, plantados, hincados, torcidos o enredados —amontonamiento de verjas, cancelas, portafaroles, guardavecinos y guardacantones, revueltos con automóviles sin ruedas, motocicletas cojas, rengos velocípedos, camas vencidas, en un desparramado emporio de charnelas mohosas, tibores mellados, marañas de alambre y calderos de mil agujeros... Y, tras de inacabables periplos que nos devolvían al centro de la ciudad, bajando por la Calzada de la Reina en cuyas arcadas se ofrecían oraciones sujetas con grapas de lavanderas y ex-votos en cajas forradas de terciopelo verde, íbamos a dar, por costumbre pronto adquirida, al inagotable Teatro Nacional, altivamente afirmado en su teratología de ornamentos inútiles en cuanto tuviese que ver con la adecuación del edificio... —"¿Y aquí es donde viste bailar a Pávlova?" —me preguntaba Vera, invariablemente, recordando lo que de mi infancia le hubiese narrado en Benicassim... Pero, al bajar por el Prado, escoltados por sus pomposos leones-pisapapeles de bronce, olvidábamos el teatro de piedra y artificio para asomarnos al portentoso Teatro del Mar, anfiteatro de inmensidades, dioramas de tormentas, panorama de crepúsculos jamás semejantes a los anteriores, perennemente abierto a quien quisiera instalarse en su larguísimo palco con antepecho de piedra y dentículos de arrecife. Era aquél un lugar único, único lugar donde en todo momento podía asistirse a un siempre renovado espectáculo de furias oceánicas, juegos de olas, embestidas de fondo, alzamiento de espumas, o bien —al antojo de los días o según soplaran los vientos— aplacadas las aguas, se ofrecían visiones de ondeada placidez en verde mayor, calma casi lacustre, invitaciones a la barca y al remo, en prodigiosas luminotecnias de alba, media mañana, plena luz de arriba, reflector lateral, amarillos del atardecer, candilejas distantes, oblicuas proyecciones en rojo y violado sobre un fondo ahondado en sombras que anunciaban el gran telón estrellado de la noche... A veces, sentado en el muro del Malecón, me olvidaba del mar cuyo penetrante olor me daba una lúcida euforia, y pensaba —re-pensaba— el mundo en valores de cielo. Miraba las nubes y tenía la impresión de que eran posesiones mías —como las calles, las avenidas, el sabor del agua— tan distintas de las nubes que muy lejos hubiese dejado, nubes domadas, algo cartesianas, siempre atentas al estatuto de los colores que las clareaba en los plafones de Tiépolo, las engrisaba en los paisajes de maestros flamencos, las encendía en los cuadros del impresionismo, las ahuyentaba del universo de Rembrandt. Aquí —apartando toda noción adquirida en museos— era ocioso hablar de cirros, cúmulos, nimbos y otras formas catalogadas. Las nubes nuestras eran de otra raza. Antojadizas y volubles, rechazaban toda clasificación. Si eran cirros o cúmulos o nimbos, lo eran sin saberlo y sin quererlo saber. Poco les importaba. Estaban en el cielo por su real/tropical antojo. Y, por lo mismo, podían verse como las entrometidas, las asomadas, las alegóricas, las esquivas, las engreídas, las abultadas, las encaramadas sobre sí mismas, o bien las sumisas, arrastradas por otras mayores que eran las alborotosas, las Señoras de Arriba, prometedoras de Grandes Lluvias, aunque de pronto se largaran sin entregar nada a la tierra sedienta; pero, otras veces, cuando menos se esperaba, se detenían sobre los campos con plomiza pesadez, cerrando los horizontes de confín a confín, y, de pronto, puestas en furia repentina, se desgarraban en franjas, en rastrillantes hilachas, y barrían el firmamento con avisos de peligro, arremolinándose en ciclones de los fuertes, de los asoladores, de los destructores, armando su gran sinfonía de cataclismos, su arrollado de que te tumbo, te tumbo y te retumbo, para irse una buena mañana, dejándolo todo mojado, rajado, derribado, arruinado, y aparecerse a la mañana siguiente, como quien no dice nada, joviales y sonrosadas, entre alegres y cabronas, como pidiendo excusas —¡en buena hora y que mal viento te lleve!— por lo hecho la víspera... Anárquicas en la perpetua mutación de sus colores, pasando, en minutos, de la marmórea inmovilidad a la más desaforada carrera, eran capaces de concertarse, de repente, en miméticas liturgias crepusculares, a largar densos aguaceros de gotas anchas y pesadas como monedas de cobre, a bajar, en grande aparataje escénico, una tromba —o "rabo", decían los campesinos— que era, parada de puntas, danza de Osaín-el-de-un-solo-pie, y, después de prender las fraguas de arriba y de echar a galopar —con herraduras de bronce clavadas por Ogún— los diez mil caballos de Shangó, lanzaban un huracán de madre por todo el Caribe, de los de gira-que-te-gira y rompe-que-te-rompe, sobre los archipiélagos empavorecidos. Y, al día siguiente de derribar casas, de rajar paredes, de tumbar palmas reales como bolos en bolera, se presentaban las otras nubes (cómplices de las anteriores...) inocentes y endomingadas, con cara de "yo no fui", en un amanecer rosado, algo pastelero, algo camp, de nubes de bolero y elegía que, para hacerse perdonar lo hecho, se prodigaban en arcoíris de almanaque —entre William Blake y sinfonola— mientras otras, de más variada paleta, inventivas y tramoyistas, preparaban, para mostrarlo en suntuoso crepúsculo que todo lo hiciese olvidar, el maravilloso espectáculo de una puesta de sol donde los dorados encrespamientos del barroco se amaridaban, en unos segundos de alquimia sin par, con las rutilantes floralías de los mitos americanos —éxtasis de Santa Teresa, traspasada de fulgores, entre las aves verdes, índigo, amaranto, añil y topacio, color de colibrí, color de quetzal, con las banderas y tiaras, máscaras y paramentos, atributos de los Dioses de la Lluvia y Dioses del Aire vistos en los códices de nuestras rutilantes cosmogonías.

Y cuando, cansado de mirar al firmamento, a lo inalcanzable, volvían mis ojos al nivel de las casas, lo que más me conmovía no era siempre lo señeramente edificado, lo que con estilo y ciencia se mostrara —permanencia, advertida por Vera, de un blasón de heráldica española, de una moldura genialmente enredada en un cornisamento—, sino que, mirando más abajo, me enternecía ante la exhibición de las posibles Novias, adornadas de lazos, vestidas de tiernos colores, puestos los bracitos regordetes, como de angelotes, sobre cojincillos bordados que, enmarcadas por los herrajes de sus ventanas, se mostraban cada tarde en las extrañas calles sin estilo, sin arquitectura definida, fuera de la hora de ahora porque estaban inscritas en unas edificaciones que no eran de ayer ni de hoy, allá entre Galiano y Belascoaín, esperando pacientemente a quien las viera, las observara, detectara sus ocultas ternuras, sus amansados anhelos de entrega. —"Parecen novias de Chagall" —me decía Vera. Yo pensaba más bien en las novias de ciertos poemas de Ramón López Velarde, el mexicano. (Pero yo conocía a Chagall y ella no conocía a López Velarde, y acaso por esa vislumbre de carencias, puesto que yo conocía a su mundo y ella ignoraba el mío, empezaba a entender un poco mejor a esta América que un poco opaca, un poco nebulosa, hubiese sido para mí durante mucho tiempo...) Entraba en una fonda, un figón, una bodega de las que tienen mesa reservada a sus fieles clientes detrás del mostrador, y, ante una olorosa sopera sacada por el ventanillo de la cocina, ante una naturaleza muerta —jamás pintada por maestro alguno— de aguacates y lechugas alhajados por aros de cebolla, me sorprendía a mí mismo dando —broma que te bromea— un curso académico a Vera —con método, dialéctica, sistema y todo— acerca de los manjares de texturas y colores nuevos para ella, inventando la teoría de la malanga, la casuística del ñame, en términos guasonamente eruditos, ergotantes, magistrales, al ritmo de los tenedores percutiendo en platos mellados, entre la aceitera de tres bocas y el pomo de las guindillas. Y montado en cátedra, largaba yo mi curso académico: Vatel, Carème, inventores de técnicas culinarias aún vigentes, padres de toda una filosofía de salsas y aderezos, fueron los Descartes, los Malebranche, de la marmita y del sartén, como en este siglo había sido el maestro Prosper Montagné, autor de un gran tratado incluido en la biblioteca enciclopédica de Larousse, el Bergson de las ollas, los hornos, el baño de María, y las altas ciencias que conducían a lograr las obras maestras, de muy difícil ejecución, que eran una brioche dorada y untuosa, un hojaldre de liviana y crujiente realidad... Y es que en Europa se había elaborado una metafísica de la cocina, un acercamiento por la Razón, el Logos, a las *esencias puras* de lo comestible, con sus consiguientes *accidentes empíricos,* estableciéndose así una suerte de fenomenología del manducar, del salivar, del tragar, bien distinto de nuestro historicismo de la cocina que especulaba con los hábitos gustativos dejados en el paladar de todos por un choque de razas, y un acomodo temporal de pueblos diferentes que consigo traían sus maneras de saborear y de engullir. Así, la cocina criolla que Vera, ahora, trataba de entender con los ojos y el regusto, tras de exploraciones, acercamientos, tanteos, rechazos o aceptaciones del olfato, era algo que no le era dable percibir en profundidad porque le faltaba una confluencia de sedimentos raciales para disfrutar de ella. Cierta literatura actual se refería mucho —¡demasiado!— a una dramática "incomunicabilidad" de los seres humanos entre sí. Pero yo había tenido siempre esa "incomunicabilidad" por nula desde el instante en que un hombre de cualquier raza o condición podía encarnarse en una mujer de cualquier raza o condición, obedeciendo a la más universal, imprescindible e intemporal de las pulsiones compartidas. La tan mentada "incomunicabilidad" podía plantearse, más bien, cuando, al despertar de un largo abrazo sin fechas y sin trabas, se volvía a la realidad de lo circundante, y, en el acto de *comer* fuera del ámbito natal, los manjares cobraban, para los amantes, un distinto significado: mientras la mujer, nuevamente atenta a los llamados de un apetito añorante de esturiones, salsas peculiares, sabores de hinojo y panes al comino, trataba de entender lo que en su plato había, el otro —yo, en tal caso...— reconstruía toda su niñez, toda su adolescencia, con sólo morder un pedazo de yuca —ebúrnea, fragante, estriada por pequeños hilos que se rendían ante los dientes bajo la dorada fragancia del mojo de ajo, incensario del camino de gloria que iba de las narices a la boca... Criollo era yo al fin y mi cocina no procedía de la de Apicio el romano, sino que era la que juntos habían elaborado el Maqués de Villena, maestre de artes cisorias, el diabólico marmitón que aherrojó al Gran Almirante, el príncipe Kankán Muza, señor de imperios africanos, los Caciques de todas mis islas y los bucaneadores de sus costas que, asomados a anchas orzas de barro, a calderos ecuménicos, habían engendrado esas grandes realidades de un mestizaje tricontinental —simbiosis de sabores— que eran el tamal, la hallaca, el congrí y el ajiaco... Observaba yo a Vera en su cauteloso acercamiento al insinuante boniato, un poco oportunista en lo de acomodarse a distintos manejos, aquiescente en la fritura de sí mismo, doblando el lomo —si se lo pedían— sobre los rescoldos del carbón de leña, abierto de entrañas bajo la mantequilla, feliz de dejarse envolver en mantas de caramelo, bastante acomodaticio y mimético, para decir la verdad, camaleón de hornos, pailas y hervidos —y hasta *boniatillo,* a la hora de putearse con camisa de azúcar— ante la adusta, inconmovible, orgullosa unicidad de la malanga, carne gris salida de la tierra con desgano y que sólo se entregaba, tal y como era, de arrugado atuendo, señera, perfumada en hondura, hermética en sus tras-sabores para quien no hubiese nacido en tierras americanas. Así, su discreta, casi displicente intervención en el ajiaco nuestro, debía verse como la decisiva entrega de sí misma —consagración, espaldarazo y aval— a un populachero contubernio del maíz desmenuzado en rodajas, del plátano verde de negra respuesta al calor, del secular tasajo —cecina que había viajado en las tres primeras carabelas vistas por nosotros— en un plato que era como una ilustración complementaria de toda la historia del mal llamado Nuevo Continente: En una sola cazuela se malaxaban aquellos elementos que habían alimentado las razas de criollos

(*...huasos, cholos y huachinangos, negros, prietos y gentiles, serranos, calentanos, indígenas, gente de color, morenos, mulatos y zambos, blancos porfiados y patas amarillas, tercerones, cuarterones, quinterones y salta-atrás,* los llamaban aquí, allá y más allá...), llevados a dar guerra, a propiciar, a desbaratar, a descolonizar lo colonizado, a conquistar, de abajo arriba, en fin de cuentas, a los conquistadores demasiado seguros de lo conquistado —arrojándolos, en más de una ocasión, al mar por donde habían venido. Salazones de bodegas marineras, mazorcas que tanto montaban como las espigas del trigo, texturas de raíces magníficas, se constituían en el armorial de un mundo que yo quería explicar, dar a entender, a quien me acompañaba, ahora, en esta nueva etapa —descanso, tranco, morada...— de mi existencia. Y como observaba que Vera era excesivamente atraída por el aspecto artístico de los viejos palacios —de Lombillo, de Aldama, de Pedrosa, de la Plaza de la Catedral...— que tenían alguna relación con la historia por ella conocida, dejando de andar, de tanto andar, andar hasta cansarme, por calles harto revistadas, empecé a tomar autobuses de sugerentes rumbos indicados sobre la proa, para alejarme cada vez más del centro de mi ciudad, buscando la íntima poesía de sus calles modestas, de sus urbanizaciones lejanas, donde hallaba los tejados, acunados por el tiempo, de antiguos paradores carreteros, las casas de maderas cada vez más desteñidas por los aguaceros de mayo, los portales de horcones escorados que iban sucediendo —en Arroyo Apolo, El Calvario, el Cotorro, Jesús del Monte, Guanabacoa...— a las últimas columnatas, ya muy deslucidas, muy desconchadas, muy cansadas por el peso de sus capiteles, que habían alcanzado, encuerándose de revestimientos y perdiendo rizos de voluta, los altos de la Loma del Burro o de la Víbora, donde en las tardes levantaban los niños un tornasol de cometas, papalotes y *coroneles,* danzantes y peleadores, de uña en el rabo, que salían al firmamento con una alevosa cuchilla puesta en la cola para derribar —rajándole el papel montado en varillas— a cualquier otro que se les atravesara en el camino... Pero, más allá de las lomas, donde se espaciaban, perdían la forma y acababan por dispersarse y desaparecer las columnas cada vez más raquíticas, enfermas, descalabradas, de las antiguas calzadas coloniales, se alzaba, en los confines de la Ciudad, la fastuosa columna de la Palma Real, con su fuste escamado de estaño, cargando, sobre su gorguera de palmiche, con el vivo y siempre renovado capitel de sus hojas —pues capitel y no copa era lo que tan altivamente sobre la tierra se elevaba—, sin dar sombra a nadie, como sombra no daban al transeúnte, por no estar para eso, las columnas trajanas, rostrales, conmemorativas —trafalgueras, petersburguesas o napoleónicas—, como tampoco dieron sombra nunca sus remotos hermanos-obeliscos consagrados al culto del Sol y al culto de la Virilidad. Y de palma en palma andaba, hacia la Chorrera de Managua, hacia las Tetas de Managua y el Valle del Nazareno, o bien hacia el pueblo de San José de las Lajas, adentrándome en el campo, desdeñando los monótonos, torcidos y despeinados cocoteros de las costas, hasta tropezarme con el más monumental, el más adusto, el más imponente de *mis* árboles: la Ceiba. La ceiba, aislada en un espacio por ella elegido, me hablaba en un idioma desconocido del nogal, el encino, el tilo, el abedul. Árbol parado por derecho propio, indiferente a las sequías, indiferente a las lluvias, desafiador de huracanes, testigo impasible y enhiesto de diez, veinte, ciclones, en cuyas ramas no anidaban pajarillos porque no le interesaban los solos de pífano ni las músicas de cámara, sino las sinfonías de los vientos viajeros que, de paso, le narraban la historia del mundo —historia que para este árbol empezó cuando lo vegetal, en hierbas de gigantesca estampa puso por fin, después de muchas luchas, un color verde sobre la siniestra grisura inicial de la Tierra. Árbol-triada, de raíces, tronco y ramas dotadas de una personalidad distinta, aunque integrantes de una unidad; árbol arquitectónico, jamás doblegado, crecido de acuerdo con un Orden Inteligente, se me parecía la ceiba de mi país al Árbol cuya contemplación y estudio hubiesen dictado a Piet Mondrian su principio, válido para cualquier pintura —fuese la de Leonardo, de Vermeer, de Cézanne—, del equilibrio dinámico entre lo vertical y horizontal, eje cósmico del universo... Y pensaba que el guajiro cubano, al llamar "madre de todos los árboles" a la ceiba debía acaso a su ancestral sabiduría la noción de que con ello identificaba a la Mujer y el Árbol, alcanzando la esencia primordial de todas las religiones, donde Tierra y Madre —con cifras de tronco y retoño— son la ecuación significante de toda proliferación. Hay un mito del Árbol de la Vida, Árbol-centro-del-mundo, Árbol-del-Saber, Árbol-del-Ascenso, Árbol-Solar, según las viejas cosmogonías caribes. Y es aquí y no fuera —advierto yo— donde la tierra tiene un vocabulario que en alientos me llega, donde el agua de una cañada cercana acaba de devolverme una identidad olvidada, donde los espartos que estrujo entre los dedos me cuentan mi infancia; es aquí donde tengo, por vez primera, la impresión de *formar parte de algo,* de algo que vengo buscando desde hace años. Y me doy cuenta de que necesité de un largo periplo, de una suerte de viaje iniciaco colmado de pruebas y de riesgos, para hallar la más sencilla verdad de lo universal, lo propio, lo mío y lo de todos —entendiéndome a mí mismo— al pie de una ceiba solitaria que antes de mi nacimiento estaba y está siempre, en un lugar más bien árido y despoblado, entre los Cuatro Caminos —¿premonición?— y las canteras de Camoa, a la izquierda, subiendo por el antiguo camino de Güines. Árbol-de-la-Necesidad-Interna. *Tellus Mater,* que empieza verdaderamente a hablarme aquí, fuera del Camino de Santiago, del Camino de Roma, del Camino de Lutecia, cerca de un estanque de aguas dormidas donde, al atardecer, el grito lúgubre de algún pavo real se mezcla con el pululante croar de las ranas-toros subidas, para afinar su coral nocturno, en anchas hojas flotantes. Hay, aquí, un Árbol-centro-del-Mundo, que abre para mí la boca de sus cortezas, a la izquierda del camino de Güines, donde me parece que empiezo a dar con la razón de ser de mí mismo. —"¿Qué miras?" —me pregunta Vera, viéndome absorto, de brazos cruzados, entre las enormes raíces que me circundan y se pintan como envolventes nervaduras sobre la tierra roja. —"Nada. Un árbol" —le digo. —"Un árbol al que es imposible treparse" —dice ella. "Tienes razón" —digo: "Un árbol al que es imposible treparse. Tiene espuelas en el cuerpo". —"Y no da sombra"... Y ella piensa, acaso, en bosques remotos donde la noche empieza a espesarse a media tarde al pie de los abetos, cuando aquí, en los brazos cimeros de este árbol que tal vez asistió al paso de aventureros de morrión y coraza, el crepúsculo demora en oros que pasan de la alquimia flamígera a la alquimia de obra negra, mientras, abajo, se adormecen los bueyes librados del yugo, suena un graznido de yaguasas en una cañada, y ladran los perros ante la Instalación de las Sombras... De los fogones campesinos nos llega, por sobre su niebla de humo, un fabuloso olor a carbón de leña.

18

Pasaban los días en esta busca de mis raíces —harto olvidadas durante años— y siempre aplazaba la fecha de la inevitable visita a la Condesa, con la cual tenía que tratar, por lo demás, de cuestiones tocantes a mi economía. *"Mañana"*. Siempre lo dejaba para mañana. Pero un día en que había dormido hasta más allá de la hora habitual, por haberme trasnochado en la Playa de Marianao, oyendo con Vera —entusiasmada por la novedad— la orquesta del *"Chori"*, fui devuelto al ineludible presente por una voz imperiosa que me alcanzaba tras de reiterados timbrazos telefónicos: "Hola, bolchevique" —me decía la alta señora con un buen humor que me sorprendió un poco: "¿Que esperas para *reportarte*? Parece que hace tiempo que estás aquí. ¿Qué carajo te pasa?" E, interrumpiendo mis improvisadas explicaciones: "Vístete y ven... Que hoy es un gran día". Sin entender por qué hoy —un 23 de agosto— el día habría de ser "grande" (no recordaba que fuese cumpleaños de nadie, ni que el octavo mes del año significara nada especial en la historia de mi familia) fui a la Calle 17 donde el suntuoso caserón relumbraba, bajo el sol, por todos los mármoles pulidos de sus vasos romanos, delfines y angelotes. Después de abrazar a Venancio, realmente conmovido al verme, subí a la habitación de mi tía que me esperaba, sentada en un alto sillón, envuelta en sedas y encajes de *"negligé"* —como decía—, algo semejante a la Sarah Bernhardt de *Fedra*, tal como nos la muestran algunas fotografías de comienzos del siglo. —"¡Hola!" —me dijo, ofreciendo una desganada mejilla al beso de cumplido familiar a que me había acostumbrado ella misma desde siempre. —"Déjame mirarte" —dijo, con gesto de restablecer alguna distancia: "Siéntate... Pero, no. No en esa butaca. Hay que cuidarla. Es una butaca de Oeben, el ebanista de Luis XV"... Y, de repente, ocurrió algo insólito: mi tía empezó a reír. A reír de un modo estrepitoso, que se fue haciendo forzado, intencionado, absurdamente prolongado en hipos, muecas y sofocos, rebasando los límites de una hilaridad normal. Se sentía que esa risa sin motivo que me fuese inteligible obedecía a un propósito: teatral emboscada a mí tendida, a la que, para colmo, se mezclaban las carcajadas de Leonarda y Cristina, las dos fámulas que ahora asomaban las caras por sobre las molduras espalderas del alto sillón. —"Pero... ¿de qué coño se ríen?" —grité al fin. Y, de repente, el silencio. Los tres rostros vueltos hacia mí se habían enseriado. —"¿Leíste los periódicos?" —preguntó mi tía. —"No". —"Pues, entérate". Y me tendió soberanamente un número del *Diario de la Marina* donde se ostentaba un título a cinco columnas: PACTO GERMANO-SOVIÉTICO. —"Sí. No pongas esa cara. Fue ayer. Fecha histórica. Hitler y Stalin, uña y carne. O *cúmbilas,* como decimos nosotros. Lee... Lee..." (Y lo peor es que yo leía y releía, y era cierto, espantosamente cierto...) —"Los nazis y los comunistas abrazados. Y tú, comiendo mierda en las Brigadas Internacionales —pues aquí todo se sabe. ¡Que si ustedes habían de acabar con la swástica y con el fascio! Pero ahora resulta que la swástica y el fascio y la hoz y el martillo son estacas de un mismo palo... Leonarda: aunque sea temprano, tráenos un wisky"... Yo seguía leyendo, pesando cada palabra, comprobando la autenticidad de las fuentes, mientras la Condesa se entregaba al siempre fácil gozo de los vaticinios futurológicos: "Esto significa el fin del comunismo. Porque... ¿con qué cara van a decir ustedes, ahora, que luchan por la justicia y la libertad? Y, en esta alianza, en la que tenían que caer por fuerza, los rusos serán devorados, asimilados, *mangados,* por los alemanes. Porque los alemanes son la gente más culta de la tierra. Ahora impondrán sus productos, su industria, su inteligencia, a una Rusia que, al cabo de veinte y tantos años de bolcheviquismo, no ha sido capaz de fabricar un objeto exportable. Porque, vamos a ver... Fuera de las muñecas esas, que se meten unas dentro de otras, fuera de algún caviar que ni siquiera es de allá... ¿tú has visto que se venda en alguna parte un automóvil ruso, una nevera rusa, un mueble ruso? Parece que las rusas se visten, que... —¡bueno!— más vale no hablar... Y los hombres se ponen unos trajes que... —¡ni te digo!"... Sin prestar más atención a aquel monólogo, eché a andar por la casa. Allí estaban, en su lugar de siempre, los paravanes de Coromandel, los retratos de Madrazo, los cuadros de Zuloaga y de los

Hermanos Zubiaurre. Entré en la cocina donde el Chef francés acababa de leer el periódico, sentado en un tosco taburete, con una botella de Burdeos al alcance de la mano. Después de saludarme con muchos aspavientos y elogios a mi sólida estampa (pues era cierto que la guerra me había dado músculos, afirmando en mí una cierta madurez en el gesto y la expresión) el hombre del bonete blanco abordó el tema del día: "¿Ha visto? ¿Ha visto?... Es lo que yo digo: *Il est inutile d'essayer de s'entendre avec ces gens-là. Le Front Populaire s'était mis le doigt dans l'oeil. Maintenant nous voilà baisés.*" Ellos, eran de las estepas; nosotros, éramos latinos: *"On est des Cartesiens, Monsieur... On est des Cartesiens"*... Este pacto germano-soviético había comunicado una maligna alegría a todos aquellos que se hubiesen alarmado, años antes, ante el triunfo del Frente Popular en Francia; a todos aquellos que, pocos meses atrás, cambiaban de conversación cuando se les hablaba de los bombardeos de Madrid. Para muchos se había esfumado el dilema de conciencia consistente en saber si se abrazaba o no la rigurosa causa del socialismo. Más de uno, inscrito recientemente en el Partido y asustado, luego de hacerlo, por las responsabilidades que tal afiliación implicaba, se disponía ya a devolver altivamente el carnet, por la magnífica razón de que "sus ideales habían sido traicionados". Para *El Diario de la Marina,* neutralizada era la *Amenaza Roja.* Y ahora, el Chef de bonete blanco, antiguo anarquista, lector otrora del *Père Peinard,* que se me proclamaba cartesiano, fiel a la religión de sus antepasados (y en eso, debo reconocerlo, eran cartesianos sin saberlo...), adicto a la causa de Monseñor el Duque de Guisa, heredero legítimo de la corona de San Luis, y sobre todo de Enrique IV —acaso por aquello de la "*poule-au-pot*" que, por sobre los siglos transcurridos, habría de llegarle al alma... Y encerrado ahora en la biblioteca, volvía a leer el artículo del *Diario de la Marina,* con su consiguiente editorial. Y, mordida ya la avinagrada esponja del Pacto, me irritaba ante algo nuevo: por un increíble vuelco de opciones, eran esos señores, ahora, quienes reprochaban a Stalin que se hubiese acercado a los nazis. Stalin renegaba de sus principios; Stalin se había apartado de la *Línea* —¡ahora hablaban de *Línea*!— comunista; Stalin se había desprestigiado para siempre:

afrenta a la memoria de Lenin; golpe de muerte dado por el georgiano, al harto prestigiado marxismo que, francamente, no valía el precio de la tinta despilfarrada, durante estos últimos años, en considerarlo, defenderlo o discutirlo... ¡Y eran ahora los redactores del *Diario de la Marina,* reaccionarios desde hacía cien años, quienes parecían indignarse ante el desmoronamiento de ideales (ahora los llamaban: *ideales...*) por los que yo había peleado, armas en mano! ¡Los defraudados eran ellos! ¡Los quejosos eran ellos! ¡Los indignados eran ellos!... ¡El colmo!... Cansado de ira ante unos y de ira ante otros, arrojé el periódico al suelo y subí a los aposentos de mi tía, dispuesto a patear los muebles si me volvía con risas y sarcasmos. Pero ella, acaso apiadada por la enorme tristeza que traía en el rostro, se mostró extremadamente cariñosa conmigo: "Hiciste mal en no venir antes. Tú eres carne de mi carne —hijo de la hermana a quien más quise— y ninguna cuestión política podrá separarnos nunca. Todo el mundo ha cometido equivocaciones en la juventud... Peor fue lo de tu prima Estelita, que le partieron el culo a los trece años, y ya la ves: bien casada, con hijos, buena esposa, buena católica... ¡Ay! (suspiró). Los enigmas del alma humana"... Mi pequeño apartamento estaba siempre a mi disposición. Allí no se había tocado un papel, un libro, un dibujo... Le dije que pensaba instalarme en algún lugar de La Habana vieja —si fuese posible, con vista sobre el puerto. Sí. Alquilaría un piso en alguna añeja casona de alto puntal y cristalerías coloniales, al que arreglaría a mi gusto. Porque, además, para decirlo todo, estaba *casado* (y en esto mentía pues nunca Vera y yo habíamos pensado en firmar un contrato de matrimonio). La noticia volvió a fruncir el ceño de la Señora, por aquello de que, muy probablemente, venía a frustrar algún propósito casamentero urdido a espaldas mías —acaso, en sus proyectos, me destinaba una rica heredera de emporios farmacéuticos o azucareros. —"¿Y, de dónde sale *ésa*?" —"La conocí en París". —"¿Francesa?" —"Rusa". Y aquí hubo un cuadro de gemidos, ahogos, manos llevadas a las sienes: "¿Rusa? ¿Cómo rusa?" —"Blanca". —"¿Blanca? ¿Blanca?... Pero ¿cómo? ¿*Blanca* de opiniones o de pellejo?" —"Las dos cosas". Y, con ese prodigioso don que tenía la Dama, tal Eleanora Duse, de pasar sin transición de los paroxismos a una aparente serenidad, me preguntó con sosegada voz: "¿Católica?" —"Sí" (y en eso mentía una vez más). —"¿Presentable?" —"Me parece". —"¿De buena familia, allá en su tierra?" —"Hija de Grandes Duques arruinados por la Revolución" (aquí, otra mentira, puesto que Vera era hija de un comerciante de paños, de Bakú...) —"¿Hace algo?" —"Baila". Subida de tono: "*¿Variétés?*" —"Clásico". —"Tipo Pávlova, entonces?" —"Eso". —"¿Y viene a darse a conocer aquí como *artista*?" (¡Cuánto menosprecio en la manera de decir "artista"!) —"No. Si acaso podría fundar una escuela". Mi tía parecía serenada: "Bueno, eso habrá que verlo". Ella no creía que un casamiento de cubano con europea diese buenos resultados. Con las españolas, sí, cuando eran mujeres de buena alcurnia, porque, en fin, la Madre Patria, la comunidad de idioma y religión, la hispanidad... Las francesas e italianas, además de ser muy putas, se creían mujeres superiores y nos criticaban en nuestras costumbres y nuestros modos de vivir. Con las alemanas y nórdicas no nos entenderíamos nunca, y hasta con las anglosajonas había de andarse con cuidado —aunque se hubiesen visto matrimonios muy buenos con norteamericanas ("pero es que entre cubanos y yankis de buena sociedad hay muchos ideales comunes"..). En cuanto a las rusas: no había antecedentes: "Es que son de mundos distintos. No hay tema de conversación. No entienden nuestra manera de ser, nuestra cultura, nuestros gustos, ni las cosas que nos interesan.. Te vienen siempre con que: 'Allá en Rusia... Allá en Rusia'... ¡Como si Rusia contara para algo en el mundo!... Pero, en fin: tráela por aquí. Veremos si, al menos, tiene educación y puede *alternar* con la gente decente".

Para someter "mi esposa" a la prueba, se esperaron unos diez días, al cabo de los cuales fuimos invitados a una comida "informal" en la mansión de la Calle 17. ("*Ce sera en veston*", me advirtió mi tía por teléfono, para evitarnos toda preocupación de vestido largo o de *dinner-jacket*...) Y a las 8 en punto del anochecer entramos en el lindo salón de las cacatúas y rocallas vienesas, donde fui recibido con grandes muestras de cariño por gente que me había visto gatear y crecer, personas distinguidas de nueva promoción que enseguida me tutearon, y el enjambre de primas mías (fecundas eran las mujeres de la generación de mi madre, educadas a la española, que conferían al acto de parir una suerte de sacralidad absolutoria de muchos pecados ocultos al confesor...), compañeras de juegos entre infantiles y adolescentes, unas ya casadas y con hijos, otras, mucho más jóvenes, a quienes había dejado de calcetines y lazos en las trenzas, y que ahora estaban hechas unas reales hembras ante las cuales no pude menos que admirarme... Por el tipo de preguntas anodinas que se me hicieron acerca de una Europa donde había permanecido varios años, entendí que aquella gente, advertida seguramente por mi tía, evitaba —con elegancia, en ese caso— todo tema alusivo a España y a su guerra que había terminado cinco meses antes. Cuando llegó el Director del *Diario de la Marina,* excusándose de una tardanza debida a la necesidad de "romper la primera plana" a última hora, porque acababa de llegar "un notición", se pasó al comedor, donde observé que Vera quedaba realmente admirada por el estilo señorial, la impecable ordenación de una mesa adornada y puesta con un buen gusto que ella no se esperaba hallar en estas latitudes. Y confieso que su sorpresa me halagó un poco porque, a la verdad, sus frecuentes evocaciones de banquetes dados por Diaghilev, después de las funciones, con Stravinsky y Cocteau de comensales distinguidos, tenían, a mi modo de ver, un cierto aspecto de rastacuerismo moscovita, estilo 1909, que, sacado de su contexto natural, evocaba demasiado, para mí, las comilonas de "barines", harto pródigas en champagnes y caviares, que conocíamos por toda una literatura satírica rusa. Y me halagaba su sorpresa, repito, porque si bien era yo el más severo juez de la frivolidad de la gente de mi casta —de su falta de discernimiento en cuanto tocaba a la pintura, por ejemplo—, también me era preciso admitir que la burguesía cubana, en lo que se refería a ciertos aspectos materiales de la vida, había alcanzado un extraordinario refinamiento. Si no eran aristócratas verdaderos por la cultura y las ideas, los de mi casta lo eran —indudable realidad— en cuanto al paladar, el atuendo, el peinado, el buen entendimiento de las modas, el sentido del confort, el arte de llevar una casa y de disfrutar de las "nourritures terrestres"... Apenas estuvieron sentados los comensales, hice al director del *Diario de la Marina* la pregunta que todos esperaban, acerca del "*notición*" del día. Había ocurrido lo que, en realidad, todos veían como algo inevitable: Francia e Inglaterra acababan de declarar la guerra a Alemania. (Vera palideció y, por unos segundos, su rostro cobró una expresión de intenso dolor). —"¿Y qué sucederá ahora?" —preguntaban todos. El ilustre periodista, a quien el hábil y cotidiano manejo de un excelente *Diccionario de citas* había dado fama de erudito ante una sociedad que muy poco leía, respondió con dos versos famosos: *"Las torres que desafío al aire fueron / a su grande pesadumbre se rindieron"*. ¿Derrota de Francia? Inevitable. Hitler había galvanizado al pueblo alemán; había forjado un "haz de fuerzas" (el hombre había leído a Alphonse de Chateaubriand...) de un empuje irresistible... Sacó de su bolsillo las pruebas de su editorial de mañana ("no se asusten: no voy a leerlo todo: sólo el final"...). Final en que se rendía homenaje a Francia como país del refinamiento, de la inteligencia más sutil, más aguda, más penetrante... Pero —triste era reconocerlo— la excesiva inteligencia debilitaba, desvirilizaba, a los pueblos. El mucho pensar restaba energías a quienes tenían que oponer la fuerza a la fuerza. El demasiado filosofar aminoraba las virtudes combativas del hombre. En el mundo actual, la acción, el anhelo de acción, la disciplina, la obediencia, la voluntad de poder, eran preferibles al *cogito, ergo sum*. Quien harto reflexionaba, harto vulnerable era... —"Pero París" —suspiró mi tía: "¿Antoine, Cartier, Cocó Chanel... *Never more*?..." Que se tranquilizara la señora. Francia, vencida ante un sistema destinado a durar mucho tiempo (si no mil años, como aseguraba el Führer...) no sería borrada del mapa, así así... Seguiría desempeñando, para el mundo, el papel que conservó Atenas en el Imperio Romano. Escuela de retórica, escuela de buen gusto. Hubo continuadores de Eurípides bajo la dominación romana, como habría continuadores de Cocó Chanel, bajo la dominación nazi. Si la Loba no había acabado con la herencia de Homero y de Platón, la swástica no acabaría con la estela de Pasteur, de Anatole France, de Henri Poincaré... —"Raymond" —rectificó mi tía. —"Henri" —repitió el otro. —"Fue Presidente de Francia". —"Me refiero al científico". —"Bueno: científico más, científico menos... El famoso fue el Presidente"... —"Tampoco acabarán los alemanes" —prosiguió el otro, dirigiéndome un guiño entendido— "con los peinados de Antoine, los zapatos de Perugia, y el *'canard à l'orange'* de *'La Tour d'Argent'* "... Mis primas más jóvenes se dieron entonces a hablar de literatura francesa. Y me sorprendí al ver que, distintas en esto a las mujeres de la generación anterior, que jamás hubieran leído una novela que no les fuese permitida o aconsejada por un confesor, conocían obras tenidas por muy audaces e inmorales por el ama de casa, que fruncía el entrecejo, con un suspiro de: "¡Válgame Dios!", al oír ciertos títulos. En el Teatro Principal de la Comedia habían visto representar *Maya* de Simon de Gantillon, y hasta *La prisionera* de Bourdet. (—"¡Caray de espectáculos para señoritas!" —exclamó el magnate azucarero que estaba sentado a la derecha de Vera...) Conocían a Paul Morand, Henri Duvernois, Pierre Benoit, Colette, las biografías de André Maurois... —"Pero no se atreven a decir que todas devoraron *El amante de Lady Chatterley* que yo les presté.. " —gritó alegremente, desde la puerta, un personaje femenino, ágil, riente, que llevaba un traje sastre de terciopelo azul casi negro, y que, con copas —era evidente— detrás de la ironía, prosiguió, con un acento castizo que era voluntaria caricatura del de mi tía: "Y no nieguen que gozaron muchísimo con la escena aquella en que Constance y el guardabosques..." —"¡Jesús!" —exclamaron en coro algunas madres jóvenes que también habían leído la novela. (El personaje femenino que acababa de llegar era mi prima Teresa, y a quien me unía —aunque fuese mucho más joven que yo— un común horror a la *sagrada familia* que sin embargo le había legado una fortuna. Aunque escandalizara a mi tía por sus aventuras sin cuento, Teresa ejercía sobre ella, por raro proceso ambivalente, una suerte de afectuoso terrorismo, siendo en realidad, su única confidente sincera y verdadera. Manirrota, desbaratada, indómita, coleccionista de amantes como quien colecciona sellos raros o autógrafos de famosos escritores, mi prima resultaba imprescindible a la Condesa por un "savoir vivre" innato, que le permitía ordenar recepciones o cenas de aparato con inigualable. maestría en la colocación de los comensales, tratamiento particular dado a quienes lo requerían, escala de prelaciones, composición del menú, disposiciones del ornamento floral, instrucciones dadas a la servidumbre en unos ancilares *briefings* muy temidos por el *Chef* francés a causa de un pensamiento silogístico que detectaba cualquier fullería o *sisa* en la compra de caviares, la procedencia del foie-gras, o la autenticidad de los vinos de grandes marcas y de grandes años: "Tú sabes que mis compatriotas nada saben de *milésimes,* porque igual les da una coca-cola que una pepsi-cola, pero a mí no me jodes con tus botellas de Mouton-Rotschild rellenas con tintazo gallego. Y la próxima vez que trates de pasarme un champagne de segunda por un Dom Perignon, te devuelvo a Francia, con mulata y todo, a ver si te echan el guante por no haber hecho tu servicio militar"... —"*Mademoiselle est imbattable!*" —exclamaba el otro, vencido...) Y nos llegaba Teresa, ahora, despreocupada y algo bebida, fingiendo que había olvidado la comida que aquí se daba: "Arrímenme una silla junto al 'rojillo'. Ya he cenado, con unos colaboradores de Walt Disney, en el Centro Vasco. Tomaré el postre con ustedes. Pero, Venancio, para mí nada de 'bombe glacée', crema Chantilly y otras porquerías. Me traes un poco de queso blanco con cascos de guayaba". —"¡La de siempre!" —exclamaba mi tía: "¿Así que tú prefieres comer con la gente del Pato Donald y Mickey Mouse, a cenar con nosotros?" —"Ellos están de paso. A ustedes los veo todo el año". —"Walt Disney es un genio" —dijo el Director del *Diario de la Marina.* —"Lo fue en un tiempo. Pero, ahora... Su *Blanca Nieves* es una película para retrasados mentales. Y de un espantoso mal gusto en el color..." Se cambió de conversación. Pero mi prima acercó su voz a mi oído: "¿Aquélla es tu mujer?" —"Sí". "Tanto gusto" y "tanto gusto", dijeron ambas. Y añadió Teresa, como quien pasa su tarjeta de visita por sobre el ancho de la mesa: *"Je suis la putain de la famille"*. —"¡Jesús!" —exclamó mi tía. Y ahora hablaba todo el mundo con quien tenía al lado o quien le quedaba enfrente, y, entre comentarios sobre la actualidad, el deporte o el suceso mundano, chismorreos de club, nimiedades y bromas, se colaba, a veces, el nombre de algún pintor, músico, o escritor. Así me enteraba yo de que éste seguía coleccionando cuadros de Sorella y de Fortuny; que el otro acababa de ver representar *Tobacco Road* en Nueva York; que el de más allá gustaba extraordinariamente de la *Rhapsody in Blue* de Gershwin, de la *España* de Chabrier, pero pensaba que el "latazo" del *Requiem* de Verdi era impropio para un concierto sinfónico. Y observaba yo a los convidados de esta noche —convidados de plata, valga el juego de palabras, pues sus apellidos eran sinónimo de "plata", de la que brinca, rueda y rebrinca— y me rendía ante la evidencia de que en ellos había una cierta cultura, pero cultura que siempre quedaba al lado —un tanto al margen, por decirlo mejor— de lo que podía tenerse por cultura verdadera. Pero lo que más me sorprendía —ahora que venía de lejos y había perdido la costumbre de vivir en este mundo— era que una gente presumida de abolengo (como mi tía), o consciente de haber amasado fortunas a costas de muchos esfuerzos y quebrantos, convivieran risueñamente, cordialmente, afectuosamente, con politicastros enriquecidos por mágica operación de peculado, saqueos de fondos públicos, turbias componendas y sucios negocios. Los altos representantes de la banca y de la industria, del azúcar y de la bolsa, adheridos a sus teletipos, en perenne relación con los mercados mundiales, sumidos en la tecleante sinfonía de las máquinas calculadoras, puestos los ojos en pizarras de cotizaciones, suscritos a veinte periódicos financieros, enviando cables, dictando cartas, sudorosos, en mangas de camisa, viviendo con tres auriculares en torno a la cabeza, enredados en hilos telefónicos como Berthe Bovy en *La voz humana*, explotadores de hombres, usufructuarios de latifundios y plusvalías, dueños de minas que jamás habían visitado, de cañaverales abiertos de horizonte a horizonte, poseedores de rebaños cuyos mugidos no escucharían nunca, levantados de madrugada, almorzando en sus despachos, atendiendo muy poco a la esposa por exceso de preocupaciones (agarrando, si acaso, una guapa secretaria en el ángulo de una mesa de oficina...), múltiples, ubicuos, proteicos, insomnes, enterados de todo lo que les concernía, fisgones, hurgadores, adivinos de crisis y depresiones, funámbulos de la especulación —con cuentas en New York, en Boston, en Suiza...—, aprovechadores de todo acontecimiento, como los Rotschild en la Batalla de Waterloo, como los fabricantes de cañones ante cualquier rumor de guerra armada por negros o asiáticos levantiscos —lo que más me sorprendía, repito, es que con tales virtudes burguesas de laboriosidad, empeño, tesón, hombres de números y de intercambios, de trueques y trastrueques en escala planetaria, habaneros Fuggers, Médicis de la Calle de Obrapía, criollos barones de Nucingen, se complacieran en codearse alegremente, en recepciones, fiestas, saraos, comidas, con los peores granujas de la política en turno, vendedores de sí mismos, senadores de abisales agallas, funcionarios enriquecidos en pocas semanas. Éste —simpático y ocurrente— acababa de embolsillarse cien mil pesos por construir una biblioteca pública que jamás pasaría del anteproyecto; aquél, elegante y distinguido, que hubiese sido Ministro de Educación durante algunos meses, había llevado un millón de dólares a Miami, recientemente, en un maletín mágico donde habían cabido los sueldos atrasados de todos los maestros rurales de la isla; el otro, cuyo humorismo solía ser punzante y sutil, acababa de embaularse una fortuna para hacer votar una ley que centuplicaría el valor de unos terrenos baldíos, comprados a vil precio por un "*pool*" de amigos suyos, etc. etc. etc... Éstos que, desde fecha reciente habían aparecido en mansiones de la *alta sociedad* donde eran recibidos con los brazos abiertos, eran los hombres fuertes de la *Mangadera,* en virtud de un neologismo no muy bien definido como "engaño" en ciertos *Diccionarios de cubanismos.* Porque la *mangadera* de ahora, la real, la de cada día, elevada al plano de una actividad altamente considerada, era voz algo galicista, derivada del *manger,* sinónimo de manducar, *mangiare* —y hasta, si se quería apresar el vocablo en todas sus implicaciones: *meter en la manga,* valga decir: *en la faltriquera.* Mi misma tía solía decir, cuando abría sus salones a algún nuevo rico del Batistato —que eran muchos—: "*Está en la mangadera*", lo cual, con el complemento de un frac o de un smoking bien llevado, equivalía al "Nada menos que todo un hombre" de Don Miguel de Unamuno o el "*dignus, dignus est intrare — in nostro docto corpore*" en la comedia de Molière. Y yo pensaba, aquella noche, que una clase dirigente capaz de avenirse risueñamente, indulgentemente, con la *mangadera* estaba en trance de degradación y de podredumbre... Pero mi papel, en estos días, no era de dármelas de moralista. Y pronto me olvidé de éticas y reparos, viendo que mis primas habían empezado a interesarse mucho por Vera —cosa bastante inesperada, para decir la verdad— al saber que había sido bailarina *clásica.* La esposa del magnate azucarero se acordaba de haber visto bailar, en el Teatro Nacional, a Alejandro Volinine ("fue el *partenaire* preferido de Anna Pávlova", dijo mi mujer), a Adolfo Bolm, a Ruth St.-Denis ("¡bueno: una yanki con barniz de balinesa!"), habiéndose enterado por la prensa, además, de que Georges Balanchine acababa de estar en La Habana, con el ánimo de hallar algo interesante, coreográficamente, en las danzas de "cabildos negros" que aún subsistían en el país, para menoscabo de nuestra cultura —porque *eso* no era folklore ni era nada, sino bárbaras reminiscencias, si acaso, de viejos ritos africanos... Y cuando Vera declaró (yo no pensaba que hubiese tomado ya una determinación acerca de ello) que tenía el proyecto de abrir una Escuela de Baile (clásico), se encontró con todo un alumnado dispuesto a empezar. Mis primas más jóvenes estaban entusiasmadas con la idea de entregarse a un ejercicio que no acarreaba los engorros de la gimnasia, ni las amenazas de morados en piernas y brazos que implicaba el *basketball* —y en cuanto al tenis, sería muy elegante y bien practicado en Inglaterra, pero era deporte que demasiado hacía sudar en el trópico. En lo que miraba a mis primas casadas, casi todas tenían niñas a quienes la danza comunicaría ligereza, garbo, armonía de gestos. Todo lo que necesitaba Vera era un amplio estudio con piso de madera, un gran espejo y la instalación de unas barras para "hacer barras"... —"Eso déjenlo por mi cuenta" —dijo Teresa, acabando de engullir sus cascos de guayaba con queso blanco... Y la cena terminó alegremente en una justa de chistes, retruécanos, choteos, donde los invitados daban muestras de tal rapidez en la réplica, de tanta viveza de ingenio e inventiva en la burla, de tal destreza en el "peloteo" verbal, que me costaba trabajo seguirlos. Pasada la media noche empezaron las despedidas. Y mi tía, aprovechando de que Vera hubiese ido a arreglarse, se creyó obligada a largarme, *sotto voce*, una de sus lapidarias sentencias de matrona acostumbrada a intervenir perentoriamente en vidas ajenas: "Fina, pero desabrida. Educada y discreta, pero le falta *pep*. No me inquieta mucho este asunto. Estás encoñado con la rusa esa, porque es cosa reciente. Pero el cubano tiene el escroto patriótico. Se le encoge en cuanto se arrima a la carne criolla. Pronto te cansarás. Y entonces te buscaremos algo *de más categoría*".

19

Mi prima Teresa —única un tanto amulatada entre cuatro hermanas que eran de blanquísima tez, fenómeno de "salta atrás" muy frecuente en la burguesía cubana— había cobrado un repentino cariño a Vera. Para ella, mi mujer era la cuña subversiva, el elemento anárquico, el brulote que había introducido yo en el armonioso y meditado mecanismo de alianzas, matrimonios estratégicos, fortunas acrecidas por adición de haberes, suma de propiedades (cuando no, de latifundios) con el cual se iba apretando, reduciendo, compactando, el número de manos puestas sobre las tierras, inmuebles, urbanizaciones, empresas y usinas del país —cuando éstas no eran vendidas con buenos beneficios, directamente o por trasmano, a algún consorcio norteamericano. La extranjera que ahora compartía mi vida, rusa intrusa, rusa en trusa, rusa abstrusa, interesaba tanto más a Teresa por cuanto su presencia molestaba a mi tía, colando una presencia extraña, un factor imprevisto, en un mundo perfectamente organizado según sus designios. Era el cuerpo indeseable, forastero, inútil: la hembra de otra tribu a la que habría de arrojarse del clan apenas hubiese oportunidad de hacerlo. Por lo mismo, Teresa, criptógrafa del menor ceño de la Condesa, conocedora de sus reacciones más ocultas, de sus más arcanas intimidades, se complacía malignamente en contradecir Propósitos Mayores, formando trío con nosotros en esta noche que, en fin de cuentas, había terminado muy bien. Se ofreció a llevarnos al *Hotel Unión* en su largo Buick verde, donde cabían tres personas, holgadamente, en el asiento delantero, y como el camino habría de hacerla pasar frente al *"Floridita"*, se detuvo allí, decretando que una escala era necesaria a nuestra grandísima sed. Acodado en el bar, Ernest Hemingway, de espaldas a la entrada, encorvaba su ancho lomo de leñador, alzando las manazas al calor de una discusión sobre técnicas del jai-alai con un pintoresco amigo suyo, gracioso cura vasco que alternaba las mañas de la chistera con el asperje del hisopo. —"Salúdalo" —me dijo Vera, ansiosa de conocerlo: "Recuérdale la casa de Gertrude Stein. Háblale de Adrienne Monnier. Dile que estuvimos en Benicassim con Evan Shipman". —"Está entretenido en otra cosa" —dije, alegrándome de que el novelista no mirara hacia nosotros. Ningunas ganas tenía de evocar siluetas distantes. El *Café des Deux Magots*, la Rue de l'Odéon, la librería *Shakespeare & Co.* de Sylvia Beach —el mismo Joyce, cruzando la calle con su tiento de ciego, tras de espejuelos negros de un increíble espesor— habían quedado tan atrás que me parecían inscritos en una existencia anterior. Ahora sentía que mi encuentro con Ada, la tragedia nocturnal de su desaparición, mi vida en las Brigadas, me habían madurado enormemente. Poco me interesaban, hoy, los hacedores de literatura. Un corte se había producido en mi propia historia, separando mi *yo* presente del *yo* esteta que hubiese ido a Europa, un día, en busca de verdades —trascendentales verdades— que finalmente se habían desvanecido ante mis ojos como engañosos espejismos... Valéry, Ortega, Breton... ¿qué coño me importaban, si jamás habían respondido satisfactoriamente a las interrogaciones que más me habían angustiado, mostrándose incapaces de prever, siquiera, los conflictos que habrían de trastornar la época, historiándose en mi carne con el indeleble tatuaje de la metralla? La palabra "Libertad", había dicho Breton, *"es la única que aún tiene el poder de exaltarme"*. ¿Y qué libertad, en fin de cuentas, me había traído Breton? ¿La de poder pegar tres plumas de gallo sobre un lienzo revestido de arena? ¿La de poder mostrar un incendio de jirafas en medio del desierto, una taza forrada de piel de conejo, dos relojes blandos, un maniquí de mujer con fauces de león en la pelvis, o un combate de hombres-pájaros, hombres-peces, y hombres-hojas-de-nogal, en los salones de clubes victorianos semejantes a los que, según las ilustraciones de novelas de Julio Verne, frecuentaban Phileas Fogg o Robur el Conquistador?...

Mientras Constante, el maestro barman, preparaba nuestras bebidas, Vera hizo un recuento —acaso excesivamente elogioso para halagar a mi prima— de lo visto, oído, observado, en estas últimas horas. Afirmaba que mi familia —con ostentosa tía y todo— le había parecido encantadora. En cuanto a los "barines" del azúcar y de las finanzas, eran bastante parecidos —según ella— a los comerciantes acaudalados amigos de su padre, que de niña hubiese conocido en Bakú y en San Petersburgo. Eran arquetipos que formaban parte del contexto de la época. Burgueses todos que, un poco menos cultos acá, un poco más cultos allá —cuando la cultura no fuese, en ellos, un mero reflejo de cambiantes esnobismos muy fáciles de manejar— se asemejaban a todos los burgueses del mundo. Sus defectos eran los mismos: excesivo respeto a la riqueza, apego a los bienes adquiridos, vanidad a flor de piel y atávica frivolidad ante todo lo que no fuese cuestiones de dinero. Al fin y al cabo —y proseguía Vera su indulgente apología— los cuadros de Zuloaga y Sorolla no eran peores que las pasteleras gracias de Marie Laurencin, el apenas disfrazado mundanismo de Van Dongen o las señoras con ojos de vaca de Kisling, y la *Rhapsody in blue* era de un músico bastante más original —al menos tenía nervio y carácter— que Georges Auric o Henri Sauguet. Las muchachas que se las daban de leídas creían que *Le grand écart* de Cocteau o el *David Golder* de Irene Nemirovsky eran obras geniales, pero —¡caray!— habría que recordar que la fama mundial de tales novelas nos venía de Europa... Por lo pronto, su escuela de baile sería muy pronto una realidad. —"Mi vida ha sido quebrada tantas veces que no he podido desarrollarme en función de mi arte. No me las voy a dar de *prima ballerina assoluta,* aquí donde se ha visto bailar a Pávlova. Pero sé que en la enseñanza encontraré grandes alegrías. Eso también es hacer obra. Aquí las gentes tienen el sentido del ritmo. Algo podré sacar, para empezar, de las muchachas de tu familia". Se echó a reír: "Ahora me llamarán *Madame,* ya que, ignoro por qué razón, hay que llamar *Madame* a toda maestra de danza, rusa, aunque haya nacido en Rostov, Irkutsk o Bakú". Pero Teresa no se mostraba tan optimista ni tan confiada: "No esperes demasiado de esas niñas ricas, criadas, educadas, formadas, con el único fin de ser 'artículos para caballeros' —lindo ganado reproductor para realce y placer de un 'buen partido', conseguido en las altas esferas de los negocios o de la ferretería —y si tiene 'un título', legítimo o comprado, mejor que mejor". —"Yo tengo fe en las vocaciones" —decía Vera. "Crecí en un ambiente parecido y sin embargo preferí el mundo del arte. Pero fui víctima de una época adversa. De haber nacido antes, hubiera sido discípula de Marius Petipa o del viejo Custine; nacida más tarde, de Balanchine o de Serge Lifar; y entonces, acaso..." —"¿Y tú? ¿Qué vas a hacer ahora?" —me preguntó Teresa. Yo estaba todavía indeciso —como detenido— ante algunos caminos posibles, aunque empezaba a angustiarme ante el tiempo que pasaba y añadía un día, cada mañana, a la crónica, hasta ahora poco fecunda, de mi existir. Por pertenecer a una familia adinerada, disfrutaba de una renta, ciertamente. Me era posible llevar una vida ociosa y contemplativa. Pero necesitaba afirmarme en una actividad que me condujera —cosa que me había faltado hasta ahora— a una real definición de mí mismo. Necesitaba un asidero, un sostén, un bastón de ciego, como lo eran, para Vera, las barras de su danza. —"¿Y tú? ¿Qué vas a hacer ahora?" —volvía a preguntarme Teresa. Y yo, de pronto, con la lúcida decisión que solía hallar en una copa de licor (andaba ya por un tercer daiquirí), le declaré, como si ese propósito hubiese sido largamente madurado, que pensaba terminar mis estudios de arquitectura, interrumpidos desde hacía más de siete años. Las dos mujeres aplaudieron a quien, pidiendo una cuarta copa, parecía festejar el regreso a una vida normal, después de errar por el mundo en desnortada vigilia, como el hombre sin sombra de Chamisso. Un trasfondo de nociones burguesas que, en el fondo, compartían Vera y Teresa, formadas en ambientes donde los destinos eran regidos por parecidas tablas de valores, aprobaba lo que, para mí, significaría *una estabilización*. Y era yo quien, ahora, daba una forma verbal a lo que hubiese sido una repentina ocurrencia: "Yo no podría estar inactivo... Seré un estudiante viejo. Tal vez el más viejo de la Universidad. Pero no tengo otro camino. Con lo poco que me enseñó Le Corbusier, sé más de arquitectura que todo lo que puedan enseñarme aquí. No me asustaría la idea de planear una Ciudad del Futuro, con edificios metidos en esferas climatizadas de seiscientos metros de alto, urbes subterráneas con árboles y jardines, autopistas que pasaran por sobre el lomo de las catedrales: Ciudad Radiante, Ciudad Solar, *Heliópolis* de Campanella... Pero, en cuanto a técnica... Apenas si sabría manejar una regla de cálculo. Nada sé de estructuras ni de resistencias. Mal conozco las posibilidades de los materiales modernos. Mi formación, hasta ahora, ha sido meramente estética. Y, para presentarme ante el mundo como arquitecto, me hace falta un diploma". —"El diploma que te darán en la Universidad de La Habana es una mierda" —dijo Teresa: "Pero mierda necesaria para ejercer la carrera, porque al menos —ya que poco confío en la genialidad de quienes serán tus profesores— te enseñarán a construir edificios que no se vengan al suelo, descojonando a todos sus habitantes"... —"¡Espléndida noche!" —exclamó Vera, mirando hacia el parquecillo que, afuera, sobre una fuente que mucho tenía de bañadera, alzaba un personaje de mármol, a lo Chirico, entre carritos de helados: "Aquí me siento revivir. A catorce días de la roña, del horror, de las griterías, que *allá* quedaron. ¡Todo un Océano por el medio! 'Bye, bye, Mussolini! ¡Bye, bye, Adolfo! ¡Bye, bye, Franco!' " —"Lo jodido es que ciertas ideas vuelan y pasan el mar como el avión de Lindbergh" —dijo Teresa. —"¡No lo quiera Santa Paraskeva!" —dijo Vera. —"¡Están borrachas las dos!" —dije. —"¿Y tú?... ¿Te has visto la cara?"... No sé lo que se me vería en la cara, pero sí puedo recordar que esa cara estaba de ojos puestos en una mulata que, en este minuto, doblaba la esquina del bar con señorial empaque. Aquí las ropas eran livianas; muchas mujeres andaban espléndidamente desnudas bajo sus vestidos que, en vez de apresar sus carnes, de apretarlas, atiesarlas, despersonalizarlas en función de tal o cual estética del momento, las proyectaban hacia afuera, las soltaban, movían, concertaban, ofrecían, en magnífico contrapunto de vivientes texturas. Aquí el hombro era hombro y el muslo era muslo. El seno no era mentida escultura debida al artificio de un sostén, ni la nalga era cohibida por la inquisición de una faja. Lo que era, era. Existía por derecho propio, de cara al sol o de cara a la luna. Y la mulata que tan metafísicas reflexiones me sugería, cruzaba el parquecillo de Alvear, apuntando hacia las penumbras de la calle de O'Reilly, llevándose, a paso de andante maestoso, su sincronizado allegro de la grupa, con el doble scherzo de los pechos que, bajo el impasible y altivo mentón ("lo que tengo, lo tengo porque lo tengo..."), se afirmaban en armoniosas realidades. —"*Eine kleine Nachtmusik*" —dije. "No me cites a Mozart contemplando un Gauguin" —me dijo Vera que había seguido el rumbo de mis ojos. —"Están borrachos los dos" —dijo Teresa, que también estaba borracha... Y aquella noche Vera y yo hicimos el amor de modo prodigioso, excepcional, como nunca —noche de esas en que, haciéndose lo que tantas veces se ha hecho, una especial disposición de ánimo, una coincidencia de pulsiones, un maravilloso entendimiento físico, logran que todo sea extraordinario, único, memorable, tan memorable que, años después, recuerda uno *esa noche,* entre mil noches, entre mil y una noches, como algo que acaso no haya de repetirse, por insuperable en prodigalidad de júbilos. *Magnificat.*

Teresa me había dicho que en una de sus casas (hablaba de "sus casas" como pudiese haber hablado de sus predios el Duque de Osuna...) había un piso bueno para instalar la escuela de baile de Vera. Y en él descansábamos cuando, una tarde, después de que hubiésemos estado trajinando con carpinteros y pintores, cerrajeros y albañiles, vocearon los vendedores de periódicos la noticia de la invasión de Polonia por los rusos. —"¿Oíste? ¿Oíste?" —me dijo Vera. Tan oído era el suceso que me había desplomado en un diván, como herido por la bala que me hubiese tenido cojo en Valencia y en Benicassim. —"¡Pobre Polonia!" —dijo Vera, con la teatralidad fuera de escenario que había yo observado, más de una vez, en ciertos gestos suyos: "Después de Alejandro II, Stalin..." —"¿Cuándo traerán el piano?" —pregunté, para quebrar su impulso, aunque mal tragando una saliva arenosa. —"Mañana". —"¿Un piano de cola?" —"Ni pensarlo. En un estudio de danza, un piano de cola ocupa demasiado lugar —lujo inútil, además, porque, para machacar músicas de ejercicios, sirve cualquier piano vertical. Mientras más barato, mejor..." —"¿Pleyel? ¿Gaveau?"... —"*Remington,* aunque te parezca imposible. Es una vieja pianola lo bastante arreglada para que me sea útil"... Y seguía Vera hablándome del piano, del piano, del piano; de que si era mejor tener un piano vertical adosado a la pared aquella, junto al gran espejo que ya habían colocado en el fondo del salón, porque había unos pianos de media cola, que en francés se llamaban "sapos", pero que eran demasiado buenos para el trabajo requerido; en cuanto a un "gran cola" de concierto, tipo Erard, tipo Steinway, por ejemplo, ni pensarlo, porque, además, eran instrumentos demasiado sensibles, que mucho padecían en un clima como el de Cuba, porque... Eran demasiados pianos los que me desfilaban por delante en un acelerado discurso, largado sin respiros, con el piadoso objeto —era evidente— de apartarme con palabras, palabras, palabras —pianos, pianos, pianos...— de las ideas sombrías que en este momento me torturaban. Eran tantos los pianos invocados por Vera, a falta de otro asunto que le viniese a la mente que sólo le faltaba pintarme —pensaba yo— aquellos pianos de cola que, en *El perro andaluz* de Buñuel, cargaban con el peso de dos burros muertos. Y ya iba yo a hacer algún chiste acerca de esa asociación de ideas, cuando pareció que la calle se llenara de voces. Nos asomamos a la ventana. Había, en efecto, como una pequeña manifestación: gente que se dirigía a algún lugar —no me imaginaba a dónde— cantando, sobre una tonada conocida, unas palabras tintas de chunga criolla, debidas a una muy reciente improvisación:

El Comunismo
es la libertad.
Cógete a Polonia
y dame la mitad.

Diez y siete días antes los nazis habían invadido a Polonia. Yo había tenido la fugaz esperanza de que esto rompiera el Pacto Germano-Soviético. Pero, ahora... —"¡Cierra esa ventana!" —grité a Vera, dejándome caer en el ancho diván-cama —único mueble traído, hasta ahora, al estudio... *El Comunismo — es la libertad*... La pequeña manifestación se alejaba, y pronto volvió la calle a sus acostumbrados ruidos del atardecer, con paso, a tintineo de campanilla, de los carritos del granizado con el arcoíris de sus botellas de sirope. Cerré los ojos en espera del hondo sueño que me sacaba del mundo —reacción de defensa— cada vez que sufría un grave quebranto, padecía una gran congoja o recibía una mala noticia. Vera se recostó silenciosamente a mi lado. —"¿En qué piensas?" —le pregunté, con voz ablandada por una invencible modorra. —"Ahora, seré maestra. Trato de recordar cómo trabajaba Madame Christine, mi profesora, en San Petersburgo..." —"Cierra la ventana". —"Ya está cerrada. Duerme". —"¿Y tú?" —"Nada... Estoy recordando cosas"...

(...Madame Christine ritmaba nuestros movimientos con palmadas, o bien con la voz, contando: 1, 2, 3, y también 1 yyý 2 yyý 3; 1, 2, 3, 4, y también 1 yyý 2 yyý 3 yyý 4...; rectificaba posiciones con un bastón que también le servía para marcar el compás, sobre el acompañamiento de un piano abominablemente desafinado —tocado por una muchacha tan anémica que habían tenido que retirarla de la danza—, rigiendo un concertante coreográfico de señoritas de mi edad —un año más, un año menos...— a lo largo de las barras. Barras, barras, barras, y más barras. Las cinco posiciones fundamentales. Numeración metronómica: 69... "No te me levantes sobre los talones"... "Cuatro veces"... "Ya"... "De espaldas a la barra, ahora"... "Los pies en segunda posición"... "Ocho veces"... "Tú, Vera, te me estás alejando de la barra. Lomo pegado a la barra"... "Ahora: metrónomo 54"... "Atentas... Atentas... Ocho veces"... "Cuatro derecha. Así"... "Cuatro izquierda... Aaaaaaasí..."... (Y pasaban los meses)... "Odilia, lo estás haciendo muy mal. Sacas el rabo. No se baila con las nalgas. Enderézate... 1, 2, 3... 1 yyý 2 yyý 3... Bien. Pero tampoco me adelantes lo otro como si estuvieras en tu noche de bodas... ¿Ahora lloras? ¿Nervios?... Eso no sirve para nada... En cuarta... De espaldas a la barra... ¿Para qué alzan los hombros como si se los fuesen a meter en las orejas?... Olvídense de que tienen omóplatos... En cuarta otra vez... Espaldas a la barra... Ahora, flexión... La frente a las rodillas. Suelten el aliento cuando se doblen, respiren al enderezarse... Pero... ¿qué te pasa, Odilia, que lo haces tan mal?" —"Madame... Es qùe tengo mis reglas". —"Hay tres, aquí, que también las tienen, y no lo están haciendo mal". —"Madame, es que..." —"¿Y si esta noche tuvieses que bailar ante un público, crees que, por eso, devolverían el costo de las localidades?" —"Madame: es que, cuando se está así, el ejercicio fatiga mucho". —"Está bien. Descansa un poco. Pero vete acostumbrando. Acuérdate que no se suspenden funciones por ese motivo..." (Y pasaban los meses...) —"¡Eh! ¿De dónde has sacado esa abominable posición de las manos? ¿Te crees en una escuela francesa, o estás tratando de saber si llueve? ¿No ves que así tienes que doblar el codo, falseando la línea del omóplato? Las manos a la rusa... Aaaaaaasí"... "Oye, tú, la pianista... ¿qué pasa con el re de la melodía, que no suena nunca? —"Madame" —contesta la muchacha macilenta— "a algunas notas se les han reventado las cuerdas; a las teclas bajas, se les ha ido el marfil. Y no hay afinador ni reparador de pianos que vengan a ayudarnos. Están todos en huelga..." —"Hacer huelgas cuando la patria está amenazada es un crimen" —clama Madame Christine: "Desde que no tenemos emperador, Rusia está rodando al abismo. No hay respeto, ni orden, ni fundamento... Bueno, niña, canta las notas que faltan"... "Trabajemos: cuatro tiempos de flexión. Cuatro de enderezamiento"... "Mal"... "Muy mal"... "Hay algunas que están como tontas. Y al diablo con las reglas. También las tenían Juana de Arco, Isabel de Inglaterra y nuestra gran Catalina. Allons enfants de la patrie. Lo importante está en poner la cabeza en lo que se hace. Concentración... Concentración... No dejarlo todo al cuerpo... 1, 2,.3, 4... 1 yyý 2 yyý 3 yyý 4... Bien"... "Aaaaasí"... "Otra vez"... "Aaaaasí"... "Descanso" (Y p a s a b a n l o s m e s e s) Barras, barras, barras. Y descanso... Y caen las hojas del calendario, y algunas empiezan a tener gracia y soltura, sobre todo cuando, devueltas a casa, solas, se dan a remedar algún paso de Giselle, Raymonda o La fille mal gardée, tal como lo vieron en el Gran Teatro Imperial... Pero Madame Christine no quiere saber de tales impaciencias nuestras... "La técnica (la tech-nik, pronuncia ella), antes que nada: hay que trabajar, trabajar, trabajar, y dejar de imitar a las estrellas, que están ustedes muy verdes, todavía, para eso... Descanso... Las que hayan traído caramelos, que los chupen. En estos tiempos de mala alimentación y mercado negro, no les viene mal un poco de azúcar"... Cuando bailábamos "al centro", era al compás de músicas mediocres que Madame Christine había heredado de su formación académica. Algo del Don Quijote de Minkus, o de lo que entonces se llamaba "música de salón": La lisonjera de Chaminade, la Valse Bluette de Drigo, la Chacona de Durand, o la Gavota de Miñón, y —aunque la maestra estimara que se trataba de un trozo difícil— La plegaria de una virgen que tecleaban las muchachas de la época ante los invitados a sus saraos, equivocándose siempre —"¡Perdón!"— en el mismo pasaje. No sé por qué el título de este trozo me extrañaba. ¿Que Virgen era ésa? ¿Virgen porque no la *hubiese poseído nadie? ¿O se trataba de una profesa que soñaba con el Divino Esposo, en la calma penumbrosa de algún claustro? ¿O era una Virgen que intercedía por nosotras todas ante Quien todo podía perdonarnos?... —"Y ahora, oigan: en las piruetas, el movimiento de la cabeza, recuérdenlo bien, es distinto del movimiento del cuerpo... Hay que fijar la vista en un punto imaginario que llamaremos el Punto A, situado a la altura de los ojos. Digamos que ese punto está en mi dedo alzado... El cuerpo gira, pero la cabeza permanece inmóvil... De pronto, durante una fracción de segundo, perderán de vista el punto imaginario, para hallarlo de nuevo. Por lo tanto, el movimiento de la cabeza es más rápido que el movimiento del cuerpo... ¿Estamos?... Vamos a probar"... "Pero, ¿qué es esto? ¿Un batallón de infantería en marcha?" —gritaba, de repente, al observar que, en un ejercicio de conjunto, sonaban demasiado nuestros pasos en el tablado: "¿Ustedes calzan zapatillas de baile o botas de cosacos?"... "Ahora tú, Vera, un* Adagio. *Y recuerda: no corras nunca ante la música. No te adelantes nunca en una corchea. Debes dar la impresión de que puedes hacer muchísimas cosas en el espacio de un compás de 2 por 4. Ahí está toda la ciencia. Cuando llegues a eso, serás una verdadera ballerina...* Arabesque... Pas de bourrée...*" En eso sonaba, cada día, el cañonazo de las doce en la Fortaleza de Pedro y Pablo. —"Como en la* Obertura 1812" *—decía invariablemente Madame Christine...)* Y suena otro cañonazo, aquí, en la otra cara del planeta, disparado de lo alto de la Fortaleza de La Cabaña. —"Las nueve" —dice Enrique, despertándose: "Pon tu reloj en hora".

20

...Y empezaron, para mí, los tiempos de una extraña soledad acompañada —soledad rodeada de gente. Como esos chicos que crecen, de pronto, de manera casi fenomenal, al doblar el cabo de los doce años, pasando de niños a adolescentes en pocos meses y sin poder convivir normalmente ya con los muchachos de menor edad, me veía yo adulto, tremendamente adulto, en medio de una juventud universitaria movida por mil inquietudes, ávida de acción, impulsada hacia aquí, hacia allá, por esperanzas que yo había dejado atrás —o que por lo pronto, en este momento, no sé, habían dejado de apasionarme. Demasiados desengaños me habían agobiado en estos tiempos harto repletos de odiosas victorias, de desastres y claudicaciones. Y contemplando lo vivido hasta aquí, lo veía como episodios, peripecias, tránsitos de un "tiempo anterior" conocido por otro que ya no fuese yo, viendo el Enrique de ayer —el de menos años— como un "viejo Enrique" dejado atrás por el tiempo transcurrido. Y ese "viejo Enrique", que parecía haber visto tantísimas cosas, allá en Europa, era interrogado ahora por sus compañeros de estudios, bisoños, frescos, llenos de arrestos, capaces, para suerte suya, de excesivos entusiasmos, en cada descanso tomado, entre clase y clase, en un patio de la Universidad llamado "de los laureles" —aunque los árboles frondosos, así nombrados, a cuya sombra nos acogíamos, no fuesen, por su muy americana estirpe, de aquellos cuyas hojas pudiesen usarse en la confección de coronas pindáricas. En esos momentos era yo el Ulises, el escaldo, el narrador y el protagonista de odiseas y largos viajes, a quien sus nietos ruegan que cuente sus aventuras. Pero, para probable decepción de mis oyentes, mis relatos eran secos, demasiado escuetos, hechos a retazos, desprovistos de espectaculares hazañas, de apasionantes episodios, de desafíos lanzados a la muerte, como suelen ser los relatos de exploradores, para quienes el nombre de una comarca ignota lo dice todo, o las reticentes y tardías confidencias de los Donjuanes auténticos, siempre remisos a desnudar con palabras a las mujeres cuyos cuerpos mejor conocieron. De la Batalla del Jarama, me quedaba el recuerdo de un bautismo de fuego recibido con inconsciencia de autómata al que echan a andar entre balas y estrépitos y recobra la identidad de su ser pensante al darse cuenta, cuando todo acabó, que durante la prueba no vivió *en sí-para sí,* sino *en sí-para fuera,* y qué portento era verse de cuerpo entero, aún de pie y con hambre, después de que el silencio volvió a hacerse percibir. (¿Cómo explicar a esos jóvenes lo que era un *silencio* verdadero, prolongado, sin abejas de plomo en el aire, ni estampidos de morteros, en el atardecer de un duro día...?) Del siniestro Llano de Morata, donde tantos cayeron, recordaba aquellas dos horas en que, echado de bruces en un trigal, con sabor a tierra en la boca, sentía caer sobre mí las espigas segadas por la metralla, como por obra de una gigantesca guadaña. En Guadalajara conocí por vez primera la horrorosa sensación de hundir una bayoneta, sin orgullo ni gloria, en la carne —más dura de lo que creía— de un enemigo que, sangrante, se agarró de mí, largando sobre mi hombro el acero que acaso me tenía destinado, antes de yacer en la greda con movimientos convulsivos que tal vez fuesen de agonía. Pero, más que por haberme salvado por un pronto reflejo defensivo que me hizo adelantarme, en un segundo, al gesto del adversario, me sentí vencedor cuando, dejándolo ahí, deseé sinceramente que los camilleros llegasen a tiempo para curarlo de una herida que acaso no fuese mortal... Guadalajara es evocada, para mí, por la chusca canción nacida de la derrota italiana: *"Guadalajara no es Abisinia / Los rojos son valientes / Menos camiones / Pero más cojones..."* Brunete era la herida que llevo en la pierna, y que aún duele —como si en ella se me encajara una cuña de madera— cuando hay brusco cambio de tiempo, cosa que a menudo ocurre aquí donde se pasa de sol a lluvia, de excesivo calor a viento norte, según los repentinos antojos del clima... Belchite: aquel amanecer en alba de nieblas, cuya engañosa calma rompieron, de pronto, los morteros de enfrente, con tremebunda adivinación del camino seguido por los de mi compañía... Los olivos retorcidos, fantasmagóricos, de Alfajarín, con los troncos amputados, horadados, malquebrados, por un reciente encarnizamiento de obuses ligeros. Y aquel largo seto del Pulburull, hacia el cual había avanzado yo como los otros, en espera de un breve descanso al amparo de las piedras, para hallar que el lugar había servido de letrinas a un batallón, horas antes, y que la tierra toda en donde queríamos tirarnos a respirar, estaba cubierta de mierda... Y aquellas voces, a lo lejos: *"Bandiera rossa / ¡a Saragossa!"* Pero, donde sentí que la derrota era irremediable, que la guerra estaba perdida, fue cuando vi que André Maty iniciaba el traslado del cuartel general de las Brigadas a Barcelona, en un enorme desbarajuste de camiones cargados hasta lo posible entre las hogueras en que, presurosamente, se incineraban archivos, ficheros, correspondencia y documentos. Aquella noche, de repente, aparecieron botellas de coñac en todas partes, y, lo que era más alarmante para quienes sabían descifrar ciertos signos, se hizo fácil conseguir cigarrillos *Gauloises Bleues, Macedonias* italianas, *Gitanes* y *Bisontes* rubios de otros tiempos, y, para colmo, muchos pudieron echarse cajetillas de *Camel, Lucky-Strike,* y hasta *Pall-Mall,* en las mochilas. Por vez primera, en insólita prodigalidad de una intendencia ahora sobrada de pertrechos que amontonar a toda prisa en los vehículos militares, pude estrenar un casco francés que no estuviese oxidado y me viniese con la necesaria badana, y, por vez primera también, me fue entregado un fusil ametrallador ruso, del modelo Spitalny-Komarintski, que tanto apetecían nuestros combatientes, harto resignados a entendérselas con armas que, para decir la verdad, eran, en muchos casos, desechos de la guerra del 14, caramente vendidos a la República Española por las generosas democracias occidentales... Y luego —mis oyentes no podían verlos como los seguía viendo yo, aún próximos, con sus gestos peculiares, el sonido de sus voces...— hombres, hombres, hombres, unos vivos aún, otros muertos, otros encallados quién sabe dónde, en el nuevo huracán que soplaba sobre Europa: el admirable Oliver Law, el "Tchapaïef negro", de huesos esparcidos bajo un montoncillo de guijarros; Gustav Regler, a quien había yo oído hablar de esperanza y victoria, en el escenario del cine "Salamanca" de Madrid, a donde, durante un bombardeo, lo habían izado en su camilla de herido; Ludwig Renn, siempre de torso desnudo en la canícula de la llanura castellana —creo que lo vi por última vez en Minglanilla, subiendo hacia un frente que se nos iba quebrando— con el hombro izquierdo varias veces marcado, en cicatrices rosadas, por el puntado de un fusil-ametralladora que, de milagro, no le había detenido el corazón; el viejo biólogo Haldane, flemático y sentencioso, que tan gallardamente ostentaba en combates una cazadora de elegante corte, comprada en alguna tienda de Picadilly Circus; los dos jóvenes poetas, Charles Donnelly, caído cerca de mí en el Llano de Morata, y Alec McDade, de ingenio siempre punzante que hasta con la muerte aguzaba su "humour" británico; y —cuando hablábase de él se estrechaba el círculo de mis oyentes— Pablo de la Torriente Brau, de penetrante mirada, rápidos gestos, palabra incisiva y verbo convincente cuando de su boca brotaba la voz del comisario político, y muy criollo, amigo de la guasa, dotado de una risa abierta y contagiosa, cuando evocaba sus días de estudiante habanero, las duchas del estadio, donde los gimnastas corrían en cueros, largando improperios —o su prisión en la Isla de Pinos, o sus meses de penuria en New York, donde, en las calles del barrio italiano, había paseado, más de una vez, tocado de un gorro blanco y llevando delantal, un carrito de heladero ambulante. —"¿Y cómo era? ¿Y cómo era?" —insistían mis oyentes. Pero poco más tenía que decirles, pues habíamos pertenecido a distintas unidades. Quien hubiese podido hablar mucho de él era Gaspar Blanco, presente en aquel trágico día de Majadahonda donde un último discurso suyo se hubiese roto en puntos suspensivos de metralla... Pero... ¿dónde estaba el magnífico trompeta cubano en estos días de diezmos y dispersiones? ¿Dónde, los temerarios combatientes de la *Centuria Antonio Guiteras*, ahora dispersos, borrados de mi mundo, cuando no yacentes, para siempre, en tierra española?... De quien nada sabía, tampoco, era de Miguel Hernández, acaso caído en la retirada final, acaso encarcelado por los franquistas, acaso fusilado —Miguel Hernández, el poeta-pastor de Orihuela a quien hacía yo observar que el nombre de su ciudad natal era el único que, tal vez, en toda una geografía, reuniese las cinco vocales: *a.e.i.o.u* = *o.i.u.e.a.* Lo veo, lo veo aún, cuando lo miro con los ojos del recuerdo: cráneo rapado, cara renegrida por los soles de la guerra, andar campesino de poco levantar los pies, voz grave y lenta que hablaba de los toros de España —los de Guisando, los de Goya, el de *Guernica*:

Alza, toro de España: levántate, despierta.
Despiértate del todo, toro de negra espuma,
que respiras la luz y rezumas la sombra,
y concentras los mares bajo tu piel cerrada,

voz grave y lenta, de hombre de la tierra, guardero de ovejas en la niñez, pero que se tornaba sordamente colérica cuando evocaba al Derribado, al Asesinado, cuya muerte había sido y seguía siendo el imborrable pecado original del régimen franquista:

Ahí está Federico: sentémonos al pie
de su herida, debajo del chorro asesinado,
que quiero contener como si fuera mío
y salta y no se acalla entre las fuentes.

A mediados de aquel año, Vera derramó algunas lágrimas al saber que los nazis habían entrado en París. Aunque sintiéndose a salvo, aquí, de lo que llamaba "el horror de Europa", y resuelta a no dejarse conmover por nada de lo que *allá* pudiese ocurrir, París era, a pesar de todo, la ciudad donde su padre la había llevado, adolescente, en su desaforada huida ante los acontecimientos que habían seguido la caída del Gobierno Imperial; en París había podido reanudar sus estudios de la danza, y en el *Théâtre Sarah Bernhard*, formando parte de la compañía de Sergio de Diaghilev, había tenido actuaciones de algún lucimiento en *Las bodas* de Stravinsky, *El baile* de Rieti y *El hijo pródigo* de Prokofieff... Pero ahora aparecen siluetas nuevas en el patio de la Universidad. Bajo la doble columnata que la cierra hacia la pendiente que desciende al estadio, renacen y se animan los personajes de *Los siete contra Tebas* —lento cortejo de doncellas implorantes, coros y libaciones, trenos y ditirambos. Ahí nace un Teatro que, sin pasar por una tímida preparación a base de pasos de comedia o de entremeses cervantinos, ha preferido apuntar a lo alto desde el comienzo, montando intrépidamente a sus actores en los coturnos de Etéocles, el Heraldo y el Mensajero, envolviendo a sus criollas actrices en los velos de Antígona y de Ismena. Y así, nuestros grupos de habladores en sombra de árboles se han visto noblemente desalojados, durante los ensayos, por una helénica humanidad que, con casco y cimera, clámides y túnicas, declama los más nobles textos clásicos —y lo hace, cosa singular tenida cuenta de su inexperiencia, con asombrosa autoridad. Son todavía ingenuos ciertos gestos, ciertas mímicas, prestamente atajados por un joven director, pero las voces suenan, y suenan fuerte, llenando fuertemente el ámbito dramático: Una Antígona, surgida del barrio de Jesús María, se eleva, por momentos, a las cimas de una justa expresión, hallada aquí de primer intento, mientras, en otras partes, esto sólo suele alcanzarse tras de pasar años en un conservatorio. (La intuición es virtud singularmente desarrollada en el criollo, hombre que tuvo que hacerlo todo a base de intuición, desde los albores de su historia...). Y empieza a armarse la maquinaria trágica sobre músicas de Darius Milhaud y de Honegger, producida por altoparlantes, de modo tan eficiente que Vera —escéptica en un principio— asiste ya a toda la labor preparatoria con creciente interés. Las muchachas, sobre todo, están empezando a "decir" muy bien, habiéndose creado una elocución que, sin desentonar por un dejo harto local, se ha situado en el terreno neutro de un habla clara, sin afectación, ajena —y era acierto notable haberlo logrado— a las enfáticas articulaciones del teatro español tradicional. Había soltura sin pachorra; subidas de intensidad sin engolamiento ni latiguillos. Y era maravilla ver a los personajes de Esquilo entre columnas clásicas con fondo de palmeras, bajo un lento vuelo de auras tiñosas acaso atraídas por los cadáveres de la tragedia, rodeados de carpinteros negros que acababan de armar, a sierra y martillo, los elementos complementarios del decorado, mientras sonaban desgarrados lamentos en torno al cuerpo de Polinice insepulto. Y el texto griego, diez veces escuchado por mí en estos días, se me hacía sorprendentemente actual cuando lo relacionaba con ciertos acontecimientos del momento. Pensaba en las divisiones Panzer entrando en Francia, cuando oía yo declamar al coro: "*¡Oh cuánto terror sentí al escuchar el estruendo, el horrísono fragor de los carros, cuando chirriaban los ejes de sus ruedas!*" Y me apretaba Vera la mano, cuando: "*Las llanuras de mi país están llenas del ruido de los escua-*

drones que se aproximan, retumban y ensordecen, como torrente invencible que azote el flanco de los montes. Y todo es grita y confusión..."... Tal fue el éxito de *Los siete contra Tebas* que el director, pasando a un ejercicio todavía más difícil, empezó a ensayar la *Ifigenia* de Goethe. Y ahora me miraba mi mujer al compás de la voz que clamaba: "*Ante ti está la fugitiva que en esta ribera no pide más de lo que le has dado: amparo y sosiego*" —"*¿Puede hacerse patria nuestra una tierra extraña?*" —preguntaba la hija de Agamemnón. Y respondía Arkas (yo): "*¿No será más bien tu patria, la que se te ha vuelto una tierra extraña?*" Y decía Ifigenia: "*Pero respirar libremente no es todo en la vida... Una vida inútil es como estar muriendo antes de la hora*"... —"Útil la haremos, trabajando" —respondía yo, admirado con la labor de aquellos jóvenes, ayer tan frívolos, tan guaracheros, tan dados a bailar al son de las abominables *sinfonolas* con luces de colores que habían invadido el país, o a catar rones blancos o añejos cuando de juergas se trataba, y que ahora pasaban de la Hélade a la espelunca de Segismundo, con *La vida es sueño,* antes de atreverse, en muy buena hora —decididamente el teatro de Molière funcionaba bajo todas las latitudes— con un *Tartufo* especialmente aplaudido en la antológica escena de Orgón oculto debajo de la mesa, y donde, no sé por qué, unos versos se me hacían cruelmente alusivos a los fascistas franceses que habían confiado sus pobres esperanzas de "salvar la cultura de Occidente" a los muy deslucidos galones del seńecto y entreguista Pétain: "*Vivimos bajo un Príncipe enemigo del fraude / que con su gran alma de discernimiento provista / sobre cada cosa pone la rectitud de su mirar*" —versos que, por cierto, habían sido momentáneamente eliminados de la obra por la Revolución Francesa... Estimulada por el éxito del Teatro Universitario que había logrado el milagro de transformar un alegre y despreocupado grupo de muchachos en héroes de Esquilo, Goethe y Calderón, mi mujer, que ya estaba advirtiendo el talento de varias alumnas suyas, tan intuitivas en la danza como lo eran las de aquí en lo dramático, acometió la inteligente empresa de montar un ballet sobre la música del *Carnaval* de Schumann, cuyos episodios breves, distintos unos de otros, resultaban magníficos para el lucimiento de bailarinas novicias, aunque dotadas de talento natural, pero incapaces aún, sin embargo, de entregarse a un *Adagio* o un *Pas de Deux* que exigiese un gran dominio de la técnica. Así, mientras Antígona, Toas, rey de Táuride, con Orestes y Pílades, Segismundo, Basilio y Clotaldo, Elmira, Dorina y el Hipócrita, se instalaban en la Loma de la Universidad, en la Calle Tercera del Vedado empezaron a moverse, a todo lo largo del día, los personajes de Eusebius, Florestán, Chiarina, Estrella, Arlequín, Pantalón y Colombina, en ritmos lentos o vivos, valses nobles y valses alemanes, en espera de reunirse, en conjunto final, al alegre compás de la *Marcha de los Davidsbündler... "1, 2, 3... 1 y 2 y 3, 1 yyý 2 yyý 3... A tempo... No te me atrases... No subas los hombros... No pongas esa cara de entierro... Y tú: bota esa asquerosidad de chicle... Invento yanki tenía que ser... No se baila mascando chuingón... Pareces una vaca rumiando... Escupe eso por la ventana... Ven al centro, ahora... Otra vez el* Valse noble... *En posición... Ya..."*

Pero, muy pronto, fui expulsado de ese lindo *Carnaval* por los libros. Ya no cabían, cubriendo las paredes, encaramándose a los últimos entrepaños de la biblioteca, en la pequeña habitación que ocupábamos junto al estudio de trabajo. Además, algunas alumnas sólo podían venir a la hora del crepúsculo, cuando yo volvía de la Universidad, y tenía que entrar por la puerta de servicio para no parecer un mirón de la casi desnudez de las muchachas —mis sobrinitas y varias amigas suyas— que, terminados los ejercicios de la tarde (trabajando, para decir la verdad, con un entusiasmo y una constancia que no me hubiese esperado de gente prematuramente mezclada a esa estupidez que sus madres llamaban "vida de sociedad") se despojaban de los *collants* sudados, de las espesas medias de lana, del "tutú" apretado a la cintura para una prueba, con un sencillo impudor de atletas en vestuario de estadio, que les hacía mostrar, en carreras hacia las duchas (cuatro había hecho instalar Vera, reduciendo con ello nuestro espacio vital), los pechos recién hinchados por la pubertad, o los ya altos y firmemente modelados, en aquellas que, bajo una toalla, ocultaban un adolescente pubis. Era tonto que, cada tarde, después de pasar por la cocina, tuviese que encerrarme en un angosto cuarto en espera de que se marchara la última alumna. Así, para mayor comodidad en la concertación de nuestros trabajos, conseguí el tipo de vivienda que, desde la adolescencia, había soñado con tener en La Habana: varias estancias puestas en rengle sobre una azotea de la ciudad vieja, cerca de la antigua Plaza de la Capitanía General, que pronto quedaron transformadas en un muy grato pent-house abierto sobre la entrada del puerto, con vista al Morro y a la Fortaleza de La Cabaña. En rastros y casas de empeño de la Calle Ángeles, hallé un armario de monumental hechura colonial, con anchos espejos y ménsulas barrocas —como destinado a guardar crinolinas—, butacas de caoba obrada, lámparas y arañas de cristalería polícroma, y hasta sillones mecedores de obsoleto diseño, con asiento de rejilla y espaldares pirograbados —muebles todos, dotados de auténtico estilo, que sus dueños habían trocado, acaso, por horrorosos trastos "funcionales" de factura norteamericana o "juegos de comedor" cuyo fallido empaque renacentista era calificado ya, por la sagacidad crítica del hombre de la calle, de "Remordimiento Español"... La Escuela seguiría abierta en el Vedado —taller de trabajo— y en lo alto de un viejo palacio viviríamos, con espacio para mis dos mesas de dibujo, muchas paredes donde colocar libros, y la terraza, para reunir a nuestros amigos, o, sencillamente, esperar la famosa brisa de Cojímar que se hacía sentir después del cañonazo de las 9, o asistir a la aparatosa llegada de los grandes buques de turismo, suntuosamente iluminados, con orquesta en la proa, que surgían de la noche, enguirnaldados de bombillos multicolores, alzando sus mástiles como gigantescos árboles de Navidad, cubiertos de adornos y de luces, coronados de banderas y gallardetes que tremolaban en una rotación de reflectores. —"La gente que viaja en esos barcos debe preocuparse muy poco por la guerra" —decía Vera. —"Lo más probable" —decía yo— "es que se aprovechan de ella. Lo que es motivo de horror para unos, suele ser un buen negocio para otros". (En eso supimos que, dándose un repentino vuelco a una situación que mucho me había atribulado, Rusia y Alemania habían entrado en guerra. Un mes después, era la toma de Smolensk por los nazis. Y luego, la caída de Kiev —"habrán destruido los palacios, las iglesias, de Jaroslav el Grande" —gemía Vera—. Y, en agosto, empezaba el asedio de Leningrado...) —"Entre *esto* y *aquello* hay todo un Océano" —decía Vera, al ver que los acontecimientos me preocupaban cada vez más: "Lo mejor que puede hacerse de este lado del mar es dejar que la vieja Europa acabe por destruirse a sí misma, con sus conflictos y podredumbres. Hay que quedar fuera de sus tragedias que, para tragedias, prefiero las de Esquilo y Goethe que se representan en la Universidad". (Ahora, en el patio de aquellas tragedias se estaba ensayando la de Hécuba llorando sobre las ruinas de Troya...) En eso estalló en La Habana, con fragor de cataclismo, la noticia del bombardeo de Pearl-Harbor por unos aviones japoneses.

IV

...yacente en el camino,
mientras otros en el suelo germinan.

Job, 8, 19

21

Siempre tuve una especial predilección por la vieja Calzada de la Reina, cuyo ancho camino en ascenso conducía de la empenachada estatua de la India Habana, puesta sobre una blanca fuente de cuatro delfines, a un Rey Carlos Tercero, de nariz roída por un herpes musgoso, cuyos armiños de mármol señoreaban un ámbito situado entre el Globo Terráqueo de la Gran Logia y la altísima flecha neogótica de la iglesia del Sagrado Corazón. Y, con renovado gusto andaba yo aquella mañana entre la Cacica Taína de hermosos pechos y el Monarca que hubiese posado para Goya, trayendo conmigo a Florestán, Eusebius y Chiarina —pues había ido a un cercano almacén de música para comprar dos ejemplares del *Carnaval* de Schumann que necesitaba Vera para su trabajo— cuando me topé casi brutalmente con un hombre ("¡perdone usted!"...) que, al conocerme, me encerró en un estrecho abrazo acompañado de vigorosas palmadas en el lomo. Desprendiéndome de tanta efusión, dudando todavía de que él fuese él, le contemplé la cara con regocijado asombro: —"Sí. Ya me lo imagino. Te figurabas que me habían puesto el smoking de madera. Pues, no, no, no, mi hermano. Aquí me tienes, vivito y coleando. Con trompeta y todo". Yo creía, en verdad, que Gaspar había muerto —o había desaparecido— en la gran debacle de la guerra que hubiese sido *nuestra guerra.* Pero ahora, en el primer café que nos salió al paso, me contaba el músico sus amargas aventuras del *después* —evocadas con el buen humor y la facundia que le hubiesen permitido arrostrar con entereza las pruebas más arduas y humillantes. Sí. Había salido de España con los últimos soldados de la República ya que, a pesar de la disolución de las Brigadas Internacionales, haciéndose pasar por andaluz (lo que mejor correspondía a su acento y a su tez) y con la aquiescencia de jefes que casi lo veían como a un compatriota, había combatido hasta el último instante, oyendo al fin, con un resabio de ira, el agónico, absurdo discurso lanzado aún, desde Figueras, por los dirigentes del Gobierno, discurso en el cual se afirmaba que no todo estaba perdido y que aún podía soñarse con una victoria posible —¡dígame usted!—, porque se habían visto casos de que una Reconquista partiese de un reino mínimo, de un apartado baluarte, de un villorrio —¡dígame usted!—... Pasada la frontera, entraron en escena unos senegaleses que, culata en alto, a la voz de *"reculez, reculez, reculez"*, cada vez que un fugitivo se apartaba en algo del camino, condujeron el rebaño de harapientos, heridos y maltrechos, al abominable campo de concentración de Argelès-sur-Mer. Allí hubo que dormir en fosas cavadas en la arena. Comida: una lata de sardinas, al día, para cuatro prisioneros. Triple alambrada de púas. Y, como no había letrinas ni lugar dónde habilitarlas, los hombres tenían que desahogarse a lo largo de la playa, confiando en el reflujo de las olas para clarear las aguas. Pero como ocurría todo lo contrario, viviase —contaba Gaspar— ante un mar de excrementos, cada vez más ancho, espeso y hediondo. Y a poco empezó la multiplicación de las sarnas, pulgas y liendres. Y vinieron la disentería, los vómitos, las fiebres. Y, a pesar de todo, en aquellos horribles días, había encontrado Gaspar el ánimo necesario para componer un *son* que ahora cantaba, acompañándose de la percusión de un lápiz en una azucarera: *"Allez, reculez, reculez, reculez / de la frontière a Argelès"*, marcando por tres veces el estribillo de *"Liberté, Égalité, Fraternité"* con el muy criollo gesto consistente en alzar el dedo medio de la mano derecha, doblando el índice y el anular. —"Bueno: para no cansarte"... Había tenido la suerte de caer en un lote de latinoamericanos que, por gestiones de una Sra. Nancy Cunard (yo la había conocido en París, donde mucho frecuentaba los medios surrealistas), pudo embarcar en Marsella con destino a La Martinica, en un buque repleto de refugiados: el *Capitaine-Paul-Lemerle* —"donde, por cierto, viajaba el poeta ese, bretón o normando, no sé, que vivía en los altos de *"La Cabaña Cubana"*. —"André Breton" —dije—. "Ése; ése mismo". Después de llegar a Fort-de-France, todo había sido fácil. Viaje a Venezuela, a bordo de una goleta cuyo patrón era *camarada* (¡decididamente, tenían *ellos* un magnífico sentido de la solidaridad!). En Caracas se puso en contacto con otros camaradas —"¡y aquí estoy!". Había vuelto a su oficio y formaba parte de la orquesta del cabaret *Montmar-*

tre... Y era Gaspar, ahora, quien escuchaba mi historia. —"¿Así que estás enredado con la rusa esa? Ya, en Benicassim, me daba el corazón de que, tarde o temprano, tú y ella"... (Aquí, silbido leve, con gesto de juntar los índices de las dos manos.) Pero yo le hablaba ahora de mis decepciones, de mis angustias, de mis torturas morales ante el panorama político del mundo. Y el músico, en respuesta, me miraba con cara de asombrada incomprensión: "No te entiendo" —decía: "no te entiendo". Porque para él, todo estaba sumamente claro: los hechos se reducían a razonamientos muy simples y jamás había conocido la duda ni el desengaño. El pacto germano-soviético había sido una jugada magistral de la URSS para aplazar —era imperativo vital— una guerra inevitable con Alemania y ganar tiempo para trasladar y poner en resguardo las fábricas de armamentos y preparar la defensa del país. —"¿Y lo de Polonia?" Más valía que media Polonia hubiese sido soviética a que *Polonia toda* fuese nazi... (Ahora nos mirábamos por encima de la mesa de imitación-mármol donde nos habían servido nuestras tazas de café, sintiéndonos unidos por la viril hermandad que entre hombres crea una prolongada confrontación con la muerte, presente en zumbidos de balas oídos solamente por los que entre ellos pasaron, y, sin embargo, no éramos enteramente los mismos que hubiesen compartido los terribles riesgos de una guerra. Caídos los uniformes, volvía el Traje a imponer sus jerarquías, y muy de burgués habrían de parecer mis algo tiesas solapas, mi camisa de buena hechura, a quien lucía una guayabera de popular empaque, con el cuello cerrado por un lazo de colorines...). —"Tú complicas demasiado las cosas" —decía él: "Pero, es natural. Yo soy hijo de machetero. Tú eres gente *de altura*. Yo me crié con pan mojado en guarapo, mientras que tú tenías una manejadora inglesa que te llevaba la *Ovomaltina* a la cama, con *cornflaques* y mantequilla de maní, de esa que tanto gustaba al americano Shipman". Y ahora, renunciando por un momento a sus chistes y dicharachos, miraba hacia la calle, por sobre mi hombro, como hablando a otro que detrás de mí estuviera: Los que venían a la lucha revolucionaria por impulso lírico, por embullo del momento, sin entender que se asociaban a una acción difícil, prolongada, tenaz, que no siempre se ajustaría a trayectorias previsibles; los que, porque "les dolía la época" o porque hubiesen padecido una injusticia en carne propia, creían conseguirse un pronto alivio —entre hostia y pastilla de aspirina— con un Carnet del Partido, eran quienes siempre resultaban decepcionados, perdían el sueño por pendejadas, cuando se hallaban ante algo que *no entendían* —y *no entendían* porque las cosas no ocurrían como ellos lo hubiesen deseado o esperado. Pero como los adversarios, al fin y al cabo, siempre eran los mismos, volvían las fuerzas en pugna a ocupar sus posiciones, y el tiempo acababa siempre dando la razón a los que se hubiesen mostrado fieles a ciertos principios. Los que, por desconfiar, habían creído que los comunistas, pocos meses antes, hubiesen aflojado la mano, bajando la guardia, podían ver cómo ahora luchaba ya la Unión Soviética contra el régimen hitleriano. —"Sí. Pero el Pacto que les costó a ustedes la defección de millares de militantes, no sirvió para nada, en fin de cuentas, porque los nazis están ya en Leningrado". —"Todavía no han tomado la ciudad". —"No me vengas con un segundo *¡No pasarán!*, que con uno tengo". —"La perdimos en España porque las retaguardias estaban podridas por disensiones, anarquismos y puñeterías. En la URSS la cosa será muy distinta". —"Celebro tu optimismo... En cuanto a mí, la experiencia de España, el triste fin de la epopeya de las Brigadas, me han marcado demasiado". —"A ti, tal vez. Pero los verdaderos revolucionarios aguantaron el batacazo y siguieron luchando". —"¿Y tú crees que aquí, donde hasta los palillos de dientes vienen de los Estados Unidos, hay una lucha posible?" —"En dondequiera se debe luchar y donde menos se piensa salta la liebre. Lo que sé es que nuestros —digo: *mis*...— enemigos de clase son millones y millones, pero, en realidad: uno solo. Porque siempre es el mismo. Alemán, italiano, franquista *allá*, yanqui aquí: estacas del mismo palo. Fascismo, colonialismo, *tercera solución*, monopolios, capitalismo, latifundistas, burgueses: el mismo perro con distintos collares. Y perro con rabia, como se ha visto en España, a la hora de las represalias. Todo está en saber si estás con el perro o quieres acabar con el perro. Lo demás, es agua de jeringa". Yo envidiaba, en este momento, la sólida fe de Gaspar en quien la gran desilusión recibida por otros en la guerra (desilusión que se advertía, incluso, en muchos republicanos españoles recién llegados a Cuba y a México) no había hecho mella. Perdida una partida, emprendía otra —acaso sin confiar mucho en una victoria próxima, pensaba yo, sino por hábito de lucha, apetencia de *agon*, anhelo de una militancia. Sentí, de pronto, que su solidez me era necesaria, en lo humano, para librarme de lacerantes cavilaciones. No compartía, desde luego, su visión harto simplificadora de los hechos. Pero su fortaleza de ánimo frente a los desastres lo acrecía en mi estimación. Y era yo ahora quien me agarraba de sus recuerdos de la guerra, para ver revivir el hombre que hubiese sido yo en la contienda —cuando me sintiera movido por una fe tan sólida como la suya. Y le citaba los nombres de acciones en que ambos habíamos participado, para recibir la recompensa de oírle decir: "Aquel día te portaste como el primero". Necesitado de su amistad, quise asegurarme de ella largando una frase ambigua que acaso mal ocultara una vergonzante imploración: "Ahora debes creer que me he vuelto un cochino burgués". —"Bueno. Digamos que eres un rico con vergüenza, cojones y alguna preocupación social. Por eso, tarde o temprano, si no te malea tu gente, estarás con *nosotros*. Ya irás 'cayendo poquito a poco' como cantaba un mexicano de Benicassim. ¿Te acuerdas?..."

Tanto recordaba y tanto me agradaba recordar ciertas cosas, ahora, con alguien que las hubiese vivido (y ante quien no tuviese yo que actuar de narrador de viajes y aventuras...), que, desde ese día, la compañía de Gaspar se me hizo la más grata de cuantas pudiese apetecer. Venía a menudo a nuestra casa, de tarde, a esperar la hora en que iniciaba su trabajo en el *Montmartre*, y los lunes —su día de descanso— cenaba con nosotros. Y como traía su trompeta guardada en un estuche forrado de terciopelo encarnado, pudo maravillarse Vera, muchas veces, ante la sonoridad, la segurísima afinación, el *legato*, el fraseo, las proezas en el registro agudo que, "para calentarse los labios" antes de ir al cabaret, nos ofrecía en la terraza, sacando gente a los balcones: —"¡Que gocen mucho en su fiesta!" —nos gritaban, riendo, algunos vecinos asomados y entrometidos, muy acordes con aquel viejo barrio de La Habana que yo prefería a todos los demás, porque tenía carácter, estilo y "duende" —como hubiese dicho García Lorca, que bajo las arcadas de la Plaza Vieja había paseado... Después de la partida de Gaspar, cuando mi mujer no volvía demasiado cansada de su escuela de baile, íbamos a sentarnos en los bancos de piedra de la antigua Alameda de Paula, con su operática decoración de mástiles, cordajes y obenques —y pensaba ella acaso en el segundo acto de *La Gioconda* o en la nave nocturnal de *Tristán,* en tanto que yo evocaba el *Bounty,* la *María Celeste* y hasta los miedos de Benito Cereno, descansando, en calma de chapoteos y quietas remadas, de la agitación hallada, cada día, al enfrentarnos con nuestras ocupaciones cotidianas, más arriba de un Paseo del Prado que, al pasarnos de la ciudad vieja a la ciudad nueva, nos imponía otro ritmo... Y regresábamos a casa en el silencio de largas calles desiertas, donde los focos del alumbrado teñían de azul plomo un asfalto que devolvía en bochorno su carga de sol, o, mecidos por la brisa, hacían rebrillar con cambiantes destellos las grandes esferas de cristal, llenas de agua de permanganato y azul de metileno, de una añosa farmacia que en su vitrina exhibía el repelente trofeo de una tenia con cabeza de dragón, enroscada en un pomo tubular... Aquí, donde se ignoraban los avisos lumínicos, la noche se hacía más noche, en torno a la mole de piedra de la Catedral en silencio, y del Palacio de la Nunciatura con su patio de arecas dormidas.

A veces, Gaspar y Vera hablaban de música. Ella creía en el valor ecuménico del folklore sonoro como factor de entendimiento entre los pueblos: si en el siglo XIX las melodías rusas habían invadido a Europa; si más tarde, los ritmos húngaros y zíngaros, gracias a Liszt y Brahms...; si hacia el 1900, las orquestas gitanas...; si diez años después, el tango argentino...; si más recientemente, la boga universal del jazz, y, ahora, de la música cubana, etc. etc. esto demostraba que... —"Que las melodías rusas entraban por los conciertos sinfónicos; que los ritmos húngaros habían sido usados por grandes compositores; que los gitanos eran maravillosos violinistas, los porteños unos magníficos bandoneonistas, y los saxos y trompetas norteamericanos unos ejecutantes extraordinarios" —afirmaba Gaspar, perentorio. La música popular, tal y como se cantaba y tocaba en el lugar de origen, no interesaba a nadie, fuera del ambiente propio. ("No hay quien se sople una hora de quenas andinas, a no ser que surja un Louis Armstrong de la quena —y en ese caso, la quena ya no es *fo-lore*"). La música cubana se difundía en todas partes, gracias a la calidad de sus intérpretes *profesionales.* —"¿Y la danza?" —"Lo mismo. La danza *fo-lórica,* vista en su ambiente, es magnífica. Pero la llevas a un escenario, y te resulta larga, repetida, monótona. Para encaramarla en un teatro, hay que repintarla, encuadrarla, ponerla en condiciones de que le echen los focos encima. Entonces, deja de ser *fo-lore.* Se hace un arte interpretado a nivel de arte. Y sus mismos bailadores, si es que los fuiste a buscar a casa del carajo, donde nacieron y se criaron, se te vuelven profesionales, y entonces todo es distinto... No se puede bailar en un teatro como se baila *allá*". Y señalaba hacia la otra orilla del puerto, refiriéndose, con tono algo misterioso, a ciertas ceremonias de religiones sincréticas, ceremonias musicales y danzarias que se celebraban, de tiempo en tiempo, en los pueblos de Regla y de Guanabacoa en los días de San Lázaro, de Santa Bárbara, y de la Virgen de la Caridad del Cobre, muy especialmente. También existían los *abakuás,* con sus fabulosos "diablitos" de prosapia yoruba, cuyos trajes extraordinarios había visto Vera en grabados de dos artistas del siglo pasado —Miahle y Landaluce— que yo le hubiese enseñado. Ella hubiera querido asistir a algunas de esas ceremonias para iniciar un estudio de nuestro folklore coreográfico. —"No sacarás nada con ir a una de ellas" —opinaba Gaspar: "Tanta gente se apretuja en eso que apenas si verías a los bailadores. Es un empuja-empuja de todos los demonios. Además, la presencia de una blanca, como tú, de tipo medio polaco...". —"Gracias"... —"quiero decir —¡vamos!— que no es de aquí, los pasmaría. Hay un solo lugar donde podrías ver algo..." Y a ese lugar llegamos, una noche, después de cruzar la bahía en la lancha *"Nicolás Lenin"*, y de tomar un autobús en Regla, frente a una taberna mexicana pintada con colores de sarape, oliente a tequila y guacamole, cuya rocola patriotera y jingoísta alzaba voces de mariachis en jipíos de corridos a la gloria de Jalisco o de Pénjamo... El lugar era la casa de un músico negro, cantante y pianista —lo llamaban "Bola de Nieve"— ahora en gira por América del Sur, y que, en su ausencia, dejaba sus puertas abiertas a quienes en su patio querían armar holgorios de tipo familiar, bajo la nada engorrosa vigilancia de una madre anciana, ahora atareada frente a sus anchos fogones, en una preparación de olletas de "rabo encendido", que la tenía andando a lo largo y ancho de la cocina, a paso de baile, añadiendo percusiones de cucharón sobre cazuelas y sartenes a la concertante batería que afuera se estaba organizando. Porque, aunque todo hubiese empezado como cualquier fiesta un poco aldeana, con las mujeres modosamente sentadas en círculo en torno al espacio de danza, ya los tambores empezaban a tronar, golpeados por hombres de una rara corpulencia que, durante el día, trabajaban en la estiba de barcos. Y pronto se estableció un contrapunto de golpes secos, espaciados o repetidos, redoblados, sincopados, tremolantes, simétricos en intensidad, asimétricos en ritmo, y sin embargo integrados en una unidad, que se adicionaban como las voces de una fuga, en un *todo* coherente y estructurado por un instintivo sentido del equilibrio. Poco a poco se formaron parejas, saliendo al ruedo, pero para gran asombro de Vera, esas parejas no se abrazaban, ni trataban los hombres de restregarse a las mujeres —con alguna añadidura de *cheek-to-cheek* como ocurría en los dancings europeos. Aquí —y esto la maravillaba— las gentes —*bailaban por bailar,* por el placer de bailar, por el júbilo de bailar, con una tal ausencia de malicia que los mismos movimientos de hombros, de caderas, las ondulaciones de los cuerpos, las intencionadas persecuciones a la hembra que a tiempo, con ágil escamoteo de sí misma, esquivaba en pícara voltereta un excesivo acercamiento del varón a las cadencias de su grupa, conservaban la honestidad de ciertos ritos antiguos, donde los simulacros eróticos de la fecundación obedecían a las leyes de una armonía corpórea que era, a su vez, acción significante de una cierta sacralidad primordial. Hubo un descanso, en que de la cocina salieron, olorosas y realzadas por un ají del infierno, las olletas del "rabo encendido", y, después de un conciliábulo de Gaspar con los tamboreros, Vera fue sentada en un taburete de honor, frente a las mujeres agrupadas en el fondo del patio. —"Párate" —advirtió Gaspar. "Se va a hacer lo que no se hace para nadie: te van a sacar un diablito abakuá, aunque no con el traje —el *saco*—, porque eso es para otra clase de fiesta". Sonaron los tambores otra vez —aunque con ritmos enteramente distintos a los anteriores— y, de repente, como llevado por un prodigioso impulso giratorio, rotando sobre el pie izquierdo, mientras el derecho, a ras del suelo, trazaba vertiginosos molinetes, un danzante cruzó el patio a pasmosa velocidad, irguiéndose repentinamente ante Vera, vertical e inmóvil como estatua, de piernas juntas, de manos agarradas a sus propias muñecas. Y, luego, fueron fingidas agresiones a los presentes, carreras amenazadoras contra éste o aquél, para pararse en seco ante quien no había retrocedido un paso, haciendo gestos de golpearle la cabeza con un bastón imaginario, hasta que, volviendo a su posición inicial, regresó el bailador al cuarto de donde había salido, desapareciendo —como sorbido por el torbellino de su propia sombra. Vera, estupefacta por la fuerza de lo visto, empezó a aplaudir. —"Deja eso" —dijo Gaspar: "Que esto no es un *show*. Ahora viene lo mejor: lo que se ve ya muy poco: un baile *arará*"... Cuatro hombres se situaron en los puntos cardinales del ámbito. Y, de súbito, empezaron a saltar, a saltar sin prisa, uno tras del otro, sin prisa, como sin esfuerzo, como levantados por un trampolín invisible, y cada salto era más alto que el anterior, acompañándose de un gesto de codos y antebrazos proyectados hacia adelante. Los saltos verticales eran ahora cada vez mayores, con recaídas cada vez más breves, en tal suerte que, apenas tocaban el suelo volvían a dispararse hacia arriba. Y llegó el instante milagroso, increíble, en que los cuatro hombres *flotaron*, literalmente, en el espacio, sin contacto aparente con el piso. —"¡Esto es *elevación*, carajo!" gritó Vera, usando por vez primera de una mala palabra en mi presencia. De frente encendida, de mejillas rojas, sacada de sí misma, maravillada, miraba el espectáculo, llevándose a veces las manos a las sienes, en un gesto que sólo suscitaba en ella una suprema admiración. Y hubiese querido que aquello prosiguiese toda la noche, si los danzantes, habiendo alcanzado la cima posible de sus levitaciones, no hubiesen regresado, de pronto, a nuestro nivel, agotados por el esfuerzo, y pidiendo ron del fuerte, del blanco, del recio, pero no para beberlo, sino para frotarse el pecho y las espaldas relucientes de sudor. Y volvió la fiesta a su estilo normal de alegre reunión familiar y un tanto provinciana, sin que nada nuevo se ofreciese a nuestras miradas. —"Vámonos" —me dijo Vera: "Esto ya no tiene interés después de lo otro. Al lado de lo que vimos, el salto famoso del *Espectro de la rosa* es una mariconada; los *Icaros* de Lifar, una miseria"... Y, cuando volvimos a cruzar la bahía a bordo de la *"Nicolás Lenin"*: "Si Nijinsky hubiese contado con bailarines así, su coreografía primera de *La consagración de la primavera* no hubiese sido el fracaso que fue. Era *esto* lo que pedía la música de Stravinsky: los danzantes de Guanabacoa, y no los blandengues y afeminados del ballet de Diaghilev"... Llegamos al Muelle de Luz, cuya verdinegra fachada de bronce mordido por el salitre contrastaba con las verjillas de hierro, pintadas de blanco al estilo de la Nueva Orleáns, del edificio de la Compañía Transatlántica Española. Echamos a andar por la Calle de los Mercaderes, paralela o transversal de otras cuyos nombres se asociaban siempre, para mí, al recuerdo de Goya o de Valdés Leal: Calle de la Obra-pía, del Inquisidor y de la Amargura, que en una esquina conservaba una gran cruz, vestigio, acaso, de un vía-crucis de procesiones en Semana Mayor. Vera se extrañaba que ninguna mujer hubiese tomado parte en el baile *arará* —ya que no saltando, girando, al menos, en torno a los danzantes. —"Es baile de hombres" —dijo Gaspar, —"porque es de tipo religioso". En otros muchos, cuyos nombres citó, o en el que había abierto la fiesta (y que no era sino una rumba de las más corrientes) las hembras intervenían al igual que los varones pues eran, por su mismo carácter, bailes de diversión. —"Pero... ¿y en los de origen religioso? ¿No hay siquiera una excepción?" Sí. En el ceremonial de iniciación *abakuá* —reminiscencia de una antiquísima tradición africana— se evocaba la fundación de la Secta, en una suerte de mimodrama cuyo desarrollo, llevado por Tres Grandes Jefes y un Hechicero, culminaba con el sacrificio de una mujer llamada Kasikanekua —"porque era conocedora de un Secreto que a nadie podía ser revelado y ninguna mujer era capaz de guardar un secreto". —"Pero la verdad es que la mujer se escabulle a tiempo" —contaba Gaspar, riendo— "y quien muere en su lugar es una chiva blanca". Yo había leído un libro sobre el Vodú de Haití que se refería a una práctica muy semejante: la *hounzi-kanzó*, o nueva iniciada, vestida de blanco, es inmolada en ritual de sustitución que se cumple con el degüello de una cabra. —"También las mujeres intervienen en los ritos de la *santería,* donde se invocan *santos* —más bien *orishas*— que son *de aquí* y son *de allá"*. —"No entiendo" —decía Vera. —"Bueno. Tienen doble personalidad. La Virgen de Regla, *también es Ochún;* la Virgen de la Caridad del Cobre, *también es Yemayá;* San Lázaro, *también es Babayú Ayé;* Santa Bárbara —y aquí la cosa se complica porque se nos vuelve macho— *también es Changó"*. —"Un Changó" —dije— "cuyo color es el rojo, y lleva una extraña mitra en forma de hacha con dos filos —y me asombro siempre en recordar que un hacha doble, idéntica a la que vemos en los altares de aquí, era, en la cultura cretense, símbolo de realeza: atributo de los Minos. Me da vértigo pensar que cualquier santera de Regla podría proclamarse 'Hija de Minos y de Pasiphae', como la heroína de Racine" —concluí, riendo. Pero Vera no se reía. Según ella, esta noche, en Guanabacoa, habíamos tocado, por así decirlo, los ritos más antiguos de la humanidad. La *danza vertical,* danza de saltos de hombres, había acompañado siempre las ceremonias de adoración al sol. En cuanto a lo que Gaspar había contado del sacrificio de una virgen —o de una mujer— con su mecanismo de sustitución, era el mismo de Ifigenia, ofrecida por Agamemnón en holocausto a los Dioses, y escamoteada a última hora por Artemisa, en tanto que una corza blanca —*allá* era una corza y no una cabra— era degollada por el sacrificador. —"En estos asuntos, siempre una mujer sale jodida" —dijo Gaspar riendo. *Jodida:* ésa era la palabra, según Vera: jodida como la hija de Jefté, la que "tan alegre danzaba al son del tamboril", sacrificada por su padre para lograr una victoria sobre los Amonitas. Como Afrodita que, al derramar su sangre para librar a Adonis de las tinieblas de una larga noche, hizo nacer rosas rojas en todo el mundo. —"Como una 'virgen electa', en la que ahora pienso, cuya sangre hubiese sido necesaria para propiciar una nueva germinación"... Estábamos llegando a casa. Vera preguntó aún si no se daba el caso de que una mujer —una sola— se destacara en un baile de santería. —"Bueno. Sí. A las que les *baja el santo"*. —"¿Y un marxista cree en eso?" —pregunté, con maligna intención. —"Yo no creo. Pero digo lo que dicen ellos. Es sugestión, comedia o lo que quieras. Pero ellas, de tanto dar vueltas, agitarse, girar, a toque de tambor, acaban por tener como convulsiones, se retuercen, saltan, se revuelcan en el suelo, porque dicen que un Santo —Changó, Obatalá, cualquiera— se les ha metido en el cuerpo. Barbarie y superstición, pero es así". Esto también era universal y antiquísimo, decía Vera: era la clásica "caída en posesión" de las sibilas, de las inspiradas, de las videntes, de las fornicadas por el Diablo... Estrechamos las manos del trompeta, en larga despedida: "Buenas noches, Gaspar. Me has enseñado muchas cosas" —dijo mi mujer: "Aquí podría montarse una *Consagración de la primavera* con gente como la que acabamos de ver bailar. Con lo que llevan dentro, con su sentido del ritmo, habría poco que añadir. Entenderían muy pronto la rítmica de Stravinsky, y se vería una danza realmente sometida a pulsiones elementales, primordiales, bien distintas de las birrias coreográficas que hemos visto hasta ahora. Nijinsky era demasiado preciosista, Maria Rambert, demasiado dalcroziana, para poder remontarse espontáneamente a las esencias primeras de la música y de la danza... En cuanto a la famosa *Danse sacrale,* debe parecerse a eso que tú pintas cuando hablas de mujeres posesas de un *Santo*: histeria extática y gestual llevada al paroxismo". —"Oye... ¿Y tú tienes intenciones de montar ese ballet en La Habana?" —"No tengo intenciones de nada. Pienso, hablo. Es manera de trabajar". —"Mejor así, porque si llegas a montar ese ballet..." —"¿Qué?" —"No te irá nadie, porque será un ballet de negros. Y si te pones a organizar ballets de negros, se te hunde tu escuela, porque tus alumnas de la *high* te harán la cruz" —"¿Tan racistas son tus compatriotas?" —me preguntó Vera. —"Mira" —le dije, abriendo la pesada puerta claveteada de nuestra casa: "Más vale que, por ahora, sigas preparando tu *Carnaval* de Schumann". —"Sí. Es más aconsejable" —dijo Gaspar. Y "es más aconsejable" repitió, aún, en eco de su propia voz, alejándose en la noche, hacia las almenas y merlones del Castillo de la Fuerza.

22

Mal andaban las cosas en el Pacífico cuando, en agosto del 42, se entabló la batalla de Stalingrado, con evidente ventaja de los nazis. Leningrado, tal ciudad en guerra púnica, conocía los horrores de un asedio clásico que acabaría por rendirla, exhausta y desangrada. Y todo parecía perdido en el Occidente Europeo cuando los alemanes ocuparon la llamada "zona libre" de Francia y alcanzaban los Pirineos, intensificando, a la vez, los bombardeos a Londres, cuya catedral de San Pablo había visto el mundo arder como tea en una impresionante fotografía, muy difundida, que hubiese podido ilustrar el momento en que fue roto el Sexto Sello del Apocalipsis, y bajo una caída de aerolitos incandescentes "los reyes y los altos personajes y los grandes capitanes y las gentes enriquecidas y las gentes influyentes, y todos, en fin, los esclavos y los libres, buscaron resguardo bajo la tierra" —valga decir: el de las lóbregas, húmedas y laberínticas galerías del *Underground*... Por otra parte, era evidente que ya había submarinos alemanes en las aguas del Caribe, y hasta se decía —nunca llegó a saberse si esto había sido realmente cierto— que, una noche, habían aparecido varios oficiales nazis, de gran uniforme, en un villorrio costero de Cuba. Y, con desenfadada temeridad se habían tomado unas copas en la única bodega del lugar, regresando luego a su bote de caucho y perdiéndose en la noche, antes de que pudiese darse aviso —allí no había teléfono— a las autoridades más próximas. Alemania emitía charlas radiofónicas en español, entre burlonas y amenazadoras, contra los "simpáticos cubanos" (sic) que habían abrazado la causa aliada, advirtiendo que ya disponía de aviones dotados de tan larga autonomía de vuelo, que pronto estarían en condiciones de alcanzar nuestras ciudades —y que no tuviésemos la ingenuidad de creer que un sistema de apagones nos sería de alguna utilidad, pues, por cálculos hechos de tiempo atrás, "nos bombardearían de día" (sic). (El locutor de esas emisiones —su voz, su tono, su acento, no dejaban lugar a dudas— era el "catire" Hans...) Podía creerse que se estaba instaurando ya el Milenio de la Swástica, con sus tropas triunfantes en todas partes, y Rommel anunciaba que esperaría el muy próximo Año Nuevo en El Cairo. Hitler dejaba de ser el sangriento histrión de las caricaturas para hacerse un tremebundo Azote de la Guerra cuyo índice apuntaba ya hacia los petróleos de Bakú y del Medio Oriente, donde sus Ejércitos del Norte se juntarían con sus Ejércitos del Sur, cumpliéndose en serio —terriblemente en serio— lo que, para hacer reír a sus lectores, hubiese imaginado Rabelais al trazar el famoso Plan de Campaña de Picrocolio... Pero llegó el mes de diciembre y proseguía, recia, tenaz, sobrehumana, la batalla de Stalingrado. Y entonces hubo una gran esperanza y todas las miradas se volvieron hacia la Unión Soviética, en tanto que se cancelaban las reservaciones de comedores hechas por Rommel en el *Hotel Shepherd*, para agasajar a sus oficiales, con fondo de Nilo, Pirámides —y hasta sonrisa de Esfinge, para quien se empeñara en verla, parándose en la punta de los pies. Se vivía pendiente de la batalla de Stalingrado porque era ahí donde conocían los ejércitos nazis, por vez primera, una resistencia jamás hallada en otras partes, y, para la burguesía cubana, el caso planteaba un difícil problema de conciencia: había que corear el *Remember Pearl Harbor* a todas horas, en eco antifonal del obligado slogan del momento, en tanto que, de labios para adentro, se rezaba la fórmula de los colaboracionistas franceses: *"Hitler, antes que el Comunismo"*. —"El mundo está loco" —decía mi tía: "loco, loco, loco... Todo está revuelto". *Revuelto*, bien lo entendía yo, porqué por operación de fuerzas desconcertantes, los Estados Unidos venían a ser aliados de la URSS... Y ocurría lo prodigioso, lo nunca visto: la General Electric, la General Motors, la International Harvester, las Grandes Agencias de Publicidad, las firmas Libby, Heinz, Swift, las Sopas Campbell, el Jabón Palmolive, la Procter and Gamble, los Grandes Dentífricos, los Grandes Detergentes, los Grandes Albaricoques en Lata, las Grandes Salsas en Pomo, los Grandes Analgésicos —y la misma Aspirina Bayer que, por artes de birlibirloque, había trocado su nombre alemán por el de *Sterling*—, patrocinaban costosos programas de radio, con muchos *sound effects* (y para suministrarlos estaba la discoteca especializada de la *Gennet*) de bombardeos, aviones, zumbidos de balas, tiros de ametralladora, deflagraciones, derrumbes y gritos, donde se exaltaban las virtudes combatientes, el tesón, la eficiencia demostrada —el patriotismo, por decirlo todo— del heroico combatiente soviético. Y, sin embargo, en conversaciones donde Rusia seguía siendo Rusia y nunca era llamada "Unión Soviética", solía aparecer, aunque más insinuante que claramente definido, el Fantasma (¿no sería el mismo que aparecía en el párrafo inicial de un *Manifiesto* famoso?) de un Peligro que, mañana, podría amenazar a nuestra vieja, hermosa, admirable Cultura Occidental, heredera de la Cultura Helénica, de la Cultura Latina, con sus magníficas, imperecederas *Libertades* —tan bien ilustradas, pensaba yo, por la muerte de Sócrates y la muerte de Séneca. ¡Los Valores del Occidente! ¡Las Libertades del Occidente! Por desconcertante paradoja, éstas se estaban defendiendo en Stalingrado. Pero —y esto no se decía aún en los editoriales del *Diario de la Marina,* aunque muchos lo pensaran— ojalá llegaran los norteamericanos a Berlín antes que los rusos. Porque, de ocurrir lo contrario, era muy probable, ¡carajo! (pensaba la Condesa) que la Civilización Occidental se fuese a hacer puñetas... Y, tal andaban las cosas cuando, a comienzos de enero, me resolví a hacer un viaje de un par de semanas a New York. Mis estudios de arquitectura en. mucho habían adelantado. Pero, para completar la necesaria enseñanza técnica recibida en nuestra Universidad, necesitaba de libros, revistas, textos especializados —inconseguibles en La Habana— que me pusieran al hilo de muchas cosas, restableciéndose un vínculo roto desde que, por amor a Ada —que había sido, para mí, Epifanía de la Mujer—, hubiese desertado el atelier de Le Corbusier para entregarme en cuerpo y alma a Quien me fuese más útil para una toma de conciencia de mi condición de Hombre que todos los textos filosóficos leídos hasta entonces. Además, las alumnas de la Escuela de Baile estaban ya casi maduras para interpretar aceptablemente el *Carnaval* que habría de presentarse en el *Teatro Auditorium,* y Vera necesitaba una instrumentación de la partitura, por ella conocida, que podía comprarse en una editorial norteamericana, y que hubiese sido aleatorio pedir por carta pues, en estos tiempos de guerra, con su justificada psicosis de espionaje, este tipo de envíos demoraba un tiempo enorme, teniendo la música, en particular, que pasar por varias oficinas de censura, pues la música —con sus enredos de corcheas, fusas, semicorcheas, bemoles, becuadros y dobles bemoles— inspiraba una especial desconfianza a los criptógrafos yankis.

Así, con tales propósitos, llegué a Miami (la *Mayami* de mi tía) por un día frío, ventoso, desapacible, después de haber conocido mi "bautismo del aire" a bordo de un avión de la Pan-American, de estupendas aeromozas (y de aquel viaje data, creo yo, mi *fijación* con todas las aeromozas del mundo, siempre atentas a las llamadas, risueñas y dóciles, como uno quisiera, en suma, que fuese siempre una esposa...), aunque el vuelo me deparara una decepción: los tragaluces estaban cerrados por pantallas de mica amarilla, destinadas a evitar que los pasajeros, durante el breve trayecto, pudiesen observar, desde arriba, ciertos "movimientos de barcos"... Después de dormir en el primer hotel confortable que me salió al paso, tomé el ferrocarril, pues me habían advertido que los vuelos Miami-New York no siempre eran agradables a causa de las turbulencias y tormentas eléctricas que solían producirse en el área del celestial y constitucional firmamento de Washington. Y debo decir que, poco a poco, me sentí agarrado por una cierta "atmósfera de guerra", aunque muy distinta, desde luego, a la que, ante la cercana presencia del enemigo y con la amenaza de cotidianos bombardeos, había conocido en España. Aquí, por la distancia, la guerra se traducía en imágenes. En portadas e ilustraciones del *Saturday Evening Post*, el dibujante Norman Rockwell nos presentaba cuadros enternecedores de familias emocionadas y jubilosas por el inesperado regreso de un hijo, combatiente en el Pacífico; o bien, la herrería pueblerina donde un joven, ya veterano de diez combates, narra sus hazañas a un corro de campesinos admirados; o bien el recluta que, antes de partir, contempla el retrato de un antepasado suyo, de tricornio y condecoraciones, héroe de la batalla de Yorktown; y la madre, orgullosa del vástago uniformado, y la sonrisa perenne de las enfermeras, y los viejos, que comentan las noticias del diario —todo esto, con fondo de marchas difundidas por altavoces, con una de ellas, muy energética por cierto, de George Gershwin. Pero también se veía esto, bastante escandaloso: frente a fábricas que humeaban por todas sus chimeneas, de día y de noche, produciendo artefactos bélicos, un letrero ofrecido al patriotismo de los viajeros durante la breve parada de Boca-Ratón: PARA OLVIDAR A PEARL HARBOR — VENGA AL JOHNNY'S BAR... Y, junto a una imaginería que lo mismo podía alentar una buena guerra que una mala guerra, en el coche comedor se me presentaba el cuadro de soldados borrachos que hacían burlas abiertas de sus oficiales, quienes, ceñudos y sin medios para imponer el respeto o reclamar un castigo, tenían que soportar estoicamente, con ira adentrada, las onomatopeyas cochinas y gestos obscenos que, al pasar frente a ellos, les prodigaban sus futuros subordinados. A derecha e izquierda de la carrilera, veíanse las vallas anunciadoras donde, pretendiendo contribuir con ello al mantenimiento de la moral guerrera, los productos de siempre pregonaban sus consabidas virtudes, con la única diferencia de que, ahora, los slogans de viejo contenido se acompañaban de fórmulas belicistas y donde había mostrado su rostro risueño una deportista feliz, mostraba el suyo, no menos risueño, un *marine* colmado por las delicias de una cola o una mascada de chewing-gum. Nada de esto tenía el dramatismo de ciertos carteles españoles de la República, magníficamente logrados en sus intenciones. Uno solo, sin embargo, me llamó la atención por su insólita factura y estilo: un hombre, vestido de negro como los transeúntes de Magritte, con la cabeza metida en una cogulla de supliciado, ceñidas las muñecas por anillos de hierro, erguido ante una muralla de ladrillos rojos pintada con minucia surrealista bajo un cielo muy semejante a los de Yves Tanguy, esperaba a que sobre él disparara un pelotón de ejecución. Y, debajo: THIS IS NAZI BRUTALITY. Y un telegrama, agigantado, anunciando la destrucción de Lídice... "Se advierte la presencia de los discípulos de André Breton" —pensé, sabiendo que algunos estaban en New York, donde el gran maestre de prodigios trabajaba puntualmente, como locutor de emisiones en francés, en un estudio de la NBC... Y la verdad es que me creí devuelto al Montparnasse de los años 30 —¡tan reciente y, sin embargo, tan distante ya!— cuando, después de buscar a Gian-Carlo Porta, músico italiano, ex combatiente de la *"Garibaldi"*, que ahora trabajaba en el departamento de sincronización cinematográfica del Museo de Arte Moderno, fuimos ambos a almorzar al alegre sótano del *Grand Ticino*, un restaurante italiano de Sullivan Street. Ahí estaban Sandy Calder y Anaïs Nin y Man Ray y Virgil Thompson y Luis Buñuel, sobre todo, a quien mucho había tratado en los días de la realización de *El perro andaluz* y *La edad de oro*. Supe que Masson, Lipschitz y Zadkine también vivían en New Nork. Y llamé por teléfono a Fernand Léger que, en un vasto estudio situado en el centro de la ciudad, estaba entregado a la realización de una serie de cuadros, de gran tamaño, donde aparecían personajes enracimados, de pies arriba y cabeza abajo, como suspendidos en el espacio, a los que llamaba *Les plongeurs*... Poco se hablaba de la guerra en ese mundo, soslayándose un tema de conversación que torturaba a los más. Entregábase cada cual, con empeñosa tenacidad, a la tarea que le fuese propia, en reflejo de defensa orgánica y moral ante una angustia que les renacía, cada mañana, con la lectura de los periódicos. Seguía Man Ray trabajando con sus cámaras y pinceles aún guiados por nostalgias de la histórica exposición del *Armory Show* y de los escándalos primeros del surrealismo; Anaïs Nin se sumergía en su *Diario* de innumerables tomos; Sandy Calder completaba el elenco de su circo con personajes de alambre, añadiendo funámbulos, contorsionistas, focas amaestradas y danzas del vientre, a su conjunto graciosamente articulado, que echaba a andar, ciertas noches, para gran regocijo de sus amigos, al compás de la *Marcha de los gladiadores* de Fucic. En cuanto a Marcel Duchamp, acaso el espíritu más original de la época —cuya *Novia desvestida por sus solteros* era pieza de fundación de tantísimas obras contemporáneas—, parecía exclusivamente entregado al juego del ajedrez... Pero la verdad era que el trabajo y el silencio no eran sino recursos para sobrellevar el gran desasosiego de todos en la vorágine de una tremebunda realidad que zarandeaba y trastrocaba todos los valores de la época y los tenía desterrados de una Europa que mucho echaban de menos —después de haberla calificado a menudo de "continente inútil"—, ahora que se les había hecho tierra interdicta. Mientras las más sólidas cabezas de la España Republicana andaban dispersas por ciudades de los Estados Unidos, México y Argentina, viendo cómo Franco se afianzaba en el poder, los franceses no acababan de sentirse bien en New York, y muchos escritores norteamericanos de la "lost generation" —como ese Henry Miller que me había presentado Anaïs Nin— soñaban con el "bistrot" donde se bebe el vino blanco mañanero oyendo las diatribas de los mozos y de la cajera contra los gobernantes de turno —en espera de asociarse, emocionados y llorosos, a los suntuosos funerales que habrían de hacérseles cuando murieran. Para muchos y por mucho tiempo, quedaría el Viejo Continente borrado de los mapas... Sin embargo, a mediados de enero, las gentes empezaron a maravillarse ante aquella increíble Batalla de Stalingrado (ya escrita en singular, con B mayúscula), que se venía prolongando desde hacía varias semanas y donde era evidente que los nazis no alcanzaban ventaja alguna. Y la idea de que esa Batalla se estaba constituyendo en el acontecimiento mayor de la Guerra, alentaba una creciente y esperanzada expectación en las gentes —expectación que desembocó en un amor *"coast to coast"* hacia la Unión Soviética. Ahora, a todas horas, sonaban *Grandes pascuas rusas,* danzas del *Príncipe Igor, Oberturas 1812, Rusias* de Balakirew, batallas de *La ciudad invisible de Kitèje,* dumkas y balalaikas, coros cosacos, gopaks y trepaks, músicas de Cesar Cui, de Glinka, de Liadow —y, sobre todo, de Chostakovitch, apareado a Tschaikowsky en todos los aparatos de radio del país. Muy de prisa, luchando contra el reloj, y con enormes despilfarros de bicarbonato en los estudios para nevar falsas calles, techos de isbas y cúpulas periformes, había sacado ya Hollywood una primera película —con John Gilbert, si bien recuerdo, en el papel principal— donde se exaltaba el heroísmo del pueblo soviético. *El acorazado Potemkine, Octubre, Tchapaieff, La línea general,* aparecieron en las carteleras de varios cines. Boris Godunof fue coronado nuevamente en el Metropolitan. Y Paul Robeson pudo sacar a la luz su subversivo repertorio de cantos que me devolvían a la noche inolvidable de Benicassim...

En cuanto a mí, desde que Gian-Carlo me hubiese llevado al *Grand Ticino,* prefería este restaurante a cualquier otro, por la índole de sus parroquianos, desde luego, pero además porque estaba situado en un barrio que me descansaba del barullo y la turbamulta de las zonas de la urbe en donde buscaba, cada mañana, los libros y revistas que necesitaba. El aprendiz de arquitecto que en mí vivía se interesaba grandemente por New York —era imposible que fuese de otro modo—, pero, más que nada, por lo que llamaba *su aspecto teratológico.* Ahí se planteaban, por vez primera, problemas sin precedente en la historia de la arquitectura; pero, en lo hecho, en lo visible y tangible, era la ciudad una ilustración de *todo lo que no debía hacerse* en un futuro regido por alguna sensatez urbanística. Aquello tenía garra, atmósfera y carácter, indudablemente; pero su innegable poder de seducción le venía de lo fenomenal, tumultuoso y desorbitado. Era urbe *que sacaba de quicio* —valga la manida expresión—, y llegaba yo a preguntarme cómo había hombres que pudiesen vivir normalmente (desayunando, leyendo, soñando, haciendo el amor...) donde todo se oponía al encuentro del hombre consigo mismo en una aglomeración de construcciones dispares, de casas sin estilo y de otras que eran revoltijos de todos los estilos del pasado, alineadas por destino aleatorio a lo largo de calles donde el peatón desaparecía, en esencia y existencia, arrastrado, zarandeado, atontado o apresurado por una multitud en perpetua carrera. Y los famosos rascacielos —a veces hermosos, cuando se les consideraba como *unidades sin contexto*— se erguían en medio de todo ello como mundos cerrados, ufanos de sí mismos, aislados en su propia unicidad, en un *"en sí, para sí"*, podría decirse —usándose del término hegeliano— que desconcertaba cualquier apetencia o necesidad de armonía. Nada tenía este rascacielos que ver con el otro, clausurando a los humanos en sus entrañas egoístas de mundo aparte, con vías verticales de sótano a techo, cuyas calles interiores se adicionaban, unas sobre otras, sin salida posible a lo circundante. No había continuidad, comunicación ni vínculos entre esas moles de concreto armado, aluminio, cristal, elevadas hacia un cielo siempre turbio de nubes, vapores, relentes químicos, respiro de millones de vehículos —moles aisladas, adustas, duras a pesar de uno que otro adorno, obra de arquitectos que, centrando su atención en un solo problema de espacio o de altitud, de utilidad o de funcionalismo, se habían preocupado bien poco de lo que hubiese al lado, no pensando siquiera (como en el siniestro *Down-Town* de las finanzas y de los bancos) en la angostura de las calles donde habrían de plantar sus mausoleos tristes, sus *ziggurats* erigidos a la gloria del Provecho, calles en las cuales el transeúnte se sentía preso, oprimido, angustiado, por la sensación de que, arriba, se iban a cerrar las cornisas sobre su cabeza en un desplome apocalíptico que habría de abismar unas aceras invadidas por la noche (noche salida de las construcciones mismas) a las tres de la tarde... No era ésta, por cierto, la Ciudad Futura, la Ciudad Radiante, que hubiese soñado mi maestro Le Corbusier. New York, caos, torbellino, amasijo, mesa revuelta, cajón de sastre, era todo lo contrario. Y a esto, para colmo, se unía la Publicidad todopoderosa, invasora, ocupante, por derecho de corso, de toda superficie, de todo espacio disponible —acaso despejado, acaso *respirable*— con sus agresiones perpetuas, sus admoniciones, advertencias, gritos de alarma, insinuaciones, slogans, *jingles*, apremios y requerimientos: *Cómpreme, prefiérame, exíjame, decídase por mí, no se deje engañar, sepa lo que le conviene, no sea obsoleto, mírese en el espejo, obsérvese a sí mismo; a Usted señalo, sí, a Usted, inocente de los peligros que sobre usted se ciernen* —y te crees acaso que eres el junco pensante de Pascal, portento de la Creación, medida de toda cosa y Criatura Electa del Señor, cuando (acaso sin saberlo) estás aquejado de alopecia, hiperclorhidria, piorrea, halitosis, dispepsia, impotencia prematura, timidez congénita, úlceras en puerta y pies de atleta, con el *break-down* a corto plazo. Te estás poniendo viejo. El infarto te espera en vuelta de cada esquina. Ya las mujeres no te miran. Piensa en los tuyos, desdichado, y piensa en tu seguro de vida, hombre desgastado, miserable concupiscente que debería estar meditando el Eclesiastés en vez de manosear a tu secretaria, pues tu fin se aproxima, infeliz, y ya te esperan, para sonarte, los jueces del Gran Tribunal Supremo... En cuando a usted, Señora, deje de ser un adefesio, un esperpento, un muestrario de arrugas, un sepulcro blanqueado, un saco de miserias, usando nuestras cremas, nuestras lociones, nuestros champús, nuestros barnices... Acuda a Nos y se lo daremos todo: hermosura, frescor, fragancia, esbeltez, una cabellera radiante, un cutis de princesa británica *—have an English complexion.* Sea atractiva, *popular*, bienoliente, siéntase joven, ríase de achaques femeninos, sea *sexy* —eso, más que nada: sea *sexy*. Elizabeth Arden, Helena Rubinstein, Jalea Real, Kotex, Jaguar, Chevrolet, Alka-

Seltzer, Chesterfield, Lucky Strike, Phillip-Morris, Palmolive, Camay, y Chevrolet y Palmolive y Lucky Strike y Cadillac y Ford y *Love that Coke* —¡oh, ese *coke*, obsesionante, emblemático, nacional y universal, que había alcanzado los caminos de caravanas que conducen a la Meca, los estanques del Taj-Mahal, las ruinas de Yucatán, y hasta una Torre Eiffel que, durante años, le fuera tenazmente adversa! Las letras, las palabras, los slogans, los mensajes, los gritos, fijos o parpadeantes, estáticos o móviles, horizontales o verticales, hallaban su apoteosis, su ágora, su cumbre chocarrera, quincallera, polícroma y turulata, en el famoso Times Square, que evitaba yo siempre en mis andanzas por la imposibilidad de caminar allí a paso de hombre. Sus flujos y reflujos multitudinarios se iniciaban muy de mañana, con la horda de oficinistas salida del *subway*, venida por tren de los suburbios que, cada día, se apresuraba hacia sus oficinas, empujando, atropellando, a quien se le atravesara en el camino, movida por la angustia siempre renovada de no llegar a tiempo para que la tarjeta del reloj comprobador de puntualidad no marcara su ficha, por un retraso de dos minutos, con una infamante marca roja. Y después, era la agitación y era la prisa por otros motivos. Y, a mediodía, porque algo había de tragarse, en media hora, de cualquier modo, en alguno de los *chop-sueys*, expendios de spaghettis, o puestos esquineros de hamburgers y jugos de naranja de un color demasiado anaranjado para no ser químico —revuelto por paletas automáticas en grandes esferas de cristal. Y, al crepúsculo, era la avalancha, el *rush*, de toda una empleomanía exhausta, agotada, exprimida que, con caras de gente que maldice la hora en que la parió su madre, corría, corría siempre —en espera de las carreras de mañana, y de pasado mañana, y del mes que viene, y del año próximo— hacia las bocas de los subways, etc. etc. etc., empujando, pisoteando, atropellando, mientras en lo alto, arriba, abajo, en aparatos de radio, en altavoces, sonaban, tal canto de vida y esperanza, las notas iniciales de la *Quinta Sinfonía* de Beethoven —aquellas que llaman "del destino tocando a la puerta"—, emblema del día, que debía acompañarse del gesto de dibujar una *V* con los dedos índice y medio, gesto que hubiese sido lanzado por Winston

Churchill, en feliz y eficiente ocurrencia, al comienzo de la guerra.

V. *V* de la Victoria. Y ahora me encontraba yo absorto ante una tripe *V*: *V V V*, título de una revista, animada por André Breton y los surrealistas newyorquinos, que había comenzado a publicarse unos meses antes. *V V V*. En el editorial del primer número se nos explicaba ese título: "Doble *V, es decir V más allá de esta primera victoria; V, igualmente, sobre todo lo que se opone a la emancipación del espíritu, de la cual es condición previa la liberación del hombre... Si V significa también la mirada en torno nuestro, el ojo puesto en el mundo exterior, a éste ha opuesto siempre el surrealismo una V V, vista hacia dentro, ojo vuelto hacia el mundo interior y las honduras del inconsciente*". La publicación era hermosa —muy superior, para decir la verdad, en contenido y factura, a cualquier revista literaria publicada en los Estados Unidos— pero las ilustraciones, las reproducciones de cuadros, los montajes fotográficos, aunque con algunas geniales ocurrencias de Duchamp y la revelación de *La jungla* de mi compatriota Wilfredo Lam, me devolvían a un ámbito dejado atrás cuando había partido para la guerra de España. Todo eso me resultaba lejano, lejano, terriblemente lejano, y, sin embargo, cercano, cercano, tremendamente cercano, puesto que se unía a muchos recuerdos de años en que creí alcanzar la madurez, sin haber traspasado, en realidad, los límites de una adolescencia prolongada. Y nadie puede abjurar de su adolescencia. Y me preguntaba yo ahora si, a pesar de mis experiencias en las Brigadas, yo, todavía estudiante, viejo estudiante, había madurado mucho desde entonces, cuando la lectura de unos textos nuevos de André Breton me vino a demostrar que mi espíritu de hoy no era ya el de ayer: "*Acaso llevo demasiado NORTE dentro de mí para que pueda ser un hombre de plena adhesión*"... "*Es absolutamente necesario convencer al hombre de que una vez logrado un consenso general sobre una cuestión, la resistencia individual viene a ser la única llave de la prisión*". El "no". ¡Siempre el "no"! ¡*No* a esto, *no* a aquello, *no* a lo de más allá! Posición negativa del intelectual ante quienes dicen "sí" —aun cuando ese "sí" corresponda a una clara, necesaria y magnífica posibilidad—, por temor, acaso, a mostrarse gregario, enrolado, aquiescente, arrastrado por una corriente colectiva. El *yo* que dice *no*. El espléndido aislamiento. Nietzsche en Sils-Maria. El escritor, el poeta, *au dessus de la melée*. Pero en los días en que André Breton volvía a sistematizar la negación, en Alemania, en Italia, alzando el brazo a la romana, otros decían "sí", "sí", "sí", hasta desgañitarse; "sí", hasta prestarse a exterminar millares y millares de hombres en los campos de concentración cuyos nombres comenzaban a ser conocidos en todo el mundo, aunque todavía no se supiese del alcance real de su horror: Büchenwald, Dachau, Auschwitz, Treblinka, Terezin. "Sí", "sí", "sí", "sí", decían los camisas negras, los camisas pardas. "Sí", "sí", "sí", "sí", decían los *gauleiters*, los *Hörtszerchen* a la Heidegger, los *kapos*, los guardaprisiones. Y eran éstos los días, días de la aún indecisa Batalla de Stalingrado, cuando un "no" de nuestra parte hubiese sido inadmisible, estúpido, muestra de total incapacidad de discernimiento entre dos principios esenciales —era en estos días, repito, cuando Breton nos proponía un "no" como llave única para librarnos de la vasta prisión en escala universal de que se nos tenía amenazados... Mi rechazo de la falsa solución ofrecida por Breton, me mostró, de repente, que algo había madurado en mí. Cerré la revista *VVV* que se me había vuelto algo ajeno, y me fui al *Grand Ticino*, a comer una escalopa milanesa con una media fiasca de Chianti. Un calendario con vista de la bahía de Nápoles marcaba la fecha del 2 de febrero. Y no había acabado de almorzar cuando los radios, los altavoces, las ediciones especiales, anunciaron la derrota de los alemanes en Stalingrado, la capitulación de Von Paulus, el desplome (¡primero en esta guerra!) de todo un ejército nazi. Y fue el entusiasmo, y fue la grita y fue el júbilo. Y, ese día, el éter se llenó de ondas que, sobre los cielos turbios y revueltos de New York, hicieron sonar las campanas de *La gran pascua rusa*, y los acordes macizos y triunfales de *La gran puerta de los boyardos* de Moussorgsky.

23

En esa euforia rusófila estábamos (y digo "rusófila" y no "sovietófila", ya que las estaciones de radio de aquí eran más dadas a hablar de *Rusia* que de la *Unión Soviética* porque, en fin, *Rusia* era de hoy y de ayer, la permanente: la de Chostakovitch pero también la de Tschaikowsky; la de Cholojof, pero también la de Tolstoi y Pushkin, a la vez que decir *URSS* hubiera impuesto a los locutores el reiterado trabalenguas de: IU-AR-IS-IS, con la ambigüedad fonética de un YOU ARE que se prestaba a chistes. . .), en esa euforia estábamos, repito, cuando una tarde en que regresaba yo del correo donde había enviado a Vera un material de orquesta del *Carnaval*, a reservas de llevarle otro por si éste no le llegaba, tocaron a la puerta de mi habitación. Dos labios húmedos se me posaron en las mejillas, seguidos de la tiritante persona de una Teresa emburujada en pieles: "Hace un frío de madre. . . Dame un wisky. Pero no del *'Four Roses'* ese (no sé cómo compras esa porquería) que sabe a mesa de presidente de compañía de seguros. . . Del *Haig and Haig* que tienes ahí. . . Doble y sin agua". Acababa de llegar. Le estaban subiendo las maletas. Al 215. —"Creo que es una *suite*" —dije. —"Ya la veré después. Todos los cuartos de hoteles son iguales. Habiendo cama, teléfono y bidet, me sirven". Viendo que no se disipaba mi sorpresa ante su inesperada aparición, ya reconfortada por el wisky, me explicó el objeto de su viaje: al enterarse de la derrota de Von Paulus; al ver, en una edición de *Life*, las filas de prisioneros alemanes macilentos, maltrechos, de cabezas vendadas, de brazos en cabestrillo, sacados por los soldados soviéticos de las ruinas de Stalingrado, mi tía, de repente, había sido presa del terror de perder el dinero que tenía depositado en varios bancos de los Estados Unidos. —"Es una estupidez, pero tú la conoces. . ." El Señor Embajador de España le había dicho que Franklin Delano Roosevelt estaba entregado a los bolcheviques y que su compadrazgo con Stalin era un peligro para los capitales situados o invertidos en el Norte. El nieto del Conde de Romanones le había dicho que la radio alemana decía que Hitler decía que pronto dispondría de bombas capaces de destruir, en minutos, la ciudad de New York, con Metropolitan, Wall Street, Coney Island y todo. En fin: que quería fraccionar sus cuentas del National City y del Chase Bank en otras cuentas abiertas en otros países. Pero... ¿dónde? Suiza, a la que podía llegarse por el camino de Madrid, sería devorada por los nazis el día menos pensado. España no era lugar seguro. Canadá podía transformarse en una cabeza de playa de Alemania, apenas quedara derrotada Inglaterra —cosa que no tardaría en suceder. En México ya se había visto una revolución, y, desde entonces, habíamos sabido de un Lázaro Cárdenas que... ¡bueno!... Argentina andaba mal. Acaso Venezuela, país rico, en plena expansión, marginado de la guerra, donde parecía que el comunismo —¡esa plaga internacional!...— no hubiese arraigado mucho. Y algún otro país (¿Brasil?) que pudiese aconsejarle el abogado que de sus intereses se ocupaba en esta ciudad, y hacia el cual iba Teresa con todos los poderes necesarios para "contar, pesar y dividir" —según fórmula bíblica— los dineros que la Condesa atesoraba aquí, en previsión de una catástrofe posible que siempre parecían esperar los millonarios cubanos —quienes tenían, desde la gran crisis de los años 20, el cómico cuidado de hacer estudiar a sus hijas la mecanografía y taquigrafía por el sistema Pitman, a fin de que éstas "pudiesen ganarse la vida" en caso de producirse un repentino cataclismo que, de la noche a la mañana, barriera con sus fortunas. Además, mi tía había encargado a Teresa que le trajese alguna ropa, pues "andaba desnuda", como quien dice, "vestida de mamarracho", desde que las modas de París, con sus colecciones y figurines, habían desaparecido del horizonte: "Es el fin de la cultura francesa" —gemía la Señora: "Ahora nadie sabrá vestirse ya como persona decente"... —"Y ahora" —dijo Teresa: "voy a ponerme un poco de polvos en la cara (¡eufemismo!) y me llevas a comer a donde quieras. Pero nada de restaurante de lujo. Un sitio donde no te traigan el vino acostado en una cesta y envuelto en una servilleta como el Moisés que la faraona presentó a su padre con el cuento de que lo había encontrado flotando en el Nilo"... Precisamente iba yo a comer con Gian-Carlo aquella noche. Así, una hora después, estábamos en el *Grand Ticino* donde el músico italiano nos presentó, de paso, a dos compositores: Henry Cowell, inventor de los ya famosos *clusters* que tanto hacían reír a los oyentes de sus conciertos, y uno, más joven, con cara de iluminado, llamado John Cage, que, según supimos, acababa de escribir unas *impresiones* inspiradas en el *Finnegan's wake* de Joyce. De una casa cercana salían sonidos agudos, prolongados, ululantes, extraños, que, de repente, tras de rápido glissando descendente se transformaban en algo como los bramidos jadeantes, espasmódicos, de un enorme aunque inidentificable animal herido. —"Es Edgar Varèse, trabajando con sus aparatos electrónicos" —dijo Gian-Carlo. —"¿Y eso es música?" —preguntó Teresa, cuyas nociones musicales no rebasaban ciertos límites un tanto convencionales. —*"Chi lo sa?"* —respondió evasivamente el italiano. —"Anoche vi el *Boris* en el *Met*" —dije, por decir algo. —"Como podrías haber visto *El crepúsculo de los dioses* hace dos meses". —"¿Wagner, aquí, en plena guerra?" —preguntó Teresa. —"En eso los yankis dieron muestras de alguna inteligencia —cosa que no siempre sucede. Nueva técnica: saber aprovecharse de las obras del enemigo"... "Pero, en fin... Wagner es el músico favorito de Hitler" —dije. —"Pero aquí, la noche en que fui al *Met*, la platea estaba llena de militares de uniforme, prestos a embarcar, pocas horas después, para el África del Norte. Y todos consultaban un programa donde se les explicaba que la destrucción del Castillo de Gunther era una prefiguración de la caída de Berlín, y que el incendio final del Walhalla, con el ocaso de los viejos dioses germánicos, era como un anuncio de la victoria aliada". —"¡Maravillas de la publicidad yanki!" —dijo Teresa, riendo: "Como el bombardeo de Pearl Harbor sorprendió seguramente a las gentes del *Metropolitan* cuando estaban a punto de montar nuevamente *El crepúsculo de los dioses*, para no perder el dinero invertido en trajes y decoraciones, inventaron eso de que Wagner había presentido la derrota de Hitler". —"Por lo demás" —dijo Gian-Carlo, en quien volvía yo a hallar la facundia y el buen humor que nunca lo habían abandonado, aun en los días más arduos padecidos por el *Batallón Garibaldi:* "...por lo demás, pienso que siempre gustarán aquí las óperas míticas de Wagner por lo mucho que tienen de 'comics' dominicales. Si lo miran bien, Sigfrido se parece tremendamente a Tarzán, el mago Klingsor podría llamarse Mandrake, los gigantes y dragones de la *Tetralogía* son hermanos de los ogros y lobos de Walt Disney, y a falta de un Supermán tenemos, con Brunilda, una perfecta Superwoman". —"A mí Brunilda, por lo tetona, se me parece a Elsa Maxwell" —dijo Teresa. —"Y Wotan, pensándolo bien, tiene mucho de Randolph Hearst" —dijo Gian-Carlo. Puesto en el ámbito del magnate de la prensa amarilla norteamericana y de su Walhalla californiano, dije a Teresa que acababa de ver *El ciudadano Kane* de Orson Welles, película extraordinaria. —"...Que fue un sonado fracaso en La Habana" —dijo ella: "Sí. La presentaron en el Cine 'Fausto', el de nuestra gente 'bien'. El público elegante salía enfurecido, diciendo que eso no era cine ni era nada; que no había argumento; que era una estafa presentar semejante cosa a personas que 'deseaban pasar un buen rato', etc. etc. Bueno. Tú los conoces". —"Mal veo una burguesía cuyo entendimiento no llega al *Ciudadano Kane*" —dije. —"Pues, deberías tomarlo en cuenta, ahora que te vas a graduar de arquitecto. ¡Cuidado con la arquitectura que vas a ofrecer a esa gente! ¡No te les metas en honduras!... Para ellos, el ideal de la residencia es la casa de nuestra tía, con sus angelitos en cueros en las cornisas". (En eso apareció Anaïs Nin, a quien Teresa mucho conocía. Se sentó un rato con nosotros, hubo una justa de ingenio entre ambas mujeres, y quedamos en comer juntos, aquí mismo, al día siguiente)... Era casi la media noche. Gian-Carlo empezaba a trabajar temprano en el Museo de Arte Moderno. Nos despedimos de él frente a la casa de Varèse, cuyos aparatos eléctricos seguían sonando a pesar de la hora tardía. —"¿Por qué no vamos a tomar un trago al *Rainbow Room*" —dijo Teresa: "Parece que es el cabaret de moda en New York". —"Sí. Ahí te encuentras, todas las noches, con Frederick March, Joan Crawford, Peter Lorre, Rita Hayworth, Gary Cooper, Carole Lombard, y cuanto vale y brilla en Hollywood. Por lo mismo: la zorra y las uvas. El wisky que allí sirven me queda grande" (con el índice apuntando a la cartera). —"No te preocupes: la Condesa paga" —dijo Teresa, llamando a un taxi... Y, media hora después, estábamos en aquel cabaret instalado en el tope de un rascacielos, donde todo resudaba el lujo: las alfombras, los manteles, la cristalería, los ceniceros, los candelabros, en la más millonaria atmósfera que yo hubiese respirado nunca —pues, al lado de esto, los *dancings* conocidos por mí en París, eran taguaras de feria. Y empezó el *show*, con los números de siempre, aunque de una calidad, lo reconozco, difícilmente superable. Los cantantes tenían espléndidas voces, y algo más: un estilo, una incomparable manera de acentuar, de frasear, de ritmar, de realzar cualquier melodía de Gershwin o de Cole Porter, con una técnica peculiar, desconocida por los artistas europeos, harto apegados, en sus interpretaciones de música ligera, a viejas rutinas de cuplé. Unos bailarines de *tap*, formados en la línea de Fred Astaire —cuyo *Top Hat* me había parecido una película adorable— nos arrancaron exclamaciones de entusiasmo. Un prestidigitador me sacó tres palomas del cuello. Una modelo, de prestigiosas formas, nos tuvo pendientes de un lento y estudiado *strip tease*, sabiamente iluminado en verde pasando a rosado, que se detuvo, desde luego, en el momento de la suprema revelación... Y entonces, cuando era evidente que el espectáculo alcanzaba a su término, se produjo algo increíble: la orquesta, con cierta solemnidad, empezó a tocar una música que me era sumamente conocida, tremendamente conocida, dramáticamente conocida. Pero, no. No podía ser. ¿Aquí? ¿En el *Rainbow Room*? Había bebido algo, y la mezcla de vino y wisky era muy poco recomendable. Debo haberme equivocado de música. Debe ser algo de Tschaikowsky (acaso ese *scherzo* marcial de la *Patética*...), o, tal vez, de Wagner (no recuerdo bien, en este momento, la marcha de *Tannhäuser*...), en fin, no sé (y todo el mundo sabe cuán difícil es identificar un tema musical que se nos impone, de repente, sin acabar de entregar el nombre de su autor). Pero no, no, no, no. No hay dudas ahora. No hay dudas. Y entran veinticuatro *girls*, todas iguales en pinta y estatura, cortadas por el mismo patrón, llevando bonetes de armiño, casacas rojas, faldas listadas de rojo, botas rojas, y empiezan a bailar simétricamente, de modo casi militar: vuelta a la pista, división en dos filas, cruce de grupos, figuras de geométrica ordenación —y vuelta a la pista, re-división en dos filas, re-cruce de grupos, re-figuras, y más vueltas y revueltas, marcando el paso, hasta un despliegue y alineación final. Y levantan el puño izquierdo... Y el público de ricos, de adinerados, de estrellas de cine (esta noche está aquí Jean Harlow en la gloria de su platinada soberanía...), el todo Broadway del *show-business*, de la publicidad, de los negocios, la gente del patronato y de las relaciones públicas, que aquí se ha congregado esta noche, aplaude, aplaude, aplaude, interminablemente. Y el director de orquesta que hace una seña a sus músicos. *Bis.Bis.Bis.* Y vuelve a escucharse lo de antes. Y ya no hay duda posible. Es *eso.* Aquí. En este ambiente. —"Pide la cuenta" —grito a Teresa: "Paga. Te espero en la entrada". —"¿Te sientes mal?" —"¡Paga, carajo!" Salgo y me detengo frente a la taquilla del ropero, oyendo todavía cómo suena *eso,* allá, en el vasto salón aneblado por el humo del tabaco, donde, con tenues blancuras de Vía Láctea, se destacan las pecheras de los smokings. Y acude Teresa, inquieta: "Pero... ¿qué te pasa? ¿Qué te ha pasado? Si aún no ha terminado el *show*". —"Vámonos" —digo, tirándole más que poniéndole el abrigo de pieles sobre los hombros. Y, en el ascensor: "¿Sabes lo que acaba de tocarse aquí? *¡La Internacional!*" —"¿Y qué?" —"*La Internacional* de Degeyter; la que nos cantó Paul Robeson en Benicassim; la que fue coreada, en veinte idiomas, por los combatientes de las Brigadas Internacionales". —"¿Y qué?" —"*La Internacional.* El título lo dice todo". —"¿Y qué?" —"Que eso, carajo, no es para que se baile en un cabaret. Jamás creí que vería semejante cosa. Es que, de sólo pensarlo, se me revuelve la sangre". —"Pues, a mí me parece muy bien. Tú sabes que, tarde o temprano, los ricos tendremos que jodernos. Por lo tanto, más vale que uno se vaya acostumbrando a oír *La Internacional*". —"Pero no así. Y menos, en el *Rainbow Room.* Hay, en todo esto, una frivolidad, una novelería, que me indignan. Además, veo un mal agüero en ello: quienes con tanta ligereza aceptan lo que ayer aborrecieron, serán los primeros en renegar, mañana, de lo que hoy aplauden. *La Internacional* no se hizo para ellos"... Rodábamos ya en un taxi, hacia el hotel: "Para saber lo que significa *La Internacional* es necesario haber conocido el hambre, la explotación, la miseria, el desempleo". —"Pues, yo no creo que tú hayas conocido muchas hambres y muchas miserias en tu vida. Cantaste *La Internacional* en España, pero me parece que hace tiempo que ya no la cantas". —"Por eso es que no soy nada. Ni burgués ni proletario. Ni chicha ni limonada, como se dice". —"Te ha dado por la tristeza. A mí me pasa algunas veces cuando bebo. Pero un clavo saca a otro clavo. Sube a mi apartamento para que te tomes la última... o la penúltima"... Y ya estábamos en su habitación, sobre cuya alfombra yacían todavía varias maletas sin abrir, tomando un *scotch* recién traído por el camarero de noche. —"¿Te sigue la rabia?" —"No puedo remediarlo". —"Vimos el *show* de las doce. Lo repetirán a las dos, con la misma *Internacional* en fin de espectáculo. Todavía tienes tiempo". —"¿De qué?" —"De ir allá, a tirar una bomba. Volaría el *Rainbow Room* entero, y sería una magnífica apoteosis, con fuegos artificiales y todo". —"Yo no soy terrorista, ni tengo bombas, ni las tiraría si las tuviese. Nada se consigue con tirar bombas". Teresa, con gesto desenfadado, se quitó los zapatos: "Bueno. Ya que no quieres volar el *Rainbow Room*, acuéstate conmigo". Tan sorpresiva me fue la proposición, que la miré sin entender: "¿En serio?" —"No tengo ganas de quedarme sola esta noche. Afuera, hay un frío del carajo. Y la calefacción está baja porque están ahorrando el petróleo. Si quieres, dormiremos lomo a lomo". —"Difícil". —"¡Claro! Tendré que pagar la compañía en moneda de María Egipciaca. Pero, no me asusta. Es martirio bastante tolerable". —"¿Y eso es así, sin más ni más? ¿Sin un poco de *romance* para empezar?" —"¿Necesitas 'música de fondo', como en los idilios radiofónicos?... Yo digo, como creo que decía Paulina Bonaparte: '¡cuesta tan poco trabajo y da tanto gusto!' ¿O es que no tienes ganas?" —"Repugnante no eres". —"Pues entonces, no lo pienses más. Como se juega al tenis o al ping-pong. Pero... ¡eso sí! Sin que nos compliquemos la vida. Nada de *sturm und drang*. Y si mañana me ves puteando con otro, no quiero escenas de celos, ni que te creas dueño de nada..." Y empezó Teresa a quitarse el carmín de labios con un papel de seda, tarareando a media voz una guaracha que mucho se cantaba en La Habana de aquellos días:

Amistad, sí, sí;
compromiso, no.
Que no es lo mismo,
Que no es lo mismo.

En el modo de desvestirse por vez primera ante un hombre se advierten los hábitos adquiridos por la mujer que muchas veces hizo lo mismo. Es un rápido sacarse el vestido por encima de la cabeza, con un concertado encogimiento de hombros y levantamiento de brazos; la camisa que aún se conserva (porque es como el último resguardo de un pudor que hoy, todavía, conviene observar...); soltarse el ajustador, aunque dejándolo en su sitio (por lo mismo que hoy, todavía, etc.); *algo* que desciende a lo largo de las piernas y que pronto despedirán los tobillos a la alfombra, y las medias que prestamente van a parar a una butaca. —"Dame un último wisky" —dijo Teresa. Pero yo estaba luchando con una corbata que se apretaba en vez de zafarse, y, librado de ella, fue la lucha con los botones de la camisa, con las mancuernas que se negaban a salir por los ojales de los puños; y los cordones de los zapatos que se me transformaban en feroces Nudos Gordianos, hasta que, exasperado, los corto de un tijeretazo... Al fin, al fin desnudo, me deslizo entre las sábanas. —"Apaga" —me dice ella: "Y estate quieto: déjame a mí"... Y esa noche, y las noches siguientes, conocimos el amor del amor sin amor. El amor-juego, el amor-diversión, el amor-combinatorio de invenciones y antojos, sin entrega profunda, en *distanciamiento,* aunque los cuerpos estuviesen imbricados, ya que, después de hecho lo que había de hacerse, volvía cada cual al recinto de sus baluartes interiores. Nos vestíamos, desvestíamos, convivíamos en el mismo cuarto, yaciendo juntos cuando nos venía en ganas, para proseguir luego, acaloradamente, una discusión trabada media hora antes sobre esto o aquello. "¿Por qué dijo Freud que Leonardo estaba obsesionado por la figura de un buitre?" O: "Explícame bien eso de la plusvalía" —me preguntaba ella, de repente, minutos después de que hubiese gemido de gozo por obra de un abrazo ya olvidado. También solía adoptar una actitud crítica ante las contradicciones que me habitaban, hablando por boca de mis propias heridas con una crueldad que, acaso, no sospechara: "Te dices comunista, pero no militas. Te exasperas porque ahora se toca *La Internacional* en el *Rainbow-Room,* pero no haces nada para que *La Internacional* se cante en todo el mundo. Hijo de burgueses, aborreces a los burgueses, pero estás terminando una carrera que te destinará a trabajar para los burgueses —cuando no se te pida que construyas un nuevo edificio para *El Diario de la Marina*. Nuestra burguesía —¡tú lo sabes!— tiene gustos burgueses. Y, tarde o temprano, tendrás que someterte a esa gente, haciendo una arquitectura ajustada al gusto burgués". Yo me encolerizaba, ya que nada resulta tan irritante como la acertada visión ajena de una molesta evidencia, difícilmente aceptable para sí mismo. —"Sí. Ya sé. Me dirás que peleaste como un león en la Guerra de España. Pero con eso me recuerdas el cuento que, según tú, contaba García Lorca..." (Era cierto. Yo se lo había contado: aquel del director de un pequeño colegio alicantino, viejo y arrugado, que dijera al poeta: "Si habla usted con las gentes de por aquí, Don Federico, habrá algún mal intencionado que le venga a usted con la historia de que soy homosexual... Pero, míreme, Don Federico... Véame la cara... Vea estas canas, esta piel marchita que tengo... ¿Cree usted que con esta facha, yo pueda ser homosexual?"... Y después de una pausa, añadía el buen dómine, con melindroso gesto de un índice alzado hacia el hombro, apuntando a un pasado remoto: "Lo fui"...) —"Peleaste en una guerra, pero vives con una mujer a quien la palabra *Revolución* causa horror". —"Es mujer traumatizada. De niña, en Bakú, asistió a una revuelta de armenios contra mahometanos. Vio calles llenas de cadáveres. Su padre, casi arruinado, fue a rehacerse en Petrogrado, donde llegó a tiempo para asistir a la Revolución de Octubre. Como le iba mal en Londres, pensó en abrir un comercio en Berlín, donde conocía a mucha gente, faltando poco para que, allí, lo agarrara la Revolución Espartaquista... Es mujer que viene huyendo de la Revolución —de todas las revoluciones— como de la muerte huía el Jardinero de Ispahán, cuyo apólogo cita con frecuencia..." —"Ha tenido muy pocos amantes". —"Antes de mí, al parecer, uno solo: Jean-Claude, joven hispanista, muerto en una guerra que ella consideraba como una Revolución". —"Uno solo. Puedes estar seguro de ello". —"¿Por qué?" —"Porque nada sabe quien nada puede enseñar. Tú no tienes la menor idea de lo que es hacer el amor. Lo que tú llamas 'hacer el amor', es una especie de gimnasia sueca. Bastante desabrida". —"No creo que tú seas insensible a ella". —"Porque soy de carne y hueso". —"Antes de Vera, viví con Ada". —"...Que te hizo creer que hacías bien el amor, porque sabía que decir lo que te estoy diciendo es lo que más humilla a un hombre". —"¿Y por qué no procedes a mi *educación sentimental?*" —"Ya hace noches que estoy trabajando de buque-escuela, aunque no te des cuenta de ello. Menos mal que eres buen discípulo, pues estás adelantando que es un gusto. Pronto se te podrá dar una calificación de *Sobresaliente.* Lo cual me alivia de remordimientos por lo de ahora, pensando que tu mujer será, en fin de cuentas, la beneficiada en el asunto". Teresa estimaba altamente a Vera: "Tiene la pasión de la danza. Como su vocación ha sido frustrada, trata de ser útil, inculcando su pasión a los demás. Tiene un ideal, donde las mujeres de nuestro mundo no tienen ninguno"... En eso me llegó un cable de Vera, desesperada porque del material del *Carnaval* que yo le había remitido días antes —y que le hubiese llegado con sorprendente rapidez, a pesar de la censura de guerra— faltaban todas las particellas de óboes, fagotes, trompas y violas. Y el primer ensayo con orquesta sería el 22. Faltaban cinco días. Hice mis cálculos: tenía holgado tiempo para tomar el hidroavión en Miami, el 21. Además, mi permanencia en New York llegaba a su término. No tenía por qué prolongar mi estancia aquí. —"Yo me quedo unos días más" —dijo Teresa: "Por andar vagabundeando contigo no he comprado las cosas encargadas por la Alta Señora. ¡Se nos está quedando en cueros, la pobre!"... Yo no acababa de ver la índole de relaciones que tendríamos ahora, ella y yo, en La Habana. —"¡Bah! Volveremos a *jugar* un poco, así, así, si se nos antoja. Los esquimales llaman a eso 'reírse'. Tú y yo nos *reímos* mucho, juntos, aunque no nos amamos. Ya veremos. Todo está en que Vera no se entere de nada. *Esto,* no tiene la menor importancia, y sería idiota que ella padeciera por culpa nuestra"...

Aquella tarde —hacía menos frío— anduvimos al azar por las calles del *otro* New York —el que poco conocen los viajeros de paso. Caímos casualmente en Canal Street, donde nos esperaban tiendas que sólo vendían trajes de novias, ropas y accesorios para ceremonias nupciales. Y, lejos de evocar lo que, en tantas y tantas otras partes, era fiesta y júbilo, aquella galería de maniquíes vestidos de blanco, con azahares de cera y ramos de flores artificiales, acababa, más bien, por tener un aspecto funerario. Eran demasiados ojos fijos, demasiadas galas de modesta solemnidad, demasiados cojines y rasos, los que se ostentaban en aquellas bodas de muestrario, destinadas a deslumbrar a las gentecillas que se movían bajo el elevado de la Tercera Avenida, entre pescaderías, tiendas de baratilleros y empeñistas, comercios de banjos y ocarinas, escaparates de chinerías baratas, escamaduras hediondas, carapachos de langostas, máquinas hacedoras de "pop-corn" y hoteles inmundos, junto a los cuales merodeaba una prostitución de baja estofa. Todo era feo en aquel barrio: los anuncios pegados en los altos de las paredes, rotos a girones, arrugados por las lluvias; las estaciones del elevado, coronadas por una torrecilla redonda que tenía algo de pagoda birmana; el ladrillo ennegrecido por el humo. Sobre las fachadas se pintaban, diagonalmente, las horribles escaleras de escape, de metal obscuro, impuestas antaño a media ciudad por los estragos de un incendio famoso. Todo era mezquino, chillón, sórdido: fachadas sin ornamento, ventanas de hierro, rótulos que anunciaban cigarrillos o gomas de mascar, con figuras de gente elegante bogando en ricos yates, o felices espectadores de un juego de base-ball, en un ambiente de borrachos tristes, sentados en los quicios, errantes desempleados, que tiritaban bajo sus ropas de rastro, no lejos de donde sonaban las charangas evangélicas de los Ejércitos de Salvación. Y, sin embargo, esa fealdad, a la que se añadía la otra fealdad, a la vez suntuaria, severa y sepulcral, del Down-Town nocturno, en contrapunto con el gigantesco carrusel, en perpetua giración, de Times Square, tenía algo dramático, poderoso, extrañamente expresionista, por las energías emanentes de lo desordenado, desaforado y caótico. No me extrañaba que Juan Ramón Jiménez se hubiese sentido abrumado por esta urbe nacida de la concretera y del martillo eléctrico, que me hacía pensar, con Emerson (¡y cuidado que poco hubiera gustado esta idea a mi maestro Le Corbusier!...), que todas las máquinas del universo, juntas, serían incapaces de edificar una Catedral de Chartres. Todo, aquí, me resultaba una extraña mezcla de juventud y de vejez prematura. (*"La aurora de Nueva York tiene / cuatro columnas de cieno / y un huracán de negras palomas / que chapotean las aguas podridas..."* —había dicho García Lorca, cuyo asesinato, de imagen obsesiva para todos los hombres de mi generación, era algo que habría de vengarse, algún día, de alguna manera...) Aquí, cada mañana, los hombres se lanzaban a la lucha con el vientre lleno de cereales, desembocando de los *subways* con ímpetus de futbolistas; pero, de noche, cuando abandonaban sus oficinas, tenían la mirada vacía, los brazos caídos, de los boxeadores vencidos por puntos. Cada día les salían canas de angustia, a las que se añadirían las del día siguiente. Los matices, las fintas, los graciosos escarceos preliminares del amor, parecían imposibles en aquella ciudad correntosa, donde los invitados a una fiesta parecían siempre presurosos de embriagarse para perder la compostura lo antes posible, en espera de volver a la lucidez con la misma prisa, ayudándose con grandes cucharadas de Alka-Seltzer. Aun cuando la alegría se suscitara en una reunión de artistas, era siempre en el desaforo del licor, con gritos, copas rotas en las paredes, carcajadas bárbaras, gentes que hacían equilibrios en las barandas de los balcones, mujeres que demasiado pronto enseñaban los muslos —y demasiado pronto se perdían en las penumbras de un cuarto contiguo, donde de nada se enteraba un borracho dormido en alguna bañadera... Las buenas novelas norteamericanas que yo había leído hasta entonces eran brutales, sombrías, duras, llenas de reproches para una cierta humanidad ambiciosa, práctica, cartaginesa, que había hecho posible, sin embargo, la indudable fuerza de New York —allí donde la isla primera había perdido su olor de isla, las calles trasudaban la química, el pan había dejado de parecerse al pan, las legumbres sabían a congelado y las sopas no se espesaban ya en las matriarcales ollas caseras, sino que yacían como cadáveres comestibles —concentradas y endurecidas meses atrás— en el ataúd de sus envases de hojalata. Y era que la fuerza de New York entrañaba siempre una realidad angustiosa. A la entonación grisrosa, de pintura en seda, de ciertos atardeceres que, tan amplios, se abrían sobre Washington Square, se sumaba el gesto cansado de hombres sin ocupación y sin rumbo, repantigados en los bancos; la frenética agitación de Broadway perdía mucho del prestigio que le hubiese conferido una prensa internacional, al suscitar nuestras dudas acerca de la utilidad real de tantísimas energías puestas al servicio de especulaciones, transacciones, gestiones publicitarias, estímulo de consumo de productos que, en muchos casos, eran totalmente inútiles al hombre. La famosa Quinta Avenida, así como Park Avenue, tenían una evidente majestad y exhibían hermosas arquitecturas y bellas cosas en sus vitrinas, pero su condición de cotos reservados, de Vías Privilegiadas, les conferían una evidente inhumanidad. Andándose en el silencio de las noches de Wall Street, como entre cenotafios de cemento armado, crecía, para todo transeúnte de mi formación, una punzante nostalgia de la higuera y del geranio, de la cocina que se trascendía en gratos hálitos de azafrán, orégano y comino, bajo el tejado conocedor de las constelaciones... Y, a dos pasos de aquí, eran los asilos nocturnos, los tronchos de col y frutas podridas del barrio italiano, los siniestros bares donde el parroquiano ponía un billete de cinco dólares bajo una copa, para que se la llenaran y volvieran a llenar, hasta que apenas si pudiese bajarse del taburete —volviendo a su vivienda, dando tumbos, abrazándose a las esquinas. Y, todo ello, bajo la omnipresencia, en estos días, de un cartel de guerra de Norman Rockwell, donde se veía a un ametrallador disparando sus últimas balas: LET'S GIVE HIM ENOUGH AND ON TIME... —"El contraste entre la extremada riqueza y la extremada pobreza me es intolerable" —decía. —"Cada vez te hundes más en la ambigüedad" —me respondía Teresa: "Porque ese contraste lo vas a hallar lo mismo en La Habana: la casa de tu tía por un lado; por otro, el *Barrio de las Yaguas.* Salvo que allá donde hay mucho sol, la miseria parece menos miseria. Pero, a la hora de comer, todo es igual". —"Quisiera vivir en un mundo distinto". —"Trata de acomodarte con éste, que todavía te queda grande". Metido en mis cavilaciones, cité un verso de Musset: *"Je suis venu trop tard dans un monde trop vieux"*... Y, al anochecer del día siguiente, Teresa me acompañó a la Estación de Pennsylvania: "¿Por qué te vas en tren?" —"Dicen que el vuelo a Miami, pasando sobre Washington, es infernal. Muchas turbulencias. Rayos, a veces..." —"Estuviste en una guerra, pero, en este siglo, sigues teniendo miedo a los aviones. En eso, eres un poco maricón". Me dio un paquetito envuelto en lindo papel de obsequio: "Una pulsera para tu mujer. Regalo tuyo, por supuesto. Ella se lo merece. Y yo se lo debo... Francamente, sí: yo se lo debo"... Al llegar a Miami, supe que se habían suspendido los vuelos a La Habana, en ese día, por mal tiempo. Sólo me fue posible salir el 22, en un hidroavión de la mañana. Vera, ansiosa, me esperaba en el pontón de arrimo: "¿Traes las particellas?" —"Sí". —"Bien se ve que no eres músico. ¿Cómo no se te ocurre revisar el material al comprarlo?" —"Me dijeron que estaba completo". —"Tengo ensayo general a las dos, con orquesta y todo. Por suerte, los músicos cubanos son muy buenos lectores. Podremos ajustar los movimientos y detalles de ejecución con una sola pasada. La partitura no es difícil".

Y, a la noche siguiente, fue el estreno, a teatro lleno. En una clásica decoración de *commedia dell'arte*, se pintaron las siluetas de Eusebius y Florestán, Chiarina, Estrella, Pantalón y Colombina, con la movida dicotomía Pierrot-Arlequín; los valses alemanes sucedieron a los valses nobles; dibujose la diabólica estampa de Paganini en un relumbrante "presto", y, en tintas de sepia, el melancólico retrato de un "*Chopin*" ausente, evocado por Schumann con inefable ternura. Y cuando se reunió el conjunto en la *Marcha de los Davidsbündler contra los filisteos*, entendí que Vera había ganado la batalla, logrando que sus alumnas tomaran la danza en serio, y alzándose a un nivel casi profesional en cuanto a técnica. El ballet, desde luego, carecía de bailarines masculinos, porque, para mis jóvenes compatriotas, tales ocupaciones artísticas "no eran cosa de machos". Por ello, una mujer-Arlequín me había resultado un poco tetona; bastante gordezuela, mi sobrina-Paganini; demasiado culona, la muchacha-Florestán. Pero el espectáculo se había desarrollado sin un fallo, sin un error, sin un traspié, superando, en mucho, el nivel de *presentación-de-alumnas-aventajadas-en-fin-de-curso*, que yo, a la verdad, me temía un poco —conociendo, como conocía, la frivolidad del material humano con el cual había trabajado mi mujer. Y, tras del telón caído después de quince llamadas a escena, fueron las flores, los *flashs*, las felicitaciones, los parabienes. Vera estaba feliz. —"Ahora sí que podremos hacer cosas grandes" —decía: "Esto no es sino un comienzo". Y pensaba ya en trabajar sobre la *Suite Cascanueces* de Tschaikowsky, en espera de una *Coppelia* algo abreviada. Y, más adelante, *Las sílfides*. Y soñaba ya con la *Octava sinfonía* —tan riente y fresca: remanso entre dos raudales— de Beethoven... Y al volver a nuestra vieja casa habanera, aquella noche, vi una partitura musical, abierta en una de mis mesas de dibujo, sobre la cual había laborado Vera en mi ausencia, llenando las hojas pentagramadas de marcas, signos, flechas, llamadas, ligaduras, indicaciones metronómicas, trazadas —destacadas, a veces, en verde, en rojo...— con mis lápices y tintas de arquitecto. Era una ya vieja edición de Belaïef —hoy muy difícil de encontrar, verdadera joya bibliográfica— de *La consagración de la primavera.* En subtítulo: *"Tableaux de la Russie Païenne, en deux parties, par Igor Stravinsky et Nicolas Roerich. Durée: 33 minutes".* —"33 minutos que conmovieron el mundo de la música" —dijo Vera: "Pero 33 minutos que habían necesitado una larga y difícil gestación". —"Como todo lo que viene a *conmover* —a transformar— algo, en el mundo" —dije. (Y pensaba yo, por asociación de palabras, en los *Diez días que conmovieron el mundo* de John Reed, el libro cuya lectura me hubiese aconsejado Gaspar Blanco en vísperas de mi partida hacia los frentes de la España en armas...)

y una partitura musical, abierta en una de sus hojas de dibujo, sobre la cual había lanzado Vera, en un arrebato, llenando las hojas pentagramadas de raros signos, flechas, llamadas, ligaduras, indicaciones temáticas, pisadas, destacadas a veces en verde, en rojo... —con mis lápices y tintas de arquitecto. Era aquella ya vieja edición de Belaieff —hoy muy difícil de encontrar, verdadera joya bibliográfica— de *La consagración de la primavera*. En subtítulo: "Cuadros de la Rusia pagana, en dos partes, por Igor Strawinsky y Nicolás Roerich". Duración: 33 minutos... —"33 minutos que conmovieron el mundo de la música" —dijo Vera—. "Pero 33 minutos que habían necesitado una larga y difícil gestación". —"Como todo lo que viene a conmover —o transformar— algo en el mundo" —dije. —Y pensaba yo, por asociación de palabras, en los *Diez días que conmovieron el mundo* de John Reed, el libro cuya lectura me había aconsejado Gaspar Blanco en vísperas de mi partida hacia los frentes de la España en guerra...

V

No se necesitan luces para ver claro...

PICASSO *(El entierro del Conde de Orgaz)*

24

Enrique me había vuelto de su viaje con nuevas energías, ideas, propósitos, como remozado en ánimo y empeños. El frío de New York (y yo lo envidiaba un poco al escuchar sus recuentos de cierzos y nevadas. . .) le había subido a la cara esos colores de sangre activa que, en primavera, se pintan en las mejillas de quienes viven donde las estaciones del año se suceden con características marcadas, trayendo y volviendo a traer, en invariable ciclo, sus ritmos, pulsiones y floralias. Me felicitó por el logro del *Carnaval*, muy superior, a su juicio, a cuanto hubiese podido preverse. Esperaba ansiosamente dos cajas de libros y revistas cuyo envío había confiado, la semana anterior, a una agencia consignataria. Estaba resuelto a prepararse sólidamente para los próximos exámenes universitarios que habrían de dotarlo del Título necesario para poder ejercer su profesión. Por lo mismo, al volver de mi escuela cada tarde, lo hallaba en su estudio, inclinado sobre alguna de sus mesas de dibujo, o bien, acurrucado en el suelo, rodeado de tomos abiertos, cuadernos y notas, con la regla de cálculo al alcance de la mano. Pero no por trabajar con ahínco se desinteresaba de mí en las noches de nuestra intimidad: ahora, al abrazarme, me sorprendía por un cierto dominio de sí mismo; un poder de refrenar sus impulsos, de adivinar mis íntimas apetencias, más valedero en afirmación de hombría que los breves y desaforados ímpetus de una juventud desbordante de savias. —"Hoy, las ciencias adelantan que es una barbaridad" —le decía yo, recordando la sainetera frase que mucho había oído citar a *quien* nunca hubiese abandonado mi memoria —aunque con los años su imagen cabal, su fisonomía, se me fueran difuminando, como ocurre con las fotos muy empalidecidas por el tiempo y que, de tanto ser miradas, parecen alejarse de la realidad que un día reflejaron. —"El ideal de la pedagogía moderna es el de *enseñar deleitando*" —decía Enrique, riendo, en réplica igualmente sacada de una zarzuela. . . Pero, no por aprovechar las horas en sombra, dejaba mi amante de bien llenar las horas del día.

Tempranamente levantado cuando yo, por vieja costumbre adquirida en el teatro, me emperezaba en el lecho, dueña de dos espacios para atravesarme, asparme, ovillarme, él, caminando de la biblioteca a la azotea, hablando a media voz, repasaba sus asignaturas teóricas, respondiendo, acaso, a las más difíciles preguntas que imaginarios catedráticos pudiesen hacerle. Y, con ello, iba madurando los fundamentos de una arquitectura personal, que soñaba con imponer a sus hipotéticos clientes. —"Al principio" —decía: "no me encargarán grandes obras de edificación —hoteles, bancos, edificios de apartamentos, etc.— que exigirían una experiencia y un aparataje de colaboradores que no tengo. Pero sí me caerán los pedidos de residencias particulares —que ya mi tía me tiene anunciados. Y sobre esto he redondeado algunos conceptos". En el siglo anterior —pensaba— las gentes pudientes habían vivido, aquí, en casas extraordinariamente bien concebidas en función del clima y de los medios de locomoción. La angostura de las calles —calles suficientes, sin embargo, para dar paso a coches y carruajes— lejos de haber sido un error de urbanismo, respondía a la lógica preocupación de que las aceras del sol fuesen rápidamente alcanzadas por las crecientes sombras de las casas de enfrente. Además, las vías estrechas —casi todas las de La Habana Vieja— canalizaban, presionaban las brisas, haciéndose verdaderas mangas de aeración. Los interiores, en cambio, eran amplios, altos de puntal, con anchas salidas a los patios, y sobre puertas y ventanas se situaban los cristales polícromos, que llenaban las mismas funciones de los "brise-soleil" de Le Corbusier. Arquitectura perfectamente funcional, concebida por los alarifes de la Colonia cuando aún de "funcionalismos" no se hablaba en el mundo. Entre habitación y habitación, mamparas lindamente ornamentadas, que podían cerrarse o abrirse, según se quisiese propiciar o reducir la circulación de aire. Antes, las familias acomodadas no imaginaban que pudiese vivirse en residencias preferibles a éstas. Pero, a partir de 1910, más o menos, la aparición de los automóviles —de gran tamaño, generalmente— hizo imposible la vida en esta parte de la urbe. Nadie imaginaría una Renault, una Hispano-Suiza, maniobrando enojosamente, en marcha adelante, retroceso, y nueva marcha adelante, y nuevo retroceso, para llegar a colarse por una cochera a medida de volanta, calesa o quitrín, rayándose los parafangos, de paso, en el bronce esquinero de los guardacantones. Por ello, los moradores del Palacio de Lombillo, del Palacio de Pedrosa, habían emigrado hacia las afueras, convirtiendo sus antiguas mansiones en propiedades de rendimiento, parcelando sus espacios, poniendo tabiques en los salones, transformándolo todo en cuarterías habitadas —con un pronto deterioro— por una humanidad cada vez más pobre y depredadora. Y había comenzado la decadencia de La Habana Vieja, con la pérdida gradual —más que pérdida: olvido— de una arquitectura magnífica. Se trataba, pues, de salvar esa magnífica arquitectura, pero no por una labor de remedo —que sería cosa digna de algún Viollet-le-Duc tropical— sino por el aprovechamiento de sus elementos estructurales y estéticos, ajustándoseles a las exigencias de la época. —"Lo ideal sería un harmonioso maridaje del Palacio de Pedrosa con la 'Casa de la Cascada' de Frank Lloyd Wright... No descansaré hasta que no meta el espíritu de la Bauhaus en el Palacio de Aldama". El moblaje, por lo demás, habría de ser sometido a un trabajo de "*design*" que, sin recurrir al anticuario ni al rastro, remozara las gracias aéreas del sillón "de Viena", de la leve mecedora con texturas de mimbre, las calidades de la madera finamente obrada, la señorial presencia de la caoba. —"En ese campo, todo está por hacerse en Cuba" —decía Enrique, con un entusiasmo juvenil que me era grato hallar en él, porque venía a aliviarme, en algo, de las primeras decepciones que estaba recibiendo yo —y ahora precisamente— en el ámbito de mi propia actividad... El estreno del *Carnaval* había sido de gran éxito. Se me había colmado de elogios, flores y halagos. Mis discípulas me habían regalado una preciosa edición de las *Lettres sur la danse* (1760) de Jean-Georges Noverre, con las firmas de todas ellas estampadas en las guardas. Luego, había sido una semana de meriendas y comidas, seguida de una semana de asueto. Y volvimos a trabajar. Pero yo notaba que había una suerte de ablandamiento en las jóvenes de más edad. Ésta, cuya puntualidad hubiese sido ejemplar hasta entonces, empezó a faltar a las clases; otra, se quejaba de jaquecas y dolencias más o menos imaginarias; otra más —¡y tenía magníficas condiciones de danzarina!— se me largó a México, para asistir a la boda de una prima suya, sin dejarme siquiera una carta de excusa. Y ante un grupo de alumnas que se me iba clareando de día en día, pedí explicaciones que me situaron ante enojosas realidades: Chiarina (Anita) me abandonaba, aunque con mucho pesar, porque habían pedido su mano y su prometido "no quería que meneara el fondillo en un escenario"; Mercedes (Florestán) se iba a casar con un rico fundidor de chatarra, cuyos almacenes afeaban el barrio de Luyanó —ya bastante feo de por sí; en cuanto a María ("Valse Noble"), su madre, detectando en ella la presencia de una creciente vocación, había declarado que "prefería ver a su hija muerta, antes que bailarina profesional, que eso, al fin y al cabo, no era sino un oficio de saltimbanqui". Para ellas habían terminado los tiempos de las barras, el maillot, las zapatillas y la música de Schumann: carnaval pasajero que había fenecido una noche en luz de reflectores y candilejas; magia, levitaciones, piruetas y sueños, que se dejaban atrás, oídos los primeros aplausos, para cumplir un banal destino de burguesas destinadas al parto o al adulterio, a ser "buenas amas de casa" después de un intensivo adiestramiento en eso que aquí llamaban "vida de sociedad" —vida cuyo recuento de elegantes nimiedades llenaba páginas de periódicos, cada día, alimentando una proliferante fauna de cronistas, reseñadores de fiestas y recepciones, fotógrafos, floristas, modistos y cuanta gente pudiese contribuir a la publicidad de reuniones suntuarias cuya descripción ofrecía la prensa cotidiana en prosa de un estilo hiperbólico y rococó, muy semejante aun a la que, medio siglo atrás, habían usado los redactores del *Figaro* de París en sus columnas del *"carnet mondain"*... Pasado el examen de grado que para mis alumnas había sido la función del *Auditorium*, advertía yo que sus familias, ayer sonrientes y complacidas, empezaban a enseñarme los dientes. Se alarmaban las madres al ver que sus hijas, después del mero "divertimiento de una noche" —y que no debía pasar de eso— persistían en ensayar reverencias ante los espejos de la casa, seguían hablando de *Arabesques, Adagios, Pas de Basque,* de cómo abrir un *en-dehors*, de cómo había de erguirse la cabeza y el busto en los *grands jetés*, de cómo podía lograrse un *ballonné* que lo fuese de verdad. Las muchachas que, acaso por una vez, se hubiesen sentido vivir plenamente (porque habían conocido la incomparable satisfacción de haberse sobrepuesto a sí mismas para vencer la dura prueba del miedo escénico...) hablaban ahora de la danza con suficiencia de veteranas, abordando cuestiones de teoría y oficio coreográficos en lenguaje hermético para sus padres: ésta se jactaba de haber pasado, aquel día, por repentino progreso muscular, del *entrechat 3* al *entrechat 10*; la otra se encarnizaba en pasar de siete *fouettés*; la de más allá afirmaba que, por iniciativa propia, había logrado un *grand-écart*, aunque sujeta a las barras —pese a que algunos ignorantes afirmaran que tal práctica era contraria a toda noción de virginidad. Las fotos de artistas de cine habían sido sustituidas, en sus habitaciones, por retratos de *ballerinas* de apellidos bolcheviques. Y era yo, una rusa salida de quién sabe dónde, la responsable de tales extravagancias. Pero que no me creyera yo que las niñas "iban a seguir en esto". Me habían honrado dejando que sus nombres más o menos ilustres figuraran al lado del mío en una cartelera de teatro. Pero, con ello, bastaba de fantasías. Se me veía, en el fondo, como la *nurse* que come en mesa aparte con sus pupilas, la institutriz inglesa que habrá de cenar en la despensa cuando haya gran recepción en la casa. Vamos a andar juntos pero no revueltos. Nada alentados eran los impulsos juveniles que pudiesen afectar los principios de una casta que, con fructuosos y bien calculados enlaces matrimoniales, consolidaba su prepotencia. La *Marcha de los Davidsbündler* había sido rota, en una semana, por las *Marchas nupciales* de Mendelssohn que pronto sonarían en la Parroquia del Vedado o en la Iglesia del Sagrado Corazón. Pero no por ello quedaría sola —me aseguraban las muchachas que hoy me abandonaban; mi Escuela tendría más alumnas que nunca, puesto que habría un relevo de generaciones: desertado por las mayores, mi estudio se me llenaría de niñas, y más niñas y más niñas, pues (¡si lo sabría yo!) "la danza era un excelente ejercicio", "no era cosa de machos como el basket-ball", "afinaba la silueta", "daba gracia al andar", etc. etc... *Y 1, 2, 3, y 1 yyyý 2 yyyý 3. Barras, barras y más barras. 1, 2, 3, 4... Y 1 yyyý 2 yyyý 3 yyyý 4. Las cinco posiciones fundamentales... Ahora, metrónomo 54... Atentas... Atentas... Ocho veces... Oye, tú, pianista.., Márcame más los tiempos fuertes... Ol-*

vídate de que estás tocando a Chopin... No estás en un concierto... Estás produciendo un ruido musical que ayude a bailar... Nada más... Nada de rubato... Así, cuatro tiempos, muy marcados... Aaaasí... (palmadas)... Isabel: lo estás haciendo muy mal... No se baila con el trasero... ¡mete el rabo!... Los pies en segunda posición... Ocho veces... Tú, Sonia: a ver si acabas de entender lo que es un jeté-battu... Y, en esta rutina diaria, ecos remotos de lo que pasa en el mundo, que me llegan por la voz de Enrique, ya que no leo los periódicos: Los norteamericanos desembarcaron en Salerno. Pronto estarán en Roma donde, frente a la cúpula de San Pedro, entre las columnatas del Bernini, se prodigarán en regalos de cigarrillos rubios y goma de mascar. Después de la civilización del correaje y de las fustas, la civilización del *chewing gum* hace su entrada triunfal en la Capilla Sixtina... *1, 2 y 3... Espaldas a la barra, ahora... Olvídense de que tienen hombros. No se los metan en las orejas... 1, 2, 3... ¿A dónde vas, Gladys? La clase no ha terminado... ¿Qué?... ¿Una merienda en el Yacht Club?... Bueno... Ve a donde te dé la gana... Pianista: el ejercicio sobre la música de Liszt... Marquen bien los tiempos, pero sin que esto parezca un regimiento de infantería... Los pasos deben VERSE, y no OIRSE... 1, 2, 3, 4...* Desembarco de los aliados en Normandía. Se está peleando en Rouen, donde la hermosa catedral, tantas veces pintada por Claude Monet, quedó reducida a escombros. (Y recuerdo una declaración de Greta Garbo en vísperas del comienzo de la guerra: "Quiero contemplar las bellas cosas de Europa, antes de que sean destruidas"...) *1, 2, 3... 1, 2, 3, 4... Barras, barras, barras. En el espejo de mi estudio se pintan y vuelven a pintar, varias veces cada día, cien cuadros de Degas... Oye, Carmencita... No me dobles el codo de esa manera... ¿No te das cuenta de que se te salen los omóplatos?... Más atención, caray... No piensen tanto en sus novios... 1, 2, 3...* Enrique ha aprobado sus últimas asignaturas en la Universidad. Gran comida de celebración y regocijo en casa de la Condesa. He estrenado un vestido de noche que todos alaban, pero me siento rara con él... No sé. Mientras más vivo, menos gracia me hacen estas reuniones mundanas donde, en fin de cuentas, todo se va en chistes y en bromas, y no acaba de hablarse de nada... *1, 2, 3...*

Al centro ahora, muchachas, al centro... Vamos a soltarnos un poco, pero no demasiado... Flexión... La frente a las rodillas. Suelten el aliento cuando se doblen, respiren al enderezarse... Liberación de París. Liberación de París. Liberación de París. Tengo que suspender la clase, pues el regocijo es general. Un gran cortejo pasa bajo las ventanas de mi estudio, dirigiéndose hacia el busto de Victor Hugo que está en un parque del Vedado. (Victor Hugo, siempre vivo, a pesar del tonto reparo de André Gide; Victor Hugo, cuyas novelas se leen en voz alta en las tabaquerías de Cuba; Victor Hugo, el abundoso, el excesivo, contrapartida del espíritu cartesiano...) Liberación de París: liberación de Santos Lugares. Y ha llegado, allá, la hora de la depuración: parece que Henri Béraud va a ser fusilado —como Robert Brasillach, de quien tengo una excelente antología de la poesía griega; Drieu-la-Rochelle se ha suicidado; Louis Ferdinand Céline huyó a Alemania, y se dice que, durante la ocupación, hubo más colaboracionistas de lo que yo creía: me entero de que Cocteau apadrinó una exposición de Arno Breker, pesado escultor, artista oficial del régimen nazi, encarnación del estilo neoclásico-pompier-berlinés... —"Sorpréndeme" —dijo un día Diaghilev a Cocteau... Pues... ¡bien que nos ha sorprendido a todos esta vez!... Pero, no quiero saber más... *1, 2, 3... Pas de bourrée... Entrechat six ouvert... Trois pirouettes... Cabriole... Jeté battu... Si esta muchacha no fuese hija de millonario, podría ser una verdadera bailarina*... Muerte de Roosevelt... Y, menos de veinticinco días después, ejecución de Mussolini. Y, con una prodigiosa aceleración de los acontecimientos, la feliz noticia —aún sin confirmar, sin embargo— del suicidio de Hitler. Y, una tarde, al regresar a casa, encuentro a Enrique en compañía de Gaspar, algo achispados, ambos, por una botella de wisky bastante rebajada de contenido. —"¿De quién es el cumpleaños?" —pregunto. —"Te esperábamos" —dice Enrique, yendo por una botella de champaña. Sonó el tapón y subieron las espumas en tres copas. —"¡Salud!" —dijo Gaspar. —"¡Salud!" —dijo Enrique: "Como en las Brigadas". —"No entiendo". —"Los rusos entraron en Berlín". —"¿Y los norteamericanos?" —pregunto. —"Entrarán ahora, por supuesto. Pero queda el hecho de que la primera bandera izada sobre el edificio de la Cancillería nazi fue la de la hoz y del martillo. ¡Salud!". Yo también alcé mi copa. Los triunfos arrastran. En el fondo, esta victoria decisiva de la gente de mi raza me llenaba de un secreto orgullo. Pero, a pesar de todo: "Bueno: también en 1812 vencimos a Napoleón". —"Sí. Pero ahora es como si ustedes, en 1812, hubiesen acosado a las tropas imperiales hasta el mismo París". Tiene razón Enrique. Y sin embargo mis recuerdos me llevan por otro rumbo: "1812 me hace pensar en la Obertura Triunfal de Tschaikowsky que termina con el himno: *Dios salve al Zar*". —"Sí. Pero esta vez podría volverse a tocar la Obertura —y hasta creo que alguna vez te lo dije en Benicassim— con una ligera —¡oh, muy ligera!— variante. Y es que en la partitura de Tschaikowsky *La marsellesa* tendría que ser sustituida por el *Horst-Wessel Lied,* y el himno zarista por *La Internacional.* —"¡Esa Obertura sí que estaría buena" —dice Gaspar, riendo: "Porque tengo entendido que, en la *otra* deben sonar unos cañonazos que nunca se disparan a tiempo, porque los artilleros no son músicos". —"Por eso, casi siempre se suprimen los cañonazos". —"Pero, esta vez no habría que suprimirlos, porque aquí está el artillero que hace falta". Se levantó, juntó los talones e hizo un saludo militar: "Gaspar Blanco. Batallón *Abraham Lincoln.* ¡Presente!" —"¡Salud!" —"¡Salud!" Y "Salud", dije yo también, llevada por la alegría de los demás... *1... 2... 3... Barras, barras, barras... Y, como siempre, cuando una de ellas comienza a tener soltura, a mostrar alguna personalidad, una gracia peculiar dentro del rigor de mi enseñanza, sé que pronto se me irá, abandonando las mallas por un traje de novia... 1, 2, 3, 4... 1 yyyyý 2 yyyyý 3 yyyyý 4...* EXPLOSIÓN DE LA PRIMERA BOMBA ATÓMICA EN HIROSHIMA. El fragor de los desplomes, el multitudinario aullido de las víctimas, millares y millares de ojos que quedan ciegos, el horror de las quemaduras incurables, la agonía de los mutilados, nos alcanza a todos por igual. —"Hemos entrado en la Era Atómica" —me dice Enrique: "El acontecimiento más trascendental que registran los anales del planeta desde el Descubrimiento de América". Hecho trascendental, ciertamente. Pero que se inicia con una Hecatombe —en el más sangriento sentido del término. Tributo de vidas innumerables. Con un don de los Dioses del Bien (posibilidad de sobrepasar su ya inmenso dominio sobre la Creación), el Hombre recibe la facultad de servir, en proporciones jamás vistas, a los Dioses del Mal. Con el poder de Construir, el poder de Destruir. ¿Qué eran, al lado de la tragedia de Hiroshima, las antiguas ciudades asoladas por algún invasor mongol, el exterminio de los numantinos, la ruina de Troya? Presencia de Ahrimán, de Siva, de Seth el Emasculador, de la Serpiente, contrapartida de Jehovah, en todo lo que hace el ser humano. ¿Y qué Magnos Creadores son ésos, los suyos, que no pueden prescindir de un Príncipe de las Tinieblas, sin el cual pareciera que no fuesen capaces de afirmarse, de hacerse acreedores de alguna adoración?...

A medida que transcurrían los meses sumados a los meses se acrecía, en mí, la penosa sensación de que me iba estancando en una suerte de inmovilismo —impresión de no progresar en nada, ya conocida otras veces, que me era indeciblemente penosa... *1, 2, 3... 1 yyyý 2 yyyý 3... Piruetas y más piruetas... Pas de bourrée... Entrechat...* Terminaba un curso y empezaba otro curso. Se iban unas niñas algo mayores y me venían otras niñas algo menores. De tarde en tarde, una *Suite Cascanueces*, una *Schubertiana*, presentada en escenario, con un final-mosaico, en el cual se escuchaban inevitablemente, pues había que recurrir a músicas sin grandes complicaciones, páginas de Minkus, Chaminade, Godard, Ponchielli... *1, 2, 3... 1 yyyý 2 yyyý 3...* De tantas muchachas como habían pasado por mi estudio, sólo dos me habían permanecido fieles, realizando muy serios progresos: Silvia y Margarita —extraordinariamente bonita la primera, y en ello estaba el peligro que amenazaba su vocación; más bien fea la segunda, aunque con cara que la emoción podía transfigurar, por la movilidad de los rasgos, en máscara trágica, doliente, amorosa o desesperada (y para ella pensaba yo en el papel de Giselle). Silvia y Margarita eran mis asistentes, mi alivio, cuando una rutinaria labor pintaba el aburrimiento en mi rostro, dando imprecisión, inseguridad, a mis críticas e indicaciones ante una mala posición de brazos o de piernas o el deficiente remate de un conjunto. Procedentes de una pequeña clase media, no creían hacerme un honor —condescender— al recibir mis enseñanzas, sino que cada día se me entregaban más en espíritu, prolongándose las clases, cuando *las otras* se iban, en dos, tres horas, de lecturas de autores clásicos, estudio de partituras modernas con ayuda del disco, o simples conversaciones en las que yo les narraba mi infancia en la Rusia de antaño, mis experiencias con el ballet de Diaghilev o el ballet de Monte-Carlo, en tanto que ellas me hablaban de sus íntimas cuitas, sus inquietudes, sus dudas ante esto o aquello, o se aliviaban de resentimientos contra ambientes y personas, poniendo en ello el apasionamiento o la incipiente sagacidad, la dureza de juicios o las indulgencias que habitan a la mujer en su difícil paso de la adolescencia a la madurez —paso que si bien suele realizarse con pasmosa rapidez en unas, para otras requiere muchos años de vivencias, desengaños y quebrantos... Esas discípulas eran, por ahora, mi asidero en un mundo que se me tornaba monocorde y sin relieves, a pesar de los aparentes éxitos profesionales de mi marido —pues era ya "mi marido" por acta, firmas y cuños, desde que nos habíamos resuelto a legalizar nuestra situación en boda discreta, celebrada sin galas ni estrépito, en una notaría de la Calle del Empedrado, con asistencia única de un testigo profesional, desconocido, y de Teresa que también había estampado su rúbrica en el contrato, luego de convencernos con un argumento debido a su mejor lógica: "Total: lo de siempre. La pareja que se propone vivir sin trabas ni ataduras legales, en rebeldía con los usos generalizados, pero acaba llevando exactamente la misma existencia que los casados ante el altar con lectura de la Epístola de San Pablo. En ustedes la unión libre no se justifica, puesto que, en todo, se comportan como marido y mujer". —"Un documento nada añadiría a nuestro estado" —observaba yo. —"Bien. Pero el día menos pensado se sabrá, de algún modo, Vera, que no eres la 'señora' que por su 'intachable moralidad' alaban las madres de tus alumnas, y entonces —¡conozco a mi gente!— ¡adiós Academia de Danza! Esto se va al carajo con barras, zapatillas, metrónomo, piano, espejo y todo el perendengue"... —"Nos vamos aburguesando" —dijo quien era ya mi marido desde las 10 y 30 de aquella mañana, mirando melancólicamente el mazo de calas blancas que Teresa me había regalado en delicada —y acaso un poco irónica— atención. —"Nada cambiará en nosotros". —"Pero los demás —los *otros*— nos harán cambiar, acaso insensiblemente. Lo de hoy es una pequeña concesión que les hacemos. En cuanto a mí, empezaron ya con su trabajo de zapa". Y, por vez primera, me habló con tono de amargura, inhabitual en él, de un creciente desengaño que explicaba su reserva cuando yo mostraba alguna curiosidad tocante a sus actividades profesionales. —"Todo va muy bien" —replicaba él: "Construyo mucho. Tengo varias obras en camino. Cada día gano más dinero". Y se iba prestamente a otro tema —lecturas, ballet, arte, sucesos de actualidad, acontecimientos recientes...— como queriendo olvidar las fatigas y engorros de un día de labor. Pero ahora me resultaban claras sus evasivas. La verdad era que nunca acertaba a edificar lo que hubiera querido edificar. Sus casas ideales, inspiradas en los nobles estilos de la arquitectura colonial criolla, quedaban guardadas en voluminosos cartapacios adosados a las paredes de su estudio. Ciudad de papel, doblada, plegada, muerta al nacer —apagados sus "medios puntos", rotas sus mamparas barrocas, dormidas sus columnas, marchitas, antes de haber germinado, las malangas generosas y nervudas de sus imaginarios patios alfombrados por las finas y olorosas hierbas balsámicas, útiles a las terapéuticas hogareñas de antaño. Sus clientes querían siempre "algo más moderno", "más *funcional*" —pues la palabra "funcional" se les había colado en las mentes como patrón de una valoración cualitativa (novelera y descubierta, acaso, en las páginas de la revista *Fortune*) que no lograba formularse en otros términos, aquí donde, para decir la verdad, por pobreza de vocabulario, las "gentes de dinero" resultaban bastante gestuales y onomatopéyicas en la expresión de sus ideas. (Ahora, con decir "funcional", acompañándose lo dicho con un tajante descenso vertical de las dos manos, trazándose después, con los índices, una línea horizontal invisible a la altura de la boca, estaba todo claro...) Y el Arquitecto, olvidado por fuerza de Sancti-Spíritus, de Santiago, de Trinidad, de los Palacios de Lombillo o de Pedrosa, se iba a la banda opuesta, poniéndose en *tempo* de los norteamericanos que ya compraban las pinturas de Jackson Pollock, para oírse decir entonces, vistos los nuevos anteproyectos, que "no tanto, no tanto, no tanto": algo más moderado; funcional, sí, pero más humano, o —¿cómo decirlo?— más *estético*. Y acababa el Arquitecto cayendo en lo más manido que se hacía ya, desde hacía años, en la Costa Azul de Francia (donde la mansión de un magnate cubano casado con la otrora famosa Gaby Deslys se erigía en ejemplo), o bien en Beverly Hills, en el millonario atracadero de Newport —cuando no se puteaba, ésa era la palabra, con un renacimiento-español-californiano, un Stanford White algo saneado de bisuterías, o una inconfesada remembranza del Mallet-Stevens ya pasado a la historia— para el mayor contento de sus clientes, finalmente satisfechos. —"Lo que me predijo Teresa: *acabarás sometiéndote al gusto de ellos.* Gano más dinero del que puedas imaginarte. Mi oficina crece de día en día. Pero vivo agriado, divorciado de mí mismo. No me realizo como el artista que debiera ser. No tengo los modos de afirmarme en una *'manera'* propia. Miro con envidia las revistas de arquitectura donde los maestros de la época, ufanos, muestran sus obras. Nada de lo que hago corresponde a lo que quisiera hacer. No amo mi trabajo, y en eso está la mayor miseria que pueda conocer el hombre. He vendido mi alma al Diablo". —"Para decir eso, espera a tener la edad del Doctor Fausto: tú tienes todavía una vida por delante". Pero el Arquitecto se sentía ya frustrado en un mundo donde los *ascendentes* en fortuna se daban a imitar a los ya *ascendidos y estabilizados* en posesiones y estilos —y esto explicaba que, en los barrios residenciales de La Habana las edificaciones se parecieran tanto unas a otras, habiendo acabado por estancarse en una arquitectura amable aunque amorfa (a veces con algún resabio retrospectivo de *"Art Deco"*...) que, sin cobrar un carácter propio, pues podía ser de aquí como de otra parte, satisfacía a los ricos y nuevos ricos confundidos en un mismo ideal de confort y decencia, sin rasgo alguno que destacara la personalidad de su dueño. —"He vendido mi alma al Diablo" —decía el Fausto-Arquitecto de aquel día. Y, usando su habitual poder de acercarse al drama por caminos de ironía, diciendo, como en broma, lo que se piensa muy en serio, se lanzó por el disparadero de una disquisición burlescamente erudita (y yo recordaba aquella que me hubiese endilgado alguna vez acerca de la comida criolla, trayendo a colación, ya que no al colador, las autoridades de Descartes y Malebranche). El Diablo —decía— no se mostraba siempre, ni en todas las épocas, ni en todos los ambientes, como el repelente engendro con alas de murciélago y cola bífida, armado de tridente y cachiporra de púas que, castigando a los lujuriosos y confundiendo a los infames, o retorciéndose bajo los coturnos de San Jorge, aparecía en los iconos aldeanos de mi país. No. Ni tampoco era necesariamente el verde Satanás de Orcagna que se entronizaba, imperial y tremebundo, en la Danza Macabra del Cementerio de los Capuchinos en Pisa. Ni los demonios multiformes, alucinantes, delirantes, algo lepidópteros, mixtos de monje y rana, pez y buitre, sapo acorazado y tarasca ululante, tricornes, viscosos, alojados en enormes cascarones de huevos, con embudos por sombreros, tenazas y martinetes en mano, que reptaban, trepaban, tocaban el arpa o la cornamusa, o volaban en premonitorios artefactos mecánicos, en torno a la enrabecida Margot-Giganta del Brueghel. Y menos, el Mefistófeles alcahuete, de elegante jubón, pluma de gallo en el bonete y laúd en banderola, de la ópera famosa. No. El Diablo (mera palabra que mal englobaba, por exigua, una noción sin fecha ni fronteras, unida a cualquier opción, acción, edificación o intento humanos) era Idea y no Figura, y, por lo mismo, podía adoptar cualquier forma, encarnarse en un ser o un objeto, *cosificarse* o transmutarse en *otra cosa,* sin que, como Idea, perdiese su significado permanente y universal. Estaba aquí y estaba en todas partes. Thomas Mann, en célebre novela, lo había visto como un joven muy triste que se expresaba en términos de bajo alemán medioeval. Pero, para caer bajo su imperio —lo cual implicaba una abdicación de sí mismo, una alienación aborrecible— no era necesario rubricar un pergamino con pluma de oca mojada en sangre propia. Bastaba con aceptar sus dones, disfrutar de los privilegios por Él prodigados, gastar, en fin de cuentas y para hablar realmente *en plata,* los Dineros del Diablo. Así —y ahora criollaba Enrique el tono, sin abandonar la erudita seriedad de antes— esta isla toda (la de los burgueses, los ricos, los pudientes, los poderosos, los trepadores, los políticos permanentes o aupados, "hombres, mujeres, civiles, militares, maricones y buzos") aceptaban, desde comienzos del siglo, los Dineros del Diablo. (*"El Niño Dios te escrituró un establo — y los ingenios de azúcar, el Diablo"*, hubiese podido escribir el poeta mexicano Ramón López Velarde, endulzando, para el caso, sus "veneros de petróleo".) Los Dineros del Diablo estaban en los bolsillos de todos, en un papel verdoso (y el verde es color del Diablo) que ostentaba su efigie, esta vez reencarnado en la persona de un *pater familias* de plácido semblante, corbata de encajes y rizosa cabellera blanca, llamado George Washington. —"Todos cargamos ahora con el retrato del Diablo, como cargan las beatas con sus estampitas piadosas. Sólo mide 6.5 centímetros de alto por 15.5 de ancho". Y, sacándose un dólar norteamericano de la cartera me lo abrió ante los ojos: "Esta moneda es la única en el mundo, creo yo, que haya tenido la imprudencia de invocar la Solvencia de Dios para garantizar su valor. Mira lo que se lee en el dorso del billete: IN GOD WE TRUST... que esto vale ONE DOLLAR. Y, desde los cuatro ángulos del verdoso documento, Dios responde: ONE, ONE, ONE, ONE. ¡Como si a Dios se le importara un carajo la estabilidad del dólar —y bien lo demostró en la crisis del año 29!... Y, por haber aceptado miles y miles de estos cochinos papelitos a cambio de mi personalidad verdadera, he vendido mi alma al Diablo sin haber alcanzado la edad del Doctor Fausto. Pero no soy el único: todos los de mi casta hacen otro tanto. Por eso es que en este país estamos perdiendo el sentido de la nacionalidad, el recuerdo de nuestras tradiciones, de nuestra historia —estando ya en vías de perder el idioma, con tantos letreros en inglés como se ven ahora en las calles de nuestras ciudades... *Oh, yellow, glittering, precious Gold!* (Él me había hablado, en Valencia, de su asombro ante el hallazgo de estos versos de *Timón de Atenas* en *El capital* de Marx...): *'Thus much of this, will made black, white; foul, fair; wrogen, right'*... Y en el mismo drama afirma Shakespeare que con ese Gran Poder se llega 'a colocar ladrones en los escaños del Senado'. Tal parece que, por haber paseado a Próspero y Calibán en las cercanas Bermudas, hubiese vislumbrado la futura historia de este país... En cuanto a mí, al trabajar mal, al alienar mi vocación, al traicionarme a mí mismo (y estrujaba el dólar entre sus dedos) he aceptado el Pacto". Y citaba Enrique, amargo, otros versos de Shakespeare que había encontrado también en una página del *Capital*, donde evocaba Marx el feroz apremio de Shylock:

Carne es lo que exijo
pues así dice el papel.

—"De ti depende romper el papel, porque no necesitas de usureros para vivir. No eres pobre. Y mi escuela rinde mucho". —"Yo no podría vivir sin trabajar. Me moriría de aburrimiento al cabo de una semana". (Marcó una pausa:) "Matisse decía que el trabajo era una bendición". (Ahora enseriaba el tono:) "El trabajo es la expresión de las fuerzas físicas e intelectuales del hombre. Por el trabajo se desarrolla y se afirma como ser humano". —"Esto me huele a filosofía alemana, de las tuyas". —"Tal vez. Pero es para llegar a la muy sencilla conclusión de que trabajar para quienes no lo merecen y tratan, por todos los medios, de hacerte hacer lo que no quieres hacer, es lo más jodido que le puede pasar a uno". —"¡Dímelo a mí, que he pasado del *Alma de la danza* al kindergarten!" —"¡Manda tu escuela al carajo!" —"Yo soy como tú: un animal de trabajo". —"¡Siga todo como antes, entonces!" —"¿Y qué remedio queda? Nosotros no hicimos el mundo y tenemos que aceptarlo como es: *'The rest shall keep as they are'.*"

25

Un curso y otro curso y otro curso —valga decir: un año y otro año y otro año. Y se me iban las casaderas, y me venían las impúberes, me olvidaban las que acaso conocerían pronto la gravidez del embarazo, y acudían a mí las de cuerpo-niño que, a compás de mis músicas de ejercicio, se estiraban de brazos y muslos sobre la delgadez de flacas pero ágiles canillas. Y era la inevitable pregunta del comienzo: "¿Dónde puedo conseguir el *maillot* y las zapatillas, Madame?" Y era la inevitable frase —para magro consuelo mío— que, al llevarse un día sus ropas de trabajo en un maletín, se creían siempre obligadas a ofrecerme a manera de desagravio: "Las guardaré como recuerdo". Y, después —también inevitablemente—: "Quisiera un retrato suyo, dedicado, Madame. Para ponerlo en mi cuarto. Nunca la olvidaré. ¡He aprendido tanto con usted!" Y salía la foto de una gaveta de mi escritorio: yo, en *Presagios*; yo, en *La bella durmiente*; yo, en la *Sinfonía* de Bizet, y hasta en *Thamar*, allá en Monte-Carlo o en París, hacía tanto tiempo que, al recordar que alguna vez me hubiese puesto esos trajes de estampa fijada por la cámara de Lipnitsky —fotógrafo casi oficial de ballets rusos— tenía la impresión de haber danzado entre sombras de una vida anterior a la actual... Y se sucedían los cursos, llegaba una vacación de Navidades y se entraba en otra vacación de Navidades, y sólo Silvia y Margarita, mis más fieles discípulas, permanecían a mi lado, ayudándome en la labor de llevar la escuela —y ahora podía yo pagarles excelentes sueldos— contentándose con ser profesoras sin abrigar ya muchas esperanzas de llegar algún día a sobresalir en una actividad que, como se veían las cosas en este país, estaba muy lejos de alentar en ellas una aspiración al profesionalismo. —"¡Pobre Silvia!" —le decía a veces: "En vista de que no tienes la oportunidad de bailar todas las noches en un escenario, enseñas a bailar a las demás". Por ahora, mis esperanzas estaban puestas en una nueva alumna, Mirta, dotada de condiciones fenomenales, y cuya madre, hija de rusos emigrados a Cuba en 1920, aceptaba —¡al fin!—

la idea de que su pequeña llegase a ser *ballerina* en todo el sentido de la palabra. La presencia de Mirta en mi escuela, su ahínco en el trabajo, sus entusiasmos, habían reanimado mis fervores primeros, dándome algo como lo que llaman los nadadores "un segundo aire". Y con ese "segundo aire" habían renacido en mí unos afanes secretos, durante años adormilados en un inerte sector de mi memoria... Y por ello, una noche, retumbaron varios tambores en mi estudio, y los azogues profundos del vasto espejo que cubría una de sus paredes debieron estremecerse de asombro al ver que una suerte de cabildo negro se les instalaba enfrente, borrando las figuras a lo Degas —cuadros de ballet— que durante largo tiempo los hubiesen habitado. A ruegos míos Gaspar Blanco había conseguido que los danzantes del grupo Arará que yo hubiese admirado en Guanabacoa, en casa de "Bola de Nieve", hacía años ya, se instalaran en mi casa por unas horas.

Habían llegado poco después de las siete de la tarde, muy pulcros y algo intimidados (con tiesura de almidón en las camisas y guayaberas), y se habían sentado al fondo, callados, sin entender muy bien lo que de ellos se esperaba en semejante lugar —algo atareados, algunos, en "templar" los parches de sus instrumentos sobre la llama azulosa de un reverbero de alcohol. Varias mujeres habían venido con ellos, atendidas ahora por Teresa que se les prodigaba en cuidados —y más si eran muy negras— con la solicitud y las sonrisas que una señora de la Calle 17 (la que llamaban: "calle de los millonarios") podía poner en agasajar a sus invitados más distinguidos. ("El Papa en Lavatorio de pobres" —pensaba yo). Y mientras ella ofrecía refrescos y golosinas, haciendo chistes y poniendo las gentes en confianza, yo observaba que Silvia, Margarita y Mirta, algo azoradas, sin saber qué pensar, permanecían prudentemente en la otra orilla del estudio, constituyéndose —aunque no fuesen sino tres— en un clan de blancos. Y ya menos tiesos, animados por Gaspar, empezaron los danzantes a seguir los ritmos de un toque Arará que se fue animando poco a poco. Saltos, levitaciones, elevación. Y a medida que entraban en calor saltaban más alto, más alto, más alto, rebotando apenas en las maderas del piso, ya flexibilizadas de tiempo atrás por las muchas giraciones, figuras y movimientos que las hubiesen pulido... Pronto, mis ojos distinguieron la persona de un Calixto (*Calisto* lo llamaban los otros), negro claro tirando a mulato, que indudablemente se destacaba por su personalidad y maestría innata, en el conjunto. De estatura mediana, cintura increíblemente fina, rostro impasible, se valía de su larga y acerada musculatura para imponer una suerte de disciplina, una voluntad de orden, a los mecanismos —meramente instintivos y algo aleatorios, en los demás— de su anatomía. —"¡No baila, vuela!" —gritaba Mirta, aplaudiendo: "Es un ángel. ¡Un ángel!" —"Lo malo es que, para ser ángel, hay que ser blanco" —observaba Gaspar, irónicamente. Y durante cerca de dos horas —acababa de sonar el cañonazo de las nueve— se prolongaron los bailes, hasta que hicimos una pausa durante la cual trajo Teresa toallas de felpa para que los bailarines se secaran el sudor. Pero ahora me había llegado el momento de hacer un experimento que mucho me interesaba y era el objeto verdadero de esta reunión. —"Escuchen esto" —dije. Y, bajando la aguja de mi pick-up, la coloqué en la espira inicial de *La danse sacrale* de *La consagración de la primavera.* —"¡Qué cosa más rara!" —dijo uno. —"¡Cosa más rara!" —dijo otro. Y al llegarse al pasaje de las dobles notas entrecortadas por breves silencios: "Parece toque de Salida Efí". —"No: es toque de Salida Efó: más aguantado que el Efí". —"¡Ya, no!" —"¡Ahora sí! ¡Cucha!" —dijo Calixto, tomando uno de los tambores y dando golpes secos en el reborde de la piel tensa con los dedos índices y medios de las dos manos. —"Lo que quiero" —les dije al haber llegado el disco a su término— "es que escuchen esto dos o tres veces más". Todos callaron y siguieron la música de Stravinsky con la extraordinaria intensidad de expresión que pone el negro cuando se halla ante algo que lo lleva a concentrarse. —"Quiero saber ahora" —dije: "si ustedes creen que esto se pueda bailar". —"Bueno: toda música se puede bailar. Depende del *estilo*" —dijo Calixto. —"No entiendo". —"Bueno... Que esto no sería estilo guaguancó, ni estilo yambú, ni estilo columbia. Tampoco sería como Arará". —"Pero... ¿tú te atreverías a bailar esto?" —"Es que no conozco *ese estilo*". —"Se trata de que hagas lo que se te ocurra. Que improvises. Que inventes sobre la marcha". —"Bueno: vamos a ver. Pon el disco otra vez"... Y se produjo el milagro: al sonar los primeros acordes, el mozo se dejó caer de rodillas, como derribado repentinamente por una fuerza superior, invisible, que se hubiese manifestado ante nosotros. Y su rostro, apretado y ceñudo, se fue iluminando sobre un cuerpo que se enderezaba poco a poco, sacudido por sobresaltos sucesivos que en todo correspondían a los espasmódicos jadeos de la partitura. Y, puesto ya de pie, empezó a describir círculos *en torno de algo* que parecía huir de la apetencia de sus manos. Y fueron los primeros saltos, seguidos de otro regreso al suelo, de rodillas, con todo el cuerpo doblado, de espaldas, sobre las piernas. Movimientos de brazos, horizontales y verticales. Nueva proyección ascendente de la anatomía, y, luego de marcar síncopas en el tablado con furioso impacto de los talones, fue una euforia de rito triunfal, donde volvió el joven a sus saltos, rematando el último con una caída al mismo centro, seguida de una vuelta en redondo que se cerró con un gesto de exultación, de júbilo, de acción de gracias, prolongado en el silencio, más allá del acorde conclusivo... Todo el mundo aplaudió, aclamó, vociferó, celebrando aquella improvisación magistral, y Teresa pasó nuevos refrescos —y también un ron que fue aceptado con comedimiento. Yo hubiese querido que todos se quedaran unas horas más. Hablar mucho con ellos. Pero Calixto, de repente, miró la hora: "Compañeros: que hay que 'pegar' temprano mañana. Así que..." —"¿En qué trabajas?" —le pregunté. —"Albañil, para servirla". —"Quisiera que vinieses a verme". —"Acá, Gaspar, sabe dónde localizarme".

Lo que acababa yo de ver me había abierto un mundo de posibilidades. En unos segundos se había modificado mi visión tradicional de *La consagración,* debida al *scenario* primero de Roerich que, para decir la verdad, me había dejado siempre un tanto insatisfecha por su final agónico, harto afincado en los pronunciamientos de los poetas *adánicos* rusos de los años 10 que, como Briusoff (cuyo *Angel de fuego* había inspirado una alucinante ópera a Prokofieff), aspiraron a curarse de esteticismos finiseculares, simbolistas, preciosistas, y hasta oscarwildianos, bañándose en las fuentes primigenias de lo prehistórico, elemental y totémico (postes con faz humana hincados en las playas del Lago Baikal, duendes de la taiga, espíritus de la tundra, ceremoniales chamánicos, anteriores al prendimiento de aureolas doradas en las tablas de los iconos...). No. Ahora no veía yo ese desenlace como un rito *sacrificial* sino como el ascendente rito *vernal*, propiciador de fecundidad, que debió de ser en sus albores. Las tribus de las Eras-sin-Crónicas, en que el ser humano asumió la tarea fundamental de sobrevivir y perpetuarse, no eran lo bastante numerosas como para permitirse el lujo de inmolar a una hermosa doncella, de vientre destinado a la proliferación de un linaje. Por lo tanto, el holocausto pedido por Roerich debía transformarse —a mi modo de ver— en un enorme *pas de deux* que fuese llevando una danza agónica hacia una Danza de la Vida —recordándose que la dicotomía Muerte-Vida, ilustrada por las más altas literaturas de todos los tiempos, seguía inseparable de la magnificación amorosa, fuese en poesía, fuese en consejas, fuese en símbolos: Amor-Muerte, Danza del Amor y de la Muerte. Muerte por amor de Isolda; sino fatal de los amantes de Verona, de los amantes de Teruel, etc. etc. La música de Stravinsky estaba muy lejos de ajustarse, desde luego, a los cánones sonoros, convencionales, de "*lo amoroso*". Nada de *Liebestraum*, ni de *Erotikon*, ni de arrebatadas progresiones, ni de tono *appassionato*. Pero, por lo mismo: todo vendría preparando el enérgico final, en que una pareja electa se irguiese, victoriosa de pruebas iniciacas, ante los "círculos de adolescentes", contempladores de una unión decretada por el Anciano del Clan como ofrenda de savias humanas a una tierra ya ahíta de sangres y huesos de antepasados. Todo, así, se hacía más lógico, más natural, más universal; no habría que pensar ya en los trajes de la Rusia pagana. La sencillez de las mallas y de unos pocos atributos vestimentarios bastarían para representar un *misterio* sin fronteras, sin ubicación precisa —luego, sin *razas* determinadas, detalle importante...— cuyos personajes serían, en suma, Hombres, Mujeres, Adolescentes, el Anciano-Sabio-Augur-Sacerdote, y los dos protagonistas centrales. Habría que trabajar mucho, muchísimo, indudablemente. Acaso unos dos años, pensándose que habría de pasar las disposiciones instintivas de mis gentes al plano de la conciencia profesional —de lo intuitivo a lo analítico... Pero la cuestión era *empezar* con un objeto preciso. Teniéndose un claro enfoque del problema, lo demás se construiría sobre la marcha, por fragmentos y secuencias. Ya veía yo la manera de mover el *elemento colectivo* del ballet. Lo importante era la Pareja Central. Y ésa estaba conseguida. —"Pero... ¿quiénes van a ser?" —me preguntaban ahora. —"Ese muchacho: Calixto... Creo que con la madera que tiene, al cabo de un buen entrenamiento —pues hay cosas esenciales que no puede ignorar— podremos empezar a trabajar en serio". —"¿Y cómo va a trabajar contigo, si tiene que ganarse la vida con una cuchara de albañil?" —preguntó Teresa. —"Puedo pagarle un sueldo". Hubo un largo y expectante silencio. —"Y para el papel femenino?" —preguntó Silvia al fin. —"Mirta parece de su misma edad. Una estatura perfecta para formar la pareja. Será necesario, desde luego, que trabajen mucho". —"¡Ah!"... (Mirta miraba hacia el suelo.) —"¿Qué te pasa? ¿No te gusta la idea?" —"Sí" —me respondió una voz tan apagada que apenas si se oía. —"¿No te gusta la música de Stravinsky? ¿No la sientes?" —"¡Oh, sí! ¡Eso, sí!" —"¿Tú no crees que Calixto, bien entrenado, pueda bailar magníficamente contigo?" —"¡Oh, sí! ¡Desde luego!" —"¿Pero, entonces?" Hubo un nuevo silencio que Silvia rompió con un grito: "Pero... ¡es un negro, Madame!" —"Un negro" —corearon Margarita y Teresa. —"¿Y qué?" —"¿Cómo que... *y qué?*" dijo Gaspar: "¿Estás en la ciudad y no ves las casas?" —"Lo que veo es que hay muchos negros en todas partes, y que la música cubana que los enorgullece a ustedes es, en mucho, obra de negros, y que el poeta más original que tienen ustedes ahora, es negro, y que muchos, muchísimos negros murieron en vuestras guerras de independencia, y que..." —"¿Y que José Martí dijo que 'había que dar lugar *suficiente* al negro'? Sí. Lo sabemos. Pero la verdad es otra". Y Gaspar se dio a mostrarme las sombras de un mundo de sombras que se movía en torno mío —sombras cuya cabal condición de sombras no había yo advertido hasta ahora, encandilada, acaso, por la musicalidad raigal, la gracia innata, el extravertido comportamiento, la risa frecuente, de quienes vivían confinados, aunque dispersos, en un invisible *ghetto,* de linderos imprecisos, de fronteras inaparentes, pero no por ello menos reales. En esta luminosa ciudad de solanas y resolanas, había un mundo claro y un mundo obscuro. Nada era muy evidente para el forastero, venido de otras tierras, pero sabían todos aquí que se vivía en un ruedo de sol y sombra, donde una humanidad cruelmente discriminada, integrada por individuos que, a pesar de una Constitución que les otorgaba tantos derechos como a los hijos y nietos de sus antiguos amos, aceptaban por fuerza la noción de que les era imposible alojarse en un hotel de categoría, comer en fondas de manteles limpios, bailar en bailes que no fuesen "de color", frecuentar barberías que no fuesen "barberías de negros". Estaban condenados por una colectividad dominante que mucho les debía (y cuya "limpieza de sangre", como se decía en lenguaje de asientos coloniales, era a menudo más que dudosa), a emplearse en labores ancilares y subalternas, y cuando lograban ascender al nivel de oficinas o comercios, era para desempeñar funciones donde no hubiesen de tener contacto con la clientela *blanca,* teniendo que resignarse (aun cuando a veces poseyeran un diploma universitario) a regresar al ámbito de su *ghetto* invisible. Algunos se habían colado en las esferas de la política, ciertamente, pero era porque, como había ocurrido en los Estados Unidos después de la Guerra de Secesión, un negro equivalía a un voto —un sufragio pronto olvidado por quienes se hubiesen valido de él para trepar y auparse... Y ahora, Teresa, que me venía con otra evidencia: "Si metes a menudo esa negrería en tu estudio, como hiciste esta noche, se correrá la voz, dirán los vecinos que aquí se dan bailes de bembé, y verás cómo te quedas sin una alumna blanca". Me daban ganas de llorar: "¡Esto es inconcebible para un europeo!" —"Un momento, un momento, un momento" —dijo Gaspar: "Creo que tu ballet de negros no hubiera sido muy bien recibido en la Alemania de Hitler". —"Bueno... Allá, no. Pero una discriminación racial es inadmisible para quien, como yo, se crió en Bakú, entre mahometanos y armenios". —"¿Y en tu colegio había muchas niñas mahometanas y armenias?" —"No. Porque, allá, en fin, las diferencias sociales se debían a razones religiosas... Por lo demás, Pushkin era mulato... Todos, allá, en mi país, conocen la historia del negro Ibrahim, ahijado de Pedro el Grande..." —"Y más ahora que Rusia es un país socialista". —"Eso nada tiene que ver con la política". —"¿Cómo que no tiene que ver? Si Cuba fuese un país socialista, nada se opondría a que formases un ballet de moros y cristianos". —"Tú lo reduces todo a un problema político". —"Pero es el que te jode, porque sabes que siempre estoy en lo cierto"... Hice el gesto de quien trata de apartar una imagen desagradable. Margarita, Silvia, Mirta, me miraban, expectantes. Y yo pensaba ahora en el ballet de Martha Graham, que tenía gran éxito en los Estados Unidos. Sabía, además, que Balanchine había estado en La Habana hacía algún tiempo, en busca de nuevos elementos coreográficos, aunque hubiese tenido que marcharse con las manos vacías, a causa de los prejuicios y escrúpulos de quienes le habían ocultado cuidadosamente lo que Gaspar me había mostrado en casa de "Bola de Nieve". Por lo mismo, si yo lograra montar un espectáculo danzario realmente original, fuerte, *distinto,* como yo lo soñaba, me pondría en contacto con Balanchine. Además, París había renacido de sus cenizas. Y en París... Recordaba la brillante temporada del *"Cotton Club"* de New York, cuando actuó en el Moulin Rouge... Josephine Baker... Louis Armstrong... Duke Ellington... En fin... —"Si se trata de salir al extranjero, es otra cosa" —dijo Gaspar. —"Pero tú no puedes seguir trayendo a esos negros aquí" —insistía Teresa. Yo acababa de tomar una decisión: la escuela seguiría tan *blanca* como ahora, y las madres podrían seguir viniendo a mi estudio sin miedo a que les violaran a sus señoritas de sociedad... (—"¡Jesús!" —dijeron mis discípulas.) Margarita y Silvia eran ya magníficas maestras. Yo vendría cada día acá para vigilar el trabajo de las alumnas mayores, observar, aconsejar, rectificar, ordenar los conjuntos, etc. etc. Mientras tanto, lo había resuelto: abriría una escuela popular de danza en algún lugar de La Habana Vieja. —"Una escuela que —¡por Dios!— no lleve tu nombre" —dijo Teresa: "Porque en seguida la llamarán 'Escuelita de Baile', y tú sabes lo que son aquí, en realidad, las 'escuelitas de baile': cosa de relajo y putería". —"¿Y tú crees que vas a cambiar las costumbres, hacer trabajar y disciplinar, en cosas de bailes, a los que estuvieron aquí esta noche?" —dijo Gaspar, riendo: "Ellos bailan como bailan porque nacieron bailando así. Y no sienten la necesidad de bailar de otro modo". En eso, yo estaba de acuerdo con él, y no tenía intenciones de empezar con gente hecha, endurecida y adulta. Pero *ésos* tenían hijos e hijas. Y yo les brindaría una educación completa. Tres o cuatro maestros de instrucción general, a medio tiempo, no resultarían muy costosos. Y yo me bastaba para hacer lo demás —sobre todo si podía contar con Mirta. —"Yo haré lo que usted quiera, Madame. Diremos a mi madre que *allá* trabajaré como *instructora*... Nada más que como instructora".

Y pude abrir mi nueva escuela en un edificio de la Plaza Vieja, cuyo amplio salón del primer piso hubiese sido marco, antaño, de lucidos saraos de crinolina y pericón. En la planta baja había un vasto almacén lleno de mercancías en continuo vaivén de carga y descarga de camiones —ambiente ruidoso que favorecería mi trabajo, ya que a nadie podría molestar, en el vecindario, el constante tecleo del piano de estudio, ni el uso frecuente del tocadiscos. Calixto, seducido por mis ofertas, me llegó una mañana con una maleta maltrecha y remendada, que contenía todas sus ropas y pertenencias, para instalarse en un cuarto que puse a su disposición y sobre cuya puerta fijamos un severo letrero de "ADMINISTRADOR. *No pase sin llamar*". El mozo dejaba la albañilería para consagrarse a la danza. Y pronto me trajo niños y niñas de una edad que fluctuaba entre los once y los trece años y ya me venían con el innato sentido del ritmo, propio de los de su raza —pues, aunque no todos fuesen enteramente negros, y los había mulatos claros y hasta achinados, habían crecido en ambientes populares donde se bailaba en cualquier oportunidad. Pronto comenzamos a trabajar, y debo decir que, desde el primer momento, los resultados fueron asombrosos. Yo sabía que aún tendría que laborar durante cuatro o cinco años, y esperar a que crecieran mis nuevos alumnos, antes de empezar a montar el ballet que soñaba. Pero cuatro o cinco años pasan pronto y yo había adquirido la paciencia propia de una edad en que las bailarinas, sin ser viejas aún, se vuelven maestras —y se llaman invariablemente "*Madame*". Más me interesaba esta escuela que la otra. Aquí, al menos, se iba a hacer algo concreto, en progresión —*algo* que acaso diese salida a mis ideas, ya que no a mi arte personal, hacia los grandes públicos del mundo. Además, este nuevo empeño mío me era saludable, puesto que —¿a qué negarlo?— mi vida con Enrique, en estos últimos años, se había ido trasladando, casi insensiblemente, del plano del amor-de-amantes —el "*amour fou*" de los primeros tiempos—, al plano amor-de-cónyuges, algo sosegado por las moderadoras reiteraciones de lo cotidiano. No diré que en la intimidad de ciertas noches no se mostrara tan entregado y enardecido como antes, cuando en sus brazos me tomaba. Pero, al cabo de las palabras cuchicheadas en la sombra, que nos hubiesen devuelto al clima de intensidad, de júbilo siempre compartido, que hubiese sido el de los años iniciales de nuestras existencias apareadas, volvía cada cual a sus preocupaciones diarias, a sus horarios y disciplinas, como dos buenos amigos que después de decirse "hasta luego", regresan a distintos mundos. Y, desde que Teresa había espaciado sus visitas ("ésa debe estar puteando por ahí" —decía Enrique) viniendo muy poco a vernos, yo me alejaba cada vez más del ámbito burgués de su familia, hallando siempre una excusa oportuna para eludir invitaciones a comidas o fiestas donde, en verdad, me sentía siempre como el convidado por compromiso, cuya disculpa de última hora no se deplora. Además, sentía la necesidad, ahora, de defenderme de ciertas curiosidades harto intencionadas. —"Parece que has abierto otra escuela, allá por los muelles" —me había preguntado la Ilustre Tía, recientemente. —"Está enseñando de gratis a unos niños pobres" —había explicado Teresa. —"Ella... ¡tan buena!" —habían coreado algunas señoras presentes. Pero este diploma de bondad me era otorgado con apenas disimulada ironía en un mundo donde —perdóneseme la vulgaridad de la expresión— ser *bueno* era algo así como ser *comemierda.* En la jungla mundana que se extendía más allá de la línea divisoria de la calle L, se podía ser *fiera, listo, pasado de listo, vivo, tralla, lince, camaleón, pantera, astilla, bárbaro, tártaro, bandolero, "sinvergüenza pero simpático"* —cualquier cosa menos *bueno,* y esto, muy avalado por un adagio sumamente citado en el mundo que me era cada vez más ajeno, donde se recordaba que quien se metía a Redentor salía crucificado, pensándose, como Talleyrand, que preferible era un crimen a un error, puesto que para todo crimen había abogado, mientras que el equivocado —ingenuo, iluso— sería siempre el hazmerreír de los poderosos y de los fuertes.

Un lunes (era lunes 10 de marzo, y habría yo de recordar esa fecha), fui despertada, muy temprano, por unas voces que sonaban en el estudio de las mesas de dibujo. Enrique, ceñudo, tenso, inclinado sobre el aparato de radio, imploró mi silencio con un gesto, señalándome una butaca donde sentarme para seguir escuchando mejor lo que en horas tan insólitas se transmitía con las intermitencias, conversaciones en segundo plano, pausas, interrupciones y los "seguiremos informando", de locutores más o menos improvisados que tenían el tono inseguro, trastabillante o de súbito presuroso y alterado, de quienes están en el vórtice de un acontecimiento grave. El amanecer clareaba ya los medios puntos de nuestras ventanas. La calle despertaba, como siempre, con sus ruidos de cortinas metálicas corridas, el resonante paso de sus primeros transeúntes. —"Pero... ¿qué ocurre?" —pregunté por fin, al ver que Enrique hacía un gesto de ira. —"Ocurre que Batista se ha adueñado por sorpresa del Campamento Militar de Columbia. El ejército está con él. Ya están tomadas las radioemisoras y la central telefónica. Camiones cargados de tropa ruedan hacia La Habana. Pueden producirse choques sangrientos de un momento a otro. Ahora tratarán de tomar el Palacio Presidencial". —"¡Ay, Dios mío!" —"Mira: déjame oír. Acuéstate. Yo te diré. De todos modos no vas a salir hoy a la calle. Puede ocurrir lo peor. Acuéstate, que me pones nervioso. Te diré lo que haya"... Volví a la cama con una terrible inquietud —un casi intolerable malestar moral. (Por desagradables asociaciones de ideas, inseparables de un temor que siempre me habitaba aunque se adormeciera por largas temporadas, recordé los combates a los que había asistido en mi ciudad natal; luego, Port-Bou, Valencia, el horroroso bombardeo *de aquella noche*, y el ulular de las sirenas, y el estampido de las detonaciones, y el siniestro rodar de las ambulancias... Y ahora, estos automóviles presurosos, estas motocicletas, que oía yo pasar en la calle a una velocidad inhabitual. Las voces interrogantes que empezaban a levantarse en los patios. Y esos ruidos de puertas cerradas, golpeadas, clavadas, no sé...) Caí luego en la somnolencia que era, en mí, un mecanismo de defensa ante toda situación conflictiva, agresora de mi voluntad de quietud. Pero pronto fui sacada de esa modorra por una cercana percusión de ametralladoras. —"Parece que se está peleando cerca de palacio" —dijo Enrique. Pero, de pronto, dejaron de oírse los disparos. Siguió la ansiosa espera de noticias. Reinaba una evidente atmósfera —mala atmósfera— de expectación en la ciudad. Millares y millares de hombres y mujeres estaban, como nosotros, en esta hora, sobresaltados, ansiosos, implorando informaciones que no acababan de salir de sus aparatos de radio. Al fin, una voz, distinta de las de los locutores profesionales que ahora habían sucedido a los locutores improvisados, voz autoritaria y mandona y que, sin embargo, sonaba todavía bastante insegura. Voz de quien trata de explicar lo difícilmente explicable: "*Me vi obligado a hacer una revolución* ('revolución llaman a *eso*', comentó Enrique...) *porque tenía noticias de las fuentes más dignas de crédito, de que el Presidente Prío, enfrentado a la derrota de su candidato en las elecciones del primero de junio, estaba preparando una revolución espúrea para el quince de abril*". —"¿Era *Él*?" —pregunto. —"Tal vez. No sé. Oí mal el anuncio de la emisora. Pero, para el caso es lo mismo". Enrique crispó los puños:... "Porque, *el otro,* estaba preparando una *revolución.* Tú conoces el cuento del hombre a quien la policía zarista arresta porque, habiéndose comprobado que tenía algunos rublos en la cartera, era evidente que estaba 'juntando dinero para comprarse una pistola'. Aquí ocurre lo mismo: es lo que llaman los franceses: *un proceso por intenciones*". Y fue a beberse un fuerte wisky a la cocina, aligerado con agua del grifo· —acto insólito para quien jamás bebía de mañana. Ahora andaba nerviosamente por el estudio, con el torso desnudo, sin pensar en vestirse: "Esto es grave, gravísimo". —"¡Bah!" —dije, para calmarlo: "¿Tú no decías que el presidente Prío era una basura? ¡Basura sobre basura!" —"Grave, gravísimo" —repetía él: "porque si Cuba no ha tenido un solo gobernante respetable desde los inicios del siglo (sin hablarse del tirano Machado, aquel a quien Rubén Martínez Villena llamó 'el asno con garras') es la primera vez que, en este país, se da un *golpe militar.* ¡Un cuartelazo!... aquí, donde habíamos permanecido al margen de la endémica pesadilla de América Central, de Bolivia, de otros países del continente. Pero ahora están los dados echados. Hemos venido también a caer bajo el imperio de las fustas y charreteras. ¡Hoy se nos ha lucido el Sargento Batista!"... (¡El Sargento Batista! Me dieron ganas de reír. Al lado de los hombres —funestos o magníficos— dotados de Grandes Apellidos, que habían *hecho* la historia contemporánea actuando en zonas geográficas de una importancia capital en el mundo moderno... ¿qué importancia tenía un Sargento Batista más o menos, aunque anoche se hubiese adueñado de un gobierno por la fuerza? ¡Sargento Batista! ¡Me sonaba a sainete militar de Courteline, a esperpento de Valle-Inclán!... Y, sin embargo, repasando el quebrado itinerario de mi propia existencia... ¿no eran personajes tan pequeños e intrascendentes como él, los detonadores de acontecimientos que habían torcido varias veces el curso de mi destino? ¿Me acordaba yo misma del nombre de los cabecillas mahometanos o armenios, promotores de la revuelta que había arrojado a mi familia de Bakú? ¿Se acordaban muchos del nombre del estudiante tuberculoso que un día del año 14, en una minúscula población de Serbia, había disparado un pistoletazo cuyo estampido me arrancaría, en fin de cuentas, del Petrogrado de mi adolescencia? ¿Y no era el alzamiento de cuatro generales españoles, poco menos que desconocidos el día anterior a su asonada, el que había determinado mi fuga de Europa y mi imprevisible instalación donde ahora me hallo? A menudo es el desconocido de ayer, el apagado, el postergado, el no-tenido-en-cuentas, el segundón, quien, surgido de la nada, resulta el factor percutiente que hace estallar la carga de dinamita capaz de destruir, por explosiones sucesivas, el más vasto arsenal... ¿El Sargento Batista? Algo ridículo, ciertamente, por su escasa dimensión histórica; pero mi propia experiencia me había situado ante la evidencia de que toda violencia política podía trastornar/transformar la vida de unos pocos hombres o de muchos hombres...) Seguía la espera ansiosa y, poco después, al asomarme al patio de donde me venían sonidos de conversaciones inhabituales en tal hora, me gritó una vecina, desde su ventana: "Parece que el Presidente Prío, apendejado, ha huido de palacio sin disparar un chícharo". Agradecí la información con un gesto y, por no saber en qué ocuparme, volví a echarme en la cama: 10 de marzo, 10 de marzo, ¡10 de marzo!... Las cuatro sílabas me retumbaban en la mente como bordón de iglesia en funerales de solemnidad: ¡10 de marzo! No sabía —no podía saber aún— que ese día marcaba para mí el punto de partida de una serie de acontecimientos que nada parecía anunciar. No había tenido presentimientos ni había creído descifrar signos agoreros en el discurrir bastante apacible y feliz —me daría cuenta de ello más tarde— de mi vida actual. Y, sin embargo... ¡10 de marzo! ¡Idus de marzo! *"The ides of March are come"* —dije, citando un pasaje del *Julius Caesar* que Enrique y yo habíamos leído pocos días antes para ver hasta dónde llegaba nuestro conocimiento del inglés: *"The ides of March are come — But not gone... But not gone"* —me respondió él, recordando a su vez el texto de Shakespeare: "Pero no metas a Shakespeare en esto. Como valor humano, el Sargento Batista no pasa de Muñoz Seca". (Y recordaba yo las astracanadas de ese autor que mucho regocijaban a Jean-Claude por sus desenfrenos tragicómicos, dignos de Alfred Jarry, cuyos desenlaces, como el de *La venganza de Don Mendo,* solían amontonar cadáveres en los escenarios...). —"Batista no pasa de Muñoz Seca" —repetía Enrique: "Pero lo grave es que hoy se está actuando en realidad y no en ficción. Y si hay cadáveres, muchos cadáveres, serán cadáveres de verdad. Porque el Sargento Batista no es como el Soldado Schweik que nunca hizo daño a nadie. Cuando cualquier Ubu Rey cuenta con el respaldo de Washington —mira lo que ocurre en Santo Domingo, en Nicaragua...— el sainete tropical se nos convierte en drama isabelino. Ya, en años pasados, el sargento Batista ha dado muestras de lo que es capaz. Y demasiado me temo que ahora, acrecido, engreído, aupado por un golpe militar..." El resto de su frase se perdió en el estruendo de varias "perseguidoras" de la policía que a toda velocidad pasaban frente a la casa, con cañones de armas largas sacadas por las ventanillas.

26

"Yo no leo los periódicos" —declaraba mi padre con tono hinchado de suficiencia cuando, en los días de mi infancia, le preguntaba si estaba enterado por la prensa de algún suceso reciente. Y "yo no leo los periódicos", repetía él, para desventura suya, en el Petrogrado confuso y revuelto de Kerensky y del Príncipe Lvov —¡y ya estaba transcurriendo el año 17!—, añadiendo que era comerciante y que nada tenían que ver los comerciantes con la política y que si bien se las daba de Doctor —entendido como nadie— en materia de Paños y Tejidos, "no se otorgaba a sí mismo el derecho de sentarse a la derecha de Dios para juzgar a los hombres". —"Si no hubiese tanta gente empeñada en transformar el mundo" —decía— "las cosas no andarían como andan". Hoy, cualquier maestrescuela engreído, filósofo de café o socializante musarañero, se creía calificado para trastrocar lo establecido y construir mundos mejores sobre las ruinas del presente, olvidando que los reyes y emperadores habían sido educados, instruidos, formados, para asumir las enormes responsabilidades del Poder, y que los Tronos, al fin y al cabo, se asentaban en una tradición secular que por algo perduraba donde los hombres tuvieran una miaja de discernimiento —y estúpido sería quien no advirtiese la diferencia que había entre los prolongados períodos de paz, estabilidad, bienestar colectivo, debidos a la autoridad de un Luis XIV, Catalina la Grande o la Reina Victoria, y el desorden perpetuo de las frágiles y turbulentas repúblicas que, como la de Francia en este siglo (por no hablar de las democracias mulatas y patizambas de América), padecían de un endémico estado de anarquía... (y podía pasarse horas, mi padre, especulando en torno a tales conceptos). En esas ideas había sido educada yo, siempre apartada de los periódicos, además, porque harto hablaban de "cosas feas" que debía ignorar una "señorita decente". Así, me había habituado a transitar a través de los años ignorando totalmente la existencia de revistas y diarios, como no fuese para buscar alguna crítica musical o coreográfica aparecida, este u otro día, en una hoja impresa.

Además —pensaba yo— quienes tenían la contemplación de la Belleza (así, con *B* mayúscula, como solía escribirse la palabra en los comienzos de este siglo) por supremo ideal, consideraban su tiempo humano como algo demasiado precioso y fugaz para dilapidarlo en la lectura de prosas efímeras, reportajes volanderos, polémicas de relumbrón o monsergas demagógicas. Nadie, en los días de mi niñez, hubiese podido imaginarse a Gabriel D'Annunzio, Pierre Louÿs, Dante-Gabriel Rosetti, o Rémy de Gourmont (o el mismo Dorian Gray, que se nos había vuelto un personaje casi real) con un periódico en la mano —y menos aún a Anna Pávlova, ingrávido cisne, altivo albatros, inasible alción, que sobrevolaba nuestro bajo y mezquino mundo, cotidianamente conturbado por discusiones hueras, pugnas de partidos, escándalos financieros y horrendos sucesos criminales. Bien había afirmado un esteta inglés que ninguna persona realmente distinguida podía vivir en alojamiento cuyas ventanas diesen a la calle. Despreciables ventanas eran las que nos mostraban un vulgo municipal y espeso arremolinado en giración de carrusel, hendido por el paso de un carro de bomberos, o arrastrado por los aires marciales de una banda militar. Altas y nobles ventanas eran, en cambio, las que para un espíritu superior se abrían, con marcos dorados, sobre paisajes del Patinir, silenciosos patios de Vermeer, o las plazas públicas, ornadas de prodigiosos monumentos, de Jean-Antoine Caron. Para noticias, grandes noticias, teníamos bastante con las del Entierro del Conde de Orgaz; para reseña de fiestas, grandes fiestas, las de Goya en la Feria de San Isidro, las de Guardi con sus mascaradas venecianas, las de James Ensor, con sus carnavales de Flandes; para sucesos, grandes sucesos, el que presenciaron los discípulos de Emaús a la luz de un candil encendido por Rembrandt; para reportajes, grandes reportajes, los del rapto de las Sabinas, la degollación de los Inocentes, o la suntuosa crónica, dada por David, de la ceremonia de la coronación de Napoleón... Así, mi padre por comerciante (como el cliente siempre tiene razón, más vale que el tendero no tenga opiniones), yo, por esteta, habíamos arribado a una era de transformaciones, de convulsiones, de revoluciones, con la divina inocencia de los bobos. Y, por ello, el viejo Vladimir, siempre desprevenido, había visto naufragar su fortuna en la Revolución de Octubre (de Noviembre, según el cómputo Juliano), en tanto que su única hija era zarandeada por las contingencias de la época, desde la adolescencia, siempre inerme, ignorante de todo, agarrada por sorpresa en cada calofrío del calendario... Y ahora me decía Enrique que Cuba había caído bajo una desvergonzada dictadura militar, y que los momentos eran graves, y cuando yo, venciendo viejas reticencias, me asomaba a los periódicos, poco lograba entender de lo que en ellos se hablaba. No sólo ignoraba el alcance, el peso real, de ciertos apellidos, sino que era incapaz de percibir el sentido exacto de muchas palabras que jamás había usado —ni hallado, en todo caso, en tomos de poesía, memorias de artistas famosos, tratados de danza o textos de musicología. Hubiese necesitado de un glosario, de un diccionario de entresijos, de una clave de criptogramas, para entender lo que quería decirse con "latifundio", "realengo", "monopolios", "centralismo", "fluctuaciones monetarias", "proteccionismo arancelario", "cuota azucarera", lo "contencioso", etc. etc. por no hablar del *no man's land* que constituían para mí las enigmáticas expresiones de "dumping", "pool", "plusvalía", "expansionismo", "pluralismo", "inflación", "deflación", "autarquía", "economía en circuito cerrado", etc. etc. etc. que, con el aditamento de siglas cada vez más impronunciables, llenaban los editoriales y artículos de fondo propuestos a mi ignorancia... Mi oficio era la Danza y a la Danza me atendría ya que era asunto de mi incumbencia —y con tal estado de ánimo volvía, acaso sin darme cuenta de ello, a los razonamientos de mi padre. (La suprema sabiduría humana —bien lo habían dicho los sabios del Asia— estaba en desempeñar a conciencia, con humildad, amor, y total entrega de sí mismo, el oficio electo por probada vocación...) Por lo pronto, todo parecía haber vuelto a su curso normal después de mi sobresaltado despertar de los Idus de Marzo: el cielo me presentaba las más bellas nubes del mundo, la mar era hermosa, mis cactos en tiesto crecían maravillosamente a lo largo de la azotea, y fragantes eran los nardos que a menudo me traía Gaspar Blanco de los portales del Palacio de Aldama. Zapatero a tus zapatos, cada cual a lo suyo, cultive cada cual su huerto, como Cándido, y 1, 2, 3, y 1 yyyyý 2 yyyyý 3...

Y estaba yo con mis anteojeras puestas, atenta como nunca a los pálpitos del metrónomo —1, 2, 1...2, 1 yyyyý 2...— pues me hallaba en un optimista período de buen trabajo, cuando a fines de julio (muy precisamente el día 26, en que nos disponíamos a festejar en casa el cumpleaños de un Calixto que nos llegó ceñudo y preocupado, respondiendo sin mucho alborozo a nuestras felicitaciones para instalarse ante el aparato de radio, cuya luz prendió con mano ansiosa...) se difundió la noticia de que habían ocurrido graves sucesos en la provincia de Oriente. Aquella noche estuvimos atentos, hasta tarde, a las palabras de los informadores y locutores —aunque sin poder discernir todavía lo que de exagerado, veraz, falso o tendencioso, hubiese en ellas. Pero un hecho se destacaba, evidentemente, sobre todos los demás: aquel que desde un principio se nos impuso como: "el asalto al cuartel Moncada" y que —¡pronto lo vería yo!— tantas repercusiones habría de tener sobre muchas existencias... Y la mujer "que nunca leía los periódicos" se vio conturbada, desde la mañana siguiente, por periódicos que, rompiendo con una voluntaria (y a veces afectada) indiferencia ante las noticias, acudían hacia ella, a todas horas, traídos por Enrique, Gaspar, los vecinos, el mismo Calixto, y hasta Mirta que, para sorpresa mía, también compartía la expectación de los demás. Y veía desfilar titulares y sumarios, aún pringosos de la tinta de imprenta recién caída sobre las hojas que rara vez decían mucho más que lo leído en los encabezamientos. Y era una edición de ALERTA: EL BROTE SUBVERSIVO EN ORIENTE. *Más de 80 muertos. Muchos sin identificar aún. Controlada la situación. Copados en la costa grupos de los asaltantes fugitivos.* EL CRISOL: *53 muertos en Bayamo y en Santiago.* ORIENTE (diario de Santiago de Cuba que había sido traído a Gaspar, el día 27, por un músico amigo suyo llegado en un avión de la tarde): 61 MUERTOS Y 28 HERIDOS. TRÁGICO BALANCE DEL ASALTO AL CUARTEL MONCADA POR VARIOS GRUPOS DE REVOLUCIONARIOS QUE SE DICE ESTABAN MANDADOS POR EL DR. FIDEL CASTRO —nombre, este último, que habría de reaparecer en ALERTA al día siguiente: REPORTAN VEINTE MUERTOS MÁS. SIGUEN DE CERCA AL LÍDER FIDEL CASTRO. Y el mismo día 28, reproducía y comentaba la prensa un discurso de Batista en que, desde su baluarte máximo del polígono de

Columbia, rodeado de sus mejores tropas y de sus instructores militares norteamericanos, afirmaba el dictador que la acción del Moncada era obra de mercenarios —entre los cuales se contaban numerosos extranjeros— a sueldo del presidente por él derribado en los Idus de Marzo, con el propósito principalísimo de atentar contra su vida. —"¡Extraño atentado, éste, que empieza a perpetrarse a centenares de kilómetros de donde está la víctima!" —exclamó Enrique. —"El Batista ese está hablando mierdas —y perdón, Madame" —dijo Calixto. —"Aquí nunca hubo más mercenarios que los de las pandillas armadas por los hombres fuertes de la vieja política, y que demasiado hemos visto actuar en estos últimos años" —dijo Gaspar. —"Pistoleros como los que salen en las películas de gángsters" —dijo Calixto. —"Sólo sirven para entrarse a balazos en una esquina o para ametrallarse desde sus automóviles" —dijo Mirta. —"Y ésos, nunca se meterían en una empresa de ese tamaño". —"Cierto" —dijo Enrique: "No se acomete una empresa semejante sin la esperanza —al menos la esperanza...— de contar con un respaldo popular". —"A menos de que se trate de ilusos" —dije. —"Los ilusos son, a veces, los que hacen grandes cosas", dijo Calixto, sentenciosamente, ajustando a los sucesos una frase que mucho usaba yo en charlas dadas a mis discípulos cuando les hablaba de los sueños ambiciosos de un Berlioz, de la heroica lucha de Beethoven, o del loco propósito wagneriano de edificar un teatro destinado a la representación de óperas aparentemente irrepresentables... Pero aquí, ahora, *hic et nunc*, estábamos muy lejos de tan alentadores ejemplos: AVANCE: SIGUE LA PERSECUCIÓN A LOS ASALTANTES AL CUARTEL MONCADA. *Otro cadáver en la Finca "Siboney"* (—"De esa finca salieron los revolucionarios" —comentó Calixto). EL MUNDO: *Mueren seis de los fugitivos del asalto al Moncada en un combate cerca de la Gran Piedra.* THE HAVANA POST: *Lenin book found on attackers* (—"¡Tenía que ser!" —exclamó Gaspar). INFORMACIÓN (el 29): *Se baten en retirada en la Sierra Maestra. Tiroteo en Maffo. Hallazgo de tres cadáveres. Autopsias. Patrulladas las calles...* A medida que transcurrían las horas, los acontecimientos parecían cobrar proporciones mayores. —"Si se añade lo que seguramente se nos oculta, a lo que ahora leemos"... —dije. Para medir el alcance real de los hechos bastaba con observar las reacciones del gobierno, pensaban todos: *"Suspendidas las garantías constitucionales por 90 días"*. *"Nombrados censores para todos los diarios y revistas de Cuba"*. *"Batida del ejército en Oriente"*. Y el Ministro de Información que declara a un periodista yanki: *"Attackers of army post identified as criminals"*. (—"¡Todo un ejército movilizado para capturar a unos cuantos criminales!" —observó Mirta). DIARIO DE CUBA: *Aparecen muertos en Bayamo. Más muertos sin identificar en el camino del Central Sofía*... (—"¡Muertos y más muertos!" —dije. —"La represión debe ser terrible" —dijo Calixto). "Y el Sargento Batista que va alzando el tono" —dijo Enrique: "Primero habló de un 'loco intento', haciendo un llamado a la *armonía* —armonía con acuartelamiento de la policía y suspensión de clases en la Universidad. Y, después, el crescendo: *'Nuestra tolerancia ha sido mal comprendida'*, *'El gobierno debe ser sereno y justo, pero enérgico'*, *'El gobierno será inflexible'*, *'Terminó la tolerancia'*." —"Y esto, y esto..." —dijo Gaspar: "EL PAÍS: *Ofrecen los colonos apoyo al gobierno*. ¿No le basta con su ejército?" —"Y, como siempre, mi clase sigue fiel a sus principios" —dijo Enrique... Y, el 3 de Agosto: AVANCE: CAPTURADOS FIDEL CASTRO Y 7 FUGITIVOS MÁS. PRENSA LIBRE: *Preso Fidel Castro en el vivac de Santiago de Cuba*. DIARIO DE CUBA: *Cede notoriamente la tensión pública con la detención del jefe insurgente Fidel Castro Ruz"*. Y, en CRISOL: "SOY EL ÚNICO RESPONSABLE", *dice Fidel Castro en su declaración. Mostrando en todo una pasmosa serenidad, este hombre joven y robusto, sobre quien pesa una responsabilidad cuya gravedad no puede ignorar, porque se trata precisamente de un abogado, narró con palabra fácil y elocuente todos los detalles de su plan y su desarrollo hasta su captura y traslado a la ciudad"*.

Comentados y vistos los acontecimientos hasta el agotamiento de hipótesis a que lleva un examen exhaustivo de periódicos que no pueden dar más de lo que dan —exprimidos, leídos entre líneas, sometidos a las interpretaciones de la vana hermenéutica consistente en tratar de sacar de donde no hay...— llegamos todos a la misma conclusión. Los sucesos recientes eran insólitos en la historia del país por un hecho particularmente digno de atención. Y era que el intento revolucionario había sido organizado, madurado, llevado adelante, por gente sin vinculación alguna con la vieja política. —"Tú conocías, sin embargo, la existencia de Fidel Castro" —dijo Gaspar a Enrique. —"Es el único cuyo nombre me dice algo, ya que quienes lo acompañaron en lo del Moncada son, para mí en todo caso, perfectamente desconocidos..." —"Para mí también" —dijo Mirta. ("Tú no tienes por qué saber nada de eso", estuve a punto de decir a mi discípula: "Sólo debes pensar en bailar, bailar y bailar"...) —"Por lo pronto, sus apellidos eran ignorados por la prensa, hasta ahora" —dijo Gaspar. Lo asombroso para todos era que, detrás del heroico aunque frustrado empeño, se revelara algo como una generación nueva, ajena a las taras y lastres que en la vida pública se venían arrastrando desde los comienzos del siglo. Atrás habían quedado los generales y doctores, los "hombres fuertes", los trepadores de retumbante verbo que, desde hacía más de cuarenta años, venían manipulando y gerenciando la vida política del país, acompañándose de una semiología destinada a todo un electorado analfabeto, allí donde un presidente se mitologizaba en *Tiburón* (¿por lo voraz?), el siguiente en *Chino* (por su tez apergaminada), en *Mayoral* de ingenio azucarero (por lo autoritario) el sucesor de éste, en tanto que el Batista actual se complacía en saberse identificado con un *Indio*, cuya efigie en terracota o yeso pintado se situaba ya en algunos altares de "santería" junto a las imágenes de Shangó y Ogún, hipostáticas representaciones del Trueno y del Hierro. En los sucesos de Santiago se había afirmado una voluntad de renuevo, un impulso de juventud, para entusiasmo de muchos, y gran pasmo y sobresalto de otros. —"Cuando estábamos sin aliento, nos vino como el 'segundo aire' de los nadadores" —dijo Mirta. —"Pero, desgraciadamente, no ha bastado ese 'segundo aire' para lograr una victoria" —dijo Enrique. —"Lo más original de todo" —dijo Calixto: "es que esa gente surge de los más distintos medios sociales. Porque ahí había estudiantes, desde luego, pero también obreros y empleados, y hasta mujeres de una aparente formación burguesa". Yo me asombraba al verlo tan bien informado. —"Le diré, Madame... Yo no me paso el día entero bailando. Y en los portales de la Plaza Vieja, en la fonda, junto al mostrador de las bodegas, se entera uno de muchas cosas que no salen en los diarios. Es lo que llamamos: *Radio Bemba*". —"Algo como lo que llaman los franceses *'teléfono árabe'*" —pensé... Y algunos días después, era el propio Batista quien hablaba por la voz de sus periódicos: *"Completamente restablecido el orden en todo el país"*... —"...Y aquí no ha pasado nada" —dijo Enrique, con una ironía que mal ocultaba una cierta amargura... (Años después, entregada a la lectura, junto a un mar muy distinto al primero que hubiese conocido —*"La mer, la mer, toujours recommencée..."*— y que, sin embargo, con sus olas promovía un asordinado rumor de gravas rodadas igual al que tantísimos años atrás había acompañado mi descubrimiento de la prodigiosa historia de Stenka Razin, hallaría en un texto llevado a la celebridad una serie de aclaraciones sobre *el día aquel* en que tantas cosas se habían gestado, aunque, en el primer momento, todo me pareciera sumamente confuso, enrevesado, caótico. Y leíase en aquel texto que me devolvía al comienzo de todo: *"Se dijo, por el mismo gobierno, que el ataque al Cuartel Moncada de Santiago de Cuba fue realizado con tanta precisión y perfección que evidenciaba la presencia de expertos militares en la elaboración del plan. ¡Nada más absurdo! El plan fue trazado por un grupo de jóvenes, ninguno de los cuales tenía experiencia militar... Difícil fue organizar, entrenar y movilizar hombres y armas bajo un régimen represivo que gasta millones en espionaje, soborno y delación, y, sin embargo, esto se hizo, con seriedad, discreción y constancia verdaderamente increíbles, gracias a aquellos jóvenes y a otros muchos... La movilización final de hombres que vinieron a esta provincia desde los más remotos pueblos de toda la isla se llevó a cabo con admirable precisión y absoluto secreto. Es cierto igualmente que el ataque se realizó con magnífica coordinación... Nuestro movimiento no tenía relación alguna con el pasado; era una nueva generación cubana con sus propias ideas, la que se erguía contra la tiranía; generación de jóvenes que tenían apenas siete años cuando Batista comenzó a cometer sus primeros crímenes en el año 1934..."*) 1, 2, 3...1 yyyyý 2 yyyyý 3... 1, 2, 3... 1 yyyyý 2 yyyyý 3... Y había yo vuelto a entregarme al trabajo que, al acompañarse de vocaciones nuevas que se revelaban en mi escuela de La Habana Vieja, me resultaba apasionante. Mientras en la otra escuela, la del Vedado, todo seguía igual, con arribazón temporera de nuevas caras que se marchaban como habían venido, aquí, en esto que Teresa llamaba *"El Terpsicore's Kindergarten"*, surgían personajes dignos de atención: dos hermanos, apenas adolescentes, superiormente dotados; Nila, joven mulata que poseía un extraordinario temperamento danzarino, y muchachos, algo revoltosos y difíciles de disciplinar, a quienes me había costado trabajo hacer entender que el arte coreográfico no era forzosamente "cosa de maricones", y se enseriaban cuando escuchaban una música que hablara a su sensibilidad: sobre todo una obra de Edgar Varèse, *Ionización*, escrita para instrumentos de batería, ayer desconocida para mí y que acababa de ser grabada en disco. Dentro de un año, tal vez, con nuevos reclutas que me llegaran y otros que seleccionaría para trabajar junto a Calixto y Mirta, que se llevaban cada vez mejor, podríamos comenzar a elaborar muy lentamente *La consagración de la primavera* que yo soñaba y constituía ahora el objetivo capital de mi vida —y más ahora que, estudiando la partitura muy detalladamente sobre la edición norteamericana de 1947, había descubierto con asombro que en el *Cortejo del sabio* (o Augur) aparecía, acaso añadida a la instrumentación primera, una parte de güiro cubano, con precisa indicación del uso de la varilla rascadora tal como la movían, hacia arriba o hacia abajo, los músicos de acá. (Supersticiosa a mi manera, muy atenta a las advertencias que para mí entrañaban ciertos hallazgos fortuitos, veía en esto una suerte de señalamiento misterioso...) Hablé de ello a Enrique, que, a modo de irónico comentario, me endilgó una cita debida a recientes lecturas: "Sólo los bárbaros son capaces de rejuvenecer un mundo que sufre a causa de una civilización agonizante". —"¿Quién dijo eso?" —"Federico Engels en *El origen de la familia*". —"¡Ah! ¿Con eso andas ahora?" —"Hoy, el que más, el que menos, quiere enterarse de algunas cosas... Como tu discípulo Calixto, que se está aficionando mucho *a ciertos autores*". —"Por mí, que lea lo que quiera" —dije: "Todo lo que deseo es que ciertos libros no lo distraigan de su vocación verdadera. Por lo demás..." Señalé hacia la pequeña vitrina donde descansaba, como

puesta en altar, la zapatilla que me hubiese dado Pávlova, declamando, en broma: "Hay más cosas en esta zapatilla, Horacio, que todas las que caben en los sueños de vuestras filosofías".

27

Una noche se nos coló un personaje nuevo en la existencia. Acababa yo de adormecerme, tras de la lectura de una *Sinfonía pastoral* de Gide que, contemplada en la distancia —lejos de donde su autor gozaba de una fama a mi juicio desmedida—, me había parecido un mixto de melodrama calvinista y novela rosa, cuando Enrique irrumpió en la habitación con cara de copas algo subidas: "Traigo una visita... Alguien que quiere conocerte... Ven como estás... Es gente de confianza". Peinada de cualquier manera y arreglada de prisa, tomando maquinalmente el libro para volver a colocarlo en la biblioteca, salí a nuestra terraza-azotea, donde una voz jovial, de timbre desconocido, me acogió con el más inesperado saludo: "¿La *Sinfonía pastoral*? ¡Ya me había dicho tu marido que eras una mujer valiente! Porque eso es tan inaguantable como la *Marianela* de Galdós... A mí, esas historias de ciegos que recobran la vista para darse cuenta de que amaban a un adefesio a quien atribuían la belleza de Gary Cooper o de Marilyn Monroe, me dan tres patadas donde tú sabes... ¿A ti, no?" Estupefacta ante tal entrada en materia, sentí como una iluminación, sin embargo, cuando oí el nombre de José Antonio... ("Recuerda: te hablé mucho de él, aquella noche, en Valencia...") Recuerdo. Sí. Recuerdo. La taberna del anarquista, con sus pellejos de vino montados en tarimas. Y el largo relato del soldado herido que habría de dar un nuevo rumbo a mi destino. Este José Antonio era quien lo había apartado de los picadores y toreros de Zuloaga para llevarlo, por el puente del *Esprit Nouveau*, hacia el *Guernica* de Picasso; había sido ese amigo mayor, hallado por todo adolescente, y que, para bien o para mal, le abre los caminos del mundo; el Iniciador llegado a tiempo para revelarle la vanidad y la falsía del ámbito en que había crecido. Me vi examinada con curiosidad —medida, sopesada, detallada— por el recién llegado a quien Enrique había reencontrado, horas antes, después de años sin saber de él, en una de las muchas comidas mundanas a las que concurría harto a menudo ahora —decía que "para cultivar su clientela"— en tanto que yo las rehuía, en creciente aversión a cuanto fuese perder el tiempo en charlas hueras, chismorreos y tautologías de lugares comunes. —"Ofrécenos un wisky" —dijo Enrique: "Pero no del *Four Roses* ese (te dejaste engañar cuando te vendieron esa porquería) que sabe a mesa de presidente de compañía de seguros... Del *Haig and Haig* que tienes ahí". (La cómica imagen de la "mesa de presidente de compañía de seguros" me hizo reír porque, a la verdad, el olor de aquel wisky comprado por error me recordaba el de ciertos líquidos amarillos vendidos para el pulimento de muebles.) Y, buscando una excusa a mi impericia en materia de licores: "No me van a negar que el *Four Roses* es anunciado de modo genial, con un cuadro de rosas presas en la transparencia de un bloque de hielo, capaz de confundir a cualquiera". —"¡No hables mal de la Publicidad!" —exclamó Enrique: "Mira que José Antonio es publicista". —"También nos llaman *publicitarios*" —apuntó el otro. —"Posee una de las más grandes agencias del país"... De minuto en minuto se acrecía mi sorpresa ya que, sabiéndome "aprobada" por quien hubiese desempeñado un decisivo papel en la vida de Enrique, no acababa de hallar, en él, al hombre que se me hubiese pintado. Donde me esperaba conocer un artista, hallaba un negociante. Y la persona a quien examinaba yo ahora, reciprocando la atención puesta en mí, difería totalmente de lo que me había figurado. Se me había hablado de un joven flaco, nervioso, un tanto amargo, siempre torturado por alguna angustia interior, y el José Antonio presente se me plantaba como un individuo maduro, asentado, corpulento, con cara despreocupada y gozona. El José Antonio de *aquellos días* —tiempos de un General Machado que siniestramente anunciara la sombría y fullera actualidad del Sargento Batista— se caracterizaba por el desaliño vestimentario, el desgarbo, el uso de zapatos campesinos de los que llamaban "de vaqueta" y sólo se vendían en las bodegas de pueblo, en tanto que el José Antonio de hoy alardeaba evidentemente de una esmerada elegancia en el atuendo, llevando un traje de magnífica hechura, con camisa sutilmente entonada y una corbata de las que ostentan, en el reverso, alguna ilustre firma francesa o italiana. A primera vista, el personaje me decepcionaba un poco. Nada tenía del sarcástico demoledor que tan útil hubiese sido, durante un momento, para revelar al sobrino de la Señora Condesa lo que de feble, obsoleto o mendaz hubiese en la suntuosa mansión de la Calle 17, sacándolo de su ambiente, despertándolo a tiempo —asestándole, en suma, el oportuno garrotazo con que los maestros del *Zen* sacuden a quienes caen en modorra mental, obligándolos a pensar por cuenta propia... Poco a poco, sin embargo, el sujeto se me fue acreciendo por los giros singulares de un humorismo que, aunque muy criollo en la expresión, lejos de valerse de los mecanismos de chiste y retruécano que eran moneda corriente entre las gentes de aquí, jugaba con los recursos de una real cultura manejada en perpetua burla de sí misma. Citaba frases, pensamientos, versos clásicos, falseando siempre algún elemento para darles un viso caricaturesco. Atribuía a un repostero famoso el grito de *"Jalea jacta est"* y a un cronista deportivo la sentencia de *Box populi, box dei,* y afirmaba que un duque de reciente promoción habanera (por adquisición de un título contantinopolitano —¡dígame usted!—) se jactaba de que su árbol genealógico se remontaba *—o tempora, o mores!—* al "tiempo de los moros", con ramas colaterales que lo emparentaban con los Espeleólogos de Bizancio (y rectificaba: "Miento: los Paleógrafos")... Aquella noche —lo recuerdo— me hizo reír enormemente con sus aparentes —aunque perfectamente urdidas— confusiones entre el Sordo de Lepanto y el Manco de Bonn, la Dama de Wakefield y el Viçario de las Camelias, el áspid de Procusto y el lecho de Cleopatra, la manzana de Atila y el caballo de Newton, el perro de Lara y los infantes de Alcibiades, la espada de Colón y el huevo de Damocles... Dotado de una labia inagotable, rápido en la réplica, certero en la saeta, José Antonio me resultaba tan divertido como difícil de penetrar, pues me parecía que, tras de su facundia, se ocultaban, acaso, inconfesadas frustraciones. Le pregunté por su pintura. —"¡Quién se acuerda de eso, señora!" —exclamó él: "Si Miguel Ángel hubiese nacido en Cuba, en vez de pintar la Capilla Sixtina, habría embadurnado vallas anunciadoras para la pasta Colgate o el Jabón Palmolive. Por lo mismo, a tiempo me pasé del campo de Leonardo o del Tintoretto al campo de César Birotteau —pregonero genial del *Aceite Cefálico,* del *Agua Carminativa,* de la

Doble crema de las sultanas, 'invento de un médico árabe, muy usada en los serrallos'— antecesor y santo patrón de todos los publicitarios del mundo, por obra y gracia de Honorato de Balzac". —"La facilidad de palabras debe serle muy útil en sus actividades" —dije. —"Está usted en lo cierto, porque mi profesión es la más hamlética de todas: *Words, words, words* —lo que equivale a decir: *slogans, slogans, slogans*... No los hay mejores que: *To be or not to be, Alas, poor Yorick*, que se mantienen frescos y activos desde hace cuatro siglos y servirían maravillosamente, hoy, para inducir al poseedor de un Morris a cambiarlo por un Lincoln o un Cadillac... *Al comienzo fue el Verbo*, dijo San Juan. Y el Verbo engendró la primera Agencia de Publicidad. *¡Fiat Lux!*, dijo Dios. Y al punto se encendió el primer anuncio lumínico". —"¿Y habiendo abandonado la pintura, está usted en paz consigo mismo?" —pregunté. El otro se enserió un poco: "En paz con el medio en que vivo. Tengo una casa en la playa de Varadero, un *Jaguar*, diez y ocho trajes en mi armario y una sabrosa cuenta bancaria. Todo lo que hace falta para que lo respeten a uno en este país". —"¿Y eso le basta?" —"Mira, Vera (de pronto me tuteaba): no me metas en dostoyewskianos exámenes de conciencia. Hace tiempo que mi conciencia está en la casa de empeños. Así lo exige, por lo demás, el oficio que ejerzo".

Ahora, José Antonio venía a buscarnos a menudo, así, sin previo aviso, en albur de antojo, para llevarnos a comer a restaurantes de Cojímar, "ranchos" campestres, o, más sencillamente, al "Puesto del Congo", de Catalina de Güines, cuando no a una fonda del Barrio Chino, donde vine a saber que en un cine cercano se representaba un drama clásico de tiempos de los emperadores manchúes, interpretado por una compañía de aficionados que observaban todas las reglas y disciplinas de un teatro cuyas técnicas habían deseado conocer, y se me revelaron, de repente, como expresión acabada de un arte colmado de enseñanzas útiles. Vi cómo dos actores podían darnos, por una levísima y contrariada ondulación de sus cuerpos, la ilusión de que estaban en una barca; entendí cómo el rayo —universal expresión del *Dies irae*— podía ser metaforizado en el clavo que, golpeado por un mazo, derribaba a distancia un caballero felón; me admiré ante los recursos gestuales de personajes capaces de hablar con las manos, los dedos, los ojos, los abanicos; asistí a los grandiosos desfiles de ejércitos figurados por un solo soldado con diez banderas plantadas en los hombros; conocí la elocuencia de las máscaras y medias máscaras, del maquillaje simbólico, y de la invisibilidad atribuida a quienes se envuelven en una túnica azul celeste; supe de cordilleras inmensas construidas por cinco sillas, y mentalmente crucé los ríos hechos de una banderola donde se pintaba un pez, sabiendo que jamás había de tomarse por sujeto presente al utilero vestido de filipina blanca que, sin meterse en la acción, circulaba —inadvertido por todo el mundo— entre emperadores, mandarines, generales, concubinas intrigantes y esposas repudiadas... Y me asombraba yo al pensar que diez veces había transitado por aquella calle de verduleros y almacenistas de triviales baratijas asiáticas, sin sospecharme que, tras de una fachada cualquiera, desnuda y sin estilo, a menudo resucitaban los héroes y protagonistas de toda una épica fulgurante, de muy añejo abolengo. Dije a José Antonio que había algo como la belleza de lo inesperado y fortuito, tan amado por los surrealistas, en la mágica presencia de ese escenario de maravillas a dos pasos de la torre chocarreramente hispánica de la Compañía de Teléfonos y el comercio de lencería y ropas femeninas que se llamaba *"La Filosofía"*. —"Aquí, el surrealismo se da al estado bruto" —me respondió: "No hay que suscitarlo, no hay que buscarlo... Se nos presenta así, sin previo aviso, con la fuerza de una revelación". Y me mostraba la tienda donde a la sombra, junto/debajo de la altísima flecha del Sagrado Corazón, se vendían amuletos y objetos de hechicería sincrética: imanes atados con cintas, Piedras del Cielo, Hierros de Ogún, Hachas de Changó, Columpios de Ibeyes (Jimaguas), oraciones para uso de ladrones y prostitutas, filtros de buen querer y frascos de la loción "Amor vencedor", para untos propiciatorios que habrían de acompañarse de imploraciones al Ánima Sola —mujer atada, encordada, ardida en la infernal llamarada de sus celos, de la que existía una imagen gemela, idéntica, muy reverenciada, aún ahora, en la Catedral de Kiev, la grata metrópoli de Vladimiro el Grande, cuya historia, muy mitologizada, hincaba raíces en el mundo de los cuentos populares rusos, con la leyenda de Kaschei el Inmortal, personaje de *El pájaro de fuego.* Y aquí, una vez más, me hallaba estupefacta —sobrecogida como lo hubiese estado la noche en que asistí al primer baile arará en casa de Bola de Nieve— por la revelación de raras identidades entre *esto* y *aquello,* llegando a preguntarme si, en suma, el *corpus* de la cultura no era sino uno y universal, descansando en unas pocas nociones primordiales que eran de un entendimiento común a todos los hombres. La corona de Shangó era la misma de los Reyes de Creta, y un güiro cubano sonaba ahora, como novedad introducida por el compositor, en la partitura de *La consagración.* —"¿Sabes lo que es un *cadáver exquisito*?" —me preguntó José Antonio un día, ofendiéndome levemente con una duda ante quien, como yo, hubiese vivido durante años en el ámbito mismo —la forja, el laboratorio central— del surrealismo. (Muchas veces había tomado parte en esos juegos donde, doblándose una hoja de papel en que se hubiese escrito una frase breve, un verso, un renglón, se pasaba a otra persona que, sin ver el texto anterior, debía añadir otra frase breve, otro verso, otro renglón, hasta que llenada la hoja con la colaboración de varios apareciera un poema colectivo, a veces poco interesante, a veces meramente absurdo, pero casi siempre divertido, y sorprendente por la fulgurante conjunción de realidades distantes.) —"Aquí el Cadáver Exquisito se pasea por las calles" —dijo el Publicista (o *Publicitario*) frenando el *Jaguar* en el cual nos traía del pueblo de Guanabacoa a tempo de huracán, para detenerse ante un vendedor de billetes de lotería que, ostentando números en cartones colgados del cuello, se nos acercó, solícito, con ristras de papeletas en las dos manos. —"A ver. . . ¿Qué traes ahí? Pero que sea con las palabras o *el verso* que acompañan". Y el otro, pasando cifras —abstracciones matemáticas— al mundo de los animales, cosas, imágenes, que a números se referían en su cábala particular, nos hizo saber que hoy traía los afortunados, predestinados, electos guarismos de: 821. *El león con chaleco.* 7488. *El tren con espejuelos.* 4198. *La lagartija toca el piano.* 25870. *Grillo adúltero come coco.* 9192. *Un tranvía se suicida.* 1181. *Un gallo muerto en el tintero.* 19492. *Un camello con leontina que monta en globo.* 1823. *El sol come calabaza en la escalera.* 33036. *El ciempié fuma arcoíris en pipa.* 26115. *Una mariposa tira un cañonazo a la monja.* 15648. *El sol tira una piedra a la barbería.* 38166. *Un ciempié afeita una estrella*... —"Aquí hay mucho más que *Cadáveres Exquisitos*" —exclamaba Enrique, alborozado: "Son títulos para cuadros de Max Ernst, Joan Miró, Chirico, Magritte, Picabia..."

La presencia jocunda y pintoresca de José Antonio había traído a nuestra casa la alegría que suele suscitar la aparición de un nuevo amigo —nuevo comensal con nuevos temas de conversación— allí donde los hábitos adquiridos suelen imponer un rutinario pálpito a la vida. Pero, desde el comienzo, observé que poco agradaba a Gaspar la presencia de quien veía como un intruso repentinamente instalado en terreno propio. —"Es un *tártaro*" —decía: "Un *buchipluma.* Además, esos publicitarios no tienen moral. Venden a su madre por llevarse la cuenta del Bacardí o de los tabacos *Romeo y Julieta*". Yo trataba de vencer su hostilidad, y José Antonio, por su parte, se extremaba en atenciones con el músico, sabiendo que su convivencia con mi marido en una guerra había creado, entre ellos, una sólida hermandad. Pero Gaspar, reacio a las maniobras de acercamiento del otro, esquivo y malhumorado apenas percibía el sonido de su voz, comenzó a apartarse de nosotros. —"Conozco esos celos de amigos" —dije a Enrique: "Ya se le pasarán". Pero ocurría algo más grave. Y era que el trompeta tenía al *Publicitario* —como lo llamaba, fingiendo que desconocía su nombre de pila— por "un reaccionario de mierda", así, a simple vista, por su cara, su modo de vestirse, la marca de su automóvil. Él sabía, sin embargo, que yo en nada compartía sus ideas políticas y que la palabra "revolución" me causaba pavor. (Convencida de que, en materia de política, las discusiones en nada logran modificar las convicciones ajenas, cuando se abordaba ante mí el tema del comunismo, adoptaba la actitud de sonriente distanciamiento que había hecho posible, en otros tiempos, mi convivencia con Jean-Claude...) —"Tú sabes que tampoco tú y yo coincidimos en cierto terreno" —hice observar al músico. —"Contigo la cosa es distinta. No tienes el menor sentido histórico. Y fuiste *choqueada,* de niña, por acontecimientos demasiado grandes para que pudieses entenderlos. Los 'diez días que conmovieron el mundo' no eran un *show* para meriendas infantiles... Lo entiendo así; eres mi amiga, y a condición de que, como hasta ahora, respetes mis ideas, yo respeto las tuyas. Nunca te he pedido que leas a Marx". —"Hubiese sido tiempo perdido". —"...Además, no eres agresiva, y tu marido es hombre progresista, con el mucho mérito de haber peleado en España. Esos *publicitarios*, en cambio..." Y ahí me venía Gaspar con un repertorio de improperios criollos que, por excesivos, pintorescos o altisonantes, alcanzaban las ramas más remotas del árbol genealógico del aludido... Pero no por escuchar la verba imprecatoria del músico, le cedía terreno. Me era evidente —las mujeres pronto advierten ciertas cosas— que mi persona era grata a José Antonio. Varias veces lo había sorprendido mirándome soslayadamente a través de un espejo. Y a pesar de saberme incapaz de una infidelidad (jamás habría podido armar la compleja maquinaria de fintas, coartada, engaños, trapacerías, mentiras y contabilidad de mentiras, embustes y registro de embustes, que implicaba todo adulterio...) me sentía halagada al saber que alguien me admiraba en silencio apreciando, acaso, los reales atractivos de mi alargada juventud, pues, aunque había pasado ya el temible cabo de los cuarenta años, una vida consagrada a la danza, cuyos ejercicios seguía practicando diariamente a pesar de haber renunciado a bailar en escenarios, me conservaba una silueta armoniosa y espigada, asentada en la firme armazón de una sólida musculatura flexible, ágil, bien ajustada al contorno de mi piel. No tenía las arrugas que suelen marcar a las mujeres de mi edad, entregándolas, entre empavorecidas y esperanzadas, a los institutos de belleza y a los escalofriantes portentos de la cirugía plástica. Tenía que reconocer la exactitud de una observación hecha por Enrique al día siguiente de nuestro encuentro en Valencia: me parecía a Clotilde Sakharoff —evidencia que me hubiese sido desagradable por no creer entonces que la hermana de Alejandro fuese una danzarina auténtica, pero que ahora aceptaba, halagada, al pensar en quien, ciertamente, hubiese sido (no sé si vivía aún) una bellísima mujer, iluminada por una clara y singular mirada... Gaspar tenía celos de mi amistad con José Antonio, como yo sentía celos, repentinamente, de una Teresa que, reapareciendo una tarde en nuestra casa, tras de un alejamiento de meses, había tratado, como suele decirse, de "entrarle por los ojos", puteándole visiblemente, y haciendo chistes a costas de la dichosa botella de wisky "*Four Roses*" que había hallado al buscar licores en mi aparador... Así, me alegré cuando ella nos anunció que se marchaba a Acapulco por unas semanas, como me sentí aliviada, lo confieso, al saber que Gaspar se iba a México con un contrato de tres meses, en calidad de primer trompeta de una orquesta especializada en la nueva modalidad de música cubana que era el mambo... Y una noche, sintiéndome autorizada a franquearme con alguien a quien me sentía algo unida por una leve *amitié amoureuse,* me extrañé de que un hombre de su inteligencia hubiese abandonado la pintura por un oficio tan poco estimable como lo era presentemente el suyo. —"¡Ay, Vera! Digamos que soy anarquista a mi manera y que, mediante la publicidad, castigo a la sociedad que me rehusó como creador".

Y, puesto en latitud de amargura, afirmaba que era totalmente inútil tratar de consagrarse a la pintura aquí donde una burguesía opulenta nada entendía de pintura e ignoraba la existencia de sus mejores artistas. Un Ponce, en quien Pierre Loeb —antaño marchand de Miró, refugiado en Cuba durante la guerra— hubiese hallado algo de las delicadezas de entonación y el brío en la línea que hacían la grandeza de Watteau, había muerto de miseria y enfermedad. Amelia Peláez, genial en sus interpretaciones de barroquismos arquitectónicos y vegetales, con sus cuadros iluminados *desde adentro* por transparencias de "medios puntos" criollos inscritos en el lienzo, vivía retirada, sin compradores, en una remota calle de la barriada de La Víbora, encerrada en una semisordera que le hacía preferir la compañía de las plantas a la frecuentación de las gentes. ("Otra que nada vende" —comentaba Enrique). Portocarrero, animador de tornasolados carnavales, constructor de ciudades que parecían vastos lampadarios prendidos en las noches del trópico, era poco menos que ignorado. Wilfredo Lam, ilustrador de la *Fata Morgana* de Breton, autor de la prodigiosa *Jungla,* permanentemente expuesta en el Museo de Arte Moderno de Nueva York, había conocido años de ardua penuria, en años recientes, amontonando obras admirables, sin demanda alguna, en las hoscas y alambradas orillas del campamento militar donde, no hacía tanto tiempo, el Sargento Batista se hubiese magnificado en General de Asonada, demostrando —y con ello contradecía, según José Antonio, un principio aparentemente axiomático de Napoleón— que, en América Latina, era perfectamente posible sentarse/instalarse sobre puntas de bayonetas —¿y acaso no se venía haciendo esto, aquí o allá, desde hacía más de un siglo? Por ello era que el joven pintor de otrora, convencido un buen día de las impermeabilidades intelectuales del medio, se había transformado en el "publicista fenicio" —como decía— que ahora ganaba mucho dinero, encargaba camisas a Londres, no usaba sino mancuernas de Tiffany o de Cartier, y sólo comía de lo mejor y de lo más caro con la desaforada apetencia de caviares, foies-gras, licores de gran marca, vinos de buen año y buena cepa, de quienes se desquitan, por las tragaderas, de muchas privaciones pasadas. Hablando de su oficio presente se hacía sarcástico, nihilista, duro juez de sí mismo, dentro del burla-burlando de monólogos llevados con el pintoresco aval de citas y referencias, descabellados juegos analógicos y sentido de la caricatura, que caracterizaban su estilo verbal. La Publicidad, según él, era el oficio de quienes no tenían oficio, erigiéndose, trapacera y ubicua, en la Picaresca sin fronteras de los tiempos modernos. Pablos de Segovia, Guzmanes de Alfarache, Estebanillos González, Gilblases de nuevo cuño, eran los hombres sin profesión (o fracasados en una profesión) que ahora se entronizaban, magníficamente vestidos, rodeados de hermosas secretarias, parleros y zahoríes, verbosos y perentorios, en sus oficinas ornadas de araucarias, cactos y plantas raras, muebles de rebuscado *design*, con bares empotrados en la pared que, a llamado de señal electrónica, adelantaban hacia el visitante atónito, los convincentes y determinantes licores del trato mañanero. Hijos de los Pregoneros del Curalotodo, Extractores de la Piedra de la Locura, Sacamuelas-sin-dolor, Vendedores del Elíxir de Orvieto, Esencias de Cantárida o Portentos de Indias, Chanfallas de Retablos de las Maravillas, eran los publicistas de hoy, creadores de toda una mitología —perennes renovadores de un Estatuto de los Espejismos. Solicitando las apetencias secretas del Don Juan oculto en toda alma masculina, se enseñaba a ese Don Juan soterrado que para serlo de cuerpo entero, le era necesario poseer un automóvil de gran marca (¿se imaginan ustedes a un Señor Mañara, a un Tenorio de verdad, conduciendo un pequeño Volkswagen?...), fumar cigarrillos de Virginia (predilectos del bragado varón que, pistolas al cinto, galopaba por las vastas praderas del Oeste norteamericano, o el bien plantado atleta que, con su ricahembra al lado, se doraba los pectorales al sol de las Bermudas), llevar el slip de mínima expresión que, bien ceñido al cuerpo, ventajosamente le moldeara los modillones de la virilidad ("esto es lo que yo llamo un hombre" —había dicho Napoleón al ver a Goethe, por ignorar aún que sólo el uso de ciertas lociones de "after-shave" confieren una verdadera categoría humana al individuo...). En cuanto a las mujeres ("y no hay mujer honesta que no haya soñado alguna vez con dejar de serlo" —había dicho, más o menos, La Rochefoucauld) se las llevaba a creer que los estropicios de la edad podían ser disimulados, escamoteados, cuando no borrados del todo, en una juventud milagrosamente recobrada por un concertado manejo de untos y bálsamos capaces de detener el sol como Josué, revirtiéndose el tiempo en la maravilla de calendarios recurrentes donde, en presente/pasado se inscribían, recuperables sin trompetas ni desplomes, las fechas de victorias conseguidas en campos de batalla que lo eran también de plumas, con deleitoso olvido de lo que Racine hubiese llamado "el irreparable ultraje de los años". El Publicitario se afanaba (buena publicidad comienza por aplicarse a uno mismo) en hacer creer que la Publicidad era una ciencia, a sabiendas de que cuanto pudiese saberse en esa materia podía aprenderse descansadamente en menos de una semana. El Publicitario pretendía presentar el anuncio como una información —como si información pudiese ser una directa y a veces agresiva incitación al consumo de un producto alabado en detrimento de otro que acaso le aventajara en calidad. Para acrecentar su prestigio, había adornado su oficina —genial invención— con la presencia de psicólogos matalones que en momento oportuno aparecían ante el cliente, como mengue sacado de un escotillón, para revelarle las entretelas de unas "motivaciones de consumo", cuyos mecanismos secretos (a veces ignorados por los mismos interesados) llegaban a desentrañarse cuando mucho se había meditado sobre los grimorios de Freud, Jung o Adler —venciéndose con ello las últimas reticencias de un oyente atónito ante los mundos de sabiduría que de súbito le eran revelados, con las palabras de "libido", "complejo de Edipo", "inconsciente colectivo", "voluntad de poder", disparadas en deslumbradora pirotecnia hacia un comerciante o industrial que, en punto a lecturas científicas, no había pasado del *How to win friends* de Dale Carnegie. Toda una biblioteca de Tratados, bastante costosos, de autores norteamericanos generalmente, se desplegaba detrás de la butaca giratoria del Presidente Ejecutivo de la Empresa Publicitaria, cuyos textos revelaban la ensalmadora acción de expresiones tales como: *Esto le concierne a usted, Última oportunidad, Todavía es posible, La verdad acerca de... Su vida puede ser muy mejorada por... No piense que su juventud ha terminado... Usted puede... Aún puede...* (¡Oh, jovenzuela que pusieron en el lecho de David viejo, para reavivarle una piel que sólo los huesos le levantaban ya como estacas y horcones de tienda nómada!...). En materia de *marketing* (y ahí estaba una segunda biblioteca situada en la otra vuelta de la butaca giratoria del Presidente-Ejecutivo...) los clásicos del género señalaban la inutilidad de tratar de vender vinos californianos en Burdeos, *corned-beef* en Benarés, embuchados en una sinagoga ("o música de Juan-Sebastián Bach en casa de Leónidas Trujillo" —pensaba yo), mostrándose cómo una agencia famosa, señalada como un ejemplo a seguir, se había ingeniado para disfrazar de "poderosísima fuerza de trabajo" lo que era, en realidad, el trágico desempleo de centenares de miles de hombres y de mujeres en Puerto Rico, invitándose a los industriales yankis a trasladar sus fábricas a la isla (para ellos) privilegiada, donde "650 000 trabajadores capacitados estaban *a su disposición* (sic) para incrementar su negocio"... Y hablaba José Antonio, ahora, de las vastas guerras promovidas por generaciones de *publicitarios* (pues, desde los años 20, había asistido el Mundo, pasmado, admirado, al paso de tres generaciones de ellos...) para extender los imperios, tan vastos como lo habían sido el imperio romano o el de Felipe II, de la Pepsi-Cola y de la Coca-Cola. ¡Lucha tenaz y encarnizada de Aquiles contra Héctor, en cuya historia e ilustración, vista cotidianamente en periódicos, revistas, cortos metrajes cinematográficos, se había gastado más papel que el usado, desde la invención de la imprenta, en editar *La Ilíada* y *La*

Odisea —quedando muchas resmas, todavía, para *La Eneida*, el *Telémaco* y hasta el *Ulises* de Joyce. ¡Y el combate épico de la *Levadura Fleischmann* contra las *Sales de Kruschen*, mucho más costoso que la creación de un centro de investigaciones donde se hubiese logrado, acaso, una victoria sobre el cáncer!... 10 millones de dólares costaba hoy el lanzamiento de un detergente sobre el solo mercado norteamericano. Y a pesar de ello, el pregón de los detergentes, había invadido el éter de Europa, de las dos Américas, Australia, y parte del Asia, con sus *jingles* ilustradores de jabones, lejías, cloralías y químicas corrosivas. "Para los *jingles* de la radio, echamos mano a Schubert, a Chopin, a Liszt. Recientemente, en París, capital de la inteligencia, los aparatos receptores difundieron un anuncio de papel higiénico cuyo 'fondo musical' era el *Liebestod* de *Tristán e Isolda*..." —"¡Qué horror!" —exclamé. Pero José Antonio, adoptando un tono de trágico español en monólogo de Segismundo: "¡Oh, Atila! ¡Publicitario impar que inventaste el primer gran *slogan* de la Historia, con aquello de que *donde pasaba tu caballo no volvía a crecer la yerba*! ¡Cuántas buenas ideas nos hubieses dado para el lanzamiento de un detergente o de un insecticida! ¡Hombre genial que mandabas a tus hunos más tasajeados, apestosos y carifeos, de embajadores tuyos, recomendándoles que en público devoraran piltrafas de carne cruda, para que se creyese que eras un Bárbaro Exterminador, cuando tú, en realidad, bien conocedor de la sofística griega por tu esmerada educación, habías descubierto, antes que nadie, las artes de encubrimiento, ilusionismo y engaño, de eso que llamamos, en buen lenguaje del oficio: *Relaciones Públicas!* ¡Atila, Doctor Honoris Causa of Public Relations, deposito en nombre de todos los publicitarios del mundo un ramo de siemprevivas —o mejor: de alfalfa— en el ubérrimo pesebre de tu caballo, más productivo que Bucéfalo, Babieca y Rocinante! ¡Tenías madera de Director-Ejecutivo de la Procter & Gamble, de la McCann-Eriksonn, de la Walter Thompson, agencias del norte, paradigmas, ejemplos, ideal, en una clase de negocio en que sólo se venden palabras, palabras, palabras, y, como hacían los malditos boticarios de Quevedo, 'cobramos hasta el papel en que damos el ungüento', para parir, al cabo de noches de insomnio, de lucubración, de angustia creadora, el *slogan* que se cita como logro supremo del pensamiento publicitario en todos los Manuales que tratan de la materia: '*A cien kilómetros por hora lo que más suena en la nueva Rolls-Royce es su reloj eléctrico*'". —"Me parece demasiado largo" —observé. José Antonio se echó a reír: "Tienes razón. Un buen *slogan* tiene que ser más breve, más percutiente. Yo daría más bien como ejemplo, el *slogan* publicado por todas las revistas norteamericanas en la década de los 30, junto a una linda foto de foxterrier, cuando había seis millones de desempleados en los Estados Unidos: 'Perro mal alimentado, no es perro cariñoso'."

Hacía rato ya que Enrique, mientras José Antonio hablaba, andaba revolviendo la biblioteca en busca de un tomo (el tomo que es precisamente el que se ha extraviado, por lo mismo que es ése, y no otro, el que se busca) entre los muchos que, disparejamente colocados, atiborraban los entrepaños. Ahora volvía hacia nosotros con el índice apuntado a una página, como un Moisés que mostrara las Tablas de la Ley: "Todo eso estaba anunciado por Marx en años en que no existían las agencias de publicidad y César Birotteau, el perfumista, elaboraba sus prospectos por propia inspiración. Ahí está. Escrito en 1844: '*Todo hombre se afana en crear para otro una necesidad nueva para inducirlo a hacer un nuevo sacrificio, colocarlo en una dependencia nueva y llevarlo hacia nuevas modalidades de goce... La multiplicación de productos es el cebo con el cual se trata de atraer al otro, sacándole su dinero ya que toda necesidad real o posible es una debilidad que atraerá a la víctima con la sonrisa más amable, diciéndosele: «querido amigo: yo te daré lo que necesitas»... El eunuco industrial se inclina ante los más infames caprichos del hombre, oficia de alcahuete entre sus necesidades y él mismo, atento a sus muchas debilidades para exigirle, luego, el salario correspondiente a sus buenos oficios*'..." —"Gracias por lo del *eunuco industrial* y *alcahuete*" —dijo el publicista, riendo. —"Pedantería no le falta" —dije, yéndome del lado del visitante: "Siempre encuentra el modo de citar a Marx. En eso se parece a Gaspar. Pero Enrique es como los católicos que no van a misa. Gaspar, en cambio..." —"Los trompetas saben de toques que anuncian los Juicios Finales" —dijo Enrique, riendo a su vez. —"A ésas no tienes por qué tenerles miedo, Vera" —dijo José Antonio: "porque las únicas trompetas que pueden sonar aquí son las de la rumba, el mambo y el cha-cha-cha... Pensar este país en términos de dialéctica marxista es tan absurdo como imaginar al Poverello alojado en casa de Nelson Rockefeller, la madre de los Gracos metida en un French-can-can, Diógenes representante de los bombillos Edison, Lúculo bebiendo Pepsi-Cola, o Catón alcalde de Las Vegas". —"Marx lo predijo todo, lo adivinó todo, lo explicó todo" —dijo Enrique, volviendo a hojear el libro. —"Pero en el mundo donde nos movemos, nadie quiere que le predigan nada ni que le expliquen nada: *'Après moi le déluge'* (¡y qué buen *slogan,* ése, de Luis XV, para un anuncio de impermeables!). Quien pretenda imponer aquí un pensamiento revolucionario marxista nada entiende de *marketing*"... No sé por qué, esa noche, me sentí más amiga de José Antonio.

28

Una tarde —muy interesado, al parecer, por lo que acerca de mi trabajo y mis proyectos le hubiese contado unos días antes— José Antonio se presentó inesperadamente en mi escuela de la Plaza Vieja. —"¡Esto sí que es original!" —dijo, al sorprenderme en plena labor con mi "gente de color quebrado" —como se la hubiese llamado en buena prosa colonial española del siglo pasado. Interrumpí el movimiento en marcha y ordené una pausa para preparar otro ejercicio mejor ajustado y más vistoso que el anterior, cuyo descanso aprovechó Calixto para tomar un periódico dejado por el visitante en una silla: "¿Me permite?" Era un número de INFORMACIÓN donde se estampaba un destacado titular: *Condenado Fidel Castro a 15 años de prisión.* —"¿Fidel Castro? ¿El que dirigió el asalto al Cuartel Moncada?" —pregunté. —"El mismo" —dijo José Antonio. —"Pero el proceso viene andando desde el mes pasado" —dijo Mirta. (Una vez más me sorprendía mi alumna por el interés que en ella suscitaban ciertos sucesos de actualidad). "Y parece" —añadió— "que, en el juicio, asumiendo su propia defensa, Fidel pronunció un discurso absolutamente extraordinario". —"Pero muy pocos pudieron oírlo" —dijo Calixto, volviendo a plegar el diario: "Muy pocos, porque el juicio se celebró en la sala de enfermeras de un hospital". —"¡Caray!" —largó José Antonio: "Están ustedes mejor enterados que el mismo periódico". —"Es que un amigo que anoche llegó de Santiago nos contó. . ." —dijo Mirta. —"¿*Nos* contó? ¿Quiénes son los *nos*?" —pregunté. —"Bueno. . . Fue en casa. . . Mi familia. . . Porque anoche. . ." —"¡Basta de chachareo! ¡Todos en posición!" —grité, dando palmadas y señalando hacia el tocadiscos: "Y tú, Calixto, piensa en lo tuyo y déjate de tanta política. . . ¡Música, por favor!". . . Y aquella noche, durante una cena en un restaurante del puerto, me habló el publicista, con precisa visión de hombre de negocios, de cómo, a su modo de entender, habría de llevar adelante mis proyectos. La idea de una *Consagración*, montada de manera nueva, le parecía "genial".

("Sí, sí. No son halagos de amigo... Tú me conoces... Si no lo creyera, te diría que estás fuera de cancha y mejor debieras dedicarte exclusivamente a entrenar las señoritas de virgo en subasta —ésas, que estudian contigo en tu otra escuela— para que se luzcan con el *Cascanueces* —y tú sabes, como yo, lo que llaman en Francia un cascanueces"...) En materia de teatro y ballet había obras logradas, en actuación y "mise en scène", desde el instante de su nacimiento, y era ocioso añadirles cosas impensadas por sus autores, que no hacían sino recargarlas, desvirtuar sus intenciones y falsear su estética —a veces representativa de todo el espíritu de una época. Hamlet fue, desde el primer momento, el Hamlet que conocemos y tontos eran los intentos, hechos recientemente, de mostrarnos un Hamlet vestido de smoking, en un Castillo de Elsinor semejante al palacio de Randolph Hearst, con un Polonio parecido al Doctor Schweitzer y una Ofelia que tuviese la turbulenta movilidad de Ginger Rogers. Pero también había grandes obras que nacían cojas, malogradas, fallidas, en cuanto a la escenografía y el concepto de su interpretación, y ésas dejaban rienda suelta a la inventiva de un director, por sus mismas carencias. (Yo pensaba que si bien había visto magníficos *Caballeros de la rosa,* no acertaba a recordar un *Peleas y Melisenda* verdaderamente logrado, acaso porque no hubiese encontrado la partitura de Debussy su verdadero estilo escenográfico...) *La consagración* carecía, hasta ahora, de una tradición escénica, como la tenía *Petrouchka,* por ejemplo. Por lo tanto, todas las posibilidades me quedaban abiertas, y era permitido pensar que, con una visión nueva del argumento, me sería dable acertar donde otros habían fallado. Pero ahora venía el aspecto comercial de la empresa: el ballet de Stravinsky sólo duraba 33 minutos. Hacía falta algo más. Una primera parte. ¿Qué? ¡No iba a poner mis "moros y cristianos" —como llamaba Gaspar a la gente de mi conjunto, donde blancos, negros y mulatos andaban juntos y revueltos— a bailar *El lago de los cisnes!* Pero podía pensarse en una suite de danzas no sólo popular-cubanas, sino latinoamericanas aunque relacionadas con lo nuestro (y observaba yo, por vez primera, que empezaba a decir *lo nuestro* al referirme a cosas *de acá*...) Y, escribiendo en servilletas de papel, recordando, añadiendo, quitando, volviendo atrás, fuimos confeccionando un primer programa: *Danzas* breves de Saumell, el delicioso romántico cubano, contemporáneo de Musset y de Adelina Patti; el *Sensemayá* de Silvestre Revueltas —compositor mexicano a quien Enrique había conocido durante la Guerra de España— inspirado en un poema de Nicolás Guillén; un "Pas de deux" (Calixto y Mirta) sobre un primoroso *Estudio* para guitarra de Héctor Villa-Lobos; la exquisita *Berceuse campesina* del cubano García Caturla (ésa, la bailaría Mirta sola); las dos *Rítmicas* para percusión de Amadeo Roldán, algo anteriores a la ya famosa *Ionización* de Edgar Varèse, que yo quería tratar por pequeños grupos en contrapunto gestual y mímico, y, para cerrar esa parte, la *Danza de los ñáñigos* de Lecuona, cuya coreografía confiaría a Calixto, promovido a director, destacando a dos muchachos altamente dotados que habían venido recientemente a engrosar nuestro equipo: Hermenegildo y Valerio (recios cuerpos, finos talles, largos muslos, armoniosas musculaturas), cuyas capacidades innatas había detectado yo desde el primer momento, al hacerles ejecutar un primer *plié* —ejercicio que es, para mí, fundamento de toda danza posible por cuanto define, de inmediato, las posibilidades expresivas de una estructura humana. Hecho el plan, brindamos por el éxito del espectáculo inicial que se nos anunciaba como magnífico. —"Pero... ¿dónde piensan sacar eso a escena?" —preguntó de repente José Antonio, devolviéndonos a una fea realidad. Después de un enorme trabajo, de gastar mucho dinero, conseguiríamos, a lo sumo, que el público asistiera a dos funciones —y esto, por mera curiosidad— en un teatro como el Auditorium. En este país, el ballet era espectáculo que a nadie nutría. (O si no que lo dijera la magnífica Alicia Alonso —a quien yo admiraba profundamente— que debía enlazar sus constantes actuaciones en el *Ballet Theatre* de Nueva York con reiteradas actuaciones en América del Centro y del Sur para poder bailar a todo lo largo del año...) Además, y había que admitir la dura verdad, aquí no se aceptaría la idea de que un espectáculo de categoría mayor se realizara con artistas negros. (¿No se había promovido un pequeño escándalo, años atrás, en el Teatro del Auditorium, porque Erich Kleiber se hubiese atrevido a presentar una batería de "tambores batás" en un concierto de la Orquesta

Filarmónica, para autentificar la percusión de una obra sinfónica cubana?...) Los negros eran aplaudidos en los cabarets, sí, como músicos, cantantes o rumberos, pero blanco que con ellos anduviese era rechazado por la burguesía nuestra. Mi escuela del Vedado perdería sus discípulas (lo mismo me había dicho Gaspar), y la pública revelación del trabajo realizado por mí en la Plaza Vieja perjudicaría, incluso, las actividades profesionales de mi marido. Se me llamaría: "la negrera", "la barraconera", "la petrolera", la "rusa-fula" —con toda la proliferación de remoquetes que ello implicaba... Pero que no me desanimara; que no me acongojara, no ("y sécate esa lágrima pendeja que te está cortando el maquillaje"...). La Habana no era ciudad que —con o sin prejuicio racial— pudiese costear un espectáculo de tal envergadura. Pero teníamos los Estados Unidos al lado. Y en New York —de súbito me vino la idea con esplendor de iluminación— tenía yo a Balanchine. Acaso se acordaba de mí. Sí. Seguramente. (Además, había estado en La Habana buscando precisamente, aunque sin éxito, lo que yo habría de ofrecerle.) —"Le vas a escribir mañana mismo" —ordenaba ahora José Antonio: "Y si esto te falla, podremos recurrir a otras gentes. Yo manejo, aquí, las cuentas publicitarias de Helena Rubinstein, mujer con tantas conexiones, allá, como la gorda Elsa Maxwell. También conozco a Leonard Kirstein..." —"¡Todo resuelto!" —dijo Enrique, puesto en euforia por un Rioja peleón que esta noche se nos colaba de prisa. —"*No digas de un hombre que fue dichoso mientras no sepas cuál fue el término de su existencia*" —acerté a mal citar, con la boca llena de una untuosa natilla espolvoreada de canela, invocando a Sófocles para expresar fingidas dudas sobre el buen resultado de una empresa cuyo éxito era de vital importancia para mí, vieja práctica supersticiosa a la que permanecía fiel desde la infancia. —"Ya te veo triunfando en Broadway" —dijo José Antonio. Los dos hombres alzaron sus copas: "¡Salud!" —"¡Salud!" —dije: "Pero, por favor: no como en la Guerra de España".

Y fuimos a casa para proseguir la charla, gratamente empezada en sobremesa de escabeches —ruedas de serrucho maceradas en anchas orzas olientes a pimentón, vinagre y aceitunas— de aquella fonda portuaria donde, para sorpresa mía, José Antonio era saludado, abrazado, festejado, por mucha gente... Aunque no fuese noche de luna, estaba tan despejado el cielo que el edificio del Observatorio, rematado por su media esfera plateada, se dibujaba claramente del otro lado del puerto, más arriba de la maraña de mástiles y cordajes que, con su acompasado mecimiento, hacían guiñar las luces de Casablanca. Olía a mar, a navegaciones, a aventuras. Recostados en las sillas de extensión de nuestra azotea-terraza, parecíamos viajeros de algún transatlántico que bogara con afortunado rumbo. Y, por lo mismo que me sentía feliz, al advertir que José Antonio lanzaba algún sarcasmo contra la publicidad, afirmando que en tierra de pícaros acababa uno, inevitablemente, por desempeñar oficios de pícaros, le pregunté muy francamente por qué, si no se sentía con valor suficiente para arrostrar la pobreza heroica, aunque fecunda, del artista, persistía en ejercer un oficio que no sólo tenía por desleal sino hasta nocivo para la colectividad. —"No porque me retirara yo de eso desaparecería el cuerpo del delito. La Publicidad es inseparable de toda sociedad de consumo". —"Pero la sociedad de consumo no ha devorado tus demonios interiores..." —"Por lo mismo que siguen dentro de mí, exigentes y apremiantes, trato de ganar mucho dinero en pocos años, para retirarme cuanto antes, mandarlo todo al cuerno, y consagrarme a la pintura, de modo total, sin conocer dificultades de tipo económico. *Quiero conquistar mi derecho a crear*. Entonces, por los nobles padecimientos del parto, me redimiré de muchas porquerías". —"Lo dudo" —dijo Enrique: "porque tú, como yo, vendiste tu alma al Diablo. Aceptaste el Pacto desde el día en que, favoreciendo embustes y vendiendo caldos de lechuza como las brujas del medioevo, te montaste en la escoba volante de tu primer *Jaguar*". Y aquello era como el Maelstrom de Poe: por más que se hiciera, era uno arrastrado, irremisiblemente, hacia el cuello del embudo. —"De mí depende salir del torbellino". —"Pero no lo haces". —"Ya falta poco". —"Cuando te decidas, a tiempo se armará el embrollo —tretas del Diablo— que, bajo forma de una crisis económica, una devaluación de la moneda, la tentación de un enorme e inesperado negocio —¡el último, siempre el último!— te obligará a aplazar el día de la liberación". Y entonces, entonces, entonces... al hallarse ante un lienzo virgen, con los pinceles en la mano, descubriría con espanto, el Liberado, que no sabía ya qué decir ni cómo decirlo. Ya no estaría en el ritmo de la época e inútiles serían sus intentos de remozar en el presente lo que acaso hubiese sido bueno quince años atrás. Tendría que proceder a toda una revisión de valores, de nociones, de técnicas —y hasta aceptar el maestrazgo de hombres mucho más jóvenes, pobres pero tenaces en sus empeños, que acaso se burlarían de sus esfuerzos por alcanzarlos. Y ya no le quedarían años suficientes para parirse a sí mismo, para recuperar una dimensión mayor que había perdido en el mundo enano, mediocre, vano y agitado, de los negocios. —"Quien vive entre enanos se vuelve enano puesto que tiene que actuar a nivel de enanos. Y el enanismo es enfermedad tan contagiosa como el cólera o el tifus... Aquí, la única que se ha inmunizado es Vera. Su vacuna está en la Plaza Vieja"... Por regresar a las alegrías de un vino que estaba en trance de agriarse al compás de consideraciones harto melancólicas, pregunté a José Antonio a qué se debía su familiaridad con la ruda gente de mar que tanto alborotaba en la fonda portuaria donde habíamos cenado. —"Es que cuando dejo en la oficina al Doctor Jekyll, el Míster Hyde que llevo dentro suele traerme a sus tabernas y bares". Ahí había patrones de goletas y capitanes cargueros que, sabiéndolo aficionado a pesquerías, le hablaban de sus navegaciones por el Caribe, del ignoto esplendor de cayos sin nombre, del misterio de las ensenadas ocultas y desiertas, sombreadas de uveros, donde pululaban cangrejos blandos, de patas velludas, entregados a una milenaria guerra contra los caracoles para apoderarse de la armadura de sus conchas y acorazarse de nácar —guerra que duraba, sin paz ni tregua, desde que Jehovah hubiese estrenado sus Océanos en el Segundo Día de una temporada terrestre que aún no estaba próxima a terminarse— "¡y caray, que nos acordaremos de este jodido planeta!", había dicho Villiers de l'Isle-Adam. Refrescado su ánimo por conversaciones que mucho trataban del Pez-Luna, de la Cornúa, del Pargo-Emperador, del Ronco, la Cherna y el Calamar, olvidado de estrategias vendedoras (el gnomo Scarbo acuñando sequines de mala ley...), al regresar a su casa abría una *Odisea,* un Rimbaud, un José Martí, un tomo publicado por la revista *Orígenes* de Lezama Lima, para caer en sueño al cabo de pocas hojas. Pero esos libros se vengarían del descuido en que se les tenía, mediante otros libros de cuyos títulos empezaría a oír hablar mañana en el enano mundo que alimentaba su negocio. Porque, en ese enano mundo ya empezaba a hablarse de libros —¡cómo no!—... Pero no eran libros *leídos* sino *vistos,* porque allí los libros que promovían coloquios y discusiones (¡por fin, coloquios y discusiones en torno a libros!) no eran libros de papel sino libros de celuloide: *Gone with the wind, Cumbres borrascosas, Jane Eyre, Rebecca, Jamaica's Inn, Por quién doblan las campanas* (¡oh, esa lata de la Guerra de España!), *Servidumbre humana* (¡oh, maravillosa Bette Davies!), *El filo de la navaja* (¡magnífico Tyrone Power!), *Le diable au corps* (¡inolvidable Gérard Philippe!). Así, cumpliéndose la profecía de algunos futurólogos, la burguesía cubana había alcanzado lo *audio-visual* sin pasar por la letra. —"No es cierto" —dije: "Porque toda esa gente está suscrita a las Selecciones del *Reader's Digest*". —"Tienes razón, Vera. Tenemos que contar con el *Reader's Digest.* Es la única publicación en el mundo capaz de hacer creer a nuestros ricos, a ratos, que se han elevado a la sublime categoría del 'junco pensante' de Pascal —aunque, desde luego, en su puñetera vida oyeron hablar nunca de Pascal". Por lo demás, a estas horas, no había mansión burguesa, en Cuba, donde hubiese penetrado un Picasso, un Braque, un Klee, un Miró —ni siquiera un pequeño Renoir, un dibujo de Lautrec, un alegre Matisse, un amable Dufy. Y si bien uno que otro personaje singular podía enorgullecerse de sus chinerías de valor o hermosos vasos griegos, habiendo quien hubiese llegado a reunir una muy notable colección de retratos de Fayum (¡milagro de una misteriosa migración que había tardado algo como diez y siete siglos en alcanzar el Trópico!), en cuanto al arte moderno parecía que éste se hubiese detenido en los cuadros de un impresionismo trasnochado que se atesoraban en la mansión de la Calle 17 —aunque tal pintura estuviese ya desprestigiada en la misma España... Dieron las dos en el reloj de nuestro comedor. —"Es hora de irte al carajo" —dijo Enrique. —"Buenas noches, entonces... Mañana obligaré a los artistas de mi agencia a dibujar enormes hormigas, anofeles de trompas taladrantes, polillas, cucarachas de ciencia-ficción, y cuantos insectos asquerosos, inventados o por inventar, puedan impresionar a las Amas de Casa, para venderles una especie de DDT, igual a todos los que se conocen, pero que viene con un pulverizador rojo en vez de amarillo. Y en eso me pasaré el día". Marcó una pausa, con mirada a la botella dejada sobre la mesa, que aún cargaba con cuatro dedos de wisky: "No... Mejor, no... Buenas noches. Y no dejes, Vera, de escribir a Balanchine... Y ya sabes: si la cosa no camina por ahí, yo te arreglo el asunto. Hazte la idea de que ya estás en New York, triunfando con tus 'moros y cristianos' —como dice Gaspar".

...Y hacía ya dos, tres, cuatro semanas, que había escrito a Balanchine y, al no recibir una respuesta, pensé que la carta hubiese sido enviada a una dirección equivocada o que —y era lo tristemente probable— hubiera sido echada al cesto por un maestro harto metido en creaciones propias para pensar en otra cosa. Pero, una mañana, se deslizó debajo de la puerta el Sobre de las Maravillas: el gran coreógrafo se acordaba perfectamente de que, en París, en Montecarlo, yo había actuado brillantemente en *Le bal* de Vittorio Rieti, *Les dieux mendiants* de Haendel, *La concurrence* de Georges Auric, y, con Tamara Tumánova, en el *Cotillón* de Chabrier, ballets concebidos por él; y, lo más importante, mis ideas, mis proyectos, le interesaban muchísimo *("y así veré, gracias a Usted, lo que los cubanos me ocultaron en Cuba")* rogándome que lo tuviese al tanto de mi trabajo, le enviara una detallada relación de cuanto iba a integrar mi programa, ilustrando todo eso, en cuanto fuese posible, con diseños de trajes, proyectos de decorados, y fotos de mis gentes en acción. Y concluía pidiéndome que, cuando todo estuviese maduro, fuese a verlo a New York para discutir cuestiones de orden práctico, advirtiéndome que, de todos modos, el espectáculo no podría presentarse antes de dos años —"pues aquí las programaciones se establecen con enorme antelación". Jubilosa, llamé por teléfono a José Antonio para darle la buena nueva, y corrí a la Plaza Vieja, donde Calixto y Mirta estaban haciendo trabajar un grupo de "nuevos", recién llegados a la escuela que, haciendo los asombrosos progresos a que eran llevados por instinto natural, iban pasando, con sorprendente rapidez, de la intuición a la conciencia de lo que exactamente debían realizar —sobre todo las hembras, mulatas obscuras casi todas, que, a los doce o trece años solían cobrar, en pocos meses, unas formas tan maduras como comenzaban a tenerlas, a los diez y seis, ciertas discípulas de Madame Christine, mi inolvidable maestra en Petrogrado. Y si yo hubiese deseado algunas veces que su desarrollo fuese menos manifiesto en pechos y caderas, poco importaba ya ahora, puesto que no íbamos a bailar *Las sílfides*, sino que nos entregaríamos a un repertorio original, perfectamente avenido con una cierta generosidad de cuerpos hechos para establecer ondulantes, quebrados, desafiantes, sensuales, antagónicos, reconciliados, emparejados contrapuntos coreográficos con música de Villa-Lobos, Revueltas, Roldán, Caturla, y el mismo Stravinsky —tal como lo concebía yo presentemente, y más aún después de recibir la carta que, triunfante, leí a mis alumnos. Y hubo aplausos, y hubo risas, y se mandaron a buscar refrescos al viejo café de la esquina —el de bajo las arcadas, que tanto me agradaba por sus mesas de mármol, su bar de caoba maciza, y su anacrónica estampa de mesón colonial— para celebrar la buena nueva. ¡Y ahora sí que se trabajaría con ahínco! ¡Y ahora sí que los familiares (a veces un tanto reticentes frente a una actividad cuyos resultados prácticos no acababan de vislumbrar) entenderían que eso que llamaban "brincos y monerías", podía conducir a grandes cosas! Ya todos se veían "en el Norte" —como decían. Y venían las chanzas y las bromas: "no te vayas a helar en Nueva York, que negro helado se pone blanco", y "no vayas a ponerte un gorro de pieles, de esos que salen en las películas, porque te vas a parecer a la mona Chita", y "no te figures que, porque estés allá, le vas a quitar el marido italiano a la Josefina Baker"... Por mi parte, estaba bullente de proyectos. Confiaba a Calixto y Mirta mi propósito de pedir diseños de trajes, proyectos de decorados, a los magníficos pintores cubanos que eran Amelia Peláez y René Portocarrero, maestros en el manejo del barroquismo tropical que aquí se manifestaba en la arquitectura, la vegetación, la moldura cimera de una mampara —y hasta en la manera de andar de las gentes. Por vez primera trabajaríamos en firme, con un gran programa a la vista. Yo calculaba que con cuarenta y seis o cuarenta y siete danzantes, entre primeras figuras, grupos y "*petits sujets*", podríamos redondear el espectáculo. Habría que conseguir alguna gente nueva, con aptitudes suficientes, y Calixto se comprometía a conseguirla... Había ya, en la atmósfera, un estupendo olor a tablas de escenario, cola de decoraciones, pez-rubia para zapatillas —ruido de diablas que suben y bajan, martillazos en listones, tráfago de tramoyistas... Teníamos el suficiente tiempo para lograr algo magnífico. Entre tanto, había que trabajar. 1, 2, 3... 1 yyyý 2 yyyý 3... Y recordaba yo, de repente, una frase admirable de Herman Melville: "*Mientras nos queda algo por hacer, nada hemos hecho*" —y bien pocas cosas había hecho yo en la vida, en fin de cuentas, si se pensaba en las espléndidas tareas que ahora se proponían a mi imaginación (a mi talento, acaso...) tantas veces atajada en sus vuelos por la brutal irrupción, en mi destino, de contingencias a las cuales hubiese querido permanecer ajena... Pero, ahora... 1, 2, 3, 1 yyyyý 2 yyyyý 3...

Transcurrieron varios meses que casi no se me pintaron en los calendarios, ni tuvieron relumbre ni sombras que los hiciesen memorables —meses durante los cuales viví en el estado de sencilla, serena y sosegada felicidad que puede darnos la conciencia de trabajar bien y con fruto en algo que amamos. Ciertas tardes, lo confieso, regresaba a casa algo decepcionada por un ensayo donde mis danzarines se habían mostrado torpes, distraídos, fatigados, sin entusiasmo, como olvidados de todo lo aprendido en días anteriores, y, al día siguiente, era el júbilo de ver que, como si hubiesen madurado durante la noche, se aproximaban repentinamente a la perfección, colmando mis propósitos. (Yo conocía ese fenómeno del trabajo soterrado de la mente, cien veces experimentado por el pianista que, la víspera, se quebraba los dedos en un pasaje de gran virtuosismo, abandonándolo por imposible, y, al despertar, tras de una noche de profundo sueño, lo ejecutaba fácil y brillantemente —caso, también, del aprendiz nadador de *crawl*, lento y tardío en la progresión, y que, una buena mañana, descubre que es capaz de *deslizarse*, como por operación mágica, en un agua que ha dejado de ofrecerle una resistencia...) Y llegó el momento en que Marta y Calixto no tuvieron nada que añadir ya al *Pas de deux* sobre música de Villa-Lobos, Hermenegildo y Sergio dominaban sus partes en una de las *Rítmicas* de Roldán, estaban ajustadas ya las *Rondas primaverales* y los conjuntos del *Juego de las ciudades rivales.* Mirta estaba deliciosa en la *Berceuse campesina* de Caturla, y si bien era cierto que, en *La consagración,* le faltaba mucho todavía para alcanzar el agónico clímax de la danza de la Virgen Electa, empezaba a situarse en los umbrales de la verdad, trabajando conmigo, en horas del anochecer, después de que los demás se hubiesen marchado. Los pintores me habían dado precisos bocetos de trajes y decoraciones —que yo veía formadas de elementos muy sencillos, casi esquemáticos— y pensé, entonces, que había llegado el momento de darme un salto a New York. —"Yo iré contigo" —me dijo Enrique: "Necesito cambiar de aires durante un par de semanas. Voy a ocuparme de las visas..." Pero, una tarde, lo hallé ceñudo y malhumorado, aunque tratara de disimular un evidente disgusto metiendo la cara en el preciosísimo volumen del *Tratado de la perspectiva* de Jan Vredeman de Vries (edición de La Haya, de 1605) que Teresa le había traído de México, recientemente, como regalo de cumpleaños. —"Nada, hija, nada" —me dijo al fin, al ver que lo interrogaba con la mirada: estaba algo molesto porque había ido al Consulado de los Estados Unidos, y cuando creía que iban a devolverle enseguida los pasaportes con los cuños y firmas necesarios, le habían dicho que ahora, para cada solicitud de visa, había que informar al Departamento de Estado de Washington; que el trámite tomaría dos o tres semanas —a veces un mes, y "que se le avisaría si el permiso era concedido y que..."... —"Nuevas complicaciones burocráticas" —dije: "Cada día la vida se hace más difícil. Hay que tomarlo con paciencia. Son engorros de nuestra maldita época. ¡Ay, los tiempos en que podías pasar diez fronteras, dar la vuelta al mundo, sin una visa! Todo eso de las visas y permisos, data de la Revolución Rusa, que vino a enredarlo todo"... —"Te haré observar que la Rusia de los Zares fue el primer país de Europa que puso obstáculos a la libre entrada de viajeros". —"A causa de los nihilistas, de los atentados terroristas, y de los muchos revolucionarios rusos que vivían en Suiza, en Francia, en Inglaterra". —"¿Vamos a volver a la eterna discusión?" No. Francamente, no valía la pena. Pero tuve la impresión de que mi esposo me ocultaba algo —algo que se hizo claro cuando, unos veinte días después, fue citado por telegrama (¡por telegrama enviado desde un edificio situado a doscientos metros de esta casa!), para que "pasara a recoger" nuestros pasaportes. ("Ya ves que se trataba de un mero trámite administrativo"). Media hora después, Enrique me regresaba iracundo, congestionado, fuera de sí, arrojando los pasaportes sobre una mesa: "Nada. Vi la respuesta cablegráfica de Washington: DENEGATE. Le grité al Cónsul que se metiera sus visas por el culo". Y, aún jadeante de cólera, me contó que en su primera gestión (la tarde aquella en que yo lo hubiese hallado de tan mal humor...) había sido sometido a un largo interrogatorio por parte de unos funcionarios de anchas gafas y traza de policías —interrogatorio que se hacía particularmente minucioso y reiterado en punto a opiniones políticas, y, sobre todo —¡sobre todo!—, tocante a su militancia en las Brigadas Internacionales. Él había dicho toda la verdad, aunque señalando —lo cual era cierto también— que nunca había estado formalmente inscrito en el Partido Comunista, si bien había tenido amigos comunistas. ¿Y quién, en esta época, no los había tenido? Los inquisidores, sonrientes pero imperturbables, le preguntaron por varios norteamericanos a quienes había conocido en las Brigadas, y muy especialmente por Evan Shipman; y que si le escribía, y que si tenía algún contacto con él, y que si... Pero, lo peor de todo: de pronto, así, a quemarropa, le dijeron que se sabía que su esposa era rusa; que la había conocido en Valencia, estando convaleciente de una herida recibida en el frente; que al llegar a París había ido a parar a casa de ella; y, para colmo, con tono fingidamente ingenuo, se interesaron en saber si era comunista, y que si en la escuela de baile que tenía en la Plaza Vieja no se inculcaban ideas comunistas a los alumnos, porque allí había un joven, Calixto, muy dado a comprar textos de Marx y Lenin en los libreros de viejo, en los baratillos de la Plaza del Cristo, y que si... —"¡Hasta que, cansado de mierdas, les pregunté si eran funcionarios diplomáticos o agentes del FBI. Y ahí está la respuesta (señaló hacia los pasaportes tirados en la mesa). El Maccartismo no es una ficción". Y me habló, con lujo de imprecaciones y palabrotas, de ese senador Joseph McCarthy, esquizofrénico y dipsómano que, asistido por un tal Richard Nixon, había desencadenado lo que en su país, evocándose los siniestros días de los procesos de Salem, llamábase ya "la caza de las brujas". El que más, el que menos, había sido objeto de las furias anticomunistas del Torquemada de Wisconsin, cuyas persecuciones habían llegado a suscitar tales terrores en Hollywood, lugar de gentes imaginativas, inestables y desquiciadas, que un hombre de tanto talento como Elia Kazan, innoblemente amedrentado, había tenido la avilantez de pagar el costo exorbitante de una página del *New York Times* para que denunciaran a sus amigos de ayer, emplazando los pocos que aún le quedaban, a que entregaran cuanto "rojo" conocieran a los furores de la Comisión de Actividades Antiamericanas, cuya inquisición contaba, además, con el respaldo incondicional de gente como el actor cowboy John Wayne... —"Y, en cuanto a ti, rusa casada con un antiguo combatiente de las Brigadas, despídete de todo viaje a los Estados Unidos. Eso se te acabó para siempre". E, incapaz de confinar su ira entre las paredes de una vivienda, se largó a la calle —a caminar, caminar mucho, como hacía siempre que padecía una gran contrariedad, pasando el enojo a una suerte de furia ambulatoria que le hacía volverse, de trecho en trecho, hacia una vitrina cualquiera, largando sordas imprecaciones que parecían dirigirse a un anuncio de dentífrico o un maniquí de sastrería...

Pero yo quedaba como desamparada, dolorosamente estupefacta, al cobrar la intolerable conciencia de que cuanto había soñado, meditado, madurado, materializado, llevado adelante, en estos laboriosos años, se me venía abajo. Y me vi nuevamente la noche en que la idea se me había impuesto, fulgurante e iluminadora, aliviando, de golpe, las ocultas amarguras que me hubiesen traído, en lo personal, las frustraciones de mi carrera artística. Esa noche, en un alzamiento de luces insospechadas, se rompieron los muros de vieja mampostería, volaron los tejados, se apartaron los brazos de las calles, crecieron edificios cuyas altas cornisas parcelaron el firmamento, poniendo, en el cielo, palpitantes signos, y, en un mundo transfigurado, agigantado, la plaza mayor de la blanca y recoleta villa de Guanabacoa, con su campanario modesto y provinciano, tomó las dimensiones de una gran explanada donde de repente se hubieran erigido teatros ornados de sistros y Pegasos, órficas alegorías y danzarinas de Carpeaux. Y un gran conjunto de ballet, nacido de mi imaginación, se había instalado en esos teatros, para pasmo y deleite de públicos adormecidos por los melindres y reiteradas gracias de viejos conjuntos coreográficos que se estaban haciendo harto repetitivos y conservadores —aunque a veces no lo parecieran, gracias al virtuosismo de alguna intérprete de sobresalientes facultades. Yo, en cambio, sin renegar —como lo hubiesen querido los poetas *adanistas* rusos— de milenios de cultura, traería a las gentes de mi tiempo la resplandeciente novedad de lo re-descubierto, de lo telúrico y visceral, perenne por lo mismo que era anterior a fechas y cómputos. Mostraría, sí, mostraría... Pero ya no mostraría cosa alguna. Todo se había desplomado. Recordaba la fábula de La Fontaine que, de niña, me había enseñado mi institutriz francesa en Bakú: "*Adieu, veau, vache, cochon, couvée*". La Guerra Civil Española me había costado ya la pérdida del primer hombre a quien hubiese amado. Y ahora mi esposo sufría un injusto castigo por el delito de haber peleado en la misma guerra, luchando por un ideal que, si no era el mío, no por ello dejaba de ser un ideal. Los yankis, con sus vuelcos de ánimo, su paso del aparente pro-sovietismo de los años 40 al actual maccartismo —que harto rimaba con *fascismo*— se me hacían odiosos. Pero, sin el trampolín de New York, no veía qué hacer. México no era ciudad útil como plataforma de lanzamiento. Buenos Aires, gran capital, quedaba tremendamente lejos —con medios de comunicación incosteables para una compañía numerosa. Además, a nadie conocía en esas ciudades, ni sabía cuáles eran sus hábitos artísticos... Y seguía entregada a mi silenciosa congoja (en mí, las lágrimas secas, invisibles, adentradas, eran mucho peores que las que estallaban en llantos aparatosos...), sentada en un rincón del estudio, sobre la estera del piso, inmóvil, sufriendo como animal herido que muere en silencio, cuando, empujando la puerta, apareció Teresa, muy risueña, blandiendo un reciente número del semanario ARTS de París: "Mira... Mira... *Porgy and Bess*, ópera de negros, cantada por negros, acaba de tener un éxito clamoroso en Francia... Ahora la compañía va a Inglaterra, a Italia, a Alemania... Deja esa cara y amárrate las bragas. Ño hay mal que por bien no venga". —"¿Cómo supiste?" —"Me contó Enrique. Me lo encontré en el *Floridita* a donde había ido a *descargar* con Hemingway —que le dijo que nada podía hacerse; que, en estos tiempos, el maccartismo estaba imposible. Y me acordé de esto, de ARTS. Y te fui a buscar el número a casa". Y me serenaba con un enérgico y torrencial discurso: New York estaba bien. Pero New York no era París. A pesar de los golpes recibidos, de la ocupación alemana, de una terrible humillación nacional, París seguía siendo faro para el mundo del arte —ciudad cuyo ambiente conocía yo mejor, además, que el de los Estados Unidos. Ahora tendría yo que trabajar pensando en París... En eso llegó Enrique, algo aliviado de su cólera y empezaron a trazarse planes. Yo nunca había dejado de cartearme con Olga, retirada de la danza hacía mucho tiempo —la edad era implacable en nuestro oficio, además de que ella jamás hubiese sido poseída del todo por el *daïmon* de la danza. Mi amiga de otros días había pasado sin mayores engorros por la gran tormenta de los años 39-45, y vivía lujosamente, ahora, en la Avenue Georges Mandel, casada con un negociante rico. Enrique había tratado mucho a Jean-Louis Barrault, cuando éste, principiante, hacía sus primeras armas con Charles Dullin, en el *Atelier*, durmiendo sus noches de penuria en la cama escénica (bastidor de tablas) de *Volpone*. Famoso ahora, Jean-Louis podría, por lo menos, dirigirme hacia un empresario, un organizador de espectáculos... Lo importante, por lo pronto, era tantear el terreno. Guardaríamos, los tres, el más absoluto secreto sobre el interdicto de visa norteamericano —además de que a Enrique no convenía, a causa de su clientela, que el percance fuese conocido. Yo seguiría ensayando mi programa, sin enterar a mis alumnos de nada. Y cuando todo estuviese un poco más maduro, y pudiesen hacerse juegos de fotografías, yo iría a París, para organizar allá una posible temporada. Pero ese viaje lo haría sola. —"Yendo a New York ibas a tiro hecho" —decía Enrique: "En dos semanas podías arreglarlo todo. En París tendrás que empezar por orientarte. Y, allá, las cosas son lentas. Ahora que se me echa encima la construcción de un hotel, no puedo ausentarme por más de ocho o diez días"... Yo estaba serenada. Ya me veía en los gratos tráfagos de armarios abiertos, descuelgue de ropas, recuento de maquillajes y cosméticos, anárquico desparramo de maletas y maletines, que hubiese sido, durante años, el obligado complemento de mi andariega vida de teatro. Sin embargo, había que tomarlo con calma. Se decidió que yo emprendería el viaje dentro de unos cinco meses, hacia mediados de abril, cuando empezaran a amainar los fríos *de allá,* a los que yo me había desacostumbrado. Iría a Madrid en avión —único camino posible, puesto que no podría contar con una visa de tránsito por los Estados Unidos—, y proseguiría el viaje por ferrocarril pues, mujer nacida en época de la rueda y la chimenea, quería verme lo menos posible a bordo de un Boeing. Entre tanto, trabajaría con una nueva óptica: más exigente, más rigurosa, menos hedonista y preocupada del efecto inmediato. Habría que llevarlo todo con implacable rigor, pensándose en una crítica mucho más exigente que la crítica norteamericana. Luego, tras de observar una disciplina ascética, buscar la libertad, el re-nacimiento del gesto dentro de las limitaciones del tempo, del compás, hasta lograr la espontánea Transfiguración de la Figura. *"Me quito las zapatillas para que mis pasos no sean entorpecidos en mi marcha hacia la llama"* —leíase en uno de los Himnos de Prudencio que Jean-Claude (¿por qué me acordaba tanto de él en estos momentos?) había traducido del latín... Una vez más, caminando hacia la llama que me ardía, me quitaría las zapatillas para que otros las calzaran. Realizarme a mí misma *en los demás y con los demás.* Empezaba a ver claro. Tras de golpe recibido, salía de una *lóbrega noche* (y pensaba nuevamente en quien me había revelado la poesía de San Juan de la Cruz...).

29

Tan natural hallaba yo que las gentes ricas, en Cuba, se creyesen obligadas a desechar automóviles aún flamantes, cada año, sustituyéndolos por "el último modelo" en virtud de una práctica muy norteamericana y bastante rastacuera, estimulada por la publicidad (*"las mujeres volverán las cabezas al verlo pasar en su nuevo Lincoln"*...); tan natural hallaba yo, repito, ese periódico cambio de vehículos, esa perpetua mutación de colores y de siluetas que se operaba, allá, a lo largo de las avenidas y calles, que cuando vi arrimarse a mis maletas el auto de Olga, conducido por un chofer de uniforme gris-pizarra, creí ver una pieza de museo en ese Isotta-Fraschini negro, de líneas clásicas y severas, nada aerodinámico, alto sobre ruedas, majestuoso y pausado, cuyo señorío ajeno a novelerías y modas bullangueras le daban un empaque de Carroza de la Coronación. Llorábamos y nos besábamos, Olga y yo, en muy rusa, exuberante y lacrimosa demostración de la alegría que nos causaba, a ambas, este reencuentro, tras de habernos dejado de ver desde hacía tantísimo tiempo y haber seguido tan distintos caminos. Mi amiga había engordado mucho y nada, en su cuerpo costosamente vestido y ricamente alhajado, recordaba el que hubiese pertenecido a la pálida y espigada bailarina de otros días. —"Sí, Verochka querida, sí; ya sé, ya sé; si tratara, ahora, de hacer un *grand jeté* me caería de culo, pero ¿qué quieres? También me pasó alguna vez cuando era joven y —¿te acuerdas?— solíamos compartir un solo sandwich porque aquel día no había dinero para más". Y hablaba, hablaba, hablaba, con la alegre vitalidad de la gente de Kiev, más meridional, más expansiva, que la de Moscú y mucho más que la de Petrogrado —¡perdón!—, Leningrado, queriendo contarme su vida entera después de que tantos acontecimientos, en fin, tantas circunstancias, nos hubiesen separado... —*"Maintenant, fini les régimes pour maigrir. Je me tape la cloche"*. Nada de nutrirse con ensaladas de pepino, té sin azúcar y pescado hervido; no, bastantes privaciones se había impuesto para descollar en un oficio donde, si no se tenía "madera de grande", estaba una condenada a arrastrar una vida de miseria, a sabiendas de que más allá de los treinta y cinco años serías ya una anciana para los del gremio, y dichosa la que, como Nikitina —¿te acuerdas?— tan adorable en *La gata* de Sauguet, hubiesen pasado a ser maestras o los hombres que eran ahora coreógrafos, como Sergio Oukrainsky o Anton Dolin; no, hija, no; llegó la Guerra, me encontré con Laurent (ya verás; un genio de los negocios; sacaría dinero de las piedras...), Laurent se enamoró de mí, y lo más gracioso es que creí, al principio, que pertenecía a la gran internacional de los pedés, porque era de modales finos, vestía con rebuscada elegancia, era extraordinario escogiendo flores y haciendo ramos a la japonesa, ceceaba un poco al hablar, pero no, hija, no; llegó la hora en que quise saber la verdad por mi cuenta y no por dimes y diretes, y el caso fue que fueron seis acometidas en una noche, que me dejaron moribunda de felicidad. ¿Y el tuyo? ¡Ah, sí! Tú, como siempre, tremendamente recatada en tus cosas sentimentales, y volviendo a lo que te contaba, y para no cansarte, nos gustamos tanto que decidimos casarnos y pensé que era la mejor solución ya que en realidad se me estaba echando la edad encima y tampoco era muy buena en eso del baile y era actividad que no iba a conducirme a ninguna parte y más ahora que había estallado la Guerra y todas las compañías de ballet andaban a la desbandada y quién te dice a ti que mientras otros huyen y corren y escapan creyendo que los alemanes van a pegarle fuego a París y matar a todos los franceses y quién te dice a ti que mientras otros la pasaban negra Laurent empezó a hacer magníficos negocios, porque te lo digo, hija, te lo digo, tiene el demonio de los negocios en la sangre y podrías ponerlo en una isla desierta que se las arreglaría enseguida para vender a alguien la arena que allí hubiese (risas), además de que durante la ocupación no se pasó tan mal en París y había muchas funciones teatrales, Serge Lifar estrenó el *Juan de Zariza,* un ballet de Werner Egk, y hasta pensé, pues yo estaba esbelta todavía, que Laurent podría financiarme un espectáculo de ballet en que fuese yo dueña y señora y única estrella —*prima ballerina assoluta*—, y no la que regañan y mandan a retirar como me había pasado tantas veces con el grosero de Diaghilev, pero cuando yo tenía ya planeado el programa pensé que no iba a hacer el tonto papel de Ida Rubinstein, bastante mala, de quien Serov hizo un retrato famoso —¿lo recuerdas?— y que se hacía pagar por su marido unos espectáculos suntuosos, presentados siempre en la Ópera de París, pero sin entender que la gente no iba por verla a ella sino a oír las músicas que encargaba a grandes compositores, y a ver las decoraciones que eran de magníficos pintores, quedándole el mérito, no lo niego, de haber hecho escribir para ella dos partituras que quedarán: *El martirio de San Sebastián* de Debussy, y el *Bolero* de Ravel —pero, en cuanto a mí, no, no, no, Verochka querida, basta de barras y de hambrunas, que el caviar, en fin de cuentas, no se hizo para los perros (risas) y tampoco los grandes vinos y los buenos licores y por culpa de ellos he engordado bastante, lo sé, pero a Laurent, que tuvo una abuela marroquí, no le disgusta verme algo carnosa —al gusto mahometano— y ahora, ya lo ves, me paseo en un monumento histórico digno de los Rotschild o de Gulbekian, vivo en la Avenue Georges Mandel, y recibo en mi casa al *tout Paris* —¡cómo han cambiado los tiempos!—, y me dices en tu última carta que tienes un lindo proyecto de espectáculo y te digo que nadie mejor que Laurent que conoce aquí a todo el mundo para orientarte y acaso —¡tal vez, no sé!— ayudarte si el asunto le interesa y ve que pueda ser un buen negocio aunque él no se ocupa de asuntos teatrales, no, lo suyo es compra-venta-y-reventa de las cosas más locas que puedas imaginarte: barcos llenos de sardinas, carneros de Australia, camisetas fabricadas en Indonesia, unas lámparas japonesas que se venden ahora en todas partes, un tónico coreano que estimula la virilidad, una Jalea Real de Abeja-Reina que no sirve para nada, pero también cuadros, sí, cuadros; trafica con cuadros de Chirico, de Gris, de los surrealistas; revende en cien mil lo que consiguió en veinticinco y hasta hace poco, y eso te lo digo en confidencia —¡júrame que no lo contarás a nadie!—, porque eres como hermana mía, Verochka, vendió a un millonario yanki un Greco que para mí era tan Greco como la madre que lo parió... (Risas). Y éste es tu hotel, Verochka. Te busqué uno, viejo, cómodo, hermoso y tranquilo, como me lo pediste. Aquí lo tienes. Frente a la estatua de una Juana de Arco que tan inútilmente dio su vida (por cierto: ¿la quemaron o la ahorcaron? Pero sí: creo que la quemaron) por expulsar a los ingleses de Francia... Y no sabes cómo siento que no podamos estar juntas esta noche, pero Laurent y yo estamos invitados a comer a casa de un ministro, sí, y allí habrá gente brillante de la política, y del arte, y hasta un Premio Goncourt, en fin... ¡ay, Verochka, cómo han cambiado los tiempos! Y yo que tengo tanto que contarte todavía... Pero mañana, sí, mañana... ¡Que suban las maletas de la señora al 215!...

...He dormido de un tirón hasta las diez —yo que siempre me levanto con las luces del alba, en La Habana, para regar mis matas. Hundo la cabeza en la almohada de plumas, y, con el té del desayuno que me traen a la cama, vuelvo a encontrar el sabor único, incomparable, del *croissant* caliente con textura de hojaldre. Abro *Le Figaro,* para tomar el pulso a la cartelera de espectáculos, y observo, con alguna decepción teñida de buen humor, que en la Ópera se cantará *Fausto* esta noche, anunciándose, para días próximos, como "gran novedad", el *Oberon* de Weber. *Manon* sonará en la Ópera Cómica, *El misántropo* en la Comédie Française, y una pieza de marido-mujer-amante, con cama a la vista, cuernos a pasto y enredos de nunca acabar, en el *Théâtre du Palais Royal.* Yendo a las columnas de los sucesos del día, me encuentro con un "*hold-up* a la americana", en Lyon; un escándalo financiero que no entiendo; el brillante P. D. G. (¿qué será eso de P. D. G.? ¿Pederasta General?...) de una gran empresa, que, por celos, mató a su mujer —¿todavía quedan maridos así? Y gran insistencia de un editorialista sobre la amenazadora importancia que cobra la apertura, hoy, de una Conferencia de Bandung —eso está, como suele decirse, "en casa del carajo"— calificada por el título de "Conferencia del Tercer Mundo", en la que tomará la palabra el Pandit Nehru —mucho he oído hablar de él, y el chino Chu-En-Lai, de quien nada sé. (Pero me sorprende eso del "*Tercer Mundo*". ¿Dónde está? ¿No éramos un sólo mundo con cinco continentes?...) Y ahí se reunirán 29 países del África y del Asia. Asunto que no me incumbe ni me interesa, puesto que América Latina —el Nuevo Mundo de Colón— nada tiene que ver con el *Tercer Mundo.* Y menos el país de donde vengo, que era todavía colonia española a comienzos de este siglo... Ajena a ese *Tercer Mundo,* doblo la página. Y veo que en la *Salle Pleyel* se ofrece un gran concierto de gala con el *Oedipus* de Stravinsky, concierto que se inscribe dentro de una serie de manifestaciones artísticas cuyo objeto principal es el de ilustrar y defender los *Valores Culturales del Occidente.* Me parece magnífico pero, a la vez, me veo algo desconcertada —y desagradablemente aludida, para decir la verdad— por un mal delimitado concepto de lo Occidental que podría acompañarse de un cierto *chauvinismo* excluyente, negador de valores de acá, de allá y de más allá, infinitamente dignos de respeto. *Defensa de la cultura occidental. Salvaguardia de los valores de la cultura occidental. La Cultura Occidental*... No era la primera vez que me topaba con esa idea —que, por cierto, aparecía ya, en Cuba, y con bastante frecuencia, en los editoriales del *Diario de la Marina.* Irritada empezaba a sentirme ante un *Oksidente* que no acababa de situarse al occidente de algo preciso, ni parecía estar deslindado hacia el poniente. ¿Cabían, dentro de ese *Oksidente* ungido por los desgastados dioses de la mitología grecorromana, las antiguas y hermosas teogonías de México y del Perú? ¿Podían ser vistos como "gente de occidente", los negros trasplantados en Cuba por los contemporáneos de Lope, Calderón, Góngora y Cervantes, cuyos nietos bailarían, gracias a mí, un ritual coreográfico del ruso Stravinsky, de quien un frío *Oedipus,* tragedia seudogriega curada de clamores, tan deslastrada de carne por Cocteau que de ella sólo quedaba el esqueleto, se nos ofrecía ahora como una concepción cimera de la cultura *oksidental*? ¡Occidente! ¿Dónde empezaba, dónde terminaba, ese Occidente? ¿Quién determinaba el alcance de sus valores? ¿En qué caja de caudales se guardaban? ...Porque, en fin —y por pensar en lo que yo mejor conocía—, las grandes tradiciones de la danza clásica, que se había vuelto renqueante y rutinaria en la Francia de Napoleón III, habían sido salvadas, revitalizadas, engrandecidas, en las últimas décadas del siglo pasado, por el Teatro Imperial de San Petersburgo. Tampoco podía olvidarse la decisiva acción renovadora que, sobre la novela y el teatro de Francia y Alemania, y también de Italia y de España, habían ejercido los rusos Tolstoi, Dostoyewsky, Tchejov, por no hablarse de la irrupción de los inesperados vikingos Ibsen y Strindberg en cien escenarios que nada habían esperado, durante siglos, de quienes tuviesen el raro empeño de escribir algo válido a la orilla de los fiordos. ¿Qué *Occidente* era ese que tanto quería *defenderse* ahora, occidente cada vez más fascinado por el Oriente, Occidente donde los mejores *gurúes* de la época rodaban en Rolls por Picadilly Circus, se habían creado escuelas y seminarios para el estudio exhaustivo del Vedanta, existían Universidades Budistas, soñándose con establecer una síntesis (y Malraux, últimamente, andaba por esos caminos) entre la mente racionalista europea y la espiritualidad del hinduismo? ¿Qué *Occidente* era éste, donde se invocaba la figura de Milarepa el tibetano, se glosaban las cuerdas enseñanzas del taoísmo, mientras otros hablaban en términos de tantras y mantras, y multitudes de hombres y de mujeres se acogían a la sabiduría del *Zen*, leían y releían su famoso Tratado de la Arquería nipona, buscando, a través de las prácticas del *koán*, el gran alumbramiento interior del *satori*? ¿Qué Occidente era ése, urgido de "defender sus valores", donde tanto se consultaba el *I Ching*, libro chino de los oráculos, con sus dados arrojados sobre el tablero de las posibilidades —cosa muy poco original, si se pensaba bien, cuando esto se comparaba a los portentosos tiros de caracoles agoreros que *allá*, en una orilla del puerto, practicaban, con sorprendentes aciertos, Susana la Santera y Pancha Cárdenas, la que tenía su templo heterodoxo tras de la ermita de Regla, tan próximos uno del otro, ambos santuarios, que a veces, por un pequeño error de puertas, quien se disponía a prosternarse ante la imagen de la Inmaculada se hallaba, de repente, ante una impresionante figura de Ochún, parada en la Bola del Mundo por ella señoreada?... Y empezaba yo a barruntarme que, tras de este empeño de "defender" un occidente más amenazado en sus más finas tradiciones por una constante y agresiva invasión de la publicidad norteamericana que por cualquier otra cosa, lo real, lo inconfesado, estaba en un tremendo miedo a quienes, en la Batalla de Stalingrado, habían determinado el desenlace de la última guerra. El hecho de que los rusos hubiesen llegado a Berlín antes que nadie; el hecho de que Leningrado hubiese resistido un asedio de novecientos días; el hecho de que las gentes de mi raza hubiesen resistido con denuedo donde otros habían capitulado desde el primer momento, jodía —ésa era la palabra— a más de uno. A través de sus disfraces de puro intelectualismo, sus llamados a la neutralidad ante las cosas del espíritu, estos alardes de defender valores que nadie, en realidad, ponía en entredicho, apenas si podían ocultar el carácter político de iniciativas políticas manejadas por intelectuales y artistas conturbados por una perenne fijación política, adversa a cualquier brújula que apuntara hacia el Este, aunque presumieran de apolíticos, y amaran, por encima de todo, una Libertad que jamás acababan de definir de modo claro. No sé por qué, al oír hablar de Libertad donde nadie acababa de decirme en qué consistía esa *Libertad,* me acordaba mucho de Jean-Claude, ahora, cuando afirmaba que, al escribir su famoso libro acerca de la *Deshumanización del arte,* Ortega y Gasset había omitido un solo detalle: decirnos lo que tenía por *humano,* empezando por darnos una cabal idea de cómo entender, concebir, al *Hombre,* en sus posibilidades de manifestarse, como tal, en el acto creador. Y, al llegar a este punto, se enredaba quien tanto yo hubiese amado en los líos de *esencia* y *existencia,* en los cuales mi limitada mente de mujer que trabajaba a ras del suelo —1, 2, 3, 1 yyyyý 2 yyyyý 3— no acababa de seguirlo... Pero ahora observaba yo que el recuerdo de Jean-Claude se había magnificado en una presencia activa desde que yo hubiese llegado a París. Poderosamente volvía a sonar en mis oídos el timbre de una voz. Aquí los ambientes, los colores, las casas, me hablaban de él. Por ello, en espera de la cena en que Olga, seguramente, me obsequiaría con los más exquisitos manjares accesibles a sus apetencias de nueva rica, me voy a deambular por las viejas calles del Marais, que tanto agradaban al hombre que me hizo mujer —cuando era yo aquella muchacha triste, larguirucha y desgarbada, errante nómada de escenarios arrojada de su patria por la Revolución. Juntos habíamos pasado cien veces por ese Pasaje de los Monos —conocido de muy pocos y adornado por una pintura de micos bailadores, desteñida y rococó— siguiendo luego la Calle de los Lombardos, donde estaba el modesto restaurante —idéntico a como lo había visto yo por última vez— donde ahora, por recobrar sabores olvidados, acababa de ordenar el *céleri rémoulade,* el *navarin aux pommes* con la *chopine* de tinto bravo y el postre consistente en un cartoncillo lleno de avellanas y pasas, con algún higo seco por añadidura, de los días difíciles. Nada había cambiado: la patrona, pintada y repintada, de ceño vigilante y anacrónica estampa, que expandía sus abundosas tetas sobre el teclado de la caja registradora; había, como siempre, regueros de serrín en el piso; se estaba en un aire oliente a abrigos mojados por la llovizna que había empezado a caer poco antes y a respiros de cocina que se turnaban entre lo agriado, lo dulzón o lo grasiento, en cada abrir y cerrarse de una puerta de resorte que los mozos, salsas y platos en alto, empujaban con el pie. Todo, aquí, me hablaba de mi pasado, y, sin embargo, no acababa mi cuerpo de hacerse uno con la ciudad, de fraguarse, de integrarse, en ese proceso de identificación de las piedras y de la carne que nos hace elegir una ciudad entre todas para sentirnos auténticos y enamorados ciudadanos de ella... París, sin duda, me hablaba desde anoche por la boca de todos sus esplendores. Pero ya mis esplendores eran otros. La *ciudadana* de otros tiempos se había vuelto visitante, simplemente *visitante,* por más que yo misma tratara de convencerme de lo contrario. Cortadas estaban las raíces mías que durante tantos años había tenido hincadas en este mundo y por más que Jean-Claude estuviese a mi lado en este instante, sentado en esta misma banqueta de cuero raído, no estaba más presente, junto a mí, que a donde lo hubiese llevado yo en mi recuerdo, con tal vivencia (con tal frecuencia, tan sólo conocida por mí, de las periodicidades de sus regresos...) que muchas veces su imagen —¿a qué negar un muy leve delito de adulterio que bien poco lastimaba a la víctima?— se me substituía a la realidad del hombre ahora unido a mí que alguna noche hubo de estrechar deleitosamente un cuerpo entregado, durante minutos, a la sombra de otro hombre. Acaso por haber conocido un destino de nómada, me había habituado a cargar con mi bagaje interior, constantemente engrosado por la aportación de las etapas recorridas, por las pruebas, alegrías y peripecias, de azarosas errancias. Lo dejado atrás, atrás quedaba. *Esto* —el *aquí*— para mí era el *ayer.* Un ayer todavía bien vivo, sin embargo, en cuanto a posibilidades de dar forma universal a cualquier empresa de tipo artístico puesto que un buen éxito logrado en París significaba una apertura hacia todos los caminos del mundo. (Y me reía, interiormente, pensando, con el ánimo achispado por dos buenas copas de Beaujolais, que, en realidad, el París de todas las grandezas acumuladas por siglos de cultura venía a desempeñar, para mis propósitos, el papel del dios Eleguá, *abridor de caminos* de la santería cubana. Pedía al mundo de Descartes, Pascal, Bossuet y Fénelon lo que otros, *allá*, pedían al milagrero panteón de Ochún, Changó y Yemayá: un despeje de horizontes, un recurso contra el estancamiento, una victoria sobre las fuerzas "atrasantes" que podían oponerse a los nobles empeños que implicarían una plena realización de mí misma...) Pero ahora, envuelta en el barullo de este *bistrot* de París, entendía yo que jamás volvería a integrarme en un cierto *ayer* —aunque ese *ayer* me fuese necesario, presentemente, para acceder a las venturas de un nuevo *mañana*. La Vera que hoy estaba sentada en esta banqueta no era la Vera que, años atrás, se hubiese sentado tantas veces en el mismo lugar. Y por más que trataba de hacer coincidir ambas figuras, la actual borraba la anterior en virtud de una visión universalista de las cosas, poco común en quienes situaban los extremos linderos occidentales de la cultura en los Finisterres de Europa.

Recibida por Olga con nuevos besos (aunque menos efusivos que los de ayer para no alterar con excesivos roces la perfección de un maquillaje sutilmente matizado) y sin lágrimas esta vez, penetré en una mansión donde cada cosa hablaba de *"luxe, calme et volupté"*. Todo, allí, era hermoso y de una altísima calidad: los muebles, las alfombras, los objetos, y los cuadros sobre todo, los cuadros, ya que varios lienzos de Picasso, Matisse, Max Ernst alternaban, en las paredes, con dos bodegones de Chardin, un pequeño paisaje de Cézanne, dos grabados de Durero, una infanta adolescente de Sánchez Coello, y —¡oh, prodigio!— un proyecto de máquina volante de Leonardo. Las grandes épocas se codeaban con los grandes estilos en aquellos salones sabiamente iluminados para ponerlo todo en valor, donde un torpe codazo dado a un vaso de Sèvres, un cenicero soltado por manos descuidadas, o la caída al suelo de una tabaquera que había pertenecido a Talleyrand o de una Tanagra adquirida en una venta de Sotheby, hubieran sonado con estruendo de Apocalipsis. Pero, a pesar de la maravillosa harmonía allí establecida entre los cuadros, marcos, cerámicas, cristales tallados, esculturillas Ming, monedas antiguas puestas ên vitrinas, faltaba al conjunto ese calor humano que suele comunicarse al libro muy compulsado, manoseado y hasta garabateado por quien lo amó de verdad. Todo era tan perfecto, tan inamovible, tan digno de admiración, que dejaba uno de percibir la asombrosa calidad de lo circundante, buscando descanso para la mirada en la visión de un castaño que, mecido por la brisa, mostraba su danza de ramas tras del cristal de una ventana. (¡Oh, prodigiosa revelación, escándalo del cielo, promovido, en tal lugar, por la repentina introducción de un mueble Levithan o una lámpara Quesada!...) Se abrió una puerta cuya existencia me hubiese pasado inadvertida, y, como surgido de un escotillón de teatro, apareció Laurent, vestido de azul-noche, luciendo —y fue lo primero que noté— una camisa blanca tan maravillosamente ajustada a su anatomía, que de lejos pregonaba la tijera británica del hacedor. Me besó la mano ceremoniosamente, esperando que Olga cerrase las compuertas de un torrente de elogios acerca de mi persona, para hacerme algunos cumplidos en ese hablar algo apretado, de dientes a medio cerrar, con cuidadosa y algo raciniana articulación de las palabras, muy característico de cierta nobleza francesa. Acaso por lo mismo de que no hubiese nacido en un ambiente burgués, se aplicaba a remedar los "tics" verbales de las gentes "distinguidas" que aparecían retratadas en las páginas de *Vogue*, observando en sus gestos un distanciamiento amanerado y un tanto ondulante que me pareció indicio revelador de lo que José Antonio —¡me acordaba de él ahora!— habría detectado como un caso de "mariconería subrepticia"... Pasamos a la mesa donde, entre candelabros de velas prendidas y fulgores de plata, sobre prodigiosos manteles ("te hice una cena de Grandes Duques", me había advertido Olga) durante dos horas, en sucesivos servicios, desfilaron todos los platos y manjares que habían historiado, por sus sabores y aromas —¡tan lejos, tan lejos; y ahora, tan atrás, tan atrás!—, la crónica de mi infancia y de mi adolescencia, hasta los días de penuria, de forzadas dietas de remolacha, pepinos en salmuera y pan de munición, que se me unían al recuerdo del triunfo de la famosa Revolución de Octubre (o de Noviembre, no sé...) que tanto había sonado en el mundo y tanto seguía sonando ahora (y de esto podía cerciorarse cualquiera que, como yo, hubiese hojeado la prensa francesa de la mañana...) al cabo de los muchísimos años transcurridos —años suficientes para haber borrado el recuerdo de otros acontecimientos tenidos, en su tiempo, por mucho más trascendentales... Mientras yo engullía lo que me estaban sirviendo (ya que el reencuentro con ciertas comidas provoca un entusiasmo visceral, una gula inmensa, una apetencia de todo lo visto que nos hace *engullir* más que saborear, sin aceptar las demoras de un sutil paladeo); mientras, lo repito, *engullía* cuanto se me ofreciera, Olga, con su verba incontenible, estimulada por los vasitos de vodka que habían acompañado al caviar preludial de la cena, me aturdía un tanto con el recuento de sus brillantes amistades, de sus obligaciones mundanas, de las personas de alta condición con las que se trataba de tú. Y era un "Marie-Laure (de Noailles, desde luego) me dijo", y era un "la Condesa de Fels me confió", y era un "Jean (Cocteau, por supuesto...) que no tiene secretos para mí", y "Gide mismo fue quien me contó que...", hasta la hora del café, que fue en realidad, hora del té ("nosotros, los rusos, somos gente de té; los del café son los descendientes de moros, como este amor que tengo por marido"...), en que me ví perpleja ante la posibilidad de escoger una infusión de té verde, de té al jazmín, de gran yunnán, del mandarín superior, de lapsang suchón, o, si prefería los tés de la India, el jungpana o el darjeeling, a menos de que me inclinara por el calong de Formosa, o, sencillamente, por el duchka ruso —o también se me podría preparar una mezcla de tres o cuatro de las categorías nombradas. Perdida en el laberinto de los dilemas, opté por irme al bando del café: "Me he vuelto una bárbara antillana" —dije, a modo de excusa: "En Cuba el pueblo sólo usa el té como remedio contra el dolor de barriga..." Laurent se volvía hacia mí ahora, abandonando la melindrosa y amanerada compostura de antes. Soltándose el cuello de la camisa, se arrellanó en una honda butaca, mirándome a los ojos. Y, con voz que, de repente, se hizo seca y diría que casi notarial: "Parece que quería usted exponerme un gran proyecto. Le escucho..." Y, durante una hora larga, sin más pausas que aquellas, brevísimas, en que me hacía alguna pregunta tajante para poner en claro algún detalle, le conté lo que me había traído a París (aunque ocultando mi frustrado intento de lograr algo en New York), le hablé de mis academias, de mis danzantes, de mi programa, dejándome llevar por un cálido entusiasmo ante la obra propia que, vista en la distancia, se me acrecía en palabras ajenas a toda modestia. Tenía que convencer, y, a medida que hablaba, me sentía alentada por la impresión de que estaba convenciendo... Cuando salí de mi largo monólogo, Laurent, sin contestarme, se sirvió una copa de armañac, y, calentándola entre sus manos, se entregó a consideraciones expresadas en estilo telegráfico: La idea le interesaba. Muchísimo. Por nueva. París asistía al continuo paso de compañías exóticas. Bailarinas balinesas. El *Nó* japonés. Las marionetas gigantes de Burundi. Tañedores de guzla o de shamishén. Lo mío era distinto. *Le sacre* era título que se vendía solo. Partitura famosa entre todas. Pero que no figuraba en el repertorio de ninguna compañía de ballet. Así que una interpretación renovada, singular, de la obra de Stravinsky —la Rusia pagana remozada en las Antillas— sería de un éxito seguro. Pero no valía la pena cruzar el Océano con un solo programa. Se necesitaba otro, uno más, por si el primero triunfaba. (Le aseguré que disponía de obras interesantes para constituirlo). Bien. No lo ponía en duda. Pero lo tremendo era el costo de la empresa. 42 pasajes ida y vuelta, más el alojamiento, más un teatro grande —por lo menos, el de los Champs-Elysées— necesario para tal espectáculo, más la propaganda, los affiches, el imprescindible cocktail a la prensa... (Laurent soltó el aire que aún le quedaba en los pulmones como locomotora que, al detenerse, abre las válvulas del vapor...) Ningún empresario se correría una aventura tan riesgosa. Y menos si se pensaba que mi nombre, como maestra de ballet, *no tenía el menor valor comercial* —y que le perdonara la brutalidad del subrayado... Pero no había por qué llorar ni desesperarse... ("Tómate este cognac" —me dijo Olga). Había algo en que yo no había pensado —proseguía el otro. ¿Por qué el Gobierno de Cuba no subvencionaba mi espectáculo? (La troupe de *Porgy and Bess* había contado con la ayuda del gobierno norteamericano, deseoso de demostrar, con una ópera interpretada por negros, que los yankis no eran tan llevados a la discriminación racial como se creía.) Mi ballet podía ser de una magnífica propaganda —propaganda inteligente, se entiende...— para el gobierno de Batista... ("Ésa es la solución" —decía Olga: "La gran solución"...) Al punto mi llanto se cerró con una incontenible carcajada. No estaba ofendida, siquiera, sino asombrada. Aquella gente, que de pronto me pareció increíblemente forastera, extraña, distante y distinta, acababa de manifestarse ante mí con la divina inocencia de su incapacidad de entender realidades ajenas al ámbito propio. Y ahora me tocó hablar a mí: ínfima mujer que acaso acariciara designios harto ambiciosos; coreógrafa desconocida cuyo nombre carecía de todo valor comercial o taquillero; persona ignorada y obscura, rehusaba sin embargo, enfáticamente, que mi nombre, carente aún de un posible prestigio artístico, se viese asociado al de un dictador ignaro, bribón y criminal. Y por mi voz hablaron Enrique, Calixto —la misma Mirta— contando, según me lo habían contado ellos a mí, cómo el "General" que allá padecíamos, se había enriquecido de modo escandaloso a costas de la nación, abriendo cuentas enormes en bancos norteamericanos, adquiriendo edificios de apartamentos, y manejando los más sucios negocios, por trasmano, a través de una oficina famosa, instalada en el ya legendario "cuarto piso" del Palacio Presidencial. Pero había algo peor —más que peor— en el ya recargado historial del funesto sujeto: aquello que se traducía en términos de mazmorras, tormentos y ablaciones, escalofriantes interrogatorios, nocturnas razzias, cadáveres sacados a los caminos, puestos en exhibición, para que se tuviese bien presente que, hoy aquí, mañana allá, o más allá, donde menos se pensara, entrarían en escena los Ejecutores de Altas Decisiones. Y hablé largamente —pues ahora me eran conocidos todos los detalles por mi discípulo predilecto, siempre enterado de todo— de la horrenda represión desatada en toda la provincia de Oriente después del malogrado Asalto al Cuartel Moncada, extendiéndome en el capítulo de las abominables torturas vistas en aquellos días —torturas que ya se habían vuelto de práctica corriente, cotidianamente utilizadas por la policía del régimen... ¿Y se me proponía que sirviese de instrumento de propaganda a quien alentaba y movía aquellos mecanismos del horror?... —"No te alteres. No te alteres" —me decía Olga: "Tienes las manos frías... Nosotros no sabíamos". Y "no sabíamos", repetía Laurent, buscando excusas en hechos cada vez más reveladores de algo que ya no me pareció debido a la "divina inocencia" de antes, sino a un evidente desprecio a países que veía como curiosidades ultramarinas, colectividades de menor cuantía, tan ajenos a la venerable geografía de acá como ajenos a Versailles o al Buckingham Palace podían resultar el Potala de Lhassa o el Klondyke de las fiebres del oro —lugares que se contemplaron, durante años, como raros engendros del planeta, hasta que se volvieran símbolos o posibilidades de ganancias para los caballeros de pantalón rayado, bombín y paraguas, del Strand londinense, o los corredores que a diario se desgañitaban, atorándose de cotizaciones, en el deambulatorio de la Bolsa de París. Y, cayendo en sus propias redes, Laurent me confesó que él mismo estaba haciendo negocios con Leónidas Trujillo, dictador fanfarrón, empenachado y ridículo, de Santo Domingo, y el Gómez-Jiménez, o Suárez-Jiménez, o Pérez-Jiménez —no se acordaba bien—, gnomo castrense, engreído y lardoso que, por obra de cuartelazo, reinaba sobre la inmensa Venezuela. A todas esas gentes bastaba —decía Laurent— con pasarles cuantiosas comisiones "por debajo de la mesa", para amañar licitaciones, obtener concesiones y privilegios, vender grandes cantidades de cualquier cosa... Pero él no sabía que esos personajes, a quienes veía como meros histriones vocingleros, pintorescos y megalómanos, fuesen grandes oficiantes del horror... —"Los periódicos de acá nunca hablan de eso" —decía: "No sabemos nada de lo que tan lejos ocurre... No sabemos". —"No sabemos"... —coreaba Olga. —"Pues habría que enterarse mejor. En esto se me están pareciendo ustedes a quienes *ignoraban* en Weimar (y recordaba algo que me había contado mi marido) que existía el campo de concentración de Büchenwald... Tales ignorancias suelen conducir a ser *colaboracionistas*"... Al oír esta palabra, Laurent se levantó de su asiento con tal brusquedad que su ímpetu despidió al suelo una preciosa cajita de música, puesta en una mesa cercana, y que, al caer, empezó a tocar *Plaisir d'amour* por todas las lengüetas de su cilindro... (—"¡Fue de la emperatriz Josefina!" —gimió Olga. —"No se rompió, ya que está sonando" —dijo Laurent.) Y, encarándose conmigo: "*¡Colaboracionista!* ¡Ya salió la gran palabra! ¡Llaman *colaboracionistas* a los que, como yo, pensaron y pensamos que Hitler y Mussolini fueron los únicos hombres capaces de alzar una necesaria barrera contra la expansión del comunismo ruso. Hitler hubiera podido realizar —¡por fin!— el viejo sueño napoleónico de crear los Estados Unidos de Europa!... Pero en mala hora se metió en eso el soñador paralítico de Roosevelt. Resultado: ahora tenemos a los soviéticos en Berlín". (Marcó una pausa, y calmando el tono de la voz:) "Reconozco que, tocante a América Latina, hablé de lo que no conocía. Pero si pequé de ligero o mal informado, no incurra usted en el mismo error en cuanto se refiere a lo que aquí ocurrió. Porque si se erige usted en Juez de aquellos que *—en fin...—* tuvieron el buen tino de seguir viviendo, haciendo arte, trabajando, *a pesar de los acontecimientos*, no hallará usted balas suficientes para fusilarlos a todos... ¿O hubiese querido usted que hoy tremolara una bandera roja con la hoz y el martillo en el tope de la Torre Eiffel?" —"No, en realidad, no" —dije: "Pero tampoco hubiera querido ver izada en tal lugar, como aquí ocurrió, una bandera con la swástica". —"No sabía que estuvieses tan politizada" —me dijo Olga. La palabra resonó extrañamente en mi oído: *politizada*. ¿Yo, la apolítica, *politizada*? Y, sin embargo, acababa de verme incapaz de tolerar una comedia de fingidas ignorancias que equivalían a la más rastrera aquiescencia. —"Es cierto que en esta casa solíamos recibir algunos oficiales alemanes" —proseguía Laurent: "Pero, gracias a eso, hemos podido salvar a mucha gente". —"A mucha gente" —coreaba Olga. (Debía ser ése el argumento que, como excusa, usaban todos los que aquí habían *colaborado* durante la ocupación, pensaba yo...)... Se había enfriado el tono cordial de la velada. Se trajeron naranjadas y horchatas que nadie probó. De repente me sentí soñolienta y cansada. Mi desengaño medía ahora, cruelmente, la distancia que me separaba de estas gentes. —"El chófer ha ido a descansar" —dijo Laurent: "Yo mismo la voy a conducir"... Y, al dejarme en la entrada del hotel: "Duerma tranquila... En el camino se me ha ocurrido una solución que, de seguro, no habrá de herir sus convicciones políticas". (La realidad, pensé yo en el momento, era que el hombre de negocios se había olido un buen negocio y no quería soltarlo... Pero me estaba sonando ya, como cosa novedosa, esto de que yo tuviese *convicciones políticas*. Y, en el fondo, me era halagador que alguien pudiese creerlo. En cierto modo, esto me acercaba a Enrique, a Gaspar, a Calixto, a todos los que, en la otra orilla del Océano, eran ya mi familia, mi verdadera gente...) Y, dos días después, se me ofreció, en efecto, una posibilidad del todo aceptable: un conocido agente de espectáculos correría con los gastos de alojamiento de mi compañía, alquiler del teatro, publicidad, etc., en tanto que Laurent y Enrique cubrirían, a medias, los costos del viaje. Quedaba convenido, sin embargo, que antes de la firma del contrato, un colaborador del agente haría un rápido viaje a La Habana para cerciorarse de que mis dos programas tenían una calidad merecedora del esfuerzo. —"De eso estoy segura, Verochka" —me dijo Olga, entre nuevos besos y últimas lágrimas, al despedirme en la Gare d'Austerlitz. Y cuando, al despegar de Barajas, después de pasar agitadamente por un molesto techo de nubes, el avión salió, sol en popa, camino del mar, a la inmensidad de un cielo despejado, tuve —como jamás la hubiese tenido antes— la impresión de *volver a mi casa*.

30

Empezaron mis gentes a trabajar con una energía nueva. Había terminado el tiempo de los proyectos gratuitos, de los sueños, de los "acaso", "tal vez" y "a lo mejor". Íbamos a lo seguro y espléndido. Se trataba de debutar el año próximo en París, de actuar en París, de *triunfar* en París ("si Dios quiere", murmuraba yo con la fingida incredulidad del empresario que, haciendo la cruz gitana con el dedo medio y el índice, acepta de antemano la idea de un fracaso para que la suerte, por contrariarlo, le depare el mejor de los éxitos). La noticia de que todo estaba arreglado, de que cruzaríamos el mar, de que *allá* nos aplaudirían, había galvanizado a mis discípulos, algo alicaídos últimamente —era preciso reconocerlo— por la evidencia de que el viaje a New York, de meses antes, había quedado en "veremos", sin que me fuese posible confesarles, por dignidad, que era víctima de una inapelable sentencia del maccartismo. Por otra parte, París acogía a los negros o mulatos obscuros sin recluirlos en el ghetto del color propio. Allá no tendrían los varones que comer en restaurantes de negros para negros, ni tendrían las hembras que hacerse peinar, antes de las funciones, en peluquerías de negras para negras. *Allá,* todo era distinto... Y, después de evocarse la inevitable figura, casi totémica, de Josephine Baker (*"J'ai deux amours, mon pays et Paris..."*) recordaban algunos la fama que allí hubiese logrado "Pimienta", negro de estiba, que había presentado un número de bailes cubanos en los cabarets de Pigalle y la Rue Fontaine, y la fabulosa historia de aquel Marino Barreto, negro tirando a mulato, a quien una duquesa británica, dama de Su Graciosa Majestad, había tomado por amante, mandándole a París, cuando de él se veía separada (y esto era el alimento de toda una mitología) y por aviones que (según se decía) eran *aviones especiales,* costosos frascos de agua de lavanda sin los cuales el músico —antaño protagonista de una película española titulada *El negro que tenía el alma blanca*— no acababa de sentirse a gusto en sus galas de frac, pechera almidonada y chistera de muchos reflejos... Ahora, no solamente se trabajaba bien en la escuela de la Plaza Vieja, sino que me llegaban, cada tarde, nuevos aspirantes a mostrar sus capacidades para la práctica de un arte que ahora, después de muchas dudas, habían acabado por tomar en serio. A todos dirigía yo, antes de cerciorarme de méritos reales, a la oficina donde Calixto, sentado tras de una pomposa mesa de administrador, con gran secante y aparatoso tintero, se encargaba de seleccionar a los que tuviesen un real temperamento, aunque, muy pronto, un letrero de "PARA ESTA TEMPORADA LA COMPAÑÍA ESTÁ COMPLETA", cerrara el período de los enganches. (—"Vienes con una cara nueva" —me había dicho Enrique, el día de mi regreso, al verme salir de la oficina de control de Rancho Boyeros. Y, en efecto, debía de tener una cara nueva, pues las horas del vuelo habían sido, para mí, horas de intensa reflexión. Sabía ahora que nada me ataba ya a Europa. Regresaría a ella, cuantas veces se quisiera, para mostrar el resultado de mi trabajo y recibir el consenso de públicos que eran —estúpido fuera negarlo— supremamente inteligentes. Pero mi realidad, mi destino, mi obra, mi posibilidad de crear y la materia prima de esa creación —su arcilla necesaria— estaban en esta latitud donde todo se había organizado a cabalidad, además, para que pudiese dar corporeidad a mis propósitos. Me daba cuenta ahora de que mi escuela del Vedado, de la que tanto hubiese renegado a causa de la frivolidad de sus alumnas mundanas, era tremendamente importante para el desarrollo de mis actividades, por cuanto me proporcionaba los medios económicos necesarios al mantenimiento y ampliación de mi otra escuela. Así, los dineros de mis jóvenes burguesas servían para educar y formar las gentes de mi "cabildo lucumí" —como solía llamar Gaspar, en broma, a mi forja de nuevos talentos coreográficos. Mecánica de vasos comunicantes. Lo uno nivelaba lo otro. Daría, pues, un nuevo impulso a la labor de Silvia y de Margarita, yendo más a menudo a vigilar sus clases, consciente de que ese esfuerzo, en fin de cuentas, valía la pena. —"Vienes con una cara nueva" —me había dicho Enrique. Y, en efecto, me sentía tan nueva, tan deslastrada de preocupaciones, que cuando, esa noche, nuestros cuerpos volvieron a encontrarse, hicimos el amor maravillosamente, tornando a hallar las pulsiones y apetencias de los primeros días... Y después fue la charla —charla de amantes que, lado a lado, se hablan a media voz. Y, de pronto, una pregunta de Enrique me hizo prorrumpir en carcajadas, por lo insólita: "Oye... ¿Y qué dijeron los periódicos, allá, de la Conferencia de Bandung?" ¿Bandung? ¿Y dónde era eso? ¡Ah, sí! Una ciudad de Indonesia. Sí. Recordaba. Una convención, o no sé qué, donde habían hablado el Pandit Nehru y el chino Chu-En-Lai. Pero, no. No había leído nada acerca de ello: "Convéncete, Enrique, de que sólo soy una burra danzante que jamás entenderá nada de política"...)

Tan entregada estaba a mi trabajo que, aquel año, el invierno me sorprendió gratamente sin que, como otras veces, hubiese estado atenta a los indicios de su acercamiento —acaso más admirada aún que en los primeros tiempos, por los renuevos de colores y de perspectivas que su muy repentina llegada traía a la ciudad. Venido en una noche de las Bermudas, cuyos ciclones solían zarandear a Prósperos y Calibanes, el esplendoroso invierno caribe transfiguraba las cosas por operación de una luz tan límpida, transparente y universalmente repartida que, aliviada de las temblorosas exhalaciones levantadas por el estío —con sus vaharadas de calor despedidas por cualquier bocacalle, los canteros de un parque o los respiros de un patio harto soleado—, establecía una nueva escala de valores entre las construcciones y perspectivas, volúmenes y distancias. Luz sin espesor ni vibraciones, clara y siempre clara de amaneceres a crepúsculos, que comunicaba un estricto rigor al trazado de las sombras —proyecciones— de una columna, de una cornisa, de un vaso de estampa romana erguido en el esquinero murillo de una azotea empavesada de sábanas y manteles puestos a secar. En tal claridad, todo parecía limpio y neto, lo lejano se aproximaba, se aligeraban de pátinas las murallas viejas, porosa se tornaba nuevamente la piedra marítima de la Catedral, alba y pulcra lucía la pared recién lechada. Mirando hacia la otra orilla del puerto, me parecía que las largas fortalezas de su cresta se habían acercado en unas horas, entregándoseme con toda su estereotomía de contrafuertes y espolones por sobre la quietud de un agua que, ayer inquieta y revuelta, había pasado a la plenitud del azul profundo, con fugaces destellos —¿juegos de burbujas, salto de un pez?— en suntuosa paz de vitral antiguo. Con la instalación del invierno caribe, la ciudad entera me venía al encuentro, neta y sin misterios, definida en sus contornos, bien dibujada en sus perfiles, y cuando iba yo, conduciendo mi pequeño automóvil, de la Plaza Vieja a mi escuela del Vedado, siguiendo la orilla del mar, parecía que los edificios giraran en torno mío, mostrándoseme desde todos sus ángulos —como en ciertos cuadros de Braque y de Gris mostraban los objetos la totalidad de sus facetas. Barroca en espíritu, La Habana se me hacía cubista en la luz de un mitigado e indulgente bóreas que se afirmaba en un descenso de pocos grados en la temperatura —los suficientes, sin embargo, para que las señoras de alta condición sacaran sus zorros plateados de los especializados almacenes donde habían pasado su invertida hibernación, algo olientes todavía, en su primera salida al aire libre, a las naftalinas y alcanfores de un largo sueño. . .

. . .Pero nosotros, los de la Plaza Vieja, también habíamos salido del sueño menos largo —momentánea modorra, más bien— de los ejercicios ejecutados durante los primeros meses de aquel año, con la rutinaria voluntad de mejorar pasos y figuras que por un tiempo parecieron destinados al público único de nuestras propias presencias en un largo y ancho espejo. Ahora se trabajaba con dedicación y entusiasmo, y las toallas de felpa se enredaban en cuellos sudados por un afán de llegar cuanto antes a la perfección. Ya habíamos rebasado los 1, 2, 3 y 1 yyyý 2 yyyý 3 de los esquemas clásicos para aplicarnos a llevar los 2/16, 3/16, 5/16, 2/8 de la *Danse sacrale,* con mecanismos de respuesta física menos sometidos a la férula de una numeración de pasos, dejando más bien que los cuerpos se dejasen llevar por los impulsos propios de una partitura perfectamente memorizada por todos —y esto ya se estaba logrando. Y mientras Mirta, a la vez Virgen Electa y *Madame-coreógrafa-por-sustitución-reglamentaria* se las entendía con la música de Stravinsky, yo, en un salón del fondo donde ahora disponíamos de barras y espejo, iniciaba mi trabajo sobre la *Ionización* de Varèse, con un grupo de ocho danzantes —cuatro mujeres, cuatro hombres— en que se destacaban fuertemente Filiberto y Sergio, jóvenes amigos de Calixto a quien éste, en clases suplementarias, había sometido a un intenso entrenamiento. Y aquí el problema que me había planteado era distinto de los de *La consagración*, donde oponía grupos a grupos en movimientos contrariados o concertados: sobre las percusiones *en perpetuo acontecer* de Varèse, me aplicaba yo a conseguir una continuidad coreográfica basada en el ininterrumpido enlace de acciones individuales, de variaciones gestuales correspondientes a los imprevisibles juegos de la batería... Así, una actividad de colmena reinaba en el viejo palacio español cuando entramos en diciembre. Una tarde, durante una pausa de merienda y refrescos, Calixto, echándose una camisa y un pantalón sobre el maillot negro, se me largó a la calle, regresando, poco después con un periódico —era EL CRISOL si recuerdo bien— donde por sobre su hombro leyeron algunos esta singular noticia: *"Frustrado un desembarco. Apresó un yate la Marina de Guerra. El Ejército confirma el desembarco, pero nada dice sobre la muerte de Fidel Castro. Hasta el mediodía de hoy no llegarán al lugar las tropas. El hecho ocurrió junto a las costas, entre Niquero y Manzanillo, a las cinco de la tarde. El yate de desembarco fue avistado por la aviación"*. Corrió nuevamente Calixto a la calle, y volvió con otro periódico —acaso era PUEBLO— cuyos cintillos y sumarios fueron leídos por todos con creciente expectación: *"Capturado el yate de Fidel Castro. No venía el cabecilla del Moncada entre los que lo tripulaban"*. Y fue Hermenegildo por EL PAÍS: *"Restablecido el orden en Santiago de Cuba. Sin confirmar noticias sobre Fidel Castro. No existe constancia de su llegada al país"*. —"¡Dejen los periódicos!" —hube de gritar, para sacar a mis gentes de sus comentarios y conjeturas, y aunque nuestra labor seguía en sus secuencias normales, noté que Calixto, tanto como Hermenegildo, estaba distraído, actuando mecánicamente, como deseando que nuestro trabajo se acabara pronto. Por la noche, interrogué a Enrique: "No sé... No sé" —me dijo: "No tengo más información que la de los periódicos. Algo ha pasado, desde luego. Mañana sabremos algo más". Y *mañana* nos vino ALERTA: *"Persiguen a los expedicionarios. Continúa ignorándose el actual paradero de Fidel Castro"*. Y esto, en el DIARIO NACIONAL, que bastó para producir a Calixto una repentina alegría: *"Desmiente el Presidente Batista la muerte de*

Fidel Castro en Oriente". Y, en el mismo DIARIO NACIONAL: *"Persiguen a los revolucionarios en la zona de Niquero las fuerzas del Ejército y la Marina".* Y lo que leíamos ya en los diarios del día 5 eran, más que noticias y recuento de rumores, verdaderos partes de guerra: *"Chocan militares y expedicionarios mandados por Fidel Castro. Se reportan grandes bajas... Hubo un combate en la zona de Niquero"...* —"¡Se armó la gorda!" —dijo José Antonio, con quien comimos aquella noche en el Centro Vasco. —"Sí. Creo que esta vez se armó" —comentaba Enrique: "Además, tengo entendido que la expedición estaba magníficamente preparada". —"Y con hombres sometidos a un largo entrenamiento en México" —dijo José Antonio... *(Yo sabría, mucho más tarde, que en el puerto de Tuxpan, cierta noche, había empezado todo. Surgiendo de las sombras, grupos de sombras se habían acercado al río en sombras para cruzarlo silenciosamente, en botes llevados a boga lenta por los remeros, hacia una embarcación que, con las luces apagadas, los esperaba. Unos hombres habían descendido del altiplano; otros venían de Veracruz o de la no lejana Tamaulipas, pero, casi sin palabras, se habían reconocido todos, sabiendo que habían acudido puntualmente a la cita... Doblemente amodorrada por el sueño de sus habitantes y la perenne monotonía de su vida de poca historia, la villa sólo se enteraría mañana —y acaso sin darle mayor importancia al caso— de que tantas sombras hubiesen transitado, durante su descanso, a la sombra de sus aleros. Se había sentido, sí, que los perros, horas antes, hubiesen ladrado un poco más de lo acostumbrado. Pero había noches en que los perros eran así. Parecía como que viesen cosas que otros no veían... Y cuando, en el amanecer de aquel 25 de noviembre, se supo que sí, que los perros sí habían visto cosas, y cosas bien reales, y contaron los barqueros que muchos hombres, surgidos de las tinieblas, se habían hecho llevar hacia el yate aquel, de esbelta estampa, de fina eslora, anclado allí donde lo habían visto todos los cristianos —y que los cristianos no eran pocos— el yate no estaba ya en el lugar de su anclaje. Extraño era el caso ya que, la víspera, se había levantado un fuerte viento acompañado de lluvias, los observatorios meteorológicos anunciaban mal tiempo, y la Marina Mexicana había suspendido hasta nueva orden, los permisos de salida de embarcaciones al Golfo. —"Caprichos de gente rica que no se guía por razones" —dijo uno, creyendo que el* Granma *—pues* Granma *se llamaba el yate desconocido— había sido sacado al mar proceloso por imprudente antojo de su inexperto propietario... —"¡Allá ellos!" —dijo otro, mirando al cielo tormentoso y cambiante, sin ocuparse más del asunto... Y vino un crepúsculo borrascoso, se encendieron las luces, se apagaron las luces, y aquella noche —noche semejante a otras muchas noches— los perros ladraron menos que la noche anterior...*) Pero ahora las noticias eran confusas. Se conocía el aspecto del *Granma*, pues una foto de él era publicada en EL DIARIO NACIONAL, sabiéndose ya que los expedicionarios habían desembarcado trabajosamente, chapaleando entre manglares, en un cenagoso lugar conocido por "Las Coloradas". Algunos creían que, en un encuentro con las tropas de Batista, reforzadas por la aviación, habían sido todos exterminados. Sin embargo, el 9 anunciaba EL MUNDO *"la muerte de catorce rebeldes en dos nuevos choques"*. (—"¿Dos nuevos choques? ¿Así que sigue la cosa?" —comentó Calixto, en un descanso del trabajo, con visible satisfacción...) Pero los informes se fueron haciendo escasos y contradictorios y, como se aproximaban las Navidades entraron en La Habana los abetos del Canadá, amaridando el aroma de sus savias con los fuertes olores del sofrito criollo. Hubo muérdagos en las vitrinas, tarjetas de *Merry-Christmas and Happy New Year* en las papelerías, velitas y campanas rojas en los *drug stores*, y, por veinticinco grados de calor sudaron como nunca, bajo sus pelucas blancas y gorros encarnados, los más escaldados Papás Noeles de toda la cristiandad. Y se llegó a la noche de San Silvestre, durante la cual habría de verme cruelmente desasosegada por la evidencia de una situación dramática nacida bajo mis ojos sin que yo me percatara de ello y que ahora habría de afirmarse, después de soterrada gestación, con dolorosa y conflictiva realidad.

La Señora Condesa, cuyo palacio no frecuentaba yo desde hacía mucho tiempo, nos había invitado a "esperar el año" (más que por deferencia hacia mí, para demostrar que no menospreciaba a la esposa de un sobrino, "carne de su carne", cuya fama de buen arquitecto, entendedor del gusto de cada cual, se acrecía cada vez más en su medio) en una fiesta "de categoría", donde habría oportunidad —como siempre— de conocer a un *Título* español, de los de Caudillo en adarga; varias damas de la *gentry* newyorquina, además de tres senadores norteamericanos que, según contaba Enrique, mientras realizaban un viaje de carácter semi-político, aprovechaban el tiempo libre que les dejaban los convites de Batista en su finca "Kukine", visitando el muy famoso burdel de Marina, en la Calle Colón, donde la presentación de muchachas disponibles —algunas desnudas bajo sus criollas batas de vuelos— se efectuaba en un salón amueblado a lo Reyes Católicos, de cuyo cielo raso colgaban tres primorosas carabelas, en delicado homenaje a la memoria del Gran Almirante cuyo nombre —nombre de la calle— quedaba así finamente asociado a la idea de mar, Marina —dueña de aquel establecimiento de altura, donde un caballero venido de Kentucky o Connecticut pudiera hallar cuanto le fuese apetecible en un solícito personal que participaba de los géneros femeninos, masculinos, neutro, ambiguo y hasta epiceno... Para su "fiesta de categoría", la Señora nos prometía una orquesta con violines pintados de blanco, un *show* "a todo meter", y un fino regalo unido a cada ramillete de doce uvas con las cuales, fieles a una tradicional usanza hispánica, habríamos de atorarnos, entre risas, al tratar de tragarlas, a una por toque, cuando sonaran las doce últimas campanadas del año... Por no ver las caras de los senadores yankis, con coronas de cotillón, soplando en matasuegras emplumados; por no aburrirme, como otras veces, en un estrépito de matracas, panderos de hojalata, cornetas de cartón, silbatos, brindis, congratulaciones, vivas a esto y vivas a aquello, usé el oportuno recurso de un fuerte resfrío, debido a los primeros "nortes", prometiendo por teléfono a la bondadosa señora que me metería en cama temprano, con varias aspirinas entre pecho y espalda, después de probar el Moët-et-Chandon de sus bodegas, del que nos mandaría seis damajuanas. El champagne me venía muy bien, puesto que en casa habría lo que yo llamaba "una cena familiar", cuyos invitados eran José Antonio, "mis hijos" Mirta y Calixto, y Gaspar, que acababa de regresar de México por unos días, antes de reunirse nuevamente con su orquesta de mambo, contratada ya para actuar en Acapulco el día de Reyes. (Enrique había invitado también a Teresa, pero ésta que, a pesar de presumir de indómita se doblegaba siempre, con singular mansedumbre, ante su autoritaria tía, no podía faltar a la fiesta de la Calle 17 donde, como siempre, oficiaría de Gran Ordenadora de Regocijos, Intendente de Espectáculos y Mantenedora del Protocolo —y la verdad era que me alegraba de su ausencia, porque me disgustaban (¿amistosos celos?) sus continuas puterías con José Antonio)... Así, en nuestra casa, lejos de la mansión donde el Picador de Benlliure seguía inmovilizado en bronce sobre su tienta de toros y blandía su estoque el Belmonte de Ignacio Zuloaga, nos reunimos alegremente, sin esperar el filo de la media noche, en torno a un clásico lechón de pellejo tostado, crujiente, algo chamuscado, con su bandeja de congrí y los dorados plátanos verdes fritos, aplastados a puñetazos —como debe ser— entre dos hojas de papel de estraza. Y con los postres y el vino bebido ("sólo puede ser un Rioja de Haro, a la guajira" —había decretado José Antonio) empezaron Gaspar y Enrique a cantar viejas canciones de la Guerra de España: la tonada de los Cuatro Muleros, el vito del Quinto Regimiento, y el ya universalmente conocido *son* de *"allez, allez, reculez, reculez — liberté, égalité, fraternité"*, que el trompeta había tenido el increíble buen humor de componer tras de las siniestras alambradas del campo de Angelès-sur-mer... Y en eso estábamos, cuando hubo un alboroto en todo el barrio. Salían las gentes a las azoteas clamando felicitaciones y parabienes, con el inevitable chiste del "viejo que acababa de morirse", fue alzado el nivel de los tocadiscos que tocaban guarachas y cha-cha-chas, y las supersticiosas comadres del vecindario arrojaron cubos de agua a las calles, desde sus ventanas y balcones, para ahuyentar a los espíritus malignos y purificar sus hogares, entrándose en el año nuevo con gesto ritual de "limpieza". —"¡Ya!" —dijo Enrique, levantándose. Y me besaron todos: mi marido, con ternura conyugal; Gaspar, como a una hermana; Mirta, como a una madre; Calixto, con cariñoso respeto, rozándome levemente la mejilla con sus labios; José Antonio, apretándome un poco más de la cuenta a mi modo de ver, aunque no me fuese del todo desagradable... Pero ya sonaba la oncena campanada de nuestro reloj de pared, cuyo carrillón había sido librado de sordina en tal noche, y observaba yo que Mirta y Calixto, enlazados, se besaban largamente, de labios confundidos, en un abrazo de nunca acabar —solos en el mundo. —"¡Vamos, niños! ¡Que son doce los toques y no veinticuatro!" —dijo Gaspar, riendo. —"Nunca es tarde si la dicha es buena" —dijo José Antonio, riendo también. —"¡Envidia que les tienen!" —dijo Enrique, con el Moët-et-Chandon de su tía sabrosamente subido a las sienes... Mirta, de pronto, con los ojos encendidos, jubilosa como pocas veces la hubiese visto, alzó una copa: "¡A nuestra boda!" —"¿Qué?" —"¡Como lo oyen! ¡Nos casamos pronto!" Calixto aplacó los aplausos de José Antonio y de Enrique con el ambiguo gesto de quien apartara de sí el vuelo de un invisible insecto: "No le hagan caso. Está diciendo estupideces". Y, como movido por una brusca decisión —en él siempre eran bruscas las decisiones— se levantó y, con tono tajante: "Me perdonarán. Pero también *mi gente* se ha reunido a cenar. Quedé en pasar por allá, aunque fuese tarde. Así que muchas gracias a todos. Y un feliz año nuevo les deseo". —"Ve, cumple, y vuelve pronto" —dijo Enrique. —"¡No!" —replicó Calixto. Y, sin mirarnos más, se encaminó hacia la puerta, dejándonos atónitos, confundidos, en tanto que Mirta prorrumpía en sollozos. La dejamos llorar, sin saber qué decirle. Al fin ella, secándose las lágrimas: "Quisiera acostarme, Madame. Me siento muy cansada". La llevé al estudio de Enrique, cuyo cómodo diván habíamos arreglado para ella a modo de cama, pues tenía permiso para quedarse a dormir en casa esta noche. —"Estoy avergonzada, Madame... Quisiera explicarle que..." —"Nada tienes que explicarme. Hablaremos mañana, u otro día, o cuando quieras"... Volví al comedor con la impresión de que estaba algo serenada. Allí, los tres hombres permanecían silenciosos, rompiendo avellanas con un cascanueces que se pasaban de uno a otro como si aquello fuese una tarea sumamente importante, merecedora de la mayor atención. Y estuvimos largo rato sin hablarnos, intercambiando fugaces miradas reveladoras de que todos pensábamos en lo mismo. Y todo se me hacía dramáticamente claro en aquel instante: lo que esta noche se había evidenciado aquí era sencillamente catastrófico, y la brutal reacción de Calixto demostraba que él también se daba cuenta de ello.

(—"Eso, lo vi desde el principio" —decía Gaspar, rompiendo el silencio: "Y tenía que suceder... Andaban juntos todo el día. Y, con el toqueteo, el manoseo, el retrujeo del baile, se acabó de prender la candela"...) Si mi discípula persistía en su empeño, resuelta a desafiar los usos de una burguesía donde no se había registrado, que yo supiera, un solo caso de boda de blanca con negro, sería arrojada del ámbito familiar, socialmente descastada, degradada, vista como objeto de abominación, hundida en presencia y estirpe; sería abandonada por sus amigas de infancia, puesta en el *index*, marcada al hierro de la vindicta burguesa, teniendo que refugiarse, con su marido, en el ghetto de la "gente de color" —pasando de las Alturas de Almendares al barrio de Jesús-María o a los callejones de Tallapiedra. Sola y apenas saludada —teniendo que dejar a su esposo en casa— asistiría, por el necesario amor a la música que implica el oficio de bailarina, a las grandes funciones de ópera o a los conciertos de la sociedad "Pro Arte", ya que aquí, para poder escuchar a Lauritz Melchior, a Horowitz, a Andrés Segovia o a Rubinstein, había que ser blanco. Cerradas le serían mil puertas que eran hoy, en fin de cuentas, las que en esta ciudad conducían a los más gratos lugares que desde niña frecuentaba. Habría que trocar paisajes placenteros por otros bastante menos placenteros. Dejarían de ser suyas las anchas avenidas orladas de ficus, los cines de gran estreno, las playas de más hermosa arena, las sorbeteras privilegiadas, las piscinas de refulgentes mosaicos —a menos, desde luego, que Calixto se quedara esperando en la puerta, como los perros que, en París, plantaban las señoras en el umbral de las panaderías. Y esto, forzosamente, acabaría por crear un clima intolerable para ambos —caídos en lo que alguien hubiese llamado: *"el infierno de los demás"*... Y ahora hablaba Gaspar: "La mejor prueba de amor que puede darle Calixto, está en no casarse con ella". —"¿Amor sublime, entonces?" —dijo Enrique, con la lengua trabada por el mucho vino bebido —acaso para aliviarse de la preocupación que sobre el ánimo de todos pesaba. —"No me hables de amor sublime" —dijo José Antonio que también estaba amablemente metido en copas: "Eso del amor sublime, inmaterial, es pendejada que inventó Dante, porque tenía fijación con una niña de nueve años, llamada Beatriz. Precavido, el poeta prefirió escribir *La divina comedia* a ser encarcelado por el delito de corrupción de menores". —"¡Hagan chistes!" —dijo Gaspar: "Pero no han pensado en otra cosa. Si Calixto y Mirta se casan, el escándalo va a ser de madre —digo— en el ambiente de ustedes, de donde salen las alumnas que sostienen la escuela del Vedado"... —"...que se me ha vuelto tremendamente necesaria ahora" —dije. —"Pues, mira..." De pronto, Enrique pareció salir de un sueño remoto, súbitamente serenado: "Bueno... Pero yo no veo dónde está la tragedia. Los muchachos se quieren. ¿Y qué? ¡Que hagan lo que hacen los varones y las hembras cuando se quieren! ¿Acaso para *eso* es indispensable un contrato o una bendición?" —"¿Y a dónde la llevaría Calixto *para eso*?" —preguntó Gaspar con tono áspero: "¿Al *Hotel Venus*? ¿O a las cochinas posadas de la calle de San José, o las que se encuentran en los alrededores de la Estación Terminal? ¿Para que la muchacha se muera de asco?" —"¡Bah!" —dijo José Antonio: "Algún día se quedarán en la escuela de la Plaza Vieja después de clases, y cuando vengan a ver..." —"Calixto nunca sería capaz de eso, por respeto a Vera". —"Estoy convencido de ello" —dije: "Mal conocen ustedes a Calixto. Es uno de los seres más rectos, leales y recatados que he conocido. Él es quien cierra la escuela cada tarde y cuida de que nadie demore allí cuando terminan las clases"... Cambiamos de conversación, y pronto las miradas interrogaron los relojes. Y cada cual recordó, de pronto, que algo tenía qué hacer antes de pocas horas —a pesar de ser día primero de año. José Antonio se iba de pesquería con unos publicitarios yankis; Gaspar tenía que ensayar con una orquesta inexistente, y Enrique habló de la urgencia de estudiar un ingenioso proyecto de hotel en la Sierra Maestra, donde, en alto lugar barrido por las nubes, podría disfrutarse de una temperatura ideal en cualquier época del año. —"Te aconsejo que escojas un lugar un poco más tranquilo que la Sierra Maestra" —le dijo José Antonio al despedirse: "Porque ahí se va a pelear muy duro". —"¿Tú crees?". —"¡El tiempo lo dirá!"...

Dejando dormido a Enrique, voy al estudio. Sentándome a su lado sin hablar, contemplo a Mirta que yace en el diván con los ojos abiertos en la semipenumbra. Su silencio, la intensidad de su mirada fija en las vigas del techo, me revelan que sufre inmensamente... Y, de repente, me deslumbra una evidencia. La veo como jamás la vi. Ella es la muchacha que yo misma fui: delgada y sin embargo con largos y acerados músculos forjados por el ejercicio, habitada por el demonio de la danza, con vocación, instinto y voluntad de ser la gran estrella que quise ser y no fui. En ella me reencarno, en ella me encuentro y en ella vuelvo a hallar mi propia adolescencia ambiciosa y sufrida. Virgen Electa primero, será después —y tal vez muy pronto— la princesa liberada del *Pájaro de fuego,* la bailarina de *Petrouchka,* cisne blanco, cisne negro, y acaso, un día próximo, cisne comparable al de Pávlova. La contemplo y veo que tiene la mirada que tuve; la contemplo y pienso que, tan lejos de donde cobré conciencia de existir, ella, en el umbral de la vida, conociendo los mismos anhelos, las esperanzas que, durante tantos años, me ayudaron a vivir, se topa ya, dolorida y sangrante, con fuerzas contrariantes y adversas. Y al compartir su padecimiento, pienso en lo absurdo del conflicto que la hiere —conflicto ignorado por mí cuando, a su edad, me entregué un día a Jean-Claude. (¡Oh, grata habitación aquella, de la Rue des Lombards, tan pequeña que cuando estábamos lado a lado podía él tocar una pared alargando el brazo derecho, en tanto que yo alcanzaba la otra con el izquierdo!... ¡Y cómo nos reíamos!...) Yo me había dado a él con plena conciencia de lo que hacía, jubilosamente, por responder a un deseo que me latía en las entrañas, sin pensar en documentos, contratos ni bendiciones —papeles, sacramentos, palabras, firmas, que tenían tantísima importancia aquí para quienes habían nacido en un cierto ambiente... (Hasta la palabra de *casamiento* se me hacía odiosa en este momento, con todo el lastre que arrastraba para la mente burguesa de: *casa, hogar, olla al fuego, seguridad, seguros, falsa dicha familiar, costureros y remiendos*... "duelos y quebrantos los sábados, lentejas los viernes, algún ama que pasara de los cuarenta, lanza en astillero y rocín flaco" (léase automóvil pequeño de gente modesta), y, si se era rico, galas vestimentarias de Balenciaga, Christian Dior o Yves de Saint-Laurent...). Y aquí, sin embargo, había que *casarse.* Por ello, hablé grave y serenamente a Mirta. ¿Estaba resuelta a consagrarse totalmente a su arte? En tal caso un excelente desenlace estaba próximo. En Cuba, en las circunstancias actuales, no podía soñar en hacer una carrera de bailarina profesional. Que pensara en Alicia Alonso, el más fenomenal talento de ballerina que se hubiese producido en el país, obligada a bailar constantemente en el extranjero. Luego, tendría que expatriarse porque no le quedaría otro recurso —en todo caso, como Alicia, durante largas temporadas. Y, con tales perspectivas, cuando llegáramos a París dentro de unos meses, que hiciese lo mismo que había hecho yo cuando tuve la firme voluntad de hacerlo: que se entregara alegremente a quien amaba. Nadie le pediría cuentas de nada. Y así, habiendo pasado por la gran prueba que aguardaba a toda mujer en su entrada en una vida plena, que festejara el suceso, si lo quería, con un anillo matrimonial. Entretanto... Mirta se me abrazó. Ahora lo veía todo claro. Era como una gran iluminación. Pronto amanecería, y el año que empezaba sería un año distinto a todos los demás. Viéndola aliviada le besé el cabello —tan espeso y fragante a juventud como lo había tenido yo en otros tiempos—. Y, sonriendo viendo que ella ya sonreía, le dije con tono ligero: "Oye... Te confías a mí. De mujer a mujer. Porque habría que andar con algún cuidado... ¡Mal luciría en el escenario una Virgen Electa con vientre de ocho meses!" —"¡Ahora sí que voy a trabajar bien, Madame". —"Sí. Creo que vamos a trabajar mejor que antes. En cuanto a Calixto, déjame hablarle. No le diré, desde luego, lo que te acabo de decir. Pero, en fin, le mostraré cómo *allá* no existen ciertos prejuicios; hay otro concepto de la libertad en cuanto a las relaciones entre hombre y mujer, y que, en fin, le explicaré cómo podrán casarse, si aún tienen ganas de ello, sin tantos contratiempos. Allá la pequeña ceremonia será frente a un alcalde de barrio, para el cual no existen problemas de color de piel, que los recibirá con una cinta tricolor en la cintura. Y, al salir, los muchachos que juegan alrededor de todas las alcaldías de Francia, te gritarán: *¡Vive la mariée!...*" —"Bien. Pero... ¿y a la vuelta? Porque habrá que regresar algún día..." —"Verás las cosas de manera muy distinta. Vivirás en un mundo forjado por ti y no en el mundo que quieren imponerte quienes no saben, siquiera, por qué viven ni para qué viven".

31

—"Mal se presenta el año" —murmuró Enrique, arrancando la primera hoja de un calendario nuevo que acababa de comprar, pues estábamos ya a 2 de enero: "Mal se presenta el año". Hice un gesto conjuratorio del ingrato vaticinio, pues, para mí, era de decisiva importancia que los meses próximos fuesen totalmente propicios a mis empeños. Y, buscando augurios de bonanza ("augurios primaverales" titulábase el primer episodio coreográfico de *La consagración*...), pensaba en la blanca epifanía de los aguinaldos que pronto cubrirían los campos con su estremecida nevada; pensaba en la rojez de los flamboyanes y buganvilias que se encendían, como activadas en lo cárdeno y en la púrpura, tras de las muy frescas madrugadas del invierno tropical, y pensaba también en las Flores de Pascuas, que ya nos prodigaban, como en cumplimiento de un ciclo ritual, el suntuoso despliegue de sus rojeces... Pero Enrique pensaba en otras rojeces —rojeces de sangre— que demasiado a menudo, ahora, ensombrecían los amaneceres con el hallazgo de cadáveres en las aceras de las ciudades y en las orillas de los caminos carreteros. Estaban ahí, en las luces del alba, yacentes, traspasados de balas o colgados de los árboles, tras de confusas refriegas, fulminantes ejecuciones, siniestros "paseos", encubiertos por la noche —cuando lo muerto, lo yerto, no hubiese sucumbido horas atrás en un cuartel cercano, traído aquí, llevado allá, para que no quedaran vestigios de lo hecho en las zahúrdas del terror. Aunque los periódicos trataban de minimizar los sucesos, tampoco les era posible ignorarlos del todo —ya que nada resuena tanto como el mudo clamor de un cadáver— afirmando que todo era debido —¡y esto, día tras día!...— *a pugnas existentes entre sectores revolucionarios* (sic). Lo cierto era que los caídos o colgados en la zona de Holguín, Mayarí, Banes, Puerto Padre y Victoria de las Tunas, mostraban en sus carnes las huellas inequívocas de la tortura. —"Todos eran militantes comunistas o pertenecían al Movimiento 26 de Julio" —me decía Enrique, extendiéndose en lo sabido hasta hoy sobre aquellas "navidades sangrientas" que un abominable coronel Fermín Cowley, ejecutando órdenes de Batista, había situado muy precisamente en los días de *"Felices Pascuas"* y *"Merry Christmas"*, embadurnando de encarnado los pesebres de Belén. Una de las víctimas (precisamente el director del "Movimiento 26 de Julio" en Holguín), con la columna vertebral quebrada, había sido ultimado a punzonazos y acribillado a tiros, luego de que fuese izado, soga al cuello, a una alta rama, en inmundo ceremonial calcado en la práctica de los linchamientos norteamericanos... Mucho había oído yo hablar, en mi vida, de comunistas derribados y supliciados en una lucha que ya se inscribía, por lo larga y lo tenaz, en la historia de este siglo. Lo que cobraba un sonido nuevo para mí era eso del "26 de Julio". —"¿Cómo? ¿No te acuerdas?" —dijo Enrique: "¿No te acuerdas del asalto al Cuartel Moncada?" Sí. En efecto. Había sido un 26 de julio, ahora relacionado con el desembarco de unos expedicionarios venidos de México, y que, al parecer, habían sido exterminados en un primer encuentro con las fuerzas gubernamentales. —"Pues, no; no lo creo" —decía Enrique: "Si nada grave sucediera allá (y señalaba instintivamente hacia el este) no se desatarían de tal modo las furias de la represión"... Y algo grave sucedía, allá, probablemente, ya que a mediados de aquel mes de enero, los periódicos hicieron saber que el Congreso, en sesión conjunta, había acordado la suspensión de las garantías constitucionales, estableciéndose, por añadidura, la censura de prensa. —"¡Caray! ¡Como que estamos en estado de guerra!" —observó Teresa, que nos visitaba aquella tarde: "Y oigan esto (engolando la voz para leer los titulares de PUEBLO): *La suspensión de garantías es para el terrorista y su cómplice. La ciudadanía, el hogar y la familia tendrán al gobierno y a sus agentes a su más absoluto servicio"*. —"Ya me jode eso del *hogar y la familia*" —dijo Enrique: "No hay palabras más puteadas en todos los idiomas. Los anticomunistas —¡perdón, Vera!— persiguen a los comunistas en nombre del hogar y de la familia. Petain y Laval fusilaban a los resistentes franceses en nombre del hogar y de la familia. Ahora los policías y soldados de Batista encarcelan, torturan y matan, invocando el hogar y la familia". —"Hogar y familia son sinónimo de Orden" —dijo Teresa, con la gravedad de tono que adoptaba para hablar en broma. —"La paz de los sepulcros" —dijo Enrique. —"O la paz de la Calle 17, donde tienes hogar y familia. ¡Y qué hogar y qué familia, mi hermano! ¡Lo 'más granado', como dicen nuestros cronistas mundanos. ¡No puedes quejarte!" —"Mira, Teresa: vete al carajo".

La vida seguía su curso. Tantas veces había sufrido yo a causa de acontecimientos ajenos a mis voliciones profundas, que me iba acorazando contra las conmociones del entorno, encerrándome en una suerte de recinto propio donde cuidaba de no ser alcanzada por los estrépitos de la calle. Me había tocado vivir en una época de dura Historia —como dura había sido la época de las Guerras de Religión— y no era yo, débil mujer, quien iba a desfacer entuertos ni enderezar lo torcido. Mientras más rodeada de dramas me sentía, mayor era mi voluntad de *huir hacia adelante,* centrando mi mente en el trabajo que me era propio. Reconociendo ahora que por mucho entregarme a lo que germinaba en la Plaza Vieja, había descuidado mi hoy utilísima escuela del Vedado, mientras Calixto y Mirta trabajaban en lo suyo, consagraba algunas horas, cada día, a diversificar y remozar los métodos de enseñanza de Silvia y Margarita, algo propensas a estancarse en una rutinaria observancia de métodos académicos. Y, un día que no habría de olvidar, aunque se pareciese a cualquier otro día, después de compartir un frugal almuerzo con mis colaboradoras en una cafetería cercana, tomé mi habitual camino hacia La Habana Vieja, de acuerdo con un itinerario tan sabido que mi pequeño automóvil parecía seguirlo por cuenta propia, como guiado por un robot, mientras mi mente andaba en otras cosas. Tomar por aquí; doblar por allá; esperar el cambio de luces; derecho, ahora, hasta la fachada mozárabe del antiguo Colegio de las Ursulinas, y, luego de doblar a la izquierda... Pero hoy había sido sacada de mi propia ausencia, devuelta a la realidad inmediata por un frenazo brutal de mi mano derecha: —"¡Habráse visto!"... Parando en seco había esquivado yo, a filo de centímetros, un camioncillo rojo, sobre el cual hablaban unas letras blancas: FAST DELIVERY S. A. *Entrega rápida de paquetes.* EXPRESO HABANA ALQUÍZAR. —"¡Por entregar rápidamente sus bultos matan a las gentes!" —grité, furiosa, aunque nadie se percatase de mi indignación, puesto que el camioncillo rojo enfilaba velozmente hacia la calle Monserrate, seguido de dos automóviles que detrás de él rodaban, como para aprovechar las brechas que con su insolente acometividad abría, en el muy congestionado tráfico de la media tarde, el infernal mandadero de FAST DELIVERY... En la Plaza Vieja se trabajaba como de costumbre. Sonaba en el pick-up una *Rítmica* de Amadeo Roldán. Pero me sorprendió ver que ni Calixto ni Mirta vigilaban el conjunto, encerrados ambos, al parecer, en la oficina que también servía de dormitorio a mi discípulo. No pensé, desde luego, que hubiese nada reprensible en ello; pero pensé también que no era muy inteligente esto de encerrarse así, a la vista de quienes, por ser acaso menos limpios de espíritu, no dejarían de hacer sucias conjeturas. E iba yo a llamarles la atención cuando se abrió la puerta bruscamente y apareció Calixto, sumamente agitado, seguido de Mirta, cargando con un pequeño aparato de radio que yo le había regalado. —"¡Acaban de matar a Batista!" —gritó. —"¡Acaban de matar a Batista!" —coreó Mirta. Y hubo carreras, exclamaciones, apresuramientos, preguntas ansiosas, que apenas dejaban oír lo que contaba mi discípulo. Sí. El Palacio Presidencial acababa de ser asaltado por un grupo de jóvenes universitarios. Sí. Habían surgido de un camión rojo, como demonios, forzando la guardia del edificio. Combatiendo denodadamente habían ido subiendo, piso por piso, hasta penetrar en el despacho del Dictador, derribándolo a tiros. Ahora se combatía en todas las inmediaciones del Palacio. —"¡Voy allá!" —dijo Calixto. —"¡Vamos contigo!" —gritaron Hermenegildo y Sergio. —"¡Espérenme!" —gritó Mirta: "Me echo un vestido por encima". —"¡Tú no vas a ninguna parte!" —dije, agarrándola por las muñecas: "¿Qué van a hacer allá? No tienen armas. ¡Son unos locos!" —"¡Déjeme, Madame!... ¡Espérenme! ¡Espérenme!"... Pero los otros iban ya escaleras abajo, en seguimiento de Calixto... Mirta, con la cara encendida, se volvió hacia un grupo de varones que permanecían en un rincón, inmovilizados por la indecisión: "¿Y ustedes? ¿Qué hacen? ¿Son maricones o qué?" De pronto, una voz que me era desconocida por lo metálico del timbre me salió de la garganta, tremendamente enérgica y autoritaria: Que no hiciesen tonterías. Lo que acababa de suceder era algo gravísimo y, por lo mismo, era insensato arrojarse a la calle, así, así —sin saber dónde situarse ni a quién obedecer—, para engrosar el tumulto, agravar la confusión, estorbar, en suma, con una vana agitación de hombres desarmados, los movimientos de quienes actuaban, seguramente, de modo concertado, con perfecta conciencia de sus objetivos, contando con el respaldo de fuerzas revolucionarias bien repartidas. Y entonces fue cuando la nueva y tajante voz que desde unos minutos me brotaba de adentro, como impulsada por un aliento que me era desconocido, me sorprendió por un insólito uso de la palabra *Revolución.* Atropelladas me salían las frases, una arrastrando la otra, en un lenguaje tan ajeno al de mis convicciones profundas, que me parecía cosa debida a algo como un *distanciamiento* brechtiano. Yo, Vera, la antirrevolucionaria de siempre, estaba representando el mentido papel de quien carga con toda una sabiduría revolucionaria —como trágica encargada de accionar un personaje a lo Louise Michel, que lo hace de maravillas aunque sin identificarse con lo que dice, consciente, en todo momento, de que su trabajo está en crear y sostener una imagen/representación. La Revolución —decía yo— era cosa sumamente seria. Y lo sabía yo mejor que nadie (mejor que muchos de los que aquí hablaban de revoluciones) puesto que había asistido, cuando estudiaba la danza como la estudiaban ellos ahora, al *nacimiento de la máxima revolución de todos los tiempos* (y la frase me venía de Enrique). Aquello había funcionado como un mecanismo de relojería, lográndose, *en diez días que conmovieron el mundo* (frase de Gaspar), ante el asombro de la humanidad, *un vuelco de todos los valores establecidos* (frase de José Antonio). La burguesía cubana era larvada por *una creciente pérdida de estilo, de vergüenza, debida a su perpetua apetencia de dinero* (frase de Teresa), y la muerte de Batista debía verse como posible efecto de *un sobresalto de la conciencia colectiva* (Gaspar). Pero —y debía recordarse que yo me hallaba en Petrogrado durante los diez días históricos—, la Revolución no era un carnaval ni un holgorio; significaba disciplina, obediencia a las consignas, sangre fría ante los hechos... Y si los que ahora me rodeaban tenían una auténtica *conciencia revolucionaria* (Gaspar), debían esperar, con la mayor ecuanimidad posible, el momento de ocupar sus puestos en la lucha revolucionaria... —"En estos minutos, acaso decisivos..." Pero mis palabras fueron apagadas por un tumulto de preguntas: Calixto, Hermenegildo y Sergio acababan de entrar en el estudio, sudorosos, sofocados por una larga carrera, con caras —no podría hallarse calificativo más justo— de derrotados: "No hay modo de acercarse a Palacio... Todas las calles cerradas... Y hasta tanques ligeros... Dicen que hay muchos muertos, muchos heridos..." —"¿Y Batista?" —"Parece que no ha muerto, no... Hubo una noticia... Aquella que oímos y quedó interrumpida... Se creyó... Pero no, desgraciadamente... No... El intento fracasó". Por segunda vez se impuso mi voz: "Lo mejor que puede hacer cada uno es irse a su casa. Esta noche va a ser dura".

Y, por lo mismo que una feroz represalia era de temerse y que yo ignoraba, desde este siempre apacible rincón de La Habana, el aspecto que presentaba el centro de la ciudad, me fue particularmente inquietante una tardía llamada telefónica de Enrique, advirtiéndome que regresaría muy tarde aquella noche. Y no era por asistir a alguna recepción o comida ausente de su agenda que a tiempo le hubiese recordado su secretaria —que para esos casos tenía, en sus lejanas oficinas del Reparto Almendares, una pequeña habitación con lo necesario para asearse, cambiarse de camisa y hasta trocar el traje de diario por uno azul marino. No. Me explicaba ("y sería muy largo darte detalles"...) que, a última hora, se le había presentado un engorro de trabajo: por enfermedad de su colaborador Martínez de Hoz, tenía urgencia de acabar un cuaderno de especificaciones técnicas para la construcción del hotel cuya obra le había sido encomendada hacía ya algún tiempo. —"¿Todo está tranquilo por allá?" —pregunté. —"Sí. Tranquilo todo. Por aquí no ha pasado nada. Acuéstate y no me esperes. Es posible que regrese de madrugada. ¡Esta maldita posada que voy a construir es cosa de nunca acabar!"... Y regresó Enrique de madrugada, en efecto, con la corbata mal anudada, y con todas las trazas de haber trabajado mucho. Entre despierta y dormida lo vi servirse dos fuertes wiskis ("¿Quieres comer algo?" —"No. Me he llenado de sandwiches y porquerías en un quiosco de refrescos"...) antes de caer rendido a mi lado. Y el alba se le alzó en sueño malo, sobresaltado, interrumpido por un repentino enderezo al oír que, con su peculiar rebote en las losas de la azotea, caía el diario que cada mañana nos tiraba desde la calle, con seguro tino de lanzador de base-ball, el repartidor de periódicos. Y, por su hombro leí: *"Frustrado el asalto al Palacio Presidencial por un grupo de 40 hombres con numerosas armas. Numerosos muertos y heridos. Seis de los asaltantes subieron hasta el segundo piso lanzando tres granadas de mano, una de las cuales hizo explosión... Calculan en veinte las bajas de los asaltantes. El asalto a Radio Reloj fue la señal del asalto. Rápida acción de los tanques ligeros de las Fuerzas Armadas. Balacean al Presidente de la Federación Estudiantil Universitaria José Antonio Echevarría a un costado de la Universidad... Ocupadas por la policía la C. T. C. y la Universidad"*... Ahora empezaba yo a ver claro en los acontecimientos del día anterior. Pero Enrique no se mostraba muy locuaz: "¿Qué quieres que te diga? No sé más de lo que acabas de leer". Era evidente que estaba nervioso, preocupado, y, a medio vestir, se asomaba a las ventanas cuando algún ruido distinto de los habituales se alzaba de las calles cercanas, todavía sumidas en las frescas sombras del día naciente. Sonó, en su hora temprana, el pregón del florero. —"Como si nada hubiese pasado" —murmuró Enrique: "¡Ojalá hubiesen podido llevar flores, hoy, al velorio de Batista!" Acostumbrada a la jovialidad de sus despertares de hombre saludable, a quien el excesivo beber de ciertas noches de francachela no alteraba los reflejos ni enturbiaban el ánimo en resubidas de *hangover*, me sorprendía, ahora, al oírlo maldecir el jabón que no espumeaba, la navaja que no cortaba, el agua demasiado caliente. (—"Parirás con el dolor de tu vientre", dijo Jehovah a Eva; pero nadie recuerda que también dijo a Adán: "Te afeitarás cada día, con las lágrimas de tus ojos"...) Tenía prisa por marcharse. Desayunó de cualquier modo, leyendo y releyendo el periódico, y apenas si respondió con un gesto amable a mi despedida de rigor: "¡Tal parece que hubieses tomado parte en el asalto al Palacio!" —le dije. —"¡Ojalá hubiese tenido los cojones de hacerlo! Pero, hasta eso me falta. Soy un mierda"... Y pasaron varios días durante los cuales, a la atmósfera de tensión y desasosiego que, evidentemente, reinaba en la ciudad, se añadía, para mí, la inquietud de ver que Enrique, atareado con el cuaderno de especificaciones técnicas de nunca acabar, regresaba a casa, cada noche, a horas insólitas. Había algo anormal en ello, puesto que cuando tenía alguna labor atrasada o pendiente la traía acá, donde disponía de mesas de dibujo y todo lo necesario para trabajar... Comencé a pensar que Enrique me ocultaba algo, aunque me fuese imposible dar con las razones de su comportamiento inhabitual. Si lo llamaba a su despacho, a las 11 o las 12 de la noche, me respondía inmediatamente con un: "Ya estoy terminando... Acuéstate... Ya voy para allá". Regresaba con cara de pocas fiestas y no solamente no lo envolvían hálitos de licor, sino que me parecía más bien —no sé...— que traía como un olor a medicinas prendido en las ropas. —"El week-end es sagrado, y eso no me lo jode nadie" —solía decir él, que sólo se separaba de mí o salía solo, en sábados y domingos, cuando una razón de fuerza mayor se lo exigiera. Pero ahora —y ahí se acrecía para mí la sensación de misterio— hacía dos sábados y dos domingos que contrariaba sus propias costumbres, largándose al atardecer, con algún pretexto poco convincente: "La construcción del hotel me crea problemas que tú no entenderías, como yo tampoco entiendo tus murumacas de 1, 2, 3, 1 yyyyý 2 yyyyý 3. Y a los problemas míos les importa poco el week-end. Si no voy a mi oficina, donde tengo mis máquinas de calcular, no puedo dormir tranquilo". Pero tampoco así dormía muy bien, y lo cierto era que, desde hacía algún tiempo, las llamadas telefónicas lo sobresaltaban como si viviese en espera de una mala noticia.

Una noche, Enrique regresó más tarde aún que otras veces, cargando con un bulto envuelto en papeles de periódicos. Como nada muy raro había en ello, apagué la luz del velador que quedaba encendida en su espera, y con voz salida de entresueños hice la pregunta de siempre: "¿Quieres algo?" —"¡Sí!" —respondió él: "¡Y pronto!" Me levanté, inquieta: "¿Qué ocurre?" —"¿Tienes gasolina, bencina, o algo parecido?" Sí. Había dos dedos de gasolina en el frasco destinado a alimentar un lindo encendedor, de mesa, regalo de José Antonio. —"No basta". Había una botella de keroseno en la cocina, para la lámpara que prendíamos cuando había interrupciones de fluido eléctrico —cosa que con cierta frecuencia pasaba en esta zona de la ciudad vieja. —"Tráela enseguida. Y también la gasolina". Enrique, sentado junto a la bañadera, sacaba del paquete mal atado con cordeles que había traído consigo, unas ropas ensangrentadas: camisa, franela, otra camisa, y no sé qué más, todo manchado del rojo herrumbroso de la sangre vieja —sangre que, desde luego, ha tenido todo el tiempo de secarse en la tela, extendiendo su color a un nimbo de morado sucio, amarillo y acuoso en los bordes. —"Abre el ventanillo de arriba para que salga el humo" —me dijo Enrique. Y, después de verter el keroseno y la escasa gasolina sobre lo arrojado a la bañadera, tiró varios fósforos encendidos sobre todo ello. Y, cuando los trapos se hubieron consumido, los apilonó largamente con un palo de escoba —escoba criolla, tradicional, única que consentía a usar en la casa nuestra criada Camila—, hasta que, transformados en diminutas hilachas negras, pudiesen salir por el orificio del desagüe. Se abrieron los grifos, y cuidándose de que el inmundo caldo fuese bajando poco a poco, sin tupir los caños, terminamos la siniestra tarea nocturnal cuando ya, en el cielo aún obscuro, se pintaran las primeras grisuras anunciadoras del amanecer. Abrimos todas las puertas y ventanas para disipar el olor a quemado que llenaba la casa, y, sentándose en su estudio, frente a mí, me enteró Enrique, hablando en voz baja y en estilo telegráfico, de muchas cosas que, de pronto, me aclararon las rarezas de su comportamiento de días recientes: la tarde del asalto a Palacio, uno de los atacantes ("muy amigo suyo", confesaba ahora, aunque nunca me hubiese hablado de él sino como de "un antiguo condiscípulo de la Universidad") que lo llama por teléfono, dándole a entender que le es necesario hallar un escondite. Además, está herido en un hombro, y su estado requiere una urgente cura. Podría permanecer una hora más en casa de un abogado amigo, pero el lugar es poco seguro y sería prudente marcharse de allí cuanto antes. Tampoco se disponía de médico o cirujano de confianza. Son las 6 y 10. Enrique se asegura de que todos sus empleados se han marchado, y, a la hora en que el encargado del edificio sale a comer a una fonda cercana, mi marido sale a buscar prestamente al herido, lo acuesta en el asiento trasero de su automóvil, cubriéndolo con una capa de agua, y, usando el ascensor montacarga, lo sube del garaje subterráneo a su oficina, ocultándolo en la pequeña habitación que le sirve de lugar de descanso, y donde tiene alguna ropa para los casos en que no puede venir a cambiarse a la casa —muy distante del Reparto Almendares. Allí, en el diván revestido de cuero, es curado el revolucionario por un médico amigo. Pero el herido ha perdido mucha sangre y su estado requiere una atención de varios días. Se acuerda que el fugitivo, buscado ahora por toda la policía, permanezca allí el tiempo necesario. (Durante las horas laborables, el cuarto está siempre cerrado, y sólo procede el encargado a su limpieza cuando se le invita a hacerlo.) Cada tarde, Enrique le traerá alimentos y bebidas de los quioscos de refrescos, bodegas y cafés cercanos, comprando algo aquí, algo allá, para no llamar la atención. Las visitas del médico se hacen por las noches. (De ahí el misterio del persistente regreso de mi marido a horas desacostumbradas...) Pero, ayer en la mañana, atisbando por una ventana, el amparado cree observar, en la calle, un reiterado paso de autos patrulleros de la policía, cuyos agentes (tal vez sean ideas y no haya nada, pero, en fin, pocas son las precauciones en casos semejantes, y quien está acosado ve amenazas en todas partes...) miran acaso con demasiada insistencia hacia el piso donde, a lo largo de un balcón, se ostenta el vistoso letrero de ARQUITECTO CONTRATISTA, sobre el apellido, alzado en caracteres más modestos, que es también el mío. Puesto sobre aviso, Enrique, fingiendo interesarse por el trabajo de un delineante, atendiendo a un cliente, o dictando cartas a su secretaria caminando de puerta a ventana y de ventana a puerta, como hace siempre, no cesa de mirar hacia afuera. Pero, no. Pasan las horas, y nada. Sin embargo, a media tarde, vuelve a advertirse la presencia de autos patrulleros (o "radiopatrullas") rondando la manzana. Usándose el teléfono de un café cercano, se consigue dónde llevar al revolucionario que si bien tiene el brazo en cabestrillo, puede valerse de sus piernas. El traslado se realiza sin tropiezos. Pero ahora hay que hacer desaparecer las camisas, las ropas ensangrentadas que habían quedado guardadas en el fondo de un closet... De ahí, el cinerario ritual al que yo había tomado parte principal sin saber qué ocurría. —"¿Y tú estás seguro de que la policía ignora que tuviste oculto a ese amigo durante tantos días?... Calixto me dijo que los asaltantes que salieron con vida de la empresa, son perseguidos de manera feroz". —"Razón de más para creer que nada sospechan de mí. O si no, ¿por qué no subieron a mis oficinas? ¿Alguien lo hubiese impedido?" —"¿Tienes miedo?" —"No. Recuerda que he peleado en una guerra". —"No es lo mismo"...

Y no era lo mismo, en efecto, porque en una guerra el peligro se materializa en algo claro, manifiesto, definido. Pero ahora, toda posibilidad quedaba abierta y, por lo mismo, la imaginación —la "loca de la casa"— se dejaba arrastrar por las peores suposiciones. Y la verdad era que cualquiera que bien conociese a Enrique, hubiera podido darse cuenta de que tenía miedo. Bastaba que alguien tocara inopinadamente a la puerta —el cartero, un equivocado de piso, el mandadero de la farmacia— para que mi marido soltara el periódico que estaba leyendo (y los leía todos, en estos momentos...) y se refugiara en su estudio, como esperando lo peor; visible era su desasosiego ante la mirada torva de un policía —y torvas eran las miradas de todos los policías, en aquellos días. Pero nada lo ponía en mayor sobresalto que el paso de una radiopatrulla, lo que equivalía a decir que vivía en perpetuo sobresalto ya que, desde hacía algunos meses, la ciudad asistía a una inacabable proliferación de radiopatrullas. Menos aparatosas durante el día, porque la intensidad del tráfago urbano disimulaba en algo su presencia, parecían multiplicarse después del crepúsculo, llegando a hacerse una presencia obsesiva durante la noche. Gozando de su derecho de prioridad en la circulación, surgían de sus garajes almenados como fortalezas medioevales —arquitectura distintiva de casi todas las estaciones de policía de la capital— y, con ímpetu de toros sacados del toril, embestían el ámbito urbano, remontaban una avenida, tramontaban una cuesta, orillaban las aceras, doblaban intrépidamente por las esquinas, se colaban en la vía franca conseguida por una ambulancia, raudas, afanosas, como urgidas por apremiantes quehaceres, corriendo de aquí para allá con su tripulación de policías que, desde la instauración de la dictadura de Batista, habían cobrado una suerte de estereotipo, en físico y estampa, que los situaba en una especial categoría humana. Muchos, procedentes de las clases peor nutridas de la población, habían llegado flacos y esmirriados a sus cuarteles. Allí, generosamente alimentados, engordaban acercándose muy pronto a un tipo de gendarme que habría de señalarse por su ferocidad en las represiones promovidas por el régimen: porte desafiante y matachinero, estatura acrecida por el empinado quepí; delgado bigotillo "a lo John Gilbert", tan simétrico en el afinamiento de sus puntas que su perfecto dibujo parecía la obra de compás y tiralíneas; vientre ventrón, sobrealzado por el ancho cinturón de cuero —algo entre ventrera y cincha— que en vano pretendía contenerlo; anchas nalgas de gente ahíta, sedentaria a pesar de la perpetua velocidad de sus traslados y que, pasando las horas del servicio sobre los cojines de sus vehículos, habían acabado por constituirse en una ubicua burocracia uniformada —con armas largas al alcance de la mano, por supuesto, armas que no se daban siquiera el trabajo de ocultar, acaso por hacer más amenazadora su vigilancia. Los radiopatrulleros eran el azote de las prostitutas, a quienes acosaban en sus áreas de trabajo, para exigirles un diezmo sobre ganancias. Los radiopatrulleros encargados de la represión de juegos ilícitos, capitalizaban los negocios de loterías marginales, rifas, *bolita* y *Charada China*, con beneficios lealmente repartidos entre jefes y subalternos. Y, a la hora de los relevos, los radiopatrulleros se entregaban a fulminantes razzias en las fondas y restaurantes reputados por la excelente calidad de sus fiambres, cargando en la retirada —y sin desembolsar moneda— con enormes bultos repletos de jamones, embutidos, mortadelas y cuanto se les antojara, sin olvidar las botellas de cerveza por docenas y los cartones de cigarrillos ingleses y norteamericanos —todo "para la familia", explicaban a los camareros, resignados a padecer sus cotidianas incursiones. Y así, La Habana, que hubiese sido ayer la indolente y criolla ciudad de las volantas y los quitrines, vivía ahora bajo el signo de la Radiopatrulla. La Radiopatrulla, con sus hombres armados, era su distintivo, su *label* —las torres y fauces en campos de gules, de su policial heráldica... Y, por lo mismo, la Radiopatrulla se había vuelto una obsesión para Enrique —y más en estas calles de la ciudad vieja, huérfanas de mayor tránsito después del crepúsculo, donde su presencia, por lo mismo, se hacía tanto más evidente. Bastaba que frente a nuestra casa pasara una Radiopatrulla a media noche, para que mi marido despertara bruscamente, quedando en insomnio hasta el alba. —"Sería capaz de avanzar en un campo de batalla bajo la metralla enemiga —y he demostrado en España que sabía hacerlo. Pero siempre me ha producido espanto lo que es nocturnal, informe, indefinido —un bulto, entrevisto en la obscuridad, cuya índole no acierto a identificar; algo que se mueve sin razón, una sombra que no corresponde a una realidad... Detesto las cavernas, porque me aterran las estalagmitas repentinamente alumbradas por el foco de una linterna eléctrica. No se sabe si son personas, animales, o qué..." —"Deberías tomar algún somnífero" —le decía yo. —"No. Quiero estar despierto, y bien despierto, si *ellos* se presentan de noche..." —"Ya hubiesen venido". —"No olvides que la primera mujer a quien amé —te he hablado muchas veces de ella— desapareció una noche *en noche y niebla*..." —"Ellos no saben que ocultaste a *alguien* en tu oficina". —"*Ellos,* no. Pero otros, sí: el médico, el abogado en cuya casa estuvo antes de llamarme..." —"Ésos, no te van a delatar". —"Pero aquí se están aplicando todos los sistemas de tortura. Y ahí es donde se quiebran muchas voluntades... Además, no sé por qué me imagino ahora que el encargado del edificio se ha dado cuenta de mis trasiegos de comida... Nunca se sabe".

En eso supimos de los terribles sucesos de la Calle Humboldt Nº 7. Allí, luego de cercar una casa, había irrumpido la policía en un piso donde se ocultaban cuatro de los asaltantes al Palacio Presidencial que, supervivientes de la empresa, al cabo de un zigzagueante itinerario de escondrijos a escondrijos, creían estar a salvo —al menos, por unos días— de quienes los perseguían tenazmente. Y, la víspera, al caer la tarde, había sido la masacre: dos de los jóvenes habían sido ametrallados, casi a boca de jarro, al tratar de huir del apartamento; los otros dos, que yacían en un pasillo exterior al que se habían arrojado desde una ventana —uno, inconsciente por la violencia de la caída, junto a su compañero, cuyos tobillos estaban fracturados— habían sido ametrallados a su vez, desde una verja cerrada que, de todos modos, hacía su fuga imposible, a tiros de armas metidas entre los barrotes. Y después de ser rematados y vueltos a rematar en un alardoso estrépito de disparos inútiles, ensañándose cada cual con la carne traspasada y sangrante que a sus pies tenía, los cadáveres habían sido sacados del edificio y arrastrados a todo lo largo de una acera enrojecida, a modo de ejemplar espectáculo ofrecido al vecindario por los agentes de un siniestro Capitán Ventura quien, ufano de su tarea, se prodigaba en aparatosas gesticulaciones y alborotosas voces de mando —como para que bien se supiera que era él, y nada más que él, quien debía ser visto como el artesano y escenógrafo de aquel retablo del horror. Y, al dar su trabajo por terminado, los radiopatrulleros habían largado todavía algunas ráfagas de metralleta a las cornisas cercanas, a modo de salvas triunfales y estruendosas advertencias a quienes pudiesen interesar... —"El asalto a Palacio fue hace más de un mes" —decía Enrique con la voz alterada: "Y ahora es cuando"... Y no trataba ya de disimular su ansiedad. Tenía miedo: miedo al ejecutor soterrado, a la amenaza oculta tras de las almenas y atalayas de una cercana estación de policía; miedo a lo que surge de las sombras, a lo que hiere de repente; miedo a lo dicho en la tortura por quien, acaso, sabe lo que no sabíamos que sabía; miedo a la voz desconocida que suena tras de la puerta, miedo al brusco frenazo frente a la casa; miedo a lo que, al despertar de una siesta agitada pareció tumulto y no era sino un callejero alborozo de colegiales. Y se empeñaba en repetir lo mismo: "Esto no es como en una guerra... En una batalla tienes el enemigo delante... Aquí, el peligro no tiene rostro ni horario". Se negaba a tomar somníferos o calmantes: "No quiero que me agarren dormido o amodorrado. Si vienen por mí, me defenderé, gritaré, tiraré los muebles por la ventana... Armaré un escándalo..." Puesto en el secreto de su zozobra ("lo entiendo muy bien: ciertas formas del miedo son incontrolables"), José Antonio fue del parecer que, para aquietarse el ánimo y ponerse en compás de espera, Enrique se largara por un tiempo al extranjero. Él mismo se encargaría de vigilar la buena marcha de su oficina, en la que contaba, además, con magníficos colaboradores y empleados. —"Pero... ¿y ese hotel que ibas a construir? ¿No era una obra sumamente importante y complicada?" —pregunté. —"Lo del hotel se fue al carajo hace tiempo" —confesó el arquitecto: "Ahora, para conseguir obras de tal magnitud, en Cuba, hay que ser protegido de Batista, amigo suyo y *asociado*". —"Y tener estrechas relaciones con la mafia norteamericana" —dijo José Antonio: "Porque actualmente se nos están metiendo en el país —¡y con qué energía!— las grandes familias mafiosas de Frank Costello y Lucky Luciano, con su muy activo agente George Raft. ¡Muy bien se aclimata aquí la *'cosa nostra'*!" —"A eso hemos llegado" —dijo Enrique: "Y creo, en efecto, que lo mejor..." Y estuvimos de acuerdo en que, por lo pronto, fuese por un tiempo a Venezuela, país en plena expansión, donde la arquitectura estaba cobrando un notable desarrollo.

VI

...el fardo, el desierto, el tedio y la ira.

RIMBAUD

32

Hoy dieron las nueve, ruidosa estaba ya nuestra calle, y yo seguía en la cama, feliz, librada por una vez de la otra mujer, rigurosa, exigente, maestrescuela por decirlo todo, que dentro de mí llevaba para imponerme sus horarios y disciplinas. (*"Conócete a ti mismo"*, *"Domina tus pasiones"*, *"Vence tus proclividades al placer y a la holganza"*, habían dicho todos los fundadores de religiones, todos los sabios, todos los filósofos, aunque me pregunto en este momento si quien se domina a sí mismo no resulta, en el fondo, un esclavo de sí mismo al aceptar que un aguafiestas interior le imponga su ley...) Camila me trae el desayuno con una carta de Enrique. Me habla muy naturalmente de su vida en Caracas, sin darse cuenta, acaso, de que me asombra con lo que me revela. ¡Ha visto pinturas de Renoir, de Picasso, de Paul Klee, de Vasarely, en casas de gente rica! La semana pasada escuchó una ejecución de dos *Cuartetos* de Béla Bartók en la de un millonario filarmónico. Se hizo muy amigo, en una fiesta, de un latinista y filólogo, discípulo de Federico de Onís. Dice que en cualquier alegre reunión de gente acomodada se topa, allá, con escritores, compositores, filósofos, y que al inaugurarse recientemente una exposición de obras de Wilfredo Lam en el Museo de Bellas Artes, todo lo presentado fue vendido en menos de dos horas. ¡Increíble! ¿Acaso se ha visto nunca un Renoir en la Calle 17? ¿Ha sonado alguna vez un cuarteto de Bartók en aquel ámbito? (En cuanto a la gente de pincel y pluma, recuerdo lo dicho cierta vez por la Ilustrísima Señora Condesa: "Los artistas son la hez del mundo" [sic]...) Aunque mucho me pesa la ausencia de Enrique, me alegra saber que, a salvo de peligros, ha encontrado un ambiente interesante en el país que mal me imagino porque jamás he tenido la menor información libresca acerca de él. Además, creo que el término de nuestra separación se aproxima. Pronto podré decirle que se disponga a reunirse conmigo en París, porque la prueba de ayer fue concluyente. Considerando que ya estaban maduros mis dos programas de ballet, alquilé el *Audi-*

torium por una tarde y, dejando a Calixto de "regisseur", me ofrecí, sentada en una butaca de décima fila, el espectáculo entero —aunque sobre un fondo de cortinas, ya que los decorados y trajes me serán entregados dentro de un mes. A pesar del inconveniente de bailar en un espacio distinto del habitual, bastaron pocos minutos para que mis danzantes se acostumbraran a él, y lo que entonces se vio fue algo realmente extraordinario. José Antonio, a quien había invitado, estaba estupefacto. Mi "troupe", mi compañía —pues ya podía llamarla así— funcionaba como un mecanismo de relojería. La *Ionización* de Varèse no necesitaba retoque. En Caturla (*Berceuse campesina*) Mirta estaba adorable, acrecida en estatura y personalidad a la luz de los reflectores. Su *Pas de deux*, sobre música de Villa-Lobos —con Calixto— era un dechado de gracia y perfección. Hermenegildo y Sergio, principalmente, resultaron espléndidos (autoridad, fuerza, precisión. . .) en las *Rítmicas* de Roldán. En Revueltas (*Sensemayá*) las mujeres fueron magníficas, aunque Filiberto y Sergio no se desenvolvieran todavía con la suficiente soltura; pero se trataba de detalles que ahora trabajaríamos por separado. En cuanto a *La consagración de la primavera*, fue algo que superó todas mis previsiones —considerándolo desde el punto de vista del espectador—, sobre todo en el "Juego de las tribus rivales", la dura "Glorificación de la Electa", el misterioso "Acto ritual de los ancestros", y, sobre todo, la "Danza" final, tensa, agónica, sensual y paroxística, donde los pasos, los gestos, las actitudes —en levitación o en vencimiento— parecieron brotar de la música, como engendrados por la asimetría espasmódica de los acordes. Al final, prorrumpí en sollozos. —"Has realizado tu obra" —me dijo José Antonio tomándome en sus brazos. Abracé a mis bailarinas y bailarines, todavía jadeantes, sudorosos en sus maillots, con toallas puestas a modo de bufandas. —"Hay que festejar esto" —dije: "Vamos todos al *Carmelo*". —"¡En el *Carmelo* no sirven a gente de color, Madame!" —dijo Calixto. Tenía razón. No lo había pensado. No podía pensar en tales indignidades en momentos como éste. Por ello, guiados certeramente por José Antonio, fuimos a dar a un alegre café de los muelles donde, al menos, no se observaban estúpidos interdictos. —"Ya puedes avisar a tus amigos de París que estás lista a presentar el espectáculo". —"Dentro de un mes" —le dije: "Ya están acabando de hacer las decoraciones, que son muy sencillas y se componen de elementos móviles, intercambiables. Para la escenografía he tratado de evitar los bastidores y bambalinas que, además de ser '*vieux jeu*', complican el montaje en las giras". —"Veo que, además de talento artístico, tienes sentido práctico" —me dijo José Antonio, riendo... Y era el mismo José Antonio quien ahora me mandaba rosas con una linda frase escrita en su tarjeta: "Esta pequeña *primavera,* como augurio de gran *consagración*". Lo llamé por teléfono para darle las gracias. —"Todavía estoy removido por lo de ayer" —me dijo: "Eres un genio". —"Si soy un genio, alimenta a ese genio e invítalo a comer esta noche. He dado dos días de descanso a mi gente y tengo ganas de divertirme". —"Voy a buscarte a las siete"... Perezosamente empecé a vagar por la casa, regando una mata aquí, enderezando un cuadro allá, volviendo a colocar en la biblioteca algunos libros sacados de su lugar. Allí, entre textos que me eran particularmente gratos (*Sonetos a Orfeo* de Rilke, el *Eupalinos* de Valéry, las *Memorias* de Karsavina, y también César Vallejo y una edición lindamente encuadernada de los *Versos sencillos* de José Martí...) estaba la pequeña vitrina donde guardaba, con fervor, dos recuerdos de mi único encuentro con Anna Pávlova: una zapatilla firmada, y un retrato suyo en *Amarilis,* con afectuosa dedicatoria a la niña que era yo entonces. Y hoy miraba ese retrato una vez más, dándome cuenta de que un cambio se había operado en mí de la noche a la mañana en la manera de contemplarlo. No lo miraba ya con el sentimiento que Enrique llamaba, en broma, "mi devoción a Santa Ana, cisne y mártir de Saint-Saens". Pensaba de repente que ella, la Incomparable, habría detestado el espectáculo que, tras de un esfuerzo de años, iba a presentar al mundo. Afecta a cualquier bagatela de Drigo, con tal de que fuese buena para bailarla, había vuelto las espaldas a toda música moderna, y especialmente a la de Stravinsky. Y ahora, yo me le presentaría con *La consagración* y hasta con *Ionización* de Varèse, al frente de "mis" gentes que —con excepción de Mirta— no habían aprendido a bailar, como ella, en la escuela del viejo Custine, sino en la Gran Academia de Lo Que Se Lleva en la Sangre.

Un foso se había abierto ahora entre mis actuales visiones de la Danza y todo lo que este retrato, que tenía ante los ojos, significaba. "El iniciado matará al iniciador", leíase en el frontis de ciertos templos antiguos. Y, una vez más, se había cumplido la dura sentencia generacional. Si jamás habría yo podido alzarme, como danzarina, al plano de una Pávlova, a partir de hoy —tomaba yo cruelmente conciencia de esto— sin perder nada de la grandeza de quien *quiso ser y ha sido,* ella venía a representar para mí un pasado harto encerrado en sus propios límites, reacio, en todo caso, a haber avanzado al ritmo de los mejores compositores de la época. Yo, en cambio —durante tanto tiempo mediocre y fracasada—, me proyectaba hacia adelante, era el presente y acaso ya al futuro —un futuro emancipado de férulas académicas donde, sin renegar de disciplinas básicas, la danza se encaminara hacia una intensidad de expresión desconocida hasta ahora. Todavía el inagotable cuerpo humano, con su caudal de recursos expresivos, tenía muchos idiomas por inventar.

Y henos aquí en el grato restaurante campestre inaugurado recientemente en una vieja finca de recreo —lugar de veraneo en días de la colonia— que ha conservado sus guardarrayas de palmas y sus limoneros de hojas bruñidas por el temprano rocío. Después de mucho olvidarme de mí misma durante varios meses, esta noche he cuidado de mi peinado y atuendo y me siento como mujer nueva por el visto bueno recibido de un espejo antes de salir. Tengo apetito y me siento feliz, y para tal estado de ánimo José Antonio es el mejor interlocutor posible. Llevada al azar, de esto a aquello, la charla va a parar a Teresa. Le digo que admiro en ella su desparpajo, su "manfutismo", su posición crítica frente a su familia. Por lo demás, es generosa... —"En lo de generosa, estoy de acuerdo contigo" —dijo José Antonio: "Pero no te hagas demasiadas ilusiones acerca de ella". Teresa, con sus desplantes, su aparente burla de todo, su actitud anarquizante, no hacía sino remedar el comportamiento *castizo* de ciertas tituladas de la nobleza española que, por dárselas de majas, alardean de sus devaneos, largan palabrotas en los mismos salones del Palacio de Oriente, tomando aires de libertarias, pero que, a la hora de ver sus fortunas amenazadas, son de las primeras en aplaudir al saber que campesinos y obreros harto levantiscos son ametrallados en una plaza de toros. La ilimitada confianza que en ella depositaba su ilustre tía, demostraba la solidez de su anclaje en una cierta burguesía que, al cabo de cincuenta años de total señorío del país —su verdadera ascensión había empezado en 1902, año inicial de una independencia falaz— lo habían conducido *a esto*... —"¿A qué?" —"¡A ESTO!" —decía José Antonio, media hora después, haciéndome entrar en un increíble carrusel de luces, cristalerías, espejos, brillos, rebrillos, destellos, en amarillo, en anaranjado, en oro, con una gigantesca araña de vidrios y metales encendida sobre el caracol descendente de una escalera, en un perpetuo movimiento de gentes —atmósfera de estación de ferrocarril en horas de afluencia— que iba del comedor al dancing, del bar a las salas de juego, magma de hombres y mujeres como harto apretados entre las paredes del hall, en un ruido aturdidor que mezclaba los ecos de una orquesta de baile, las rotaciones dc las cocktaileras eléctricas, las llamadas a huéspedes por altoparlantes, un incesante repique de fichas y ruletas, de voces de coimes, conversaciones a gritos, con las confusas melodías de una "música indirecta", caída de arriba, a girones del *Souvenir* de Drdla, el *Mercado persa* y el *Concierto de Varsovia.* —"¿No decía tu marido que este país no había logrado crearse, en el presente, un estilo arquitectónico original? Aquí lo tienes: Hotel Riviera. Gran estilo Lucky Luciano... Pero esto sólo es un comienzo: ahora conocerás el estilo 'familia Frank Costello', de la mejor época, con preciosos retoques de George Raft, lo cual significa un invalorable mixto de maffia y Hollywood —como quien dijera: paso del románico al gótico. El estilo Lucky Luciano es más flamígero. El de la familia Costello-Raft, es más misterioso y más soterrado, se sitúa más cerca de *El ángel azul,* Caligari y el expresionismo alemán"... Y lo que, en el Hotel Capri, se abría tras de una fachada muy obscura, con algo de funeraria newyorquina, tal como la había yo visto en películas, era, en efecto, una suerte de enorme gruta roja, donde el sonido de una orquesta lejana nos recordaba que allí *también* se bailaba, aunque las preocupaciones primordiales fuesen otras —otras que había conocido muchísimos años atrás cuando, bailarina andariega por la Costa Azul, se me había ocurrido entrar una noche, por curiosidad, en el Casino de Monte Carlo... Al borde de rectángulos verdes —como enormes mesas de billar que no tuviesen bordes— donde se pintaban casillas que siempre evocaban, para mí, el juego de la rayuela, se asomaban rostros ansiosos, tensos, de miradas puestas en la canica de marfil que el "dealer" arrojaba sobre la rueda de la fortuna en perenne rotación —y la canica emprendía su carrera circular en sentido contrario, tropezando con rombos metálicos que la desviaban, brincando, rebrincando, desaforada, hasta caer, con ruido de granizo, en los surcos donde, puestos en sus colores, la esperaban los números. Rojo, con fiebres y destemplanzas de más 18 o menos 18, o bien Cero o Doble Cero. Y unas palas que recogen y otras que dan. Rostros que se iluminan; rostros defraudados. O bien los rostros impasibles de los verdaderos jugadores, o el ceño angustiado de los novicios. Aquí nadie parece divertirse. Se está en un rito. Y se está como en un rito, también, en las exiguas praderas donde saltan los dados, se deslizan silenciosas cartas, o sigue la ruleta, gira que te gira, desafiando las combinaciones cabalísticas, cálculos de posibilidades, contabilidad de series, redoblonas o martingalas. Fascinación ejercida por los colores y los números. Hipnosis ante el Rojo y el Negro. Y los "dealers" —los "croupiers", para decirlo clásicamente— que, vestidos de negro o de azul obscuro, con anilla de oro en la corbata negra, presiden sus espacios lúdicos, con tiesura de pastores luteranos en solemnidad de culto. Y, contra las paredes, dando las espaldas a los jugadores del centro, otros, de más modesta traza, hacen girar, a furiosos palancazos, las ruedas verticales y paralelas de aparatos en cuyas mirillas se pintan cerezas, limones, ciruelas, campanas, en espera de la Gracia —ésa era la palabra— de que les venga a nos el alud de monedas del "*jack-pot*", en esas diabólicas "*splot machines*" donde se sabe —me explica José Antonio— que, de 18 000 combinaciones posibles de figuras, sólo puede haber 12 ganadoras. Y a pesar de tan flaca perspectiva, los encarnizados en ganar se aferran, golpean el artefacto, se abrazan a él, para arrancarle unos dineros que, cuando acaban por caer, es en torrentes de calderilla tan abundante, tan imposibles de canalizar, tan rebosantes en manos, pañuelos y hasta sombreros, que el afortunado se veía obligado a arrodillarse ante la boca del Pactolo para reunir las monedas esparcidas sobre la alfombra... Tapetes verdes, cifras en rojo, cifras en negro. Reyes rojos y Reinas negras, sobre la blancura de los naipes y de los dados. Y, en torno a las aras del Azar, las arcas del Azar, las barcas del Azar, movíanse las ávidas criaturas del Azar, que eran las itinerantes putas, migratorias y temporeras, siempre vistosas y a menudo políglotas, llamativamente elegantes y adornadas de joyas de relumbrón que, según soplaran los vientos, se trasladaban de New York a Caracas, de Las Vegas a La Habana, donde administraban sus anatomías con alta conciencia profesional, disparando sus anzuelos, cuando la gestión directa no bastaba a mantener un seguro rendimiento, a través de un equívoco mundo de alcahuetas, celestinas, rastreadores y *buquenques* —sin desdeñar a los mozos de ascensores y camareros de hotel, preciosos en suministrar informes sobre entradas y salidas de viajeros, hombres afortunados en el juego, o bien acerca de aquellos que en despertares de farra se viesen hostigados por apremiantes antojos... Y estaban ahí, ellas, las alhajadas nómadas, pavoneándose, encendidas y magníficas en las luces rojas —luces de fragua, luces de infiernos en Coney Island— de aquel Hotel Capri que me era revelado en todo el esplendor de su estilo gángster. Y como la prostitución femenina nunca viene sola, ahí estaban los de la prostitución epicena, con sus gestos ondulantes y rozadores, de impecable smoking ceñido y pulseras de amuletos, andando de aquí para allá con el yesquero siempre pronto a encender un cigarrillo ajeno, y pronta la atención, también, en detectar, con seguro tino, la vergonzante aquiescencia de una mirada fugaz. Los (o las) había de todas edades, llegándose, para quienes solían rendir un culto a la extrema juventud, al falso colegial de Eton, de chaqueta corta, pantalón gris rayado, y ancho cuello británico con corbata negra. —"Estamos en pleno Satiricón" —me dijo José Antonio. Y, en efecto, había algo de Festín de Trimalción en aquellos salones forrados de amaranto, de cuyos techos colgaban estalactitas de mil cristales, con el dorado de las sillas, el plateado de las "*splot machines*" —espacio aneblado por el humo del tabaco donde, del larguísimo bar a las mesas de juego, bogaban las busconas venidas de todas partes, como naves empavesadas de sederías y gasas, gallardetes de plumas y bisutería, oriflamas de cabello fuertemente teñido —cuando una de aquellas señoras no había tenido la ocurrencia de envolverse en un capote torero, para lograr un color local a tono con el carácter *Spanish* del país— apretándose como enjambre en torno al afortunado jugador que, esta noche, enrojecía de gozo tras de un montón de fichas... Yo estaba aturdida, fuera de ambiente, algo mareada, pero más que nada asqueada. —"Sácame de aquí" —dije a José Antonio: "Me ahogo con tanto humo". Afuera, era el frescor de la noche. Y, sobre el mar en calma, donde rebrillaban las luces de las casuchas pesqueras, la luna, como nueva, reaparecida, redescubierta. —"Pronto dejará la luna de asomarse sobre esta parte de la ciudad" —dijo José Antonio que conducía su auto lentamente a lo largo de la avenida donde se rompían en bullentes explosiones saladas, muy cerca, los alborotosos oleajes de octubre. Y me explicó que estaba en estudio un inimaginable proyecto consistente en rellenar la vasta ensenada del Malecón, maravilla de La Habana, para construir casas de juego, casinos, nuevos hoteles, timbas y cabarets, sobre las tierras arrebatadas al océano. Así, los anuncios luminosos, las pirotecnias de la publicidad, desalojarían los astros y las lunas del firmamento, y, con un universal concierto de ruletas, fichas en mesas y tiros de dados, sabríase que aquí se erguía, con rascacielos iluminados por millones y millones de bombillas eléctricas, una Metrópoli del Juego, muy superior, en incitaciones, ofrecimientos y posibilidades, a la rutilante sentina de Las Vegas. Por lo pronto, nos estábamos preparando. Junto a los ya famosos garitos que acabábamos de visitar, funcionaban decenas de establecimientos secundarios y marginales donde recibían una rigurosa instrucción los coimes (o "dealers") de un próximo futuro en que hubiese una creciente demanda de expertos en el manejo de giratorios artilugios y artefactos del azar, dotados de seguras técnicas para desplumar al incauto, vigilar al tahúr o denunciar al tramposo. Los burdeles eran incontables en la ciudad. Existía un teatro obsceno —¡oh, palabra mojigata y amenguada, bien insuficiente para calificar aquello!— como acaso no pudiese verse otro en el mundo, y, en fecha reciente, un capitán de la policía había tenido la idea extraordinaria de abrir un Museo Pornográfico, donde se mostraban fotografías del más desaforado estilo, en tal modo agrandadas que sus protagonistas, pasados a dimensión heroica, hubiesen podido insertarse en los gigantescos enredos anatómicos de Rubens o, por sus descoyuntadas imbricaciones, en alguna caída de titanes de Tiépolo. Entretanto Marina, genial empresaria de burdeles, tan auténtica encarnación de la época de Batista como lo fuese Aspasia del Siglo de Pericles, sabiendo que en América Latina, por vieja ley, proliferan las rameras donde florecen los entorchados, multiplicaba las sucursales de su Casa Matriz de la Calle Colón, pensando ya en abrir filiales en provincia, con lo cual su negocio cobraría una escala de Cadena Woolworth. "¡Y alegría, alegría, mucha alegría!" —como hubiese podido clamar un palmoteador de colmado cañí. —"En eso estamos" —decía José Antonio: "A esto hemos llegado al cabo de cincuenta y cinco años de burguesía cubana en el poder. ¡Tal es hoy la 'fermosa tierra' que pintara Colón a los Reyes Católicos!"... Y volvía a su tono jovial, mirándome de frente: "Tú, al menos, escapaste a las contaminaciones de este mierdero por tu apego a un ideal". —"¿Y qué querías? ¿Que me metiese a puta?" —"No. Pero, con lo que gana tu marido hubieras podido poner una casa suntuosa, para llevar una vida de señorona entre partidas de canasta y recepciones de gran estilo". —"¡Horror!" —"A tiempo nos demostró Enrique que todo no estaba perdido en él. Porque se nos estaba echando a perder... Más de lo que crees..." —"¿Qué has querido decir?" —"No. Nada. Maneras de hablar"... Pero ahora yo insistía en tener una aclaración acerca de ese "más de lo que crees". El otro, acaso remordido de lo dicho, se me fue por otra vertiente: "Me refería a su arquitectura... Ya no intenta crear nada, inventar nada... Podía haber sido para nosotros lo que Henry Sullivan fue para Chicago: el visionario anunciador de una *arquitectura poética*". —"En eso soñaba, en efecto". —"Veo que usas el 'soñar' en pasado. Como yo. Tú, al menos, puedes conjugar el verbo en presente".

Estábamos ahora en una pequeña "boite" apacible, de poca luz y poca gente, donde algunas parejas de enamorados se aislaban, de manos agarradas, en mesas separadas de las demás por pequeños tabiques: "Aquí te devuelvo el peplo de Virgilio, porque no tengo ya ningún '*inferno*' que enseñarte. ¿Qué bebes?" De una boca enrejillada, junto al cielo raso, cae una música que me es particularmente grata: antología de foxes y blues de los años 30, muy hábilmente reinstrumentados por algún Frank Skinner o Ferdie Grofé: *Tea for two, Night and day, Singing in the rain, Top hat*. Hablamos de las admirables "*musical comedies*" de aquella época, de películas que nos encantaron, y, al evocar estrellas de cine que yo recuerdo muy bien y apenas si son remotas reminiscencias para él, le estoy entregando las cifras reales de mi edad. Pero, sin alardear de ello, tengo plena conciencia de estar extraordinariamente bien conservada —joven de cuerpo, rostro, agilidad y músculos, aunque nací en el noveno año de este siglo. Bailamos un poco en la pequeña pista levemente iluminada que está junto al bar, y advierto que José Antonio —cosa que yo ignoraba— baila notablemente bien. Pero también advierto que las bebidas, gratamente sorbidas, se me están subiendo a la cabeza, y advierto además, sin la menor sorpresa, que el hombre nuevamente sentado delante de mí, me habla de repente en un tono que no le es habitual. El timbre de su voz se ha vuelto cálido, íntimo, bajado a diapasón de confidencia. Acercándose por el atajo de un halago al que soy muy vulnerable, me dice que admira la tenacidad con que he llevado mi obra adelante, la coherencia de mis propósitos, mi don de detectar el talento donde se halla en estado latente, el logro total de mis realizaciones. Me siento bien, maravillosamente bien, demasiado bien. El licor me suelta los nervios siempre harto tensos, me ablanda las articulaciones, me infunde una suerte de felicidad física y moral: bienestar, *relax*, estado de gracia. Y es otra mujer, huésped de mí misma, muelle y aquiescente, sin voluntad ni resistencia, la que escucha lo que el otro dice. No hacía falta, además, que usara de tantos circunloquios para confesarme que siempre se sintió atraído por mí. Mis respuestas no pasan de leves sonrisas, pero observo, muy divertida, el matizado despliegue de sus maniobras envolventes —como jugador de ajedrez que, situado ante un contendiente válido, se complace en seguir, habiéndolo entendido de antemano, el mecanismo de sus estrategias. La voz, ahora, se le hace más honda, como emocionada, para preguntarme si me he dado cuenta de que... *(¡Sí que me he dado cuenta!... O, al menos, no me sería desagradable que fuese cierto. ¿Y qué espera él ahora? ¿Una respuesta? No habrá respuesta).* Y la *otra,* que llevo dentro, responde a pesar de mí, que sí, que sí se ha dado cuenta... *(Y no te dejes agarrar las manos así, carajo, que no debe ser...).* Y la *otra,* sí se deja agarrar las manos. Y lo peor es que se estremece, y se le ablandan las corvas, y hunde su mirada en la mirada del otro... *(¡ah, puta, puta, puta, mil veces puta!...)* y se dice a sí misma, para aquietar *a la de adentro,* que hace mucho tiempo que no le ocurre algo semejante, que se siente sin energías, aquiescente, inerme... *(¡absurdo, absurdo!... Es que no debe ser, no puede ser...).* Y él habla, habla, habla; me aturde, me confunde... *(¿Y toleras esto, habiendo un tercero? / Un tercero al que muy poco queda, para ti, de sus ardores primeros, al cabo de los años. / Es una cuestión de lealtad / ¿O una cuestión de contrato firmado? Muchas veces, ante una desganada ternura llegaste a sospechar que algún entretenimiento tendría en alguna parte. Y preferiste no averiguar demasiado para no promover tempestades que te hubiesen conturbado en tu trabajo...)* Y el otro, ahora, que me besa las manos... *(¿Y estos meses que lleva fuera, los habrá pasado en estado de perfecta castidad, / tú que lo conoces mejor que nadie?...)*... —"¿Te sientes mal?" —me pregunta José Antonio: "Te has puesto pálida. Tienes las manos frías". —"La bebida. Falta de costumbre..." —"Esto se te quita con un poco de aire fresco". Y estamos en el automóvil otra vez. Pero no me doy cuenta de hacia dónde vamos. Estas conocidísimas avenidas me son desconocidas. Estoy como envuelta en nieblas. Nos detenemos. Necesidad de descansar la cabeza en algo. Un hombro. No importa. Y sus brazos que me ciñen, que me estrechan. *(Y la otra que se deja besar, que se entrega...)* —"¿Vamos a mi casa?" —me susurra la voz, tan próxima a mi oído que siento el calor de su aliento... *(No, no, no... De ninguna manera. Esto es asqueroso...)* —"Vamos a donde quieras" —dice *la otra,* vencida... Y rueda el automóvil otra vez. Pero, de pronto, una bola ardiente me sube del estómago a la garganta. Aprieto los dientes para detenerla. Un respiro. Vuelve a subir la bola con un horroroso tras-sabor a alcohol revuelto con hiel, con bilis, no sé. Nuevo esfuerzo que me crispa. Y es, después, un hipo incontenible, espasmódico, ridículo. Náuseas; terribles náuseas. José Antonio vuelve a frenar. —"No te dé pena. La culpa fue mía. No estás acostumbrada a beber y yo te hice beber demasiado. Te juro que fue sin intención. Pero, por lo mismo que te amo, me despreciaría a mí mismo si abusara de esta circunstancia. Quiero que, si consientes en entregarte a mí, sea en tu claro juicio, con decisión, con alegría... Mejor te llevo a tu casa para que descanses un poco". *(¡Qué alivio, Dios mío!... ¡Qué alivio!...)* Y pensar que sin este vuelco de entrañas, sin estas contracciones, sin esta saliva amarga que me espumarajea entre los dientes, estaría desnuda a estas horas, penetrada, poseída —y acaso gozosa bajo el peso de un hombre, carga que se hace bien leve en tales momentos... *(¡Lástima que no fue! —piensa la otra. Algún día sentirás no haber hecho lo que esta noche pudiste hacer. Hacer es afirmarse. No hacer por miedo —¿miedo a qué, en fin de cuentas?— es cosa de cobardes...)* Esta entrada, sí la conozco. Es la de mi casa. —"¿Puedes subir sola?" —"No te preocupes". —"Prométeme..." —"¿Qué?" —"Que me llamarás mañana para decirme cómo sigues. Y..." —"¿Y...?" —"Y que si te sientes bien, volveremos a salir juntos". *("Te lo prometo" —dice la otra, robándome una voz que, por mera prudencia, debería desanimar a quien, de seguro, volverá a las andadas...)* —"Aunque en esto siempre son peligrosas las recapacitaciones... Me haces muy feliz". *("También yo me siento feliz" —¿dice la otra en realidad, o creo haberlo oído?...)* Pero *yo*, la auténtica *yo*, encuentra difícilmente la cifra 5 en la pizarra del ascensor, se equivoca varias veces al tratar de abrir la puerta, y es Vera, la Vera veraz, la Vera victoriosa, la Vera burguesa, la Vera fiel, quien, después de vomitar largamente, cae inerte, pesada, sobre la cama —aún vestida de noche y con un zapato puesto— rodeada de paredes que empiezan a girar vertiginosamente, arrastrando el lecho en su incontenible rotación, como si estuviera montada en una de las ruletas que esta noche he visto, cuyo ruido a granizo en techo de cinc se agiganta en mis oídos.

33

La cama ha dejado de girar entre paredes que por fin se detuvieron, volviendo a su lugar con las primeras luces de la mañana. Estoy sorprendida de sentirme tan bien, a pesar de que éste sea el clásico "*morning after the night before*" —o si se prefiere: el amanecer en "*gueule de bois*" de los franceses. Pero es que en mí se produjo una auténtica *catarsis* —en el sentido literal de la palabra— y todo lo que hallo en los postreros humos de lo bebido anoche, es un incontenible afán de actividad, de movimiento: ganas de *hacer algo*. (Recuerdo que cuando Jean-Claude despertaba, tras de una noche de mucho beber con sus amigos —esto le ocurría de tarde en tarde— se sentía obligado a regar todos los geranios que alegraban nuestras ventanas, o bien a cambiar los cuadros de lugar, o bien a irse a la Biblioteca de Santa Genoveva con urgentísima necesidad de compulsar el tomo 107 de la *Patrología greco-latina* de Migne —esto, como se hubiese puesto a bañar los perros de la casa, si los hubiésemos tenido...) Me miro en el espejo: tengo el cutis algo emborronado, evidentemente, pero he hallado el remedio: hoy que mi gente de la Plaza Vieja está de asueto, iré a hacer ejercicios allá —barras, muchas barras, como en los tiempos de Madame Christine— y como el día es de calor sudaré de lo lindo, y después será una larga ducha fría, y después iré a comer algo ligero a la terraza del pequeño restaurante "*El Templete*" que está frente a los grandes barcos atracados junto a los muelles, señeros y quietos en su descanso, cuya contemplación me trae invariablemente a la memoria el verso famoso de Baudelaire: "*Homme libre, toujours tu chériras la mer*". Me echo un ligero vestido encima, me pongo unas sandalias, y ya me apresto a salir, pero me veo detenida por *algo* que emana de *la otra* que demasiado habló por mi boca ayer. Debo llamar a *alguien* y no quiero hacerlo —¡no quiero hacerlo!—, pero me sentiría estúpida, frustrada, cobarde, si no lo hiciera. Sé que si no me libro ahora mismo de esa obligación, me quedará una recóndita desazón que habrá de envenenarme el día entero.

Además: aún faltan muchas horas; *esto*, si se mira bien, no me compromete a nada. Y sin embargo, sé que *esto* puede conducirme muy lejos —demasiado lejos, porque debo reconocer, con vergüenza, con anticipado arrepentimiento, que *algo nuevo* se está produciendo desde ayer en mi vida sentimental, vida por tanto tiempo adormecida en los atemperados —cada vez más atemperados acomodos de una ya larga convivencia. Y el tiempo pasa, y pronto no hallarás en ti —me dice *la otra*— la "persuasiva gracia del rostro otoñal" cantada por John Donne en una de sus *Elegías*. Vivir, vivir plenamente, unas horas, una semana, un mes, *sentirte vivir*, rejuvenecida en carne y ansias, tú que no haces más que trabajar —insiste *la otra*, arrancándome a mis desesperados escrúpulos de santa esmirriada, santa de iconos, para llevar mi mano —ya culpable— hacia el teléfono en espera. Y es la voz que me viene al encuentro, con el tono ya íntimo y solícito del amante —¿ya?— que no quiere ser oído por quienes lo rodean: "Yo sabía que lo de anoche no era nada. De lo contrario no te hubiese dejado sola". Y pregunta, con acento dubitativo e implorante, si no he cambiado de parecer, si lo dicho ha sido dicho de verdad, y si tendrá la ventura de verme esta noche. —"Sí" —responde *la otra*, que se me confunde repentinamente con la primera, ya resuelta a aceptarse como es, sin que un ama —azafata ergotante y puritana— se imponga a la bacante que toda danzarina lleva dentro, aunque haya domado sus impulsos de entrega física en la desecante disciplina de los 1, 2, 3, 1 yyyý 2 yyyý 3... *Alea jacta est!* —y riendo recuerdo los regocijados y publicitarios usos que solía hacer José Antonio de la célebre cita latina... Y riendo aún —invadida por una sensación de culpa que se me hace singularmente deleitosa— camino, rápida y ligera, por la grata calle de los Mercaderes, hasta desembocar a la Plaza Vieja... Pero allí sucede algo raro. Hay gentes paradas en las esquinas, que miran hacia la casona donde tengo mi escuela. (Todas las ventanas están cerradas, como si fuese peligroso asomarse a ellas). —"No vaya para allá" —me dice un desconocido: "No vaya para allá, que eso *está malo*". No entiendo. Sigo andando. Quiero saber. Llego a la puerta. Pero, la puerta... Viendo que la entrada ha sido forzada, con el portillo sacado de goznes y caído al suelo, subo las escaleras, que están manchadas de sangre, llenas de cristales rotos. Todo lo que había en el salón de ejercicios ha sido destruido: el espejo grande, hecho añicos; las barras, arrancadas; el pick-up, acribillado a balazos; en el tablado del baile, hay grandes agujeros, como si hubiese sido percutido a mandarriazos; todos los libros han sido arrojados al patio y a la calle; del piano vertical, sólo quedan unas maderas negras, paradas en un intríngulis de cuerdas metálicas desprendidas de la tabla de harmonía... Aterrorizada, bajo las escaleras corriendo. Y un rastro de sangre me conduce a lo que no había visto al entrar: entre dos columnas yacen, sobre la acera, los cuerpos de Filiberto y Sergio, y, un poco más allá, solo, casi irreconocible, el de Hermenegildo, atrozmente desfigurados, golpeados, casi informes, con coágulos y heridas en todos los miembros. Para colmo de horror: sus sexos, cortados, les fueron metidos en las bocas, bocas que quedaron como forzadas, crispadas en el rictus de morder aquellos girones de carne violácea. —"No se quede aquí, Señora" —me dice un camarero del bar vecino, agarrándome enérgicamente por un brazo: "No se quede aquí, que no le conviene. Total: usted no va a resucitar a los muertos". Me lleva a su fonda donde caigo, casi desmayada, en una silla. —"Tómese esto". Y me hace tragar algo que me quema la garganta. —"Lo vi todo" —me dice: "Hace como una hora llegaron tres radiopatrullas. Bajaron los hombres como demonios. Tocaron. No les abrieron. Entonces tumbaron la puerta, acabaron con todo arriba, y poco después sacaron, arrastrados, los tres cadáveres a la calle... Y allí mismo los dejaron para que se entere todo el mundo". —"Pero ¿por qué? ¿Por qué?" —"Dicen que si allá arriba se guardaban proclamas del 26 de Julio, que si había propaganda revolucionaria, en fin... Ya esto es comida diaria aquí". —"¿Y Calixto?" —grité, enderezada por un repentino impulso: "¿Calixto?". —"Creo que se les escapó por las azoteas. Usted sabe que todas se comunican. Dice José... ¿No es cierto José". (Pero José cierra el ventanillo para no "meterse en líos"...) "Dice José que lo vio coger un ómnibus a dos cuadras de aquí". —"Pero... ¿Cómo estaban en la escuela, si yo les había dado un día de descanso?" —"Parece que estaban *reunidos,* señora". —"¿Y Mirta? ¿Estaba Mirta también allí?" —"Nosotros no vimos a la muchacha". —"¿Y van a dejar los cadáveres tirados, ahí?" —"¿Y qué quiere usted que hagamos? Rara es la noche en que no se dan estos espectáculos en La Habana. ¡Claro que no frente al *Riviera* o el *Capri*! Pero ande usted por otros barrios y pregunte a la gente". —"Yo no los dejo ahí". —"Usted no los va a resucitar... Y mire..." Me señalaba una radiopatrulla que avanzaba ahora hacia donde yacían los cuerpos espantosamente golpeados, quebrados, amputados. El vehículo se detuvo. Sacaron las cabezas los hombres uniformados y se echaron a reír. Uno se bajó. Miró lo hecho —acaso por él mismo, acaso por colegas suyos que aún llevarían encima el cuchillo atroz de las emasculaciones—, se encogió de hombros y encendió largamente un tabaco, cuidando de darle media vuelta sobre la llama de un cerillo para que mejor prendiera el fuego en la capa mullida. —"Nos vamos" —dijo, por fin, volviendo al auto... —"Un consejo, Madame" —dijo el de la fonda: "Aléjese de esto, que ellos todavía están buscando algo"... Sí. Alejarse de aquí era lo más urgente. Pero no podía pensar en volver a mi casa. Si me buscaban (¿por qué? no sé; pero después de lo visto, todo era posible...), lo más probable es que fuesen allá. Movida por el miedo, anduve rápidamente por una calle, otra, y otra más, hasta alcanzar la Plaza del Cristo. Entré en un café de muchos billares y mucha bulla, donde sonaban sinfonolas y dados tirados sobre la madera del bar. Llamé a la oficina de José Antonio, topándome con su secretaria: "Fue a Varadero con un cliente para escoger un lugar donde poner unas vallas anunciadoras. Dijo que estaría aquí sobre las cuatro". Gaspar estaba en México. Martínez de Hoz, el apoderado de Enrique, muy poco podía hacer por mí. ¿Mirta? Preferiría entregarme a la policía, antes que comprometerla en esto. Sólo me quedaba Teresa que, desde mis primeras palabras entendió lo que ocurría: "No hables más... Ven a la Calle 17. Es lo más seguro... Y no te pares en una esquina a ver si pasa un auto de alquiler. Métete entre la gente que espera un autobús. Si puedes, la Ruta 30. Te deja en la esquina..."

Cuando —como amparada por las rejas que defendían los tesoros guardados en la ilustre mansión, hundida en una ancha butaca de la biblioteca— llegué al término de mi atropellado relato, mis nervios se quebraron en sollozos espasmódicos, incontenibles, desesperados. —"Llora lo más que puedas" —dijo Teresa, con el tono a la vez protector y distante del médico que asiste a una parturienta: "Y cuando te desahogues un poco, tómate este wisky doble. De un solo viaje. Sin pensarlo". —"No... pueeeeedo". Me apretó las narices entre el índice y el pulgar de la mano izquierda, mientras acercaba la copa a mis labios: "Abre la boca y traga. Como una medicina. Aaaaaasí... Y ahora, espérame... Voy a hablar con mi tía". Me erguí, movida por un sobresalto de orgullo, a pesar de mi infinita miseria: "No... Que no sepa. Ella cree que Enrique está en Venezuela por su gusto". —"Pero, si hay *algo* contra ti, ella es la única que puede hacer *algo* contra ese *algo*. Así es que no queda más remedio..." Con la expectación intensa del acusado que espera el fallo de un jurado, traté de deducir, por el sonido de voces confusas que allá arriba, tras de la rotonda, sonaban alternativamente, lo que de mí se estaba diciendo. Al cabo de un rato percibí un reiterado discar de teléfonos. Teresa bajó las escaleras: "Creo que tu asunto se está arreglando"... A poco entró la Señora, pomposa como cardenal en concilio, majestuosa en el andar, tempranamente alhajada aunque todavía envuelta en una suntuosa bata de cuarto, imponente, ceñuda, infalible y perdonavidas. —"Cierren la puerta" —dijo a Venancio, como si se dirigiera a todo un séquito de lacayos. Y, sentándose ante mí: "Tarde o temprano tenía que haber sucedido. Esa negrería tuya, de la Plaza Vieja, no podía parar en otra cosa sino un centro conspirativo... Sí... No hagas gestos. Allí se encontraron proclamas revolucionarias... En cuanto a ti, expliqué a Fulgencio que eras una comemierda, una bailarina fracasada, una Doña Nadie incrustada a la cañona en nuestra familia por el loco de mi sobrino, 'rojillo' en buena hora arrepentido, y Fulgencio me prometió que haría lo necesario para que te dejen tranquila... ¡Pero como vuelvas a juntarte con esos congos y ñáñigos, bailadores de bembé, que andan contigo... prepárate! Y cuando te metan un hierro al rojo donde yo sé, no vengas a llorar desgracias a esta casa. Todo lo que te pasa, te lo buscaste tú misma, por amiga de la chusma, traidora a tu casta —si es que tu familia, como tú lo dices, era tan 'gente' como nosotros, cosa que mucho pongo en duda". Hubo un pesado silencio. La Señora se levantó y fue hacia la puerta: "Te he sacado del lío. Pero ahora te vas al carajo. Métete bajo la tierra y que no se vuelva a oír hablar más de ti. No quiero verte aquí un segundo más... Además, debo acabar de vestirme, que tengo gente a almorzar". Y, viendo que yo me echaba a llorar, sacó un tubo de comprimidos de un bolsillo de su bata: "Tómate este *Meprobamato*... Es lo que yo tomo para los nervios... Venancio: un vaso de agua para la señora"... Ahora, la calle otra vez —al lado de Teresa que, conduciendo su auto, se hace abrir la reja de la entrada. —"¿A dónde me llevas?" —"Desde luego que no vamos a tu casa. Es muy posible que *ellos* estén allí, rompiéndolo todo, como hicieron en la escuela... A la hora de soltarse, por hacer méritos, se pasan de la raya. Hay que esperar dos o tres días, para ver si de verdad se calma la tormenta". Ahora ponía toda mi fe en Teresa: era mi asidero, mi amparadora, mi único contacto posible con el mundo exterior —el médico nuevo, llamado en última instancia, a quien el enfermo de gravedad, ya desahuciado por otros, atribuye un supremo poder de curación. Que me llevara a donde quisiese; lo que ella hiciera sería lo más conveniente: "No me dejes sola"... —"No te dejaré sola. Soy la única que puede pensar por ti en estos momentos". Tenía razón. Yo, en nada podía pensar, después de haber vivido esta espantosa mañana... Creo que acabamos de pasar el puente del Almendares; ahora, la Torre del Reloj, con los grandes ficus, a la derecha... Doblamos hacia el mar. Un murito, con una puerta verde. Detrás, una casa parecida a las cien casas que bordean esta avenida. —"Pasa" —dice Teresa, después de meter la llave en la cerradura: "Éste es mi rincón... Me meto aquí cuando mi tía jode más de la cuenta y quiero estar sola... También me sirve... para cosas mías. A buen entendedor..." Hay un salón con un bar, que da sobre una pequeña piscina, cuya agua es removida por las olas que le traen dos boquetes cavados en el dienteperro. —"Tómate un gran scotch... A menos que prefieras un somnífero". No. No quiero dormirme (acaso por temor a que Teresa se ausente durante mi sueño). El alcohol tomado a tragos rápidos, como una pócima necesaria, me vuelve a colocar algunas ideas en su lugar. Y entonces —sólo entonces— abarco, en su conjunto, la inmensidad del desastre. Muertos Filiberto, Sergio y Hermenegildo; Calixto, escondido, en fuga, o tal vez preso o asesinado a estas horas —o torturado, que acaso sería lo peor. Mi escuela destruida, terminada para siempre, con la eliminación de sus principales figuras, y un conjunto que, después de lo sucedido, jamás volverá a constituirse. Y si Mirta no ha sido víctima ya de vejaciones, de brutalidades —o tal vez de algo peor, y no quiero pensarlo—, su sola presencia de nada me serviría ya. Aunque no la vea, aunque no pueda hablarle, sé que desde ahora comparte conmigo la peor de las miserias: la de padecer una existencia sin objeto. Son años de trabajo, los que se fueron al suelo —años de preparación de *algo* destinado a abrirnos los caminos del mundo, y que acaba de ser arruinado, irremediablemente arruinado en un estruendo de disparos y de culatazos. Y ya no tengo ánimo ni edad para emprender una nueva lucha. Y Mirta, sin mí, poco puede hacer por cuenta propia. Y se ha visto demasiado cerca de la plena realización de sí misma, de la hora maravillosa del *sum qui sum,* para aceptar resignadamente la perspectiva de un casorio burgués, con *Marcha nupcial* de Mendelssohn y pañales en puerta, a que la destina su familia. Ha respirado la atmósfera de *La consagración de la primavera,* ha sido la posesa inspirada de la *Danse sacrale,* y esto la ha marcado para siempre, vedándole toda conformidad ante un mundo que estará condenada a padecer a falta de otro, aunque, a sus años, una fuga heroica y peligrosa —¡todo, menos la monotonía de una resignación acomodaticia!— le sea todavía posible. (¡Oh, cómo siento haberla frenado en sus impulsos de entrega a Calixto, cuando tuvo ganas de hacerlo! ¡Ahora, ni eso le queda!...) En cuanto a mí, cargo con el peso de mi propio cuerpo, como si cargara con un fardo inútil. No tengo siquiera la salida de un suicidio, del cual sería incapaz por miedo a fallarlo; ni veo salida hacia un cielo que, para mí, se ha despoblado de iconos hace muchísimos años. Soy prisionera de un aborrecible planeta sin puertas ni ventanas. —"Habría que poner un cable a París, avisando a Olga que cancele todos mis compromisos *allá*" —digo, con voz incolora. Y vuelvo a sollozar: "Si al menos estuviese Enrique a mi lado. Pero... ¡ni eso!" —"Alégrate de que tu marido esté en Venezuela" —me dice Teresa: "Tuvo la buena inspiración de largarse a tiempo". —"Por miedo. Por un miedo que no podía dominar". —"Un miedo más que justificado, porque no te vayas a creer que sólo había lo del hombre escondido en su oficina". Y me revela ella, con sorprendente conocimiento de detalles, que Enrique había estado tremendamente metido en política de un tiempo a esta parte. Sí. Asistía a reuniones secretas, llevaba y traía documentos, había dado dinero, mucho dinero, y hasta, con su experiencia de la Guerra de España, había adiestrado a más de uno en el manejo de ciertas armas... De pronto, Enrique se me acrecía en dimensión, al entender que su presurosa partida no se debía tan sólo a una momentánea cobardía ante peligros más imaginarios que reales. Pero, a la vez, me dolía pensar que no me hubiese confiado toda la verdad, prefiriendo tomar a su prima por confidente. —"¡Ay, hija!" —decía Teresa ahora: "¿Cómo iba a hablarte de ciertas cosas, si tú nunca has querido saber nada de política? Todos sabemos que te jode la política, que tú aborreces la política". —"¿Y tú entiendes algo de política?" —"A mí me jode tanto como a ti. Pero me entero. Leo los periódicos, porque no puedo vivir fuera de un mundo que me amenaza". —"¿A ti, que eres millonaria y haces todo lo que te da tu real gana?" —"Por lo mismo: quiero saber de dónde sopla el viento, para defender, no digo 'mis millones' —que no llego a tanto— sino la fortuna que tengo... ¡Porque aquí se va a armar la de Dios es Cristo!" —"Estoy empezando a creerlo". —"Mira: ciertos animales presienten los terremotos; los caballos, en las minas de carbón, *presienten* las explosiones de grisú... Del mismo modo, los burgueses *presienten* los acontecimientos que los alcanzarán en sus cuentas bancarias. Por eso es que, a nosotros, los acontecimientos nos agarran siempre con mucho dinero fuera... Y esto arde, Vera. Te lo digo. La mierda nos llega al cuello. Y lo peor es que la burguesía cubana se complace en sorber esa mierda. Ayer decían 'Gerardito', al tratar a Machado. Hoy Fulgencio ha sucedido a *Gerardito* en sus devociones: es el Hombre, el Indio, y sus allegados llevan una sortija de oro —amuleto y contraseña— con una amatista engarzada, para significar su fidelidad a aquel cuyo nombre rima con el de la piedra... Aquí, parece que la vergüenza se ha refugiado en la Sierra Maestra..." —"Esperanza bien remota". —"Pero amenaza suficiente para que nuestros ricos sitúen enormes sumas de dinero en bancos norteamericanos. En país de ciclones, la gente es precavida". Tragué otro largo wisky. Los anteriores me habían producido una suerte de ablandamiento nervioso y físico que en algo hacía más llevadera mi congoja. Estaba inerte, como apaleada, pero sufría menos. Sabía que el despertar sería peor, pero lo importante, por el momento, era buscar en un calmante, una droga, o en esto, el valor de seguir viviendo. —"¿Qué piensas hacer ahora?" —me preguntó Teresa. —"¿Y qué voy a hacer? Irme a Caracas". —"Bien. Pero yo esperaría un poco". —"¿Por qué?" —"Porque lo tuyo más vale *no meneallo* por ahora. Puede ser que en el Servicio de Inteligencia Militar (el SIM) estés fichada como *subversiva*. Ellos controlan las salidas de viajeros y son los que extienden los permisos... Y si vuelve a armarse un lío, no podremos contar por ahora con la ayuda de mi tía... Así que, mejor no te apresures..." Fue a la habitación contigua, sacó un traje de baño de una cómoda, y empezó a desnudarse: "Voy a darme una zambullida... Con todo lo de hoy, estoy tan molida como tú". Su cuerpo era bien proporcionado, moreno y nervioso, aunque se advertía que la adolescente apostura de sus pechos hubiese sido recuperada por artes de bisturí. —"Es imposible seguir siendo una auténtica *pin-up-girl* a mi edad" —dijo, sabiendo que su busto pregonaba los méritos de la cirugía plástica: "Allá ustedes, las bailarinas... Pero los hombres no se dan cuenta de nada, que es lo importante". —"No te vayas". —"Hija: de la piscina no paso. No soy la sirenita de Andersen, que abandonó a su gente por irse a putear con un príncipe navegante".

Aunque con el alivio de saberla tan cerca y hasta de oír sus chapaleos en el agua, me sentí inmensamente sola y rodeada de ruinas. Pensaba con terror, con anticipado derrotismo, en lo que sería, ahora, la cotidiana tarea —estéril tarea, tarea de Sísifo— de arrastrar una existencia sin meta alcanzable. Aquí nada podía hacerse. En este país regido por una burguesía inepta, políticos ladrones y militares estúpidos, no cabían empeños de arte ni empeños del espíritu. Las librerías de La Habana se habían transformado en quincallas, por falta de lectores; la *Orquesta Filarmónica* (tan magnífica, otrora, en los días de Erich Kleiber) se había tornado, poco a poco, en una empresa de relumbre mundano; no había una galería de arte moderno en toda la isla; los mejores pintores emigraban, o envejecían entre rimeros de telas sin compradores. Estaba demostrado que los animales de mi lana nada tenían que hacer en esta Metrópoli de la Ruleta situada, en cuanto a espíritu, entre el Cero y el Doble Cero. Ahora —más tarde, dentro de un mes o dos— iría yo a Caracas sin la necesaria brújula de *la fe en algo,* para vegetar —pues no me esperaba otra cosa en un medio que, además, me era desconocido— al lado de un hombre que había perdido toda fe en su arquitectura, dejando tras de mí algunos seres que, como José Antonio o Teresa, eran escépticos, cínicos o descreídos (por no pensar en Olga, regodeada en su nuevorriquismo, junto al colaboracionista de su marido), y otros, como Mirta y Calixto (si fuese posible que éste hubiera escapado a la acción policial) rotos en el impulso primero de una elevación, a dos pasos de los derribados y emasculados por los Mandatarios del Horror: *"Le transparent glacier des vols qui n'ont pas fui"*. Por vez primera me sentí envidiosa de Gaspar que, al menos, creía en su Partido como Renan creía en la Ciencia —y que, con su robusta entereza de Molinero de Sans-Souci, de Campesino del Danubio, de proletario de vieja cepa, hallaba en su marxismo lo que sus antepasados habían encontrado durante siglos en los Evangelios: *una razón de vivir,* inquebrantable y vivificante... Además, mi desesperanza presente removía un viejo complejo de culpabilidad, de sed de expiación, tan a menudo atribuido a los de mi raza: voluntad de aniquilamiento de sí mismo —confesión del Nicolás de *Crimen y castigo,* que se culpa de un crimen que no ha cometido. Tal vez he pecado por vanidad; tal vez he confiado demasiado en mi talento; tal vez he vivido demasiado exclusivamente por la danza y para la danza. Ahora me abismaba en la Nada de mí misma, sin razón alguna para seguir siendo; sin el doloroso consuelo, siquiera, de expiar una falta cometida... Y, como en busca de un asidero, empiezo a fijarme en lo que me rodea: el bar donde, en el estante de botellas, entre marcas corrientes, se pinta, sobre una etiqueta, el bisonte del Zubrowka. Y, cerca del bar, un antiguo mapa de Cuba que mucho conozco. Es del siglo XVIII, impreso no sé dónde, y entre las ciudades importantes que ya aparecen en él —*St. Christophe, Scte. Iago*— se destaca, en la extremidad oriental de la isla, un poco más arriba del cabo que la cierra, en letras espesas, el nombre de BARACOA. Está como en el finisterre, el fin del mundo, lugar perdido, aislado de todo, al amparo de los estrépitos y faramallas que ensordecen a los hombres de esta época. Pero de pronto recuerdo, sí, recuerdo: este mapa lo compramos Enrique y yo en París, a un librero de la Rue Saint-Jacques, poco antes de embarcar para acá. —"¿Cómo tienes esto aquí?" —pregunto a Teresa, que vuelve de la piscina, secándose el cabello con una toalla marcada de sus iniciales. —"¡Oh! Enrique me lo regaló hace tiempo... Cuando le traje de México aquel *Tratado de la perspectiva*... ¿recuerdas?... Y ahora tenemos que comer alguna cosa". Le digo que la sola idea de tragar algo sólido me da náuseas. —"Un esfuerzo". —"No puedo". Ahora quisiera llamar a mi casa por teléfono. Saber si ha pasado algo allá. Salir de esta horrible incertidumbre. —"No te lo aconsejo" —dice Teresa: "Si tu teléfono está cogido, averiguarán el número de éste. Y eso no nos conviene ni a ti ni a mí, si tu asunto todavía no está arreglado. Mañana llamaré yo de otra parte". Teresa pone cosas sobre la mesa: caviar rojo, caviar negro, palmitos del Brasil, antipasto italiano. —"¿Quieres que te caliente una sopa Campbell? Tengo de la *Ox tail* y de la *Clam Chowder*". No puedo. Me atoro, me atraganto, y rompo a llorar otra vez. La otra me trae una botella de Borgoña: "Remedio santo: toma vino tinto sobre el wisky. Es el más fabuloso de los somníferos. Caes como una piedra. Buena falta te hace". —"¿Y tú? ¿No te irás?" —"Estate tranquila. Me quedo aquí esta noche, cuidándote el sueño... Bebe vino y acuéstate. Para mí es muy temprano todavía... Déjame el lado izquierdo de la cama, que es el mío"... (Me mira y se ríe:) "No temas nada... Si fueses un hombre, no digo... Pero nunca me ha dado por ahí... Como dice la gente del pueblo: 'pan con pan, comida de bobos'."

Las entrañas curtidas de mis antepasados me legaron —ha sido siempre así— un extraordinario poder de eliminar el alcohol. Borracha a las nueve de la noche, me despierto al amanecer, fresca y ágil. Y regreso de pronto, estupefacta, a la espantosa realidad que se me ha echado encima con la violencia de un cataclismo. Teresa duerme, a mi lado, con un sueño demasiado profundo debido a un barbitúrico cuyo pomo veo en la mesita de su velador. Y la primera imagen que acude a mi mente, es la del mapa antiguo que he visto anoche, con la mente aneblada por los humos del licor. Lo miro de nuevo. Sí. Es el mismo que compramos en la Rue Saint Jacques. Y recuerdo también ese bisonte del Zubrowka —vodka preferido de Enrique, y que muy pocos conocen aquí— cuya imagen se repetía en tres botellas colocadas en lugar preferente, como si fuesen a menudo solicitadas. Es el mismo que consigue él en el único almacén que lo tiene en la ciudad. Y ahora, instruida por las voces del olfato, abro gavetas y registro cajones. Hojeo un álbum de fotos: "NEW YORK — RAINBOW ROOM — *Enero de 1943*". Enrique y Teresa, casi abrazados. El GRAND TICINO (restaurante italiano, a juzgar por la forma de las fiascas de vino). Enrique entre Teresa y otra mujer, pálida, delgada, a quien no he visto nunca. Debajo: *"Con Anaïs Nin. — Febrero de 1943"*. Y hay una, en el mismo lugar, con Luis Buñuel y con otro que se me parece a John Cage. Llevada por el hilo de mi instinto, agarro un libro de Anaïs Nin que está en la biblioteca: WINTER OF ARTIFICE. Dedicado hace dos años: *"A Teresa y Enrique... Amants magnifiques"*. Empujo la puerta de una habitación a la que todavía no había entrado. Allí, sobre una mesa, hay planos de mi marido, *files* de correspondencia, papeles, notas de su puño y letra... Esta vez sacudo brutalmente a Teresa para sacarla de su demasiado profundo sueño. Ella protesta con lengua torpe: "Déjame dormir caray". Todos mis músculos se conciertan ahora para sacarla de la cama y arrastrarla literalmente hasta lo que acabo de descubrir: "¿Estos planos? ¿Esas cartas? ¿Estos bocetos?... ¿Me puedes explicar?" Ella, algo más despierta, mira y me responde: "En los últimos tiempos, Enrique estaba tan sobresaltado con el entra y sale de gente en su oficina, que ya no podía trabajar allá... Estaba convencido de que el encargado del edificio lo había denunciado... Traía sus cosas aquí, donde estaba más tranquilo". Explicación posible. Pero las fotos, el libro de Anaïs... Teresa no respondía. —"¿Así que tú y él?..." —"Bueno, sí. Pero no lo tomes por lo trágico, que bastantes tragedias tenemos con las tuyas... Esto no tiene la menor importancia". —"¡No tiene la menor importancia, y hace quince años que esto dura!" —"Bueno... Sí. Así... De cuando en cuando... Se acababa... Volvíamos a empezar... Yo tenía mis cosas... Él me las perdonaba... Te digo que esto nunca tuvo importancia". —"¡Los únicos dos seres en los cuales yo confiaba!" —"Mira: no te me pongas en melodrama que, para Sarah Bernhardt ya tengo bastante con mi tía". (Me miró a la cara y me la encontró tan nueva por su crispada dureza, que pasó repentinamente a la ofensiva:) "¿Cómo no quieres llevar cuernos si llegas todas las noches a tu casa, agotada, sin ganas de nada, metida en tus musarañas —y ni siquiera por haber bailado como la Pávlova, sino por *haber hecho bailar a los demás?*... ¿Nunca te han dicho que, como hembra, no sirves para nada? ¡Tantas barras para no aprender nada!... Y ahora, déjame dormir". (Se volvió hacia el otro lado de la cama, tratando de meter la cabeza bajo una almohada). —"Oye. Una última pregunta: ¿José Antonio sabía algo de esto?" —"Pues... ¡claro que lo sabía!" (Bosteza:) "¡Hasta ha venido aquí a nadar algunas veces con nosotros". (Ahora la cabeza ha desaparecido bajo la almohada). —"Oye"... —"Déjame dormir"... Esto era ya demasiado. Había tocado el fondo del charco. En torno mío era el vacío absoluto. Nada de qué asirme. Sola en un planeta que me rechazaba... Y, súbitamente engendrada por Lóbrega Noche, una extraña voluntad de seguir viviendo, pero *desviviendo* —como en recurrencia. Abdicación total. Renuncia a todo. Puesta en cero, descender la escala de los *menos-cero.* Hundirme en las sombras de un anonimato total. Desambicionar lo ambicionado; desaprender lo aprendido. Incapaz de hallar nada ya fuera de mí misma, me enclaustraría en mí misma, lo más lejos posible de toda solicitación... Como Teresa había vuelto a la modorra del somnífero, sin hacer caso de su recomendación, llamé a mi casa. Allí nada particular había ocurrido, me dijo Camila. Bien. Ahora yo pasaría por el banco y dentro de una hora iría a recoger algunas cosas. Que me subiese las maletas que estaban en el sótano. —"¿Se va de viaje?" —"Sí". —"¿Al extranjero?" —"Sí"... Antes de salir, miré largamente el mapa que Enrique y yo habíamos comprado en la Rue Saint-Jacques. *Scte. Iago,* Camino de Santiago, ruta de andariegos, de penitentes, de menesterosos, guiados por la de Venera, signo oceánico. *"La mer, la mer, toujours recommencée"*. En el banco pregunto al cajero que acaba de entregarme algunos miles de pesos, si conoce la ciudad de Baracoa. —"Ni que Dios lo quiera" —me responde, riendo: "¡Eso es lo último!"

INTERLUDIO

Ce n'est qu'à prix d'argent qu'on dort en cette ville.

BOILEAU

34

Las primeras cartas que de Vera recibo en Caracas dicen mucho sin decir nada: tras de incoloras expresiones de cariño, me informa de que está al tanto, por José Antonio, de la buena marcha de mis negocios; que mi excelente colaborador Martínez de Hoz —arquitecto español a quien conocí, combatiente herido, en el hospital de Benicassim— está llevando adelante mis obras de construcción (varias residencias de un estilo amorfo, un supermercado, un restaurante campestre...); y que sus dos programas de ballets están casi listos, pidiéndome que, cuando le llegue el momento de emprender la gran aventura de París, vaya a reunirme con ella *en Europa.* Y aquí es donde hay que empezar a leer entre líneas, porque demasiado insiste en que debo "seguir descansando", lo cual *"era bueno para mi salud"*, pues "nada, por ahora, requería mi presencia en La Habana" (y "necesitabas reposo", y "no te apresures en volver", y "el cambio de aire te hará bien", etc. etc.) Y con esto entiendo la razón de sus frías y escasas palabras de cariño: ella cree o sospecha que su correspondencia es interceptada, lo cual no sería raro puesto que la censura postal corre pareja con la censura de prensa dondequiera que, bajo una dictadura, empiezan a funcionar los mecanismos represivos. Por lo tanto, bien avisado estaba de que no debía regresar a Cuba por ahora. Allá proseguían las persecuciones, llevadas a los más extremos límites de la ferocidad, cosa que, por lo demás, se sabía aquí, a donde llegaban noticias de acontecimientos jamás reportados por los periódicos nuestros. Muchas cosas había sabido yo por boca de quienes —como el herido oculto en mi oficina— habían tomado parte, de cerca o de lejos, en el asalto al Palacio. Pero pensaba también que sus informaciones podían deberse al optimismo que, por fuerza, llevan al revolucionario de nueva cosecha a agigantar las circunstancias favorables a su acción. Aquí, en cambio, *se sabía.* Se sabía que las posiciones de quienes habían acompañado a Fidel Castro en su expedición del *"Granma"* se consolidaban cada vez más y que la Sierra

Maestra —ya símbolo y espíritu de toda una lucha— se había constituido en el baluarte de un verdadero ejército: un *Ejército Rebelde* que, cada día engrosado en hombres mejor armados y pertrechados, pasaba ya de la defensiva a la ofensiva, en asombrosa resurgencia y prolongación de la gesta mambisa del siglo pasado. Y por lo mismo que en Venezuela se padecía una dictadura militar —aunque menos aparente, menos volcada sobre la calle, que la de Batista— publicaban ciertos diarios cuanto podían acerca de lo que ocurría en mi país, en maniobra de oposición solapada e indirecta, confiados en que a buenos entendedores bastaban pocas palabras. Además, las revistas europeas y norteamericanas que aquí circulaban, estaban empezando a ocuparse seriamente, mediante reportajes más o menos fidedignos, de una lucha que, cada día, iba cobrando mayor envergadura. En *Paris-Match* se había hablado recientemente de una verdadera guerra de guerrillas, con fotos de un campamento que parecía magníficamente organizado y en nada evocaba la desordenada improvisación bélica de ciertos efímeros "alzamientos" conocidos en el pasado. Todo parecía indicar que en la Sierra Maestra se estaba peleando de verdad, con disciplina y sentido táctico... En cuanto a mí, seguía los acontecimientos con un creciente interés, mientras trataba de entender esta rara ciudad de Santiago de León de Caracas, que tenía la virtud de trastrocar todas mis nociones, haciéndoseme, de día en día, más rara, desconcertante, excesiva, teratológica, y hasta repelente, a veces, aunque enigmática, contrastada, misteriosa, difícil de penetrar y tremendamente atractiva a pesar de la anarquía de sus voliciones, porque en ella se asistía, de seguro, a la gestación de *algo* —de algo específicamente latinoamericano, sólo concebible en una ciudad cuya existencia cotidiana era un siempre renovado *happening*.

Happening ininterrumpido y multitudinario que se venía gestando desde hacía varios millones de años, por la acción soterrada de enormes reservas de plancton en estado de expansión, materia primordial de la vida en el planeta que, bruscamente, en tiempos recientes había aflorado, surgido, brotado, aquí, allá y más allá, derramando a la luz, después de una espera que duraba desde el Tercer Día de la Creación, el hediondo y pringoso plasma de sus depósitos profundos. Entonces, para apresurar ese inesperado alumbramiento de abisales matrices, se habían alzado las torres de las perforadoras, habitadas por el pájaro mecánico —balancín con silueta de picamaderos— que les era inseparable, y los hombres habían abandonado los campos, dejando casas y plantíos, para arrimarse a los sueldos seguros de las Grandes Compañías Multinacionales implantadas dondequiera que hubiese olor a petróleo en el mapa del país. Y, sobre yermos ingratos, habitados antaño por el alacrán, la tarántula y el crótalo, habían crecido las ciudades nacidas en una noche, con sus bares de diez mil botellas y burdeles de cien putas, en la enorme y aleatoria concertación de sinfonolas, rocolas y *juke box,* de los Grandes Sábados de borracheras, fornicación, barajas y dados. Aquí, mucho más que en México, hubiera podido escribir Ramón López Velarde los versos famosos de: *"El niño Dios te escrituró un establo / y los veneros de petróleo, el Diablo".* Sobre el secular establo de ganadería que había sido la apartada, recoleta y poco edificadora Venezuela que, con demasiados niños nacidos en pesebres y ningún Rey Mago a la vista, parecía quedada entre los países-parientes-pobres del continente, habíase asistido a una repentina transformación de Diógenes en Rey Midas. Y ese Rey Midas había armado el más extraordinario de los maremágnum urbanísticos, soltando sus jaurías de buldozers sobre la capital. Temprano (cuando no trabajaban a la luz de focos y reflectores) empezaban a gruñir, ladrar, atacar a dentelladas, morder la tierra, los implacables buldogs-buldozers, desatados por docenas, con sus carlancas de hierro, en todos los ámbitos de la población —escoltados por manadas de artefactos escarbadores, camiones de volteo, y las giratorias barricas del granzón y del cemento que rodaban de aquí para allá largando su fango gris, en densos borbotones, a diestro y siniestro, en un estruendo de motores, frenazos, marcha atrás, marcha adelante, aludes caídos de las mezcladoras, en tanto que cien automóviles, inmovilizados por un inextricable apiñamiento, atronaban el aire con la ensordecedora ira de sus cornetas. Los contratistas, inversionistas, compradores, vendedores, negociantes, especuladores, banqueros, arquitectos, ingenieros, maestros de obra, estaban poseídos por una furia de destruir, construir, volver a destruir para volver a construir, que iba acabando con todo lo que de abolengo y con alguna gracia conservaba la cuatricentenaria urbe. Los buldozers, furibundos en sus acometidas, concertados en el ataque, gozosos de derribar, la emprendían —¡tanto más gustosos, porque allí se acababa pronto!— con las viejas mansiones mantuanas, hincando los garfios en los zaguanes, levantando tejados, arrancando los dragoncillos esquineros, metiendo sus orugas metálicas en los patios del granado y del tinajero, deteniéndose para resoplar un rato —después de vencer a la Virgen de los Coromotos que hubiese señoreado el vestíbulo final— sobre un montón de escombros pulverulentos, en humo de cales viejas. Y ya entraban en la atronadora sinfonía las percusiones de los martillos eléctricos, el bufido de las aplanadoras, los silbatos de los capataces, las cargas de dinamita que, intermitentes, ponían la desazón, a todas horas, en los pechos desprevenidos. Y, sobre todo ello, pintada en el cielo como un azote de Dios, viravolteando, alzada, soltada, expectante, presta siempre a largar el tremebundo latigazo, estaba la "Bola" famosa, recientemente traída que, lanzada como mangual de batalla antigua, arrojaba su masa de hierro, de repente, sobre un edificio de cinco pisos, que al punto se desmoronaba, dejando restos de costillares —vigas rotas— adheridas a una pared medianera que hubiese resistido el embate. —"Ahí viene la Bola" —decían las gentes, viéndola cambiar de barrio, pasando majestuosamente, como enorme alegoría de carnaval, colgante de su grúa, entre los últimos techos rojos de la ciudad. Y donde se detenía la Bola se instalaba el cataclismo: volarían las techumbres, las romanillas, las rejas, las mamposterías, los árboles, las estatuas, las fuentes, como en ciudades antiguas condenadas a ser arrasadas por la ira del vencedor. Y después se levantaban rascacielos, se ponían casquetes de cemento a las montañas circundantes, se inauguraban autopistas que ya se revelaban insuficientes al día siguiente de su estreno, obligando a los ingenieros —convencidos de la falsedad de cálculos que siempre quedaban por debajo del ritmo de la importación de vehículos— a inventar nuevas vías y obras canalizadoras y repartidoras del tránsito, que se llamaban "pulpos", "arañas" "ciempiés", en un ámbito de ficción donde muchos árboles centenarios —centenarios caobos— habían sido sustituidos por falsos árboles de cemento, con ramazones de orquídeas que, ésas sí, eran auténticas, pues podía comprobarse al tacto que no eran anuncios de orquídeas, hechos con alguna materia plástica.

Arquitecto aterrado de lo que hacían mis semejantes en oficio mostrándome los excesos a que podía conducir un desaforado y anárquico afán de construir, solía refugiarme en lo añoso y tradicional, buscando lo que aún subsistía de la ciudad antigua: los altos donde se alzaba el Panteón Nacional, rodeado de encantadoras casas de una planta, embadurnadas de rosado, amarillo, marrón, azul, y, más arriba, al final del Boulevard del Brasil, las callejas de empinadas aceras y poyo en ventana, que conducían a la última taberna típica, de columnas blancas y tosco mostrador, que todavía quedaba en la entrada del antiguo Camino de los Españoles que, tramontando un accidentado cerro caía, al otro lado, sobre el panorama esplendoroso del puerto de La Guayra. Cruzando a veces algún borriquillo de Galipán, cargado de flores del rabo al ronzal, andaba hasta la sombra de un árbol que se erguía, impasible, en el remate de una cuesta, y contemplaba la ciudad tendida a mis pies, encerrada entre sus montes, que se me ofrecía, en su conjunto, con todas las grandezas, miserias, alardes, encantos, contrastes, misterios, seducciones, antagonismos y teratologías, de las capitales que en este continente conocían, después de harto prolongada espera, una inatajable fiebre de crecimiento y expansión... Venidos de lejos, y a veces de muy lejos —de las laderas andinas, de más allá de los Llanos, de donde corrían enormes ríos nacidos en comarcas aún sin explorar— asomábanse al panorama de la ciudad, cada vez más incontables en su migración, hombres, mujeres, niños, atraídos por un nuevo espejismo de El Dorado. Con la mirada negra, a la vez fija y ausente —como extraviada— de los bilharzianos, contemplaban los primeros rascacielos jamás vistos, como en tiempos remotos pudiesen haber contemplado los nómadas bíblicos, ignorantes de cuanto fuese una urbe, los portentos de las torres astrales y jardines suspendidos que los hijos de otras tribus, más inventivas y ambiciosas, hubieran sacado de las arenas del desierto. Los criollos del Táchira, de Barinas, de las orillas del Apure o del Caroní, descubrían con asombro lo que habían hecho otros criollos, depositarios de las mismas herencias raciales, adelantándoseles en varios siglos. Los hombres de ayer, jamás salidos de labranzas, industrias y técnicas primitivas (y habían pasado del borriquillo de la Conquista al avión ultramoderno sin conocer la etapa del ferrocarril, pues el único tren expreso que se hubiese atribuido a Venezuela era el que, de Caracas a Ciudad Bolívar corría, por mera imaginación de su autor, en *El soberbio Orinoco* de Julio Verne...) se topaban con hombres de hoy que ya aspiraban a serlo de mañana, entendiendo, de pronto que, aunque hablasen el mismo idioma y con idéntico acento, hablaban idiomas distintos. ¿Cómo, en qué términos, con qué capacitación profesional, con qué conocimientos o mañas, pedir trabajo a esos otros compatriotas que cabalgaban vigas metálicas en el cielo, hundían sus martillos eléctricos en el suelo, o, con sus máscaras de amianto y sopletes oxhídricos, cobraban el aspecto de seres extra-terrestres?... Ante la imposibilidad de ofrecerse para nada útil, los recién llegados no se atrevían a trasponer los linderos de la ciudad, aglomerándose en los cerros circundantes, en las inmediaciones de lo edificado, replegándose sobre una miseria sin remedio, que era la misma de las favelas de Río de Janeiro, de los pavorosos suburbios de Santiago de Chile, de los "quita-y-pon" de La Habana, de los caseríos apenas caseríos que, en vientos de tolvanera, proliferaban y crecían sobre los fondos desecados de las lagunas de Texcoco. Allí se llamaba vivir lo que era vivir muriendo, en perpetua merma de la dignidad, recurriéndose a la traquimaña y la fullería, a la mendicidad o el hurto, para alcanzar la tarde de hoy, en espera del mañana sin cocido, mientras una prole ansiosa y siempre hambrienta se hundía en las calles de la urbe, con un cajón de limpiabotas a cuestas o un rimero de periódicos en la cabeza, viendo cómo, bajo los techos de la capital en expansión, iba creciendo una ciudad enana, ciudad en miniatura, hecha de maquetas instaladas en oficinas y agencias, prefiguración de una ciudad del futuro sobre la cual se hacían, desde ahora, a fe de arquitecturas de cartón piedra, figuraciones y promesas, fabulosas operaciones de compra y venta. De contado se adquirían, cuando aún resudaban el barniz de sus recientes pinturas, casas, residencias, palacetes, de cinco palmos de ancho por dos de alto, puestos sobre céspedes de felpa, rodeados de vegetaciones hechas de esponjillas verdes reflejadas en albercas y estanques donde bogaban cisnes de celuloide sobre el agua de diminutos espejos. En mesas tan grandes que parecían destinadas a un billar de titanes, se ofrecían futuras urbanizaciones dotadas de lagos artificiales y bosques de árboles trasplantados donde era tan árido el suelo que ni cardos criaba, con las múltiples atracciones de campos de golf, picaderos, piscinas olímpicas, jardines zoológicos, y trenecitos para el regocijo de niños, cuyas parcelas, muy bien delimitadas en el papel, cambiaban de amo cada semana, con pasmosas subidas de precios por metro de terreno, tan pronto como los contratos pasaban de mano a mano. Y lo mismo ocurría con los rascacielos de tres metros de alto, puestos en las vitrinas de promotores inmobiliarios, cuyos pisos se iluminaban con sólo apretar un botón, en una magia de diminutos ascensores que subían y bajaban, automovilitos que entraban y salían, y donde, desde ahora, podía comprar el cliente los espacios necesarios a sus futuras oficinas... Aquí había dinero para todo y para todo daba el plancton del Tercer día de la Creación: dinero para el Cadillac y el Jaguar, y para Christian Dior y para Cartier, y dinero para ver correr la última Ferrari, y dinero para ver de cerca las estrellas más *sexy* del cine italiano; dinero para que el caviar viniese en latas de diez kilos por encargo hecho a Air France, directamente del Irán (pues aquí los caviares de otras procedencias —el Beluga, el Sevruga— eran considerados como vulgar alimento de gente que estaba "fuera del perol"); dinero para que los jóvenes burgueses corrieran en las motocicletas más *mustangs* y estrepitosas que pudieran concebirse, "ángeles del infierno" montados en sillas de cow-boy, con colas de zorros colgadas de sus manubrios; dinero para importar las esplendorosas Cabirias que, vertiginosamente escotadas, oficiaban en la "Casa de las 500 llaves", enclavada en pleno centro de la ciudad, bajo el inocente e inútil disfraz/letrero de "Clínica Dental" puesto en la entrada de un austero y casi penitenciario edificio pintado con colores de funeraria... Dinero, dinero, dinero; hacer dinero, hablar de dinero, soñar con dineros, acumular dineros —secular obsesión del denario, dinar, diram, monedas, moëdas, libras tornesas, libras esterlinas, doblones, luises, napoleones, bolívares, sucres, pesos, piastras, platas y oros presentes, implícitos, en el billete aún oliente a tinta de imprenta y avalado por los negros manantiales que, desde los albores del planeta y entre humus prehistóricos y selvas abismadas, obraban en las ctónicas honduras de las tierras de Anzoátegui o de Maracaibo, soltando a chorros lo que sólo podía brotar de las zahúrdas de Plutón... Pero si, en el siglo pasado, hubiese sido de buen tino escribir novelas tituladas "Los misterios de París" o "Los misterios de Londres", en este siglo hubiese podido escribirse también "Los misterios de Caracas". Porque ocurría que, en esta ciudad entregada a la nada esotérica multiplicación de los bancos, compañías de seguros, créditos hipotecarios y máquinas calculadoras, en el incesante estruendo de los buldozers, por caminos arcanos, en conciliábulos nocturnos y ceremonias presididas por símbolos egipcios, cruces coptas y cabezas de Nefertiti, proliferaban, con pasmosa aceptación, las más diversas formas del Ocultismo. Todo mago, todo gurú, todo maestro de ciencias herméticas, estaba seguro de hallar discípulos en la propicia ciudad de Santiago de León de Caracas, donde, desde hacía tiempo, se había implantado, con todo el peso de sus "Imperatores" locales, el rosacrucismo californiano. Poco antes, un iluminado francés, venido —decía— del Tibet, que calzaba sandalia y llevaba la blanca túnica de los cátaros, con cabellos largos a lo hippy y rubias barbas a lo Fonseca —el de los tabacos habanos y el poema de García Lorca— había fundado, aquí, una Orden del Acuario, trabajando activamente por contrariar la acción de los muchos "magos negros" que, según afirmaba, urdían sus maleficios en las orillas de la Laguna de Tacarigua, cuna de civilizaciones arawakas. Algunos discípulos de Gurjeff —el del *"Prieuré"* donde había muerto Katherine Mansfield en el hedor de un establo de vacas que, según el Maestro, debían "traerle los hálitos vitales de la tierra"— explicaban sus *enseñanzas ignotas*, según el evangelio de Uspensky, su apóstol mayor. Las doctrinas de Jacobo Boehme, de Saint-Martin "el filósofo desconocido", Martínez de Pasqually, Elifas Levi, tenían incontables adeptos allí donde muchos buscaban incansablemente la Unidad, la identidad del Hombre con el Cosmos, estableciendo las más riesgosas identidades entre

Lao Tse, Buda, Zoroastro, Cristo, Plotino, el Maestro Eckhart, Swedenborg, dando por sentado que Descartes, Pascal y Newton, entre otros. eran privilegiados eslabones que, en la cadena de Revelaciones, nos ligaban al mundo de Hermes Trismegisto.

Si bien se miraba, todo esto era maravilloso y formaba parte del cúmulo de maravillas que poco a poco se mostraban a quienes quisieran otear en profundidad el mundo latinoamericano, donde lo terrible de ciertas contingencias políticas, el horror de las dictaduras militares o civiles se inscribían en lo pasajero y transitorio de una historia turbulenta, en tanto que permanentes eran los portentos de lo circundante, de lo que era de la naturaleza, del ambiente, y de la esencia auténtica del Hombre nacido de los más vivificantes mestizajes que hubiesen consignado las crónicas del planeta. Y, por lo mismo, hallaba yo maravilloso que, acosado por las jaurías de buldozers, atosigado de progreso, ensordecido por los ruidos de una urbe en anárquico crecimiento, aturdido por las solicitudes del lujo excesivo, del despilfarro y de la especulación, el venezolano siguiese siendo tan semejante a sí mismo. Asistía a la incontenible implantación en su suelo de las grandes compañías multinacionales y convivía con sus dirigentes y técnicos, pero sus hogares seguían cerrados a los yankis, salvo cuando se tratara de recepciones de cumplido; había promovido una vasta inmigración italiana, laboriosa y eficiente, pero de su vocabulario sólo había adoptado el "Ciao", de uso universal; leía muchos libros y periódicos franceses, sin usar de galicismos en la conversación —fiel, en su cotidiana vida, a los muy nacionales sabores de la arepa, la hallaca y la cuajada llanera. Mientras La Habana era invadida por letreros en inglés y millares de jóvenes de ahora se formaban en colegios y academias gringos, en tanto que los Testigos de Jehovah, Adventistas y Metodistas reclutaban feligreses en campos y ciudades, aquí se era magníficamente impermeable a lo anglosajón. Crecían los niños en liceos cuyas fachadas se adornaban de frases de Simón Bolívar, formándose en un habla venezolana, de inflexiones inconfundibles, en el que perduraban sabrosas locuciones de recio castellano anterior a la Conquista —perdidas allá, conservadas acá. El venezolano, tan poco europeizante como poco norteamericanizado, seguía fiel a su condición de criollo, fuese adinerado o proletariado, con un apamate por árbol genealógico y nostalgias de caraota y cambur apenas se alejaba del suelo nativo. El hombre de aquí vivía hondamente enraizado en una tierra cuyas energías telúricas pesaban en su destino. En sus siempre enigmáticas Guayanas, en su casi ignota Sierra de Parima, en los confines de la Gran Sabana, en las fuentes de los ríos del Génesis, había fuerzas misteriosas que lo ataban a su suelo, y acaso por lo mismo —y por lo mismo que tenía dinero suficiente para ello— se había acostumbrado a traer a su casa lo que una real cultura plástica le hiciese admirar en sus viajes al extranjero. Así, en cuanto a las gentes acomodadas que me habían abierto sus moradas, era evidente que en materia de gustos artísticos eran asombrosamente superiores a quienes, de semejante condición, integraban la burguesía cubana... Porque —y esto era magnífico— en algunas mansiones de los *"beaux quartiers"* que desde aquí divisaba, se me había vuelto a iluminar el maravilloso mundo de la pintura y la escultura. Allí, de las brumas mañaneras que demoraban sobre el valle, bajo aquel techo, o aquél, o aquel otro, había reencontrado los estremecidos, adorables, cuerpos femeninos de Renoir, las ingrávidas danzarinas de Degas, las sensuales e indolentes odaliscas de Matisse, contempladas pensativamente —y acaso con mitigada envidia— por la prudente Penélope de Rodin. Más allá, en el tope de aquella colina, renacían, con cada amanecer, varios arlequines de Picasso, junto a una mágica naturaleza muerta de Braque. Un poco más abajo, un Kandinsky de la primera época, una geometría en perpetuo movimiento de Vasarely, se avecindaban con un pequeño/inmenso Paul Klee, lleno de personajes que paseaban las banderitas de un ejército desconocido entre cirios que ardían en las honduras de una noche infinita. En otro lugar, ladraban a la luna los perros de Joan Miró, sonaban sin sonar las guitarras de Juan Gris, y en aquel jardín, entre frondas tropicales, alzábanse un "Orfeo" de Zarkine y un "chacmool" de Henry Moore. Un vitral de Léger y un transeúnte selenita de Hans Arp acogían al visitante que entrara en la Universidad, cuyo gran anfiteatro era señoreado por el más vasto "stábile" que Calder hubiese ejecutado jamás. Y respiraba yo —¡por fin!— ese oxígeno de plástica mayor, tan necesario a mi sensibilidad, y tan ausente de las suntuosas misceláneas decorativas —en realidad, batiburrillos de cosas caras y rara vez realmente valiosas— que atesoraban los *beati possidentes* de mi calle 17, tan inconmovibles en su encartonamiento plástico, como insensibles se mostraban ante los crecientes desmanes de una horrorosa dictadura...

Aquí también se padecía una dictadura: la de un generalillo gordezuelo, a quien veía yo, no sé por qué, como una suerte de coleóptero uniformado, que trataba de remediar su reducida estatura de hombrecillo sin cuello con el uso de quepís disparados hacia el firmamento. Como todos los dictadores latinoamericanos, Pérez Jiménez, criatura de cuartelazos, llenaba el país de "grandes obras" (¡también Gerardo Machado había sido el promotor de "grandes obras" en Cuba!) que, sirviendo de propaganda a su régimen (¡bien conocía yo esos manejos!) le proporcionaban, por trasmano, cuantiosas ganancias personales, compartidas con sus compadres y allegados. Una policía experta y activa, formada en los Estados Unidos, con jefe supremo *made in U.S.A.*, se encargaba de tener tan habitadas las celdas de la Seguridad caraqueña que, en cierta oportunidad, había sido necesario adquirir un hotel cercano para alojar a tantos huéspedes. También se hablaba de campos de concentración, de secuestros, de asesinatos nocturnos... Pero, para mí, extranjero, nuevo en el país, para quien ciertos apellidos eran letra muerta, lector de una prensa severamente censurada en cuanto a noticias locales, la dictadura pesaba menos que la de Batista, sentida en carne propia. Para medir el verdadero alcance de una dictadura era preciso conocer mucho un ambiente en todos sus niveles, y yo seguía siendo un forastero recién llegado, ante el cual sería probable que no se hablase libremente de ciertas cosas... De todos modos, se me había acogido con la cálida y sencilla cordialidad de quienes me veían como un pariente cercano por mis costumbres, mi manera de expresarme, mi llana noción de igualdad ante todo latinoamericano, muy ajena a la idea de superioridad implícita en el comportamiento algo admonitorio y paternalista de muchos europeos que, aunque traídos aquí por la ola de prosperidad, no podían trabarse en una conversación sobre esto o aquello, sin acabar por caer en un: *"en mi país"*, más o menos ejemplarizante. Yo, por lo pronto, no era tenido por *musiú*, sino visto como lo que era: un criollo y bien criollo, del Caribe, y ya que el Gran Almirante había epilogado sus descubrimientos en las bocas del Orinoco, gentes del Caribe éramos todos, en un ámbito que abarcaba las plurales Antillas y la Tierra Firme. Varios arquitectos venezolanos, siempre sobrecargados de obras, me habían ofrecido la posibilidad de trabajar con ellos. Pero yo, considerando mi permanencia aquí como algo transitorio, me dejaba llevar por una pereza rara en mí. Cómodamente alojado en un edificio de la Urbanización Altamira, conduciendo un automóvil sencillo y sin pretensiones —modesto Opel— me pasaba días y días vagabundeando por los lindos pueblecillos de la costa —Catia la Mar, Macuto, Caraballeda— o bien, cruzando un buen espacio de selva virgen, caía en la aldea pesquera de Turiamo, cuando no alcanzaba las imponentes laderas de los Andes para pasar un fin de semana en el hotel alemán de la Mesa de Esnujaque. Dormía mucho y leía enormemente acerca de América, aquí donde la conciencia de ser americanos —latinoamericanos— era mucho más fuerte que en mi país. Vera, con sus frías cartas, reveladoras de censura, me tenía en calma, hablándome exclusivamente de la marcha de mis negocios y de los progresos de sus ballets... Y así pasaron varios meses hasta que, una mañana, cerciorándome por los cuños de que su última carta me había llegado más de tres semanas antes, empecé a inquietarme ante ese silencio inhabitual. De pronto, pensé en enfermedades, en accidentes, en lo peor... Pedí comunicación telefónica con el número de nuestra casa. Sonó largamente el timbre y nadie me contestó. Llamé a la escuela de la Plaza Vieja en horas de ensayos. Y ahí ocurrió algo increíble: cuando pregunté por Vera, o por Calixto, o por Mirta, o por Hermenegildo o por Sergio, una voz desconocida me respondió que "allí vivía una familia, y nadie, en esa familia, tenía tales nombres". Llamé a Teresa: "la Señorita estaba en *Mayami*". Llamé a José Antonio: éste me dijo con la sequedad de quien se sabe escuchado, que Vera estaba muy bien de salud; que ya tendría noticias de ella; y añadió, con el marcado subrayado vocal que se destina al buen entendedor: "Tus asuntos andan magníficamente bien. *No te inquietes. No vengas por ahora. Tu presencia es innecesaria aquí. Ya tu mujer te dará noticias"*. Pensé entonces en mi colaborador Martínez de Hoz: "Vera, sin novedad. No. No ha estado enferma. Creo que está en París"... Pero entonces... ¿por qué no me escribía de París? Fui a la embajada de Francia, para consultar una guía telefónica. Allí figuraba, por suerte, el número de Laurent, en la Avenida Georges Mandel. Llamé a Olga, que me salió bastante enojada pues yo había pedido la comunicación a las 10 de la noche, hora de Caracas, sin pensar que en Francia estaba próximo a pintarse el amanecer: *¿Vera? Nada sabía de Vera. No era posible que Vera estuviese en París y no hubiese ido a verla.* ¡Y más si pensaba que Laurent habría de intervenir, por fuerza, en la presentación de su conjunto coreográfico!... Jamás vi tan altas las montañas del Ávila como durante aquella noche de insomnio en que se me erigieron cual una enorme barrera que me cerrara el horizonte. Y preso me sentí bajo la vastedad de un cielo que ya clareaba y cuyos caminos todos me estaban abiertos, menos aquellos —como pasa siempre— que pudiesen llevarme a donde hallara una explicación de lo que ocurría *—o había ocurrido*... Y por primera vez se me hizo intolerable la estruendosa sinfonía de los buldozers que irrumpió en el amanecer, acallando la alborada de los pájaros.

VII

...esta mujer extrañamente desarraigada y que se aferra a su propia sombra.

VALÉRY *(El alma y la danza)*

35

"Lo último." Ya me lo dijeron. Esto es "lo último", aunque haya sido, históricamente, la primera población fundada por los españoles en la isla. Primada, pero hoy postrera —dijo alguien. Lo último. Pero un "último" que conviene a mi ánimo en derrota; que me aplaca y serena, porque nada, aquí, prolonga mi pasado, ni se asocia a imágenes recientes, ni se vincula con mis íntimas cronologías. Nada, aquí, está fechado. No hay mansiones de armorial en puerta, ni monumento venido de otro siglo. Ni las casas, ni la iglesia parroquial, siquiera, tienen estilo. Nacieron así, a ambos lados de calles totalmente desprovistas de rasgos, memorables, a la buena de Dios —valga decir: del carpintero o del albañil— hasta que, derribadas por una tormenta o vencidas por los años, sean substituidas por otras nuevas que probablemente se parecerán a las anteriores, y a las que, mucho antes, desconocieron el lujo de un adorno, el realce de una amable cornisa, la gracia de un mascarón o la nobleza de un vaso romano alzado en la proa de una azotea esquinera. Dos fuertes, de construcción militar —el de la Punta y el de Matachín—, dejaron, desde hace tiempo, de hablar de abolengo por la boca de sus piedras desencajadas y enfermas de salitre. Una larga playa triste; una larga calle mayor, cortada por otras menores que van a parar al mar, y es el mar en todas partes, el mar siempre próximo y metido en el olfato, de esta franja costera que en nada se diferenciaría de cualquier otra, si no fuese por la imponente y tutelar presencia del Yunque, mole rocosa, singular por su forma, hermosa en sus proporciones, cuya cima casi recta, obra de estereotomía telúrica, se alza en fondo de panorama sobre un vasto pedestal de verdores profundos que se alargan y difuminan en los otros verdores, más alzados y cambiantes, de las montañas circundantes... Aquí los relojes y cronómetros pierden su autoridad, y hasta ocurre que se le olvide a uno de darles cuerda, sin que, por marcar todavía las cinco de ayer vaya alguien a creerse que las sombras cortas de las once de la mañana de hoy se hayan puesto a crecer a deshoras. Se amanece al son de las campanillas pregoneras de chorotes de cacao bruto, que se ofrecen en bolas azucaradas; durante el día, suelen oírse, isócronos y nada sombríos, los dobles por las ánimas de los fieles difuntos, que muchos vecinos encomiendan a la campana del párroco en observancia de una vieja costumbre; al caer la noche, tras del provinciano paseo en el parque que aquí es triangular —única peculiaridad notable de esta ciudad—, suena el timbre de un cine (sólo hay uno), donde se proyectan películas que ya se gastaron en todas las pantallas de la isla, y luego es la noche, igual a las demás noches, en espera de un amanecer igual a los amaneceres de siempre —a menos de que se cierre el cielo, engrisen las nubes la cima del peñón, y empiece a llover. Y si llueve, lloverá sin tregua durante siete, ocho, diez días, sin violencia, quedamente —y diría que casi *británicamente*, y para una mayor asociación de imágenes, diré que ésta es acaso la única población del país donde casi todo el mundo sale con paraguas, cuando cierto olor venido de tierras adentro —olor a altos cafetales ya mojados, a cacaotales de mucha humedad guardada— se cuela en las calles aún soleadas, inadvertible para el forastero, inequívoco para el lugareño. (En esos días —y sólo la lluvia suele hablarme a veces de tiempos idos— no sé por qué recuerdo el primer acto de *Pygmalión*, el paraguas de Erik Satie, los paraguas arrojados por centenares, a modo de telón, al final del ballet que fuese inspirado a Salvador Dalí, por los delirios y la muerte de Luis de Baviera...) Y diré que esos paraguas de Baracoa, por lo fuera de lugar bajo este cielo, acaban por destruir en mí toda noción de ubicación geográfica. ¿Dónde estoy en realidad? No lo sé, como no lo sabía el Gran Almirante de Isabel y Fernando, cuando se asomó a las arenas negras de "Porto Santo" y acaso conoció los peculiares tirabacones de estas costas, dicen que allá a fines del año 1492; no lo sé, como no lo sabía tampoco un modestísimo colono extremeño, aclimatador de ovejas y de ganado, sembrador de viñas que por haber sido abandonadas volvieron a su estado silvestre, y se perdieron en las cumbres cercanas con sus frutos cada vez más agrios y esmirriados —olvidadas de su dueño, un tal Hernán Cortés que un día, cansado de ser chupatintas de gobierno en un villorrio de indios baracoas, había cambiado su ocupación por otra, evidentemente más lucrativa, conseguida en la gran Tenochtitlán de México.

El mismo lunes de mi llegada aquí —en avión que me trajo del minúsculo aeropuerto de Antilla, tras de un traqueteado y desapacible vuelo entre nubes revueltas y celajes inestables—, almorzando en la primera fonda que me salió al paso, leí este increíble anuncio en *La Prensa,* una hoja local donde mucho se anunciaban los "dos motivos de orgullo" de la ciudad: el ron y el anís *Yunque: "Se vende una casa con sala y cuatro habitaciones, con un solar de doce varas de fondo, en 900 pesos".* —"Aquí la propiedad no vale nada" —me explicó el sirviente cuando le dije que esta oferta, por lo módica, me parecía inverosímil... Se trataba de una casa bastante destartalada, ciertamente, pero amplia, de alto puntal y sólidas paredes, cuyo tejado de muchas goteras tenía fácil arreglo. Lo más importante de todo era que su frente daba al mar. Cerré el trato aquella misma tarde, y, después de pasar tres noches en un albergue destinado a viajantes de comercio y campesinos venidos de pueblos no muy lejanos, pero distantes, sin embargo, por el pésimo estado de los caminos, empezó mi instalación, con muebles y enseres comprados aquí y allá —lo indispensable, en espera de ir eligiendo cosas de más calidad, o de hacer encargos precisos a un carpintero-ebanista hallado en el próximo Callejón de los Mallorquines. De La Habana sólo había traído dos maletas de ropas, algunos libros y objetos personales, y una caja que contenía un tocadiscos, comprado a última hora, poco antes de tomar el avión inicial de mi viaje con algunas grabaciones que para nada me hablaran del ballet ni de partituras ligadas a alguna íntima peripecia de mi propia vida. Si algo necesitaba, Mirta —a quien yo había llamado por teléfono, desde Rancho Boyeros, antes de salir, haciéndola jurar que a nadie confiaría el secreto de mi paradero— se encargaría de mandármelo, pues con Camila le había dejado una apreciable suma de dinero después de proveerme, en el banco, de lo que en mi cartera traía. En cuanto al salario de mi sirvienta y al alquiler de la casa de La Habana, Martínez de Hoz se ocuparía de ello, como siempre hacía... Así, lo primero que hago, apenas instalada, es escribir a mi discípula, dándole mi dirección que será la única persona en conocer —y sé que, al respecto, puedo contar con su muy seguro silencio... Dos semanas después recibo una carta suya, redactada en el tono neutro y breve que conviene, en estos tiempos, a nuestra correspondencia, carta donde, tras de cariñosas expresiones de cariño que parecen las de una hija, me desliza una breve frase, fruto de ingenua criptografía, que al fin descifrada me hace reír por lo clara, aunque confieso que tardé varias horas en entenderla: *"El galán de Melibea está en Davos"*. El "galán de Melibea" era Calixto, evidentemente. Pero, lo de *Davos*... Al fin recordé el sanatorio donde Hans Castorp va a visitar a su primo Joachim, en la inmensa novela de Thomas Mann que mi discípula estaba leyendo, aunque trabajosamente, cuando ocurrieron los hechos terribles que nos separaron. La acción de *La montaña mágica* se desarrollaba en Davos. Y caigo en que la idea de *montaña* evoca la idea de *sierra*. Y *Sierra* sólo hay una, hoy por hoy, en boca de todos: la *Maestra*. Es decir: la Sierra Maestra. Esto significa que Calixto ha logrado escapar a las persecuciones de la policía, uniéndose a las fuerzas de lo que se ha constituido ya en: *"El Ejército Rebelde de Fidel Castro"*. ¡Gran alivio!... Ahora sí podré recobrar la paz, recuperar mi calma interior en el anonimato y el renunciamiento que he venido a buscar en este olvidado rincón de la isla —por no decir: del planeta. Miro hacia las montañas que se escalonan y retroceden tras del Yunque, gris-plateado-anaranjado por los tardíos fulgores de un lento crepúsculo. Detrás de esas montañas, hay otras, y otras, y otras más; y detrás, la Sierra, con sus hombres en armas. Deseo de todo corazón que triunfen en su lucha —y más ahora que Calixto está con ellos. Pero esa lucha está volcada, por fuerza, hacia allá, hacia la otra vertiente del país —hacia las provincias occidentales, las grandes ciudades, la capital, donde están las fuerzas adversas —los Poderes que se proponen aniquilar, y ojalá lo lograran. Yo quedo del lado *acá* de su lucha, en "lo último", en la villa irremisiblemente postergada, condenada a la modorra, al descuido, por su exigua población, su pobreza en recursos, su ausencia de caminos. Nadie tiene nada que hacer acá y la Historia, por una vez, sea cual haya de ser el desenlace de esta guerra (pues ya puede hablarse de guerra en un combate que no cesa ni cede), se olvidará de "la postergada" como de ella se olvidó Hernán Cortés para ir a probar fortuna —¡y con qué fortuna!— en el Anáhuac. Y si, desde niña, no hago más que mirar hacia hechos que sobrepasan mi entendimiento, aquí no tendré que huir de nada, porque nada habrá de alcanzarme en este remoto remanso caribe, a menudo ignorado por los mismos tratados de geografía... Por lo pronto me voy enquistando —de espaldas al mar a donde habrá de arrojarme quien pretenda sacarme de aquí— en la divina soledad que es la mía en el presente. Sé que mi instalación en este lugar ha sorprendido a más de un vecino. Nadie se explica que una persona venga de la capital para instalarse aquí, si no tiene fincas que explotar o familiares que atender. Han empezado por llamarme "la loca"; luego "la rusa loca", al saber dónde he nacido. ("Es una de ésas, que salieron zancando de su país, cuando se lo arrancaron al Zar" —sentenció un filósofo de tertulia bodeguera: "Pero —¡coño!— ha tardado en llegar, porque eso fue hace como cuarenta años"— observó otro). Luego se pensó que yo era una "enferma de los nervios", en busca de tranquilidad. Y los más, al comprobar por mi trato con la gente —y más que nada con los comerciantes a quienes compraba o encargaba las cosas que me eran necesarias en lo cotidiano— que yo era persona de un natural apacible, me aceptaron sin tratar de entender más, con la convicción final de que mi retraimiento ocultaba un secreto— y vaya usted a saber "la procesión que cada uno lleva dentro". Y esto de "la procesión" pasó de imagen verbal y algo refranera a la certeza de que me consolaba en soledad de recóndito padecimiento moral —lo cual era bastante cierto, en parte— cuando los vecinos corrieron la voz de que yo era desmedidamente aficionada a "la música de iglesia", pues en mi tocadiscos sonaban muchas veces las *Vísperas de la Virgen* de Monteverdi, el *Gloria* de Vivaldi, el *Réquiem alemán* de Brahms, y sobre todo, la *Misa en si* de Juan Sebastián Bach, cuyo segundo *kirie* es acaso, para mí, una de las pocas cosas en el mundo que puedan merecer totalmente el peligroso calificativo de sublime. Por lo demás, desatendiéndome de una actualidad que sólo podía llegarme a través de una prensa amordazada por la censura —y que, desde luego, no hablaba de lo que ocurría detrás de éstas, y de otras, y de otras montañas que se constituían en una sierra—, sólo tenía noticias del ingenioso hidalgo a quien habían quemado los libros en un lugar de la Mancha de cuyo nombre no querían acordarse algunos, estaba al tanto de los espantables sucesos ocurridos en un castillo de Dunsinane, o me interesaba por saber si aquel que se había extraviado en una selva obscura al alcanzar el medio tránsito de su vida, había podido salir del atolladero, a pesar de las tres alimañas que lo molestaban. Vivía, una vez más, fuera de la Época.

Pero la Época no tardó en colárseme, subrepticiamente, dentro de la casa, en la persona de un médico a quien había llamado para que me aliviara de achaques relacionados con el ya previsible agotamiento de mis manantiales profundos. De fornida cabellera blanca sobre un rostro joven a pesar de la edad, era el Doctor una simpática mezcla de sabio, diletante, historiador, arqueólogo, bibliófilo, coleccionista de enseres líticos, puntas de flechas y cuchillos de sílex —además de ser filatélico y buscador de fósiles —como sólo suelen encontrarse, con tal diversidad y amenidad de aficiones, en las pequeñas ciudades de provincia. —"Como el Marqués de Bradomín" —decía: "soy feo, católico y sentimental". En lo profesional, era de muy sólida formación científica, y, a poco de haberse terminado la Primera Guerra Mundial, había completado sus estudios en París: "En la época de la Danza de los Millones, algunos de por aquí podían permitirse el lujo de mandar sus hijos a Europa". Para él, París era la irrupción del jazz, las garzonas, los funerales de Anatole France, la gomina, el debut de Josephine Baker, y el auge del tango argentino —aquel atrevidísimo baile que hubiese hecho decir a Briand: "Yo ignoraba que *eso* podía hacerse de pie". Le gustaba la ópera francesa —*Manón, Lakmé, Louise, Le jongleur de Notre Dame*— pero le fastidiaba el ballet. Había visto uno, que mostraba una boda de campesinos rusos, insoportable, "con esa orquesta extraña, de pianos y baterías de cocina". (Él ignoraba que en *Les noces* yo era una de las "amigas" que peinaban las trenzas de la Novia...) Todavía se carteaba con un compañero de estudios en el Hôtel-Dieu que, de cuando en cuando, le mandaba revistas *de allá*. Él me traería algunas, porque, a la verdad, aquí era imposible enterarse de nada, con esa prensa de La Habana o de Santiago, que nos llegaba con cuatro o cinco días de retraso cuando el avión de Antilla no podía aterrizar aquí, por las nubes harto cargadas de lluvia. Además, a causa de la censura —¿me entiende?— no se sabe nada de *lo más interesante*... (y señalaba hacia las montañas). Fingí que no entendía lo que quería decirme. Esto podía ser un sondaje, una manera de hacerme hablar. —"Lo que más me interesa es lo que puede suceder en Baracoa" —le dije: "Y, para eso, no puedo tener mejor informador que usted" —"¡Ah, mi señora! Aquí no pasa nada y pasa de todo. Usted ha salido de Brobdingnag para entrar en Liliput —un Liliput con frangollo, chorotes de cacao y tasajo de tiburón. Y todo lo que ocurre en una gran ciudad, ocurre aquí, pero en escala minúscula. Aquí hay Montescos y Capuletos, güelfos y gibelinos, Guerra de las Dos Rosas, Querella de las Investiduras, y hasta Guerra de Religión". Y, en esta primera visita del médico, que no será la última, me entero de la graciosa rivalidad que alientan las gentes de acá entre tres imágenes santas: la Virgen de la Caridad del Cobre de la familia Frómeta, la Virgen de la Caridad del Cobre de la familia César, la Virgen de la Caridad del Cobre de la Iglesia Parroquial, a la que, por tener el semblante sonrosado, llaman —¿por qué?— la Virgen Catalana, afirmándose que ha sido traída de Barcelona y es, por tanto, un poco forastera... Y cuando se marcha el Doctor y quedo sola, una brisa salobre, penetrante, que ha rozado mares de fondo, me devuelve repentinamente el vasto aliento marino donde crecí y donde, cuando el viento no traía las arenas del sur sino los frescores del norte, reinaba este mismo olor. Pienso en las tres vírgenes que se disputan las devociones de las gentes de aquí. Y pienso, a la vez, en las muchas Vírgenes que se compartían las devociones de las gentes *de allá*. Y, habiéndome cerrado voluntariamente las puertas de todo futuro, se me abren las de mi remoto pasado, promoviendo un regreso de fantasmas de ayer que, como evangeliarios llevados en procesión, me devuelven en imágenes la historia de mi infancia... Y esta casa invadida por el rumor de las olas se te transforma, de repente, en aquella otra donde, en una habitación llena de tenues iluminaciones, se adoraban los iconos. Y tú también, entonces, adorabas los iconos...

...Agia Paraskeva, Santa Ana, el Arcángel Miguel, San Macario según la pintura de San Teófano el Griego, San Jorge, con su alimaña retorcida y furiosa herida en las fauces, San Basilio, doctor de universales entendimientos; San Sergio y San Nicolás, de toda mi veneración, viviendo su martirio al lado de la Madre, aureolada de oro y piedras preciosas —zafiros, rubíes, ágatas, turquesas de las obscuras, y hasta alguna perla de pálido oriente— cargando con el Niño Divino, siempre esmirriado, siempre lastimero, si se le comparaba con los Jesús mofletudos, regordetes, de la pintura italiana, tales como los mostraban las postales que, durante su viaje de bodas, me mandaba mi prima Capitolina. Pero, a pesar de la buena salud, de las mejillas amanzanadas de los Niños aquellos, más me conmovían los de aquí, tan rusos, con sus ojos sombríos, de almas tristes, ya presentidores de sufrimientos futuros, que nos miraban desde la arquitectura de los iconostasios ante los cuales elevaba mis rezos, cuando no oraba en la iglesia del Colegio de Santa Nina (calcado sobre el modelo del de Smolny de Petrogrado), destinado a las hijas de las mejores familias de Bakú, donde nos enseñaban a cantar las glorias de la Virgen de Zanmenié y de Dios Todopoderoso, protector del Imperio, y a cuya salida hablaban a veces los santos por la callejera voz de algún inocente inspirado, de un místico demente, de una campesina visionaria, lanzando profecías, clamores, amenazas, que los transeúntes escuchaban con medrosa atención, arrojando monedas a sus gorras y cepillos de limosnas. Terminadas las clases mi padre me mandaba a buscar en el coche negro, de hondos asientos, que me llevaba al almacén de paños, antes de que regresáramos a casa. El almacén era vasto, con muchos empleados que sobre largas mesas disponían, inventariaban, enrollaban y desenrollaban los chifones, organzas, rasos gris perla, rosados, azul-sepia, brocados y terciopelos que yo acariciaba de paso, dejando su jefe de trabajar para saludarme y señalar, con deferente gesto, el camino que conducía al despacho directorial, por entre vitrinas donde se exhibían encajes de Bruselas, de Malinas, de Valencienne, bordados de mucho precio, leves tules para vestidos de novia, alegres cintas de París, junto a sederías chinas, acaso venidas de Pekín o de Nankín, vía Irkutsk, por el Ferrocarril Transibe-

riano... Bakú era una ciudad polvorienta, de una construcción anárquica y muy mahometana —fuera de los alrededores del Parque, donde se alzaban los edificios administrativos, semejantes a pequeños templos clásicos pintados de amarillo-naranja— a pesar de que a menudo se escucharan, en esta u otra esquina, conversaciones en inglés, en francés, en sueco, de técnicos venidos para trabajar en las instalaciones extractoras de petróleo. El Islam estaba presente en vastos arrabales de casas sin ventanas, con paredes encaladas, donde, por las mañanas, camino de los baños públicos, desfilaban mujeres de rostros velados, calzadas de extrañas zapatillas con el tacón a media suela que marcaban el ritmo del andar con sonido de castañuelas. Después de años de una calma sin historia en que muchas gentes se resignaban a padecer de "fiebres intermitentes" —como entonces se las llamaba— con tal de ganar dinero, se habían revuelto los cielos hincados de alminares. De súbito, sin motivo aparente, había, en la población o en sus alrededores, brutales enfrentamientos de armenios y de cosacos, de armenios y musulmanes, de hombres de los barrios de abajo con hombres de los barrios altos; repentinamente se entablaban combates tan breves como sangrientos en calles cuyas aceras, por lo alzadas, estaban más arriba del pescante de los coches, y por encima de los carromatos y de los camellos cargados de odres de petróleo, volaban insultos, piedras, cuchillos y trozos de tubería... Hay, detrás de un yermo gris, habitado por perros sarnosos, un cementerio musulmán en cuyas cercanías no es prudente aventurarse. Allá hay hombres horribles que violan niñas, que violan jovencitas como yo, o se detienen ante ellas, alzándose las túnicas hasta la cintura, para entregarse a gesticulaciones obscenas. Pero las muchachas del Colegio de Santa Nina, vecinas de las avenidas modernas, no tienen por qué transitar en semejantes lugares, aunque son de aquellas a quienes nadie se atrevería a ofender, con sólo verles el uniforme de falda azul y el ancho sombrero de paja de Italia, con la cinta negra que les baja sobre el cuello marinero. Demasiado peligroso. Se desencadenaría toda la policía para castigar tremendamente al ofensor, o, a falta de él, a cualquiera que tuviese cara de canalla lúbrica, sin que sus mismos hermanos se libraran de un escarmiento ejemplar... Hemos reci-

bido, como regalo de fin de curso, un álbum, mandado por el Zar a las alumnas aventajadas, destacadas por su aplicación, donde, en ancho retrato de familia, aparece el Emperador acompañado por las pequeñas Grandes Duquesas, y el principillo heredero, de gran uniforme militar, junto a la Emperatriz, majestuosa y enjoyada —él, sentado, llevando una toca de oro y pieles semejante a la del Monómaco; ella, de pie, casi hierática en su tieso vestido que remeda los atuendos suntuosos de la Vieja Rusia. Hay dedicatoria, felicitaciones y firmas que, desde luego —y no se puede pedir más— pasaron al cliché de imprenta, al salir de las Regias Manos. Las Princesas son bonitas, y más aún las mayores, Tatiana y Anastasia, ya en edad de merecer, como se dice. Hace poco nos iniciamos en el estudio del francés, de acuerdo con las enseñanzas de un profesor laico, enlevitado, algo miope, que nos da tres clases por semana, bajo la vigilancia de la higúmena. En esto, adelanto con una rapidez que asombra al maestro; pero es que tengo la malicia de ocultarle que mi padre tiene, en su biblioteca, un preciosísimo ejemplar de los Cuentos *de Perrault, en la edición bilingüe de 1795 —la de Lev Voinov—, tan buscada por los coleccionistas de libros antiguos. Además, nuestro agente-corresponsal en París (la tienda los tiene en Londres, en Nijni-Novgorod, y hasta en Asia) me ha remitido como obsequio de cumpleaños una linterna mágica, cuyos cristales ilustran las aventuras del Pulgarcito, la Cenicienta, la Caperucita Roja, el Gato con Botas y la Bella Durmiente, con acompañamiento de texto. La calabaza acrecida al tamaño de carroza suntuaria y barroca, con sus seis ratones transformados en piafantes caballos, y los seis lagartos en lacayos que llevan libreas alamaradas por obra de un hada buena; el despertar de Aurora, con un vestido de cien años atrás, al compás de flautas y oboes que también tocaban pavanas que eran de cien años atrás; aquellos guardias suizos que todavía tenían en sus cuencos, sin haberlos bebido, los restos de vinos vertidos cien años atrás, me fascinaban al igual que la Llave Prohibida del Barba Azul de barbas no tan azules, con sus vajillas de oro y plata, y las tribulaciones del pobre Príncipe Riquet, tan feo al nacer que, por mucho tiempo se dudó de que tuviese forma humana. Me sabía —y mi padre me ayudaba a pronunciarlas— las frases claves:* "Est-ce vous, mon

Prince? Vous vous êtes bien fait attendre". —"Ma mère-grand, que vous avez des grands bras." —"C'est pour mieux t'embrasser, ma fille". —"Anne, ma soeur Anne, ne vois-tu rien venir?" —"Je ne vois que le soleil que poudroie et l'herbe qui verdois". *(Y el profesor, un día, sorprende mi impostura, al identificar el texto anterior por las desusadas voces de* poudroie *y* verdois...*) Por lo demás, nos están enseñando a bailar —entre nosotras, se entiende—, a portarnos bien en las recepciones, a servir el té, a hacer reverencias a las personas nobles, y a conocer algo de las reglas gramaticales, con las matemáticas necesarias para llevar sensatamente el presupuesto de un hogar; conocemos muy bien la Historia Sagrada y también la Historia Patria, esta última en función de coronaciones, triunfos y evangelizaciones; algo conocemos de la lengua eslava, manejamos algunos rudimentos de inglés, y sabemos honrar a nuestros padres, adornar una mesa y ayudar a nuestras madres en sus quehaceres domésticos; somos muchachas decentes, en el pleno sentido de la palabra, sin ignorar "las artes de adorno", el bordado, el dibujo de flores, la técnica del pirograbado, lo suficiente de piano y solfeo para tocar piezas fáciles y composiciones clásicas en edición simplificada. Tengo un álbum de calcomanías que muestran las maravillas del mundo: la Torre Eiffel, las Cataratas del Niágara, la Gran Rueda de la Exposición de París, el Partenón y las fuentes de Versailles. También hay una serie —ésa me la mandaron de Londres— sobre la vida de la Reina Victoria, con su medio miriñaque negro y su cofia de encajes, siempre rodeada de niños, funcionarios empelucados y guardias con casacas rojas, a la vez augusta y burguesa, con algo de imponente Ama de Llaves, bajo los festones encarnados de sus baldaquines. Reyes y Reinas de Perrault; Reyes y Reinas en el Kremlin, Pskov, Kiev —Jaroslav el Sabio— y Kazán, santuario de nuestro añejo pasado guerrero y eclesiástico. Reinas y Emperadores, aquí, en Inglaterra, en Italia, en los Balkanes, y en esas Alemania y Austria-Hungría que están en guerra con nosotros, monarcas que son todos parientes, en el fondo, así se retraten con cascos de punta, gorras de astrakán gris, uniformes de húsares de la muerte, mantos de armiño, jarreteras o cruces de hierro.*

Mi padre viene a buscarme hoy en el coche negro

que ha rodado a lo largo de calles barridas por los enervantes vientos arenosos, venidos del sur. Tengo arena en las orejas, en el cuello, en las espaldas. En tales días no amo esta ciudad, y sin embargo me pega al cuerpo como se pegan a las paredes de las tahonas mahometanas las masas redondas, delgadas, del pan sin levadura. (Sabré después que cada ciudad conocida, vivida, sentida en función de mar, de olor marino, de luces marinas —con presencia de mar— *siempre habrá de ejercer sobre mí la atracción de una realidad, a la vez una y múltiple, sobre la cual yo tuviese algo como un ancestral derecho de propiedad...) No creo que sea bella esta ciudad desordenada en su trazado, con sus callejones enrevesados, sus laberintos poblados de ojos invisibles, la avaricia de su vegetación, el desorden de sus estilos, sus barcas timoneadas con el dedo gordo del pie por pescadores de turbante sobre un agua que carga con irisadas capas de nafta. Pero estoy en ella y de aquí soy. Me sería difícil desprenderme, acaso, tal vez, quién sabe —es una impresión de hoy— de las visiones cotidianas que me esperan al levantarme de mi ancha y cómoda cama, con su icono colgado en la cabecera... Al llegar las Grandes Pascuas Rusas, después de que hubiésemos decorado innumerables huevos con pinceladas más o menos ocurrentes, hubo días de vacaciones para las de Santa Nina; bajaba yo temprano a las cocinas, donde las fámulas, con enormes paletas de madera revolvían, como con remos, el contenido de artesas llenas de masas harinosas, espolvoreadas de harina, escamadas de harina, con las cuales se edificarían los altos pasteles —torres sobre mesas; rombos, cubos, pirámides sobre las mesas, con filigranas de merengue, incrustaciones de guindas, epigrafías y retorcimientos de la crema endurecida que pregonaría el tradicional* Xrestos Voskrés, *cuando entre cúpulas jubilosas sonaran las campanas de la Resurrección... Anhelosa, a veces, de alguna soledad, bajaba al sótano de los escabeches, donde, en barriles olientes a vinagre, cebollas, hinojo, vino blanco y laurel, verdecían pepinos y tomates, o en sus salmueras dormían, apretados en círculo, con las colas al centro, los arenques vaciados de tripas, o algunos pececillos de los que se pescaban en el Mar Caspio. También hallaba alguna calma al fondo del jardín, donde mi padre había hecho construir una graciosa pérgola de madera, para las meriendas de verano, en la cima de una pequeña colina artificial, plantada de césped, de pocas varas de alto, a la que se ascendía por un sendero en espiral. Pero, muchas veces tenía que huir precipitadamente de ese mirador que sobresalía por encima de las paredes que nos separaban de la calle. Afuera sonaban disparos. Había repentinas y tumultuosas cabalgatas; gritos de mujeres, llantos de niños. Y aunque en el Parque Municipal, en falsa gruta tapizada de falsos helechos, ornada de estalactitas artificiales, ejecutase la banda de cosacos una música de Grieg (recuerdo que era la del* Palacio del Rey de la Montaña, *con su comienzo lento, grave, bajo, obsesionante, que iba acelerando el tempo hasta convertirse en un* finale presto*...) el malestar, la inquietud, crecían en la ciudad. En procesiones de mortificación, los mahometanos llevaban en hombros, zarandeándolos al ritmo de pasos medidos, largas filas de ataúdes abiertos, con sus cadáveres de cara al cielo, grises, verdes, apergaminados, podridos o encartonados, inmundos, con aquellas moscas que les volaban por encima, mientras los del séquito funerario y expiatorio portaban enormes banderas verdes sobre correajes colgados de las cinturas. Otros, detrás, de torso desnudo, se flagelaban con látigos de crin, con cilicios de púas, con cadenas de hierro, y enarcaban las piernas, llevando esas bragas musulmanas, enrolladas en los muslos, donde siempre parecía que llevaran espesos y asquerosos pañales. Acaso por mi amor a Paraskeva, a San Gregorio, a San Nicolás, a Santa Nina, evangelizadora de Georgia, odio todo lo que me huela a Korán. No entiendo el atractivo que sobre los forasteros ejercen las calles mahometanas, tan sucias como industriosas, con sus talleres de damasquinería y talabartería, comercios donde los martillos golpean el cobre del alba a la noche, dibujando geometrías, entrelazamientos y arabescos, o bien achichonando la materia de algún tibor, no lejos del apestoso patio de los pellejos sin curtir y de las colas de carnero fritas en su propia grasa, ofrecidas en la entrada de tiendas humosas, ante un perenne desfile de mendigos, limosneros, llagados, lisiados, tiñosos, cojos, tullidos, ciegos de ojos blancos, que se detienen en las esquinas para salmodiar pasajes de su Libro Sagrado. Cuando los veo, a pesar de las muchas cosas que me atan a esta ciudad —y más cuando la arena se me des-*

liza a lo largo del espinazo, se me mete por debajo de las faldas, hace crujir mis trenzas al destrenzarlas, sueño de pronto en el Norte; en el Allá, donde se alzan vastos palacios de color de algas y espumas, y donde frontones de helénica estampa se reflejan en canales de aguas mansas, junto a la roja alhóndiga de los antiguos mercaderes holandeses... Anoche me llevaron a una representación de ópera. Mi padre sacó de uno de los enormes armarios de la casa el frac que había sido de mi abuelo —en aquellos días, los trajes de etiqueta, levitas rectas, jaquettes *para recepciones de alguna categoría, al igual que los relojes con iniciales, cadenas y leontinas, se hacían de materias tan excelentes que se heredaban de generación a generación— y fuimos al teatro donde actuaba una compañía venida de Moscú. Vi, en decoraciones suntuosas, dos bailes —fue lo que más me llamó la atención: el primero, algo provinciano, como llevado por elegantes de aldea, con sus ostentosos atuendos y un evidente exceso de joyas y adornos; el segundo, deslumbrador, ofrecido entre altísimas columnas blancas, en un inmenso salón resplandeciente de luces, arañas de mil velas, candelabros barrocos, divinas mujeres de relucientes peinados, vestidas como hadas, que me llevaron hasta el límite del arrobamiento —tanto que, fuera de eso, poco me importó lo que ocurría en las demás escenas: dos hombres se desafiaban; luego, se batían en duelo. Caía uno —el que me gustaba— muerto de un balazo, en un paisaje de nieves. Y, para terminar, era un coloquio entre el Protagonista y la Mujer del Drama, que abandonaba la escena, de pronto, después de decir que amaba a su marido, y era, para el hombre que antes la hubiese menospreciado, como un cruel desplome anunciador de la lenta caída del telón. Y así terminaba la historia de Eugene Oneguin, personaje que acaba de entrar en mi vida. Ahora habría que recoger los ligeros abrigos —las noches eran frescas— y devolver los binóculos alquilados a la señora del* vestiaire. *Y después, la calle obscura, hostil, peligrosa, al cabo de la Gran Fiesta del Teatro. Repentinamente sonaron disparos, muy cerca, y una bomba, arrojada desde una terraza, estalló a veinte pasos detrás del coche. —"¡Corre! ¡Corre!" —gritamos al cochero, que ya hacía silbar el fuete sobre los caballos del tiro... —"Nos vamos de aquí" —dijo mi padre al llegar a casa, apenas mi madre se hubiese dejado caer en una butaca, aún ensordecida por el estruendo de la explosión: "Nos vamos de aquí. Ya no se puede vivir en esta ciudad. Los negocios andan de mal en peor. Es cierto que las gentes del petróleo ganan más dinero que nunca; pero no traen sus familias a estos arenales. Yo soy un comerciante de altura. No vendo percalinas ni telas para camareras. La clientela rica está emigrando hacia lugares más apacibles. Las mercancías caras se pudren sobre los mostradores. Ya no tengo edad para esperar tiempos mejores. Puedo establecerme en la capital". —"¿Y la guerra?" —pregunté, aunque la guerra, vista desde Bakú, pareciera algo muy remoto. —"¡Bah! ¡La tenemos más que ganada! ¡Claro! Tú no lees los periódicos. Tu madre no lo permite, porque se habla en ellos de muchas cosas que no son para muchachas bien educadas. Pero vamos de victoria en victoria. Fernando José está chocho; Guillermo II es un imbécil; el Kronprinz, un payaso, y Dios Todopoderoso protege a Rusia, como la protegió en 1812. Antes de tres meses habremos acabado con esas estupideces y echaremos a volar las campanas de la paz. Conoceremos una larga era de prosperidad en la que debemos pensar desde ahora, con la mirada puesta en el futuro. Está decidido: nos vamos de aquí"... Esa noche me acosté en mi honda, ancha cama, después del rezo. Pensé que mi madre estaría feliz, pues siempre había soñado con las luces, los teatros, los lujos, de Petrogrado —o San Petersburgo, como aún decían algunos, por costumbre. Y allá, a donde íbamos, había magníficas escuelas de ballet, y me sentía, ahora, irresistiblemente atraído por la danza —danza presente en el gran vals de* Eugene Oneguin *que aun me sonaba en la memoria... Grandes cambios se habían operado en esa memorable noche que determinó mi vocación.*

36

El médico posee un heroico automóvil Ford, de anacrónica estampa, todo arañado, maltrecho y achichonado, veterano de los cien malos caminos de su clientela —y aquí son malos todos los caminos— que, a fuerza de ser remozado con piezas de repuesto, acabó por no poseer ninguna de las piezas de origen, llegando a ser algo así como una suerte de reencarnación del vehículo original, salido, muchos años atrás, de la matriz de su fábrica. En tal carroza me viene a buscar ahora, algunas tardes, cuando no llueve, para llevarme a dar largos paseos por sobre baches, charcos y lodazales. Pero gracias a que ya no temo poner morados en mi anatomía, me voy adentrando en los trasfondos de la fecunda y negra tierra de la comarca, donde tan apretada suele ser la vegetación que ciertas casas campesinas parecen haber sido incrustadas en ella —sobre todo cuando las circundan los cacaotales, umbrosos como naves de iglesias románicas, con sus ubres brotadas de los troncos. Escuchando a quien me resulta historiador entre tumbos y bandazos, me entero de que Nuestra Señora de la Asunción de Baracoa fue fundada en 1511, y que aquí tuvo lugar el primer matrimonio cristiano de la isla, entre el propio fundador y una desdichada María, hija del primer contador de la población, muerta siete días después de su boda —"sin dejar descendencia", añade mi informador con una fingida seriedad encubridora de malicia. El Doctor sabe de todo; es, en sí, un viviente "gabinete de curiosidades", como los tenían, en el siglo XVIII, ciertos coleccionistas eruditos. Por él me entero del hallazgo, aquí, de un último ejemplar viviente del *Solenodon cubanus,* insectívoro almiquí, vástago final de una especie prehistórica. Por él vengo a saber que Jean Berlioz, hijo del compositor de la *Sinfonía fantástica,* murió en La Habana, y que el primer diputado socialista que tuvo Francia fue aquel Paul Lafargue, cubano y bien cubano, yerno de Karl Marx, autor de un *Derecho a la pereza* que era muy gustado por Jean-Claude —otra sombra de mi pasado que viene a alcanzarme aquí, en el confinamiento voluntario donde me he sumido, sombra devuelta a mi memoria por la inalienable posesión de una cultura debida a mi propio destino. Y es cultura, asombrosa cultura, la que me llega ahora, asombrosa por su vastedad, en la obra de José Martí, cuyos escritos me va trayendo el médico ahora, día a día, señalándome lo que más puede interesarme, de inmediato, en el mundo del prodigioso cubano, al cual sólo me había asomado, hasta el momento, a través de uno que otro poema. Y voy descubriendo, maravillada, el pensamiento de un hombre que —por tener que buscar símiles en los estratos de mi formación europea— se me asemeja un tanto a Montaigne, por lo enciclopédico de su saber, y también a Giordano Bruno, por la audacia agorera de sus ideas, su inconformismo, su ímpetu, su combatividad. Todo lo sabía, todo lo había leído. Sus ensayos van, con total entendimiento de hombres y de épocas, de Victor Hugo a Emerson, de Pushkin a Darwin, de Heredia a Walt Whitman, de Baudelaire a Wagner. Vislumbra en Gustave Moreau, lo que, medio siglo más tarde, verán los surrealistas. Exalta a los primeros impresionistas, destacando a Manet y Renoir, señalando cuáles habrán de ser sus obras maestras, sin un error de elección, cuando ya Zola, defensor inicial de la escuela, abandona una causa que ya rebasa su entendimiento. Escribe un ensayo de fondo —¿cómo?— acerca de *Bouvard et Pécuchet*, varias semanas antes de que empezase a publicarse el texto de la novela póstuma de Flaubert. Y todo esto en una prosa como pocas veces se haya escrito otra igual, tan rica, tan original, tan sonora, en castellano. Pero aún no conozco sus discursos, sus textos políticos, su epistolario... —"La iré guiando poco a poco" —me dice el Doctor: "porque así, de entrada, y sin hilo conductor, se perdería usted en una profusión de páginas que guardan una relación entre sí por encima de otras que solicitarían su atención de modo distinto cuando, en realidad, todo se inserta en una inquebrantable unidad de pensamiento... Por lo pronto, lea estos ensayos..." Y me entrega un tomo donde, a lápiz, ha marcado unos títulos en el índice: "Ahí está planteada toda la problemática de América Latina". Empiezo a leer. Y al cabo de unos párrafos hay frases que se me fijan en la memoria, por lo relacionadas con mi propia experiencia. Sobre todo, aquellas en que se habla de dar, en estas sociedades, lugar suficiente al negro, *"ni superior ni inferior, por negro, a ningún otro hombre"*. ¡Si lo sabré yo! Y aquella otra acerca del "desdén del vecino formidable que no la conoce", y es "el peligro mayor de nuestra América"... Paso al *Diario de Campaña.* Martí, puesto ya en los umbrales de la muerte, desembarca en este suelo para llevar su ya larga lucha de patriota al terreno inmediato e incierto, del campo de batalla. Y, el 11 de abril de 1895, apunta, en estilo telegráfico: *"Nos ceñimos los revólveres. Rumbo al abra. La luna asoma, roja, bajo una nube. Arribamos a una playa de piedras, La Playita"*... Y pocos días después, Martí caería en Dos Ríos. Pido a mi amigo que me lleve a ese lugar histórico. Y, a él llegamos, al día siguiente, tras de muchas tribulaciones por caminos enlodados. Junto a unos farallones, hay un paisaje de costa, acaso más adusto que otros vistos aquí desde mi llegada, donde las olas se hacen particularmente sonoras al retroceder sobre las gravas. —"En otro lugar próximo, en Duaba, había desembarcado un poco antes Antonio Maceo. Ambos, el héroe civil y el héroe militar, morirían por conseguir la misma independencia... Pero, si gracias a ellos dejamos de ser colonia española, por la mala inspiración *de otros* caímos en la órbita de los Estados Unidos, pero no fue para mirar hacia el memorial de Lincoln, sino para mirar hacia Las Vegas. Sí. Nos salimos del Ruedo Ibérico pero fue para caer en una Ruleta *Made in U.S.A."*.

Llegose al mes de septiembre, y asistí a los tres únicos acontecimientos importantes que pudieron verse en la villa de Nuestra Señora de la Asunción de Baracoa durante el transcurso de todo un año: el día 8, fiesta de la Caridad, salió paseada en angarillas, bajo palio y en procesión, la Virgen Catalana de la parroquia; siete días después salió, también en procesión, la Virgen de los Frómeta, y, a la siguiente semana, la Virgen de los César, con sus charangas y coheterías. Luego, se volvió a lo de siempre, con algún regocijo familiar traído por un bautizo, o un largo doble de campana traído por una muerte... Después de haberme abierto el universo de Martí, en el cual penetraba yo con creciente admiración por quien había entendido su época como nadie, en la Europa de su tiempo, habría sido capaz de hacerlo por confinarse entre horizontes demasiado inmediatos, mi médico, más requerido por mi amistad que por mis muy escasos achaques, seguía divirtiéndome prodigiosamente en su continuo hallazgo de textos singulares, que me llevaba con el orgullo del cazador ufano de haber derribado una liebre con certera puntería. Esta vez, se trataba de un texto bastante inesperado, en realidad, agarrado al vuelo en uno de los muchos tomos de las *Memorias* de Saint-Simon: "*El día 16 de marzo (1717), día de Pentecostés, Pedro Primero, Czar de Rusia, fue a los Inválidos, donde quiso verlo todo. En el refectorio probó la sopa de los soldados y también su vino, dándoles el trato de... camaradas*". —"¡Ya entonces! ¡Como hoy!... A usted, que es *de allá*, debe interesarle mucho esto"... Confieso que tuve un reflejo de defensa. El doctor nunca me hablaba de política. Escaldada como lo estaba por los acontecimientos que había padecido en carne propia, reaccioné con forajida suspicacia, oliéndome la trampa, donde acaso no había ninguna: —"No veo por qué esto tiene que interesarme muy especialmente". —"Bueno... Por lo de Pedro el Grande". Y ahora, yendo en pos de su idea: "La palabra está en Molière... Y resulta que su origen es español... Siglo XVI... De "camada", *camarada:* compañero de una misma *camada*... También la encontré en Quevedo"... De súbito, unos telones que tenía obstinadamente corridos en torno a mi existencia presente, se rasgaron. Y volvieron a rodearme algunas sombras ya remotas, puestas en su ambiente primero: "*Camarada es palabra que se encuentra en Quevedo*". Esto —lo recuerdo claramente— me lo dijo Enrique, la primera vez que hablamos —largamente hablamos— en aquella taberna de Valencia donde premonitoriamente se me pintó un mundo al cual él mismo habría de llevarme... Me esfuerzo en zafarme de lo vivido, en borrar mis propias huellas, en olvidar los caminos recorridos. Pero esos caminos me siguen los pasos, se me alargan como los tiros de un arreo, enganchándome finalmente a un carro de vivencias, cuya carga de rostros, trajes, máscaras, disfraces y telones, se me acrece con los años. "*Aunque encubras estas cosas en tu corazón, yo sé que de todas te has acordado*" —léese en el Libro de Job. Job eres ahora, en comparación con lo que quisiste ser. Pero, aunque hayas querido abdicar de ti misma, no puedes hacerlo. Y ahora, por exorcizar tus propios fantasmas, les sales al paso, les abres las puertas, y los invitas cada día a que hablen por tu mano en unas notas que vas acumulando, con creciente placer, en un gran *Libro de caja,* de hojas cuadriculadas, con tapas de cartón amarillo que, a falta de algo más elegante, has podido conseguir en una tienda mixta de aquí. Escribes unas memorias que a nadie se destinan y que, por la imposibilidad de decirlo *todo* a partir de ciertas experiencias compartidas, se detendrán en el umbral de los actos más significantes de tu intimidad de mujer, que precisarían de palabras mayores para explicar lo que a menudo dimana de lo irracional. Y, llevada por tu trabajo sin más objeto que el grato cumplimiento de una tarea sin objeto ("encanto siempre renovado de una ocupación inútil", escribió Ravel bajo el título de sus *Valses nobles y sentimentales*) te dejas arrastrar —tú eres quien ya no ofreces resistencia— por los recuerdos más ordenados y coherentes que logras hacer bajar al papel gradualmente obscurecido por la tinta de tu pluma... Y si toda práctica iniciaca implica la prueba de un Viaje, diremos que tu primer viaje se acompañó, para ti, aunque no tuvieses conciencia de ello, de un primer encuentro con la Historia. Recuerdas, sí, recuerdas...

....

...A medida que vamos rodando se me hace más largo este rodar. Salgo de una lectura del Ivanhoe *de Walter Scott, para mirar hacia llanuras siempre semejantes a sí mismas, donde un pastor, de hopalanda negra, cuida de grandes rebaños de ovejas. Suben y bajan los alambres del telégrafo, entre poste y poste, con la misma curva, la misma inflexión cien veces repetida, que se identifica en mi mente con el reiterado crescendo y decrescendo musical de un tema musical que no logro identificar. Sin embargo, de jornada en jornada, el paisaje se hace más verde y frondoso, con muchos estanquillos de agua ocre, orlados de juncos y vegetaciones musgosas. Hemos dejado atrás el mahometano olor a carnero asado que —lo advierto ahora— reinaba en muchas calles de Bakú, para hallar, tres veces al día, el olor a cocina de coche comedor, igual en todos los trenes del mundo. Mi madre teje; mi padre dobla las hojas de* La guerra y la paz, *leyéndome a veces un fragmento en voz alta. Pero empieza a quejarse de que el expreso, cada vez menos "expreso", se va saliendo*

de los horarios previstos en la guía ferrocarrilera que a menudo consulta con mal humor. De trecho en trecho hay que esperar, en estaciones de segundo orden, a que pase un convoy militar, cargado de hombres, de caballos, de forraje, y se despeje la vía para que podamos llegar a otra estación donde también habremos de aguardar una o dos horas, para dejar el camino abierto a otro convoy militar. —"Es lógico" —dice mi madre, para burlar su propia impaciencia: "En tiempos de guerra los combatientes han de tener la prioridad". Pero lo que me extraña es que no todos los trenes parecen dirigirse al frente —es decir: hacia el oeste—; los hay que más bien se alejan de él, repletos de soldados con las guerreras desabrochadas, los cintos sueltos, que a todo pulmón cantan bullangueras canciones de tropa con más de una mala palabra encajada en las coplas. Y me parece que uno, en el vagón este que pasa lentamente al lado del nuestro, habla, a gritos, de degollar a los generales y ahorcar a los capitanes. —"Está borracho" —dice mi padre, cerrando enérgicamente la ventanilla... Y después de un largo y laborioso cambio de trenes en Moscú, proseguimos, de noche, el viaje a Petrogrado, amaneciendo entre aldeas de isbas miserables, rodeadas de pinos. Y al cabo de esperas y más esperas que hicieron durar el viaje dos veces más de lo previsto, alcanzamos, al fin, la terminal ferrocarrilera de monumentales naves. Todo aquí, además, me parece monumental, moderno, maravillosamente organizado. Pero cuando nos dirigimos al encargado de nuestro vagón reclamando un maletero, éste se encoge de hombros: "De eso no hay... Es por la guerra... La guerra". Cargamos, pues, con todo el equipaje, los paquetes, la caja de los iconos caseros. Mi padre, con su pelliza de otros tiempos —que, por demasiado pesada y forrada de pieles había dormido largos años de naftalina en los calores de Bakú— me parecía un tanto ridículo, estampa clásica del rico comerciante provinciano, tal como lo representaban los periódicos festivos. Yo también me siento algo ridícula, algo disfrazada, con mi gorrito escocés y mi falda plisada, un poco corta —y también de estilo escocés—, como salida de una ilustración de novela de la Condesa de Ségur ("née Rostopchine"*, dice siempre mi madre cuando habla de ella), cuyos libros, encuadernados en pasta de color frambuesa y oro, me habían sido prestados* *por mi maestro de francés:* Les malheurs de Sophie, Les mémoires d'un âne, Les petites filles modèles... *Estamos en la salida de la estación, esperando por algún coche, mi madre y yo sentadas en las maletas, cuando vemos aparecer, con jubiloso alivio, a mi prima Capitolina: "Con mucho trabajo he conseguido un coche. Vienen todos a vivir a mi casa. Hay sitio, pues Sacha está en el frente. Después, si les parece, podrán buscar algo mejor. Aunque, en estos tiempos..." Rodábamos por calles anchas y hermosas, entre palacios de altas columnas, semejantes a las que aparecían en la decoración de la escena del gran baile en* Eugene Oneguin. *—"¿Es cierto que la Emperatriz visita a los heridos?" —preguntó mi madre. —"Ella y las Grandes Duquesas. Son tan buenas. Hay que verlas, vestidas de enfermeras". Pero había, en su tono, una melancolía que me sobrecogió. Parecía preocupada. Su marido, capitán de artillería, estaba en la línea del fuego. No era para menos... De trecho en trecho, nos señalaba un edificio que apenas era, para mis ojos, una masa informe, por el vaho helado que empañaba los cristales de las ventanillas. —"El Palacio del Santo Sínodo... La Iglesia de San Isaac... Allá, pero no pueden verlo, está el Palacio de Invierno..." Recogidas nuestras cosas por una sirvienta, Capitolina nos llevó al comedor de pesados muebles obscuros, donde nos esperaba un samovar rodeado de platos con dulces y frutas confitadas. —"¿Y tus mercancías?" —preguntó a mi padre. —"Vienen por carga,* à petite vitesse". *—"Si es que llegan" —dijo ella: "Si no es que las roban por el camino. Todo es desorden. No se puede contar con nada ni creer en nada. Seguramente les habrán hablado de nuestras victorias. Son tantas y tan gloriosas que ya no se cuentan. Paletadas de optimismo que los periodistas y los comentaristas militares cobran a tanto la línea. Y cuando tenemos, cada día, que abandonar posiciones ventajosas, nos hablan los diarios de 'geniales retiradas estratégicas'... Por lo demás, las gentes viven con una despreocupación increíble. Los teatros están repletos. Hay una* troupe *francesa que tiene un éxito tremendo. La ópera se representa a taquilla cerrada. Y el ballet gusta como nunca... También es cierto que el ballet se nos ha vuelto un arte nacional". —"Quiero estudiar ballet" —digo, de pronto, con tono tan resuelto y enérgico que me sorprendo a mí misma.*

—"Pues, para eso no faltan buenas escuelas... Nuestra capital es un semillero de bailarinas" —dijo Capitolina. Mis padres parecían muy complacidos con mi inesperada decisión: "No estaría mal que Vera tomara clases de danza clásica. Es debilucha. El ejercicio le hará bien". Para demostrar a mi prima que tenía buenas nociones musicales, toqué en el piano las dos únicas piezas que me sabía de memoria: En un convento *de Borodine y* La cajita de música *de Liadow. En eso sonó un cañonazo que nos sobresaltó. —"Son las doce. Miren si tienen buena hora en sus relojes. Todos los días, a las doce en punto, disparan un cañonazo en la Fortaleza de Pedro y Pablo". (Fortaleza situada cerca del agua como otra que, muchos años más tarde, habría de regir la exactitud de mis relojes sobre el agua de una bahía. Estaba dicho que, para mí, la heráldica de Cronos se acompañaría, más de una vez, del* Ultima ratio regum...)

....

...Visito la ciudad. Me parece de una increíble belleza, en comparación de lo que he dejado atrás. Me detengo, admirada, ante sus Arcos de Triunfo, sus monumentales museos y aquellas columnas rostrales, emblemáticas, que son como las Puertas del Mar —columnas que se acrecen en mi memoria, ascienden, alcanzan las nubes, rasgan el cielo, como arietes, como obeliscos, como las pilastras de algún Olimpo, de tan enormes como se me hacen ahora, vistas desde el nivel de los paraguas de Baracoa, mucho más pequeños, además, que los abiertos bajo densas nevadas por los isvoschiks *de mi infancia... Yendo de iglesia en iglesia, conozco a los santos, más venerados aquí que en Bakú, que son San Simeón el Teólogo, San Esteban de Perm, el gran Sergio Palamas, padre de toda una mística, San Serafín de Sarov, y San Isaac, cuya catedral de columnas rojas, monolíticas, de proporciones casi egipcias, son de una aplastante majestad. Me llevan a varios museos y veo muchos cuadros —escenas históricas de Repin, un* Carnaval en la Plaza del Almirantazgo *de Makowsky, procesiones aldeanas, jetas de boyardos borrachos, vistas de puertos rusos... —aunque lo que más me llama la atención, en el Ermitage, es un retrato de Ida Rubinstein, por Serof, que mi madre califica de "decadente". Pero es que la mujer que desde su marco me mira es una danzarina, y pienso en la danza, ahora, en todo momento...*

Y, por fin, un día memorable, me llevan a la escuela de Madame Christine, maestra famosa, en cuya clase de principiantes trabajan unas veinte niñas de mi edad. Hace muchos años, Madame Christine fue estrella famosa del Teatro Imperial. Se dice que tuvo amores con un Gran Duque y hasta con el Zar Alejandro III —hechos que, ciertos o no, forman parte, aquí, de la mitología de toda bailarina que se respeta. Hoy, es una gruesa señora de pelo teñido, tetona y fondona, con más estampa de walkiria que de sílfide, que, triscando caramelos a todas horas, incansable y móvil a pesar de su incipiente obesidad, va del estudio de las pequeñas al de las medianas, y al de las mayores, armada de un ligero bastón, pronta a rectificar cualquier error, con un lenguaje tan crudo como eficiente y directo. Y, en la baraúnda de tres pianos que suenan a la vez, atravesándose la Humoresque *de Dvorak en la* Valse Bluette *o* La cinquantaine *de Gabriel Marie: "¡Eh, tú! ¡Enderézame esa pierna... Y tú, que pareces una vaca corriendo por un potrero... ¿Oye, Sonia, por qué agachas los hombros como una jorobada?... Y tú, Olga, no me saques el culo... Ustedes, las grandulonas, como siempre, fuera de compás... A ver eso... ¡No! Remataste mal... Por poco te vas de nalgas... Y esas mayores, que ya se creen estrellas... Tamara: si crees que danzando así te vas a parecer a Karsavina, te jodiste... Estás buena para ir a bailar a un cabaret gitano o algo peor... ¡Qué oficio, Virgen Santa! ¡Qué oficio!... Tener que trabajar con semejantes burras... Es que el genio de la danza se ha perdido en este país..." Por primera vez me pongo zapatillas, que me enseñan a atar a los tobillos en forma tal que no se vea el nudo... Me agarro de una barra. Y 1, 2, 3, y 1 y 2 y 3, y 1 yyyyý 2 yyyyý 3... Hoy ha empezado mi existencia verdadera. Soy demasiado poca cosa, todavía, para tener el honor de recibir los regaños de Madame Christine. Por ahora, se me acerca, sonríe, y, con mano tremendamente fuerte, me corrige una flexión, me desplaza un muslo, o, tomándome por la mano y apartándome los antebrazos con los codos, me explica lo que debo entender por un* port de bras*... Ojalá Madame Christine me invectivara pronto, usara conmigo del crudo lenguaje que usa con otras alumnas. Eso significaría, para mí, un ascenso a categoría superior... Y bailar, bailar, bailar siempre. Vivir más arriba de los* *engorros cotidianos. Vivir en el gesto, en el aligeramiento de mí misma, en el ritmo y en la música...*

....

...Cuando, pequeñita, observaba yo que una señora había engordado extrañamente en algunas semanas y mostraba alguna sorpresa ante el caso, mi madre me daba siempre la misma explicación: "Puede ser que tenga hidropesía". Y parecía que el clima de Bakú favoreciera esa enfermedad, como favorecía las viruelas, que habían dejado sus marcas en muchas caras de armenios, o las dolencias oftálmicas que empañaban y blanquecían los ojos de incontables mahometanos. Pero ningún caso de hidropesía, que hubiese podido observar de cerca, se había dado en mi familia. Ahora, sin embargo, mi prima Capitolina comenzaba a deformarse en ánimo, cara y silueta —sobre todo, eso. Se le hincharon los labios, se le espesaron los rasgos, y tuvo que dejar de usar el corset, mudando de humor a todas horas, y mostrándose exigente en antojos que todo el mundo se apresuraba en complacer. Y, esta vez, mi madre no habló de hidropesía. —"Va a tener un bebé" —me dijo. Y, enseriando el tono, se enfrascó en un cauteloso y eufemístico discurso, sobre las flores, el polen, las semillas de los árboles, los animalitos, como nuestra gata Cleo, que también tenían hijos, lo sublime del amor materno, etc. etc., palabras que escuché gravemente con la más abominable cara de hipócrita que me hubiese visto jamás en un espejo, pues, a los pocos días de haber ingresado en la escuela de Madame Christine, mis condiscípulas me habían enterado de todo lo que puede saberse en materia de procreación humana... Me pareció que el procedimiento inventado por el Señor era bastante feo y brutal, y, por lo pronto, en lo que se refería a mí, estaba bien resuelta a no someterme a semejante prueba. Además... ¿quién ha visto nunca parir a una bailarina? No podía imaginarme a Anna Pávlova, la ingrávida, la etérea —cuyo retrato había colgado en la cabecera de mi cama junto a una estampa de la Virgen de Kazán— amamantando a un niño. Para alcanzar las cimas de su arte, pensaba yo, la bailarina ha de mantenerse casta y pura, considerando su entrada en el maillot *como una suerte de entrada en religión. Se ingresaba en el ballet, como se ingresaba en el Carmelo... Y pasaron los meses, y se llegó al día del alumbramiento de mi prima, día*

de gritos, angustias, rezos y risas, sangre y holgorio, con aquella espera de horas, y la ansiedad de mis padres, y la llegada de la comadrona, y la del Doctor Sukaroff, y el regreso inesperado de Sacha, apenas convaleciente de sus heridas, y mi primera visión de maternidad real, con aquel trozo de carne amoratada, de ojos aún cerrados, que tan feo me hubiese parecido. Día en que, delante de nuestra casa, pasaron aquellos soldados desertores, cantando cantos revolucionarios, una Marsellesa *mal sabida, y* La Internacional. *Sobre todo* La Internacional *que habría de seguirme, desde aquel momento, a dondequiera que fuese —aunque aquí, para decir la verdad, no se había oído nunca, si es que se cantara en alguna parte, lo cual era probable. Pero, en los años 20, la cantaban a menudo los bailarines de Diaghilev; después, otras gentes, en los largos días del ascenso, encumbramiento y descenso del Frente Popular francés... Y la noche aquella, del concierto en Benicassim, en que tan inolvidablemente la había cantado Paul Robeson... Pero era durante la Guerra de España, y la Guerra de España se acompaña de recuerdos tan dolorosos para mí que no tendrá cabida en estos apuntes que arrojo al* Libro de caja *donde quedarán sepultados para siempre, pues a nadie habré de mostrarlos...*

....

...Muchos alimentos empiezan a faltar. Dicen que es a causa de la guerra, y que bien pueden privarse los civiles de cosas necesarias a nuestros valientes soldados que están en el frente. Pero, lo que no se consigue por las buenas, se obtiene en el mercado negro. Se podrían hacer sorprendentes hallazgos en establecimientos que nada tienen que ver con la comida: paquetes de harina, ocultos en las gavetas de una mercería; sacos de azúcar, botellas de Champaña, en los ataúdes de una funeraria; jamones enteros, salchichones, bateas de arenques, tras de las muñecas francesas e italianas de una juguetería. En la Perspectiva Nevsky acaba de descubrirse una tienda donde a ciertos enterados se vendían grandes samovares de factura barata llenos de wisky escocés —bebida que falta en el mercado desde hace mucho tiempo (y lo dice mi padre, bastante entendido en la materia por aficiones propias). En cuanto a la guerra, a la realidad política, en todas partes reina el desorden. Siguen afirmando los periódicos que estamos victoriosos en varios frentes, en

tanto que los desertores, el hombre de la calle, hablan de revolución, de derrocamiento del gobierno imperial. El mismo Gorki, en un periódico, predice la ruina de Petrogrado. Nadie sabe quién manda ni a dónde vamos. Los corredores de bolsa, los negociantes, los abogados, los representantes del comercio, y, sobre todo, las bailarinas, maldicen el desorden actual. Madame Christine, antes de iniciar el trabajo diario, nos hace rezar en coro y cantar el Himno de los Querubines. Los tranvías, después de una larga huelga, han reanudado sus circuitos. Pero es inútil contar con ellos. Están repletos de desertores, enracimados en las plataformas, subidos a los techos, cuyas manos no perdonan nalga de mujer que les pase por el lado. Y sin embargo, la vida sigue, prosigue, en un constante apetito de placeres, cada cual agarrado al momento que transcurre, como pasa siempre en épocas de zozobra. Mi padre dice que los restaurantes de lujo están repletos y que, en las casas de juego, hay gentes que pierden verdaderas fortunas a la ruleta o al baccará, a pesar de que es peligroso aventurarse en las calles después de la puesta del sol. En cualquier momento suenan fusilerías, aquí, allá, sin que nadie sepa quién dispara contra quién. Y sin embargo, no es posible permanecer en las casas, donde la falta de carbón y de leña, en este inquietante invierno, nos afecta en lo físico y en lo moral. Mi madre me lleva al Teatro Imperial, donde ahora baila la asombrosa Karsavina que, de tanto entusiasmarme, me saca de mí misma, dejándome sin fuerzas para aplaudirla. (Dice Madame Christine que Anna Pávlova tenía ese mismo poder de vaciarnos de emoción en El cisne *de Saint-Saëns, o en las frívolas* Mariposas *de Drigo.) Y, cuando se sale del teatro, se regresa a una realidad incierta, con fondo de lejanos disparos y repentinas griterías que pronto se apagan. Cada día entiendo menos lo que ocurre. Oigo hablar de "mencheviques" y "bolcheviques", pero nada quiero saber de semejantes nihilismos. Rompo, sin leerlos, ciertos periódicos clandestinos, de tamaño carta, que manos invisibles deslizan en los bolsillos de mi abrigo. Nada quiero saber de política, de revueltas, ni de revoluciones. Siempre se me dijo, además, en mi familia, que tales cosas eran despreciables. En círculos oficiales a los que mi padre tiene acceso, se dice que todo volverá pronto al orden, y que, antes de que lo imaginemos, se acabará esta guerra con el triunfo de las Águilas Bicéfalas —que, por cierto, algunos comerciantes que aún no han corrido las cortinas de hierro, arrancan de donde las tenían puestas con gran honor para pregonar el privilegio de ser "proveedores de la Corte". Me tapo los oídos, cierro los ojos; no quiero leer proclamas ni panfletos. He nacido para danzar, danzar y danzar. Fuera de lo que sea Arte, de lo que pueda tenerse por Belleza, nada. Indiferente a los rumores que a muchos desazonan, Madame Christine está madurando un ambicioso proyecto: el de crear un ballet sobre la música de la* Obertura 1812 *de Tschaikowsky, donde sus mejores alumnas interpretarían pequeños papeles, en torno a danzarines de oficio, maduros, previamente escogidos como figuras centrales. Me ha contado el argumento. No se trata, desde luego, de hacer bailar el Corso, de bicornio, lo cual sería ridículo, sino de establecer un contrapunto coreográfico entre una Rusia rústica y apacible (introducción) y el desencadenamiento de los espíritus de la guerra, del apetito de conquista, representado por hombres envueltos en capas obscuras, con rasgos vestimentarios que los identifiquen con la vasta imaginería napoleónica que tanto se ha difundido en nuestros campos y ciudades. El pueblo, llevando sus trajes típicos, retrocedería ante la llegada de los intrusos. Una ampliación del decorado, en profundidad, mediante el alzamiento de cortinas de gasa, mostraría el panorama de Moscú, con visión de las cúpulas, torres y almenas, del Kremlin. El Espíritu del Fuego sería personificado por una danzarina estrella, seguida de una masa de bailarines (rusos) entregada a una suerte de embriaguez incendiaria. Las figuras obscuras (el enemigo) animarían una Danza del Miedo, en contrapunto con la Danza de las Llamas. En un obscurecimiento gradual del escenario, empezaría a caer la nieve; luego, la retirada, el vencimiento, los heridos, los caídos: Danza Macabra. Y el amanecer: el triunfo del Pueblo Ruso, con bailes de regocijo;* grand pas d'action *del Espíritu de la Patria, sobre el grandioso final de la Obertura —todas las campanas echadas a volar— con la apoteosis del Himno Zarista, que corona la partitura... En los medios oficiales del teatro, varios funcionarios se muestran favorables a subvencionar ese espectáculo patriótico, muy oportuno en el momento que vivimos. Sacha se comprometía a conseguir el artillero que a tiempo disparara los cañonazos marcados en la obra, con la misma seguridad de quien, en la Fortaleza de Pedro y Pablo, largaba el cañonazo de las doce. Era hombre que sabía leer la música. Tocaba el triángulo en la banda de su regimiento.*

A diario se asistía ahora a manifestaciones sobre las cuales ondeaban, sostenidas por pértigas, por bayonetas, por remos, por palos de escoba, por lo que se tuviese a mano, banderolas, estandartes, carteles, donde se leían, en espesos caracteres negros y rojos: ¡JORNADA DE OCHO HORAS! ¡VIVAN LA PAZ Y LA HERMANDAD DE LOS PUEBLOS! ¡ABAJO LA GUERRA! ¡PROLETARIOS DE TODOS LOS PAÍSES, UNÍOS! *Los amotinados quemaban ya, en medio de las calles, todo lo que pudiese verse como un emblema zarista —incluso las condecoraciones recibidas en el frente. Pero, al lado de esto, muchas proclamas, pegadas a las paredes, a las vallas de construcciones interrumpidas, sostenían la necesidad de continuar la guerra, llamaban a la disciplina, al orden, prometiendo una esplendorosa victoria para muy pronto. —"Que vayan a las trincheras los popes, los monjes, los especuladores, los burócratas, los inútiles a la sociedad" —respondían los obreros. Había partidarios de una ofensiva inmediata y partidarios de una paz por separado con Alemania. —"Sería el colmo del deshonor" —opinaba Sacha, esperando el momento de regresar al frente. Pero era visible que el régimen agonizaba. El Zar estaba en Pskov; la Zarina, en Tsarskoïe-Selo. No se sabía quién gobernaba: que si la Duma, que si el Soviet de Obreros y Soldados de Petrogrado, compuesto, en su mayoría, de mencheviques y de socialistas revolucionarios. Los partidos políticos se multiplicaban: el de los Kadetes, el de la Inteligentzia, sostenido por la burguesía de ideas noveleras, el de los maximalistas, el del* Bund, *obrero-socialdemócrata-judío, el de los Bolchevikis, que, evidentemente, contaba con fuerzas considerables, aunque su inspirador llevara veinticuatro años fuera del país; el Social-Demócrata, el Socialista-Revolucionario; en los campos, el de las Asambleas Rurales, más o menos controlado por los Soviets... Y toda esta gente discute, discute, discute, de día, de noche, en reuniones interminables que parecen considerar las horas de la madrugada como más propicias a las decisiones. —"La demencia... La demencia" —dice Madame Christine que, por ser yo alumna muy aventajada, me tiene ya haciendo puntas, a pesar de que mis zapatillas están desgastadas y raídas y no pueden conseguirse otras nuevas en la ciudad —en tanto que se hacen los ejercicios con los muslos al aire, porque tampoco se dispone de* collants... *En eso nos cayó, con la aterradora brutalidad de un tifón, de un terremoto, de una convulsión telúrica, la noticia de la abdicación del Zar, seguida de la constitución de un gobierno provisional, cuyo Presidente y Ministro del Interior era Lvov, "progresista" aunque príncipe, con el pequeño Miliukov en el Ministerio de Estado, y el incansable discurseador de Kerenski, en el de Justicia. Lo más sorprendente era que el desastre, lejos de promover un pánico monetario, produjo una estabilización del rublo. (Yo nada entendía de eso, pero a fuerza de oír a todo el mundo hablando de lo mismo, acababa por enterarme de algo...) Los bonos del Empréstito Ruso tuvieron un alza considerable en la Bolsa de París. Pero mi padre, siempre lúcido en cuestiones económicas, se mostraba pesimista: "Pronto los alemanes estarán en Petrogrado:* Deutschland über alles, *lo cual sería horrible. Pero llego a preguntarme si, en el fondo, no será lo mejor... Porque si logramos detenerlos —lo cual sería cosa de milagro— caeríamos en un socialismo que nos haría la vida intolerable. Sé que nos sería humillante una victoria alemana; pero, al fin y al cabo, los alemanes son personas más cultas que la morralla esa, que se nos ha desatado en las calles"... —"¡Qué doloroso dilema! ¡Qué doloroso dilema!" —gemía mi madre, yendo a orar a la Catedral de San Isaac... Pero, según lo sabría poco después, mi padre tenía grandes sumas de dinero en bancos suizos, y, como todavía funcionaban los bancos nuestros, había enviado giros considerables a sus corresponsales de Londres y de París, bajo palabra de adquirir valiosas existencias de géneros y paños para una tienda imaginaria, luego de haberles mandado telegramas, por otra vía, recomendándoles que le guardaran los fondos hasta nueva orden... Una mañana estaba yo jugando con mi sobrino Dimitri, haciendo cabriolas sobre la alfombra del salón, cuando mi madre, ceñuda y grave, me anunció: "Nos marchamos a Londres". Y, ante mi angustiada expectación: "Sí. Tu padre acaba de conseguir los papeles y salvoconductos necesarios para viajar al extran-*

jero en estos tiempos. Aquí no hay modo de hacer nada. Esto es el caos. No se respeta nada. La propiedad ha perdido todo valor. El comercio está agonizando. La chusma se ha adueñado de todo. La gente decente, como nosotros, no tiene más remedio que emigrar". Suspiró profundamente: "Dios salvará a Rusia como la ha salvado tantas veces ya". Pero nosotros nos íbamos de Rusia, pensaba yo; nos largábamos, encomendándola a la gracia del Señor. Gracia del Señor que no me alcanzaba a mí, derribada en incipiente vuelo, apagada al nacer, rota, quebrada de alas en mis primeros intentos de hallarme a mí misma, de definirme, de ser, *por esos misteriosos, desconocidos, omnipresentes, promotores de tumultos, que lo habían trastrocado todo, hollando las púrpuras del trono, pisoteando los cetros, echando a rodar las coronas, rompiendo con una continuidad de trescientos años en el linaje de los Romanoff. ¡Y si pecados habían cometido nuestros monarcas —según decían algunos— había de ser yo, la débil, la niña apenas adolescente, la que habría de pagar por ellos, con el sacrificio de mis sueños, la renuncia a mis más nobles impulsos!... Porque ahora acabaría, para mí, todo lo que se me había erigido en razón de vivir: la escuela de Madame Christine, la música, el ideal, la danza, con la inconfesada pero tenaz esperanza de llegar, algún día, a las grandes luces consagratorias del Teatro Imperial. Pero, en este momento, el mismo Teatro Imperial se me derrumbaba, sepultándome, en vida, bajo sus escombros... Recordé unos desesperados versos de Pushkin que había leído en clases:* "Un peso enorme, intolerable, me ahoga / Y viene, viene, el terrible instante / En que nuestra ciudad será incendiada / Quedando todo en cenizas." *Odiando a quienes (¿a quiénes? no sé...), por su acción soterrada, destructora, han roto brutalmente el curso de mi destino, y jurando que los odiaría siempre (¿a quiénes? no sé...) besé llorando a mi pequeño Dimitri, que acaso sería víctima, mañana, como yo, de la energía destructora de ciertas voluntades ajenas. Llorando fui a despedirme de Madame Christine, que me entregó una medalla bendita. Llorando anduve por las calles, mirándolo todo con ternura. Y llorando dije adiós a mis queridas columnas rostrales, puertas del Mar. Más allá, el acorazado* Aurora, *atracado, despedía humo por una de sus chimeneas. Sollozando volví a casa. Empezaba mi segundo éxodo.*

37

....

...Y ya estábamos en Londres, al cabo de un accidentado recorrido que, vía Oslo, nos llevó a Stavanger, desde donde un buque de carga, que sólo aceptaba ocho pasajeros alojados en malísimos camarotes, nos dejó en un puerto pesquero de la costa inglesa. Transcurre un neblinoso y lluvioso verano cuyo estilo británico se me afirma en la omnipresencia de paraguas, artefacto que jamás había visto yo tan ligado a la condición humana como en esta ciudad. Mientras mi padre, que tiene muchos amigos aquí —antiguos clientes suyos— en el ramo de géneros y tejidos, está estudiando las posibilidades de abrir un negocio, perfecciono mi inglés leyendo Alice in Wonderland *en el idioma original —excelente ejercicio, puesto que conozco muy bien el texto traducido— y descubro, con pupilas que en entendimiento están muy por encima de su edad, un mundo que se me hace harto raro, frío y ajeno. La Abadía de Westminster me deja indiferente, con su tropelaje de estatuas metidas en la iglesia, entre las cuales sólo me habla un poco la de Haendel, acompañado de su emblemática partitura de mármol. Un invencible malestar me invade en el* British Museum, *al verme en la Cámara de la Muerte —en la Sala de las Momias y de los ataúdes-retratos, donde cien ojos que* un día vieron y ya no ven *me miran fijamente, sin embargo, con algo terriblemente perdurable en las retinas y los cuerpos aún presentes en la vertiginosa distancia de sus milenios... Y, a medida que pasan los meses, la nostalgia de Rusia se acrece en nuestros ánimos. La prensa, por lo general, es hostil al nuevo gobierno nuestro, salvo en lo que se refiere a Kerenski, partidario de seguir la guerra a todo trance. Pero, en todo lo que se refiere a los acontecimientos* de allá, *las noticias son confusas y contradictorias. Se habla de hambrunas en las orillas del Dniéper; de epidemias de tifus, de cólera; de sangrientos combates de calles en Moscú: caos, desolación y muerte. Pero, a pesar de la voluntad de silenciar muchos hechos, se usaba ya la palabra* Revolución, *al ha-*

blarse de lo que ocurría en Rusia, y de la importancia que, en esa revolución, había cobrado el personaje de Lenin. —"Un desconocido, un aventurero" —decía mi padre: "Un hombre que ha vivido años y años fuera de su país, en Suiza, en Francia, y Dios sabe dónde... ¿Y de qué? ¿Con qué dinero? ¿Haciendo qué?... ¿O es que alguien, acaso, puede vivir de la filosofía?"... Ahora seguía yo los cursos de danza de una academia inglesa, acaso superior a la de Madame Christine, en cuanto a nivel de enseñanza, pero donde, para gran disgusto mío, me estaban cambiando la técnica. —"En mi país" —me aventuraba yo a decir, objetando una indicación de la maestra. —"No me venga con que 'la escuela rusa'" —me contestaba la otra agriamente: "La escuela rusa no existió nunca. Todo lo que hizo fue apropiarse de las disciplinas europeas del baile clásico. Y eso, lo conocemos mejor que ustedes..." Lo conocían mejor que nadie, pero pronto tuve la maligna satisfacción de observar que era la primera de la clase, mostrándome muy superior, en todo, a mis compañeras inglesas. Y en esos días fue cuando vi bailar por vez primera a Pávlova, sabiendo, de una vez y para siempre, dónde estaba la Verdad de la Danza. (Traje aquí, a Baracoa, la zapatilla firmada que entonces me regaló: la tengo guardada en un arca secreta de mi armario, junto a una fotografía de mi madre, muy descolorida por el tiempo...) Y se entró en un nuevo año; transcurrieron enero y febrero, de acuerdo con fechas que no eran ya del calendario juliano sino del gregoriano, cuando un 3 de marzo —me acuerdo— nos llegó por los diarios la noticia de la inadmisible paz de Brest-Litovsk, concluida entre los bolcheviques y los alemanes, para gran despecho de las potencias aliadas. Después de leer varios periódicos cuyos editoriales nos cubrían de invectivas, tratándonos de cobardes, derrotistas, bárbaros escitas, perjuros y felones, mi padre se largó a la calle, atragantado por sus propias expresiones de indignación. Mi madre y yo sollozábamos de ira, al pensar en la magnitud de nuestro deshonor nacional. —"Buena la hicieron ustedes" —dijo la portera del edificio, al entrar para entregarnos unas cartas. —"No nos agobie más de lo que estamos, señora" —le respondió mi madre. —"Todos son iguales... Todos bolcheviques" —dijo la otra, dando un portazo. ¡Nosotras, bolcheviques! ¡El colmo! Yo no me atreví a ir a mi escuela de baile ese día, por miedo a lo que allí habría de oír. Aquella noche, mi padre volvió a la casa —primera vez que lo veía así— abominablemente ebrio. —"¡Vladimiro!" —gritó mi madre: "¡Vladimiro! ¿Qué te ocurre?" Mi padre cayó en un diván, con la anacrónica pelliza puesta, sin responder. Al ritmo de sus ronquidos fue saliendo de uno de sus bolsillos el gollete de una botella de wisky. Ambas permanecimos en silencio, esperando que saliese de su sueño. Al fin, abrió los ojos: "Pronto volveremos allá" —dijo, con la lengua pastosa: "Ahora sí les digo que pronto volveremos allá. Con lo que ha pasado, los aliados no tienen más remedio que reaccionar enérgicamente, acabando con ese 'gobierno revolucionario' que los rusos honestos rechazan por instinto. Volverán a la patria las personas decentes. Y las próximas pascuas las pasaremos en Moscú, al pie del Kremlin, oyendo sonar las campanas de la Anunciación, la Presentación y la Dormición"... —"Dios te oiga" —dijo mi madre, creyéndolo acaso, sin sospecharse que para ella empezaba —como para tantos otros rusos que, como nosotros, se habían colocado voluntariamente en la categoría de apátridas— el ciclo del: "Pasaremos las próximas pascuas en Moscú". El 11 de noviembre de 1918 terminó la Guerra, y: "Ahora sí que pasaremos las próximas pascuas en Moscú". Y cuando Francia e Inglaterra mandaron tropas al Báltico y los Estados Unidos ocuparon la vía del ferrocarril Transiberiano: "Ahora sí que pasaremos las pascuas en Moscú"... Y cayó toda la familia imperial en la Casa Ipatieff, y resultó que no, que no, que no, que el Zar estaba vivo, que andaba por Estocolmo, y hasta algunos lo habían visto en Londres, y las Grandes Duquesas estaban en Suiza, y ya estábamos en vísperas del restablecimiento del Imperio, y ahora sí, y ahora sí, y ahora sí, que pasaremos las próximas pascuas en Moscú, en Moscú, en Moscú, oscú, oscú, oscú, cúuuuuuu, cúuuuuu cúuuuuu... (aunque, de año en año, cada vez más piano, pianíssimo, pianissíssimo, morendo...).

....

...En mi categoría y edad, era yo la alumna más brillante de mi escuela. Y, una mañana, la Directora me recibió con una sonrisa tan inhabitual, que casi me asusté ante el amarillo teclado de su dentadura. Me anunció que Diaghilev estaba preparando un enorme estreno

coreográfico en el Teatro Alhambra, y que Sergio (lo llamaba "Sergio" como si hubiesen dormido juntos), que "le pedía consejos para todo", se había interesado por saber si alguna de sus discípulas reuniría las condiciones necesarias para interpretar un pequeño papel en el espectáculo. Se trataba de La bella durmiente *de Tschaikowsky, de acuerdo con la coreografía de Petipa, a cuya partitura se habían añadido algunos fragmentos del* Cascanueces, *así como algunas variaciones ideadas por Nijinska. Decoración de León Bakst; reinstrumentación de Stravinsky. —"No vacilé en recomendarte" —me dijo la inglesa, acaso por no confesar que la única, en su escuela, que daba la talla, era yo... Y así fue como, después de pasar una prueba que resultó enteramente satisfactoria, me vi por vez primera en el ámbito mágico de los ballets de Sergio Diaghilev —aquel a quien Madame Christine llamaba, medio en serio, medio en broma: "la Madre Superiora de un Beaterio Coreográfico, situado a medio camino entre la Compañía de Jesús y las Endemoniadas de Loudun". El reparto del ballet que se preparaba era, en verdad, deslumbrador: Carlota Brianza, que había creado el papel treinta y un años antes, era el Hada Carabosse; cuatro estrellas habrían de sucederse y sustituirse, según los casos, en el papel de Aurora... Y, bajo la dirección de Nicolas Sergueief, que nos tenía sometidos a la más severa disciplina, los ensayos avanzaban rápidamente. Y una mañana de noviembre, habiéndome levantado sumamente temprano, fui hasta el Teatro Alhambra, siguiendo calles anebladas, desiertas aún —pensaba en Jack el Destripador y los estranguladores de Londres— para ver los primeros carteles que habían pegado, durante la noche, junto a la entrada. Por vez primera vi mi nombre en caracteres de imprenta, revuelto con otros muchos nombres, casi todos impronunciables para un británico. Miré largamente mi apellido, como si acabara de tomar conciencia de mi derecho de posesión sobre él. Algo había cambiado en la faz del mundo. Epifanía de mí misma. Hermosos me parecieron los árboles húmedos, difuminados por la bruma, a la manera de los que aparecen en ciertas estampas japonesas, cuyos troncos deshojados se perdían en la inmovilidad de un cielo tan bajo que parecía pesar sobre los paraguas de los transeúntes. Y fueron los ensayos generales con los tra-*

jes y la orquesta, y llegó aquel inolvidable día 2 de noviembre (una costurera mexicana que nos trabajaba sostenía que era de mal augurio iniciar una temporada en fecha que era, en su país, la de los Fieles Difuntos: "Ese día venden calaveras de dulce en todas partes, señorita, y muertecitos que bailan...") en que tendríamos que lanzarnos a la escena, arrostrando el fuego de las candilejas. Cuando se apagaron las luces y empezó a sonar la introducción instrumental creí desmayarme de miedo. De buenas ganas hubiese huido del teatro, en vez de asistir al bautismo de la princesa Aurora, sobre efectos orquestales que la crítica habría de hallar (y creo que tenía razón) demasiado tremebundos para acompañar una escena tan tierna. El olor a tela encolada de las decoraciones se me subía a la garganta. Los bomberos de turno estaban apostados al pie del complicado mecanismo que servía para subir y bajar el telón. Los tramoyistas, librados ya del trabajo del primer acto, se preparaban a montar los elementos del segundo decorado, moviendo, sin ruido, diversos trastos colocados en el orden previsto para facilitar una rápida mutación. Se había armado la implacable maquinaria coreográfica que nada —como no fuese un accidente o el incendio del edificio— podría detener esa noche. Se aproximaba, insoslayable, el terrible instante de mi aparición. Volvía a revisar, por décima vez, la atadura de mis zapatillas. Me miraba en un trozo de espejo, sostenido con clavos sobre un cubo y una escoba, para ver si un sudor de angustia no había alterado mi maquillaje, cuando recibí el aviso de acercarme a la escena. Descontracté mis hombros, y fue mi primera salida al ruedo —Alhambra, España, toros, peligros: todo extrañamente asociado en mi mente— en compañía de bailarinas y bailarines de movimientos sincronizados. Cuando me tocó desprenderme del grupo y "bailar al medio", ejecuté mis pasos automáticamente, midiendo y contando, cegada por las luces, cortada del resto del mundo por las candilejas, sin tener una conciencia cabal de lo que hacía, encomendándome a la costumbre y al instinto y dándome cuenta, al regresar entre bastidores, que no había cometido faltas. Y, ya más valiente, empecé a prepararme para mi segunda salida —de solista verdadera esta vez— en la escena de las bodas. No era muy difícil, en verdad. Pero, en fin: estaría muy sepa-

rada de las demás, al centro, con las luces encima, teniendo, además, que hacer algunos gestos de deferencia y reverencia a la bella Aurora y al Príncipe Deseado. Y esta vez actué con una seguridad absoluta en mis propios recursos, atenta a los gestos del director de orquesta, sin pifias ni tropiezos, a tempo y con cierto brío, volviendo finalmente a la sordidez de la tramoya como quien acaba de pasar, con éxito y ánimo templado, una ceremonia de iniciación. —"Bien, muchacha" —me dijo Sergueief, dándome un cariñoso capirotazo a la mejilla. Ya no me faltaba más que esperar la presentación general de la compañía, para recibir los aplausos finales que fueron muchos.

En marzo, alcanzamos la cifra de ciento cincuenta representaciones de La bella durmiente *a teatro lleno. Pero, a pesar de ese éxito cierto, soplaban vientos de derrotismo, de incertidumbre, de alarma, tras de las bellas decoraciones. Diaghilev estaba de un humor sombrío. Algunas de sus estrellas habían abandonado la compañía ante la amenaza de rebajas de sueldos. Rodeado, como siempre, de una corte de íntimos que lo aislaba ferozmente de todos nosotros, no ocultaba a sus secretarios oficiales y oficiosos, que estábamos en el borde de la quiebra, pues las entradas, todas, de la temporada, no compensaban los gastos hechos. De repente apareció un cartel nuevo, siniestro, en las entradas del Teatro Alhambra:* ÚLTIMAS FUNCIONES. *Y la última noche, lloramos todos. Y, pocos días después, llegaron unos hombres siniestros, de chalecos negros, carteras negras, y paraguas negros, que hicieron el inventario de* La bella durmiente *para proceder al embargo. Y, una mañana, los alcázares y castillos de León Bakst, reducidos a piezas numeradas, fueron plegados y llevados en camiones hacia un rumbo desconocido. Vi salir el Gato con Botas, el Bufón, el Hada Carabosse, el Hada de los Diamantes, la Bella Aurora y el Príncipe Deseado, colgados de percheros, en un carro de mudanzas, cuyo suelo estaba afelpado por los tules y las gasas (las mías estaban ahí, seguramente...) de las pequeñas figuras. Todo aquel cuento deslumbrante, reducido a trastos, banastas, ropas noblemente resudadas por el baile, sería rematado a vil precio, al compás de un martillo de marfil golpeando una tabla, blandido por un subastador que, como los jueces de acá, llevaría pro-*

bablemente una peluca blanca con ondeo de rizos sobre las orejas. Había conocido yo, con esta quiebra de una de las compañías teatrales más famosas del mundo, la gran miseria —miseria y grandeza— de quienes escogen el azaroso destino de los faranduleros y saltimbanquis... Pero ahora —a pesar de todos los pesares— después de haber respirado la atmósfera de los ballets rusos, no tenía deseos de volver a la escuela inglesa, que ya consideraba inferior a mis posibilidades. Y me desesperaba en una incertidumbre sin aperturas sobre el futuro, cuando recibí una carta de Madame Christine, enterándome que, habiéndose exiliado voluntariamente como nosotros —"porque aquello es el caos, el caos, el caos..."— acababa de instalarse en París, abriendo una nueva escuela de baile. Si deseaba trabajar nuevamente con ella, pondría a mi disposición una "chambre de bonne" *en sexto piso, pero limpia y recién pintada, con vista sobre el Parc Monceau. No había vacilación posible. Mi madre fue la primera en reconocer, llorando, que no podía poner obstáculos a mi vocación. Embarqué tres días después. Y al ver alejarse las costas de Inglaterra, me di cuenta, de pronto, que para mí empezaba un Tercer Éxodo. Pero acaso habíamos entrado en una época de éxodos —siglo de trastornos y migraciones.* "¿Qué nos van a traer los tiempos nuevos?" *—había escrito Novalis en uno de sus himnos... La brisa fría que ponía roleos de espuma en las aguas del Canal no tardó en disipar mis angustias ante el acaso. Y entonces, barriendo otras remembranzas, en mi memoria empezó a sonar, con casi cómica cadencia, el gracioso estribillo de una canción de Lewis Carroll:*

There is another shore, you know, upon the other side
The further off from England, the nearer is to France.
Will you, won't you, won't you, will you join the dance?
Will you, won't you, will you, won't you join the dance?

....

Las Tres Vírgenes —la Catalana, la de los Frómeta, la de los César— volvieron a salir a las calles, alzadas en angarillas, con su estrepitoso séquito de murgas y voladores, y entonces fue cuando me di cuenta de que el tiempo, para mí, corría con pasmosa rapidez. Se equivocan quienes dicen que la ociosidad alarga insoportablemente los días, porque lo cierto es que los días del ocioso se llenan de divagaciones, siestas, lecturas, diálogos con interlocutores ausentes, pequeñas tareas llevadas sin prisa por lo mismo que no son necesarias, el cuidado de un jardincillo, la poda de un rosal, caminatas sin objeto, conversaciones divagantes, y, en mi caso, audiciones de largas obras musicales —*Tristán* entero ¿por qué no?, o los *Gurrelieder* de Schönberg, o la *Tercera sinfonía* de Mahler— que enlazan el amanecer con el crepúsculo, sin que las horas, fraccionadas en horarios asignados a tal o cual actividad, nos vengan, en cotidiano rengle, con su monótono programa de obligaciones, deberes, citas y engorros. Aquí las arenas caen, silenciosas, del arriba al abajo de la clepsidra, sin medir mayor acontecimiento que el paso de las sombras de un lado al otro de la casa... Y, sin embargo, *algo pasa*. Y se advierte *que algo pasa* en el silencio de quienes saben que algo pasa pero prefieren no darse por enterados, porque en este pueblo pequeño cada cual sabe cómo piensa cada quien y conviene mostrarse cauteloso para no acrecer y justificar ciertas suspicacias. Pero aquí hay gentes que empiezan a tener miedo, en tanto que otras se saludan en las calles con aire cómplice, alzando enseguida el diapasón de la voz para hablar de pelota o de la lluvia de ayer, que fue torrencial, para que bien se sepa que no hablan sino de pelota y de la lluvia de ayer, tan torrencial en efecto que ante ella quedaron doblados los paraguas de Liverpool que harto a menudo acompañan las guayaberas de Baracoa. Sé que un vecino mío, por las noches, suele sintonizar quedamente una estación de radio que le trae voces de la montaña —ésas, de *Davos*, seguramente, donde, en sanatorio que huele a pólvora, se está curando en salud "el galán de Melibea"... Ayer, el médico amigo, que me sigue llevando a dar traqueteados paseos por los malos caminos de la región —donde son malos todos los caminos, salvo el que conduce al aeropuerto—, me trajo un rimero de revistas *Paris-Match*, de las que, desde París, le manda de cuando en cuando su ex compañero de internado en el Hôtel-Dieu. Hojeo los números —algunos de los cuales llevan fechas de ocho, diez meses atrás— de esa publicación repleta de idilios reales, proezas de famosos "play-boys", princesas de Mónaco y princesas del Irán, fiestas de millonarios y retratos de Brigitte Bardot, cuando, al doblar una página, me tropiezo con un reportaje que me deja atónita, acerca de los hombres que están combatiendo en la Sierra Maestra. Nada se dice aquí que yo no sepa, acerca del Asalto al Cuartel Moncada, del desembarco del *"Granma"*. Pero lo que se me revela, es la importancia que la prensa internacional concede ya a los acontecimientos, puesto que el periodista francés hace referencia a otras informaciones publicadas anteriormente por el *New York Times*. Ahora corro las planas de la revista parisiense para ver si hay más. Y, en efecto, en una entrega más reciente, encuentro un reportaje que se me hace mucho más sorprendente que el primero por sus fotos que me revelan la presencia de toda una organización militar, allí donde la muy amañada y amordazada prensa cubana sólo ha hablado de unos cuantos guerrilleros harapientos, hambrientos, acosados, acorralados, sin recursos en armas ni pertrechos, prontos a ser aplastados, exterminados, barridos de un paisaje de montañas, por las fuerzas del ejército gubernamental. Pero, no. Las cámaras no mienten. *Ellos* llevan un uniforme; tienen una fábrica de armas, una estación emisora de radio, servicios médicos, y hasta un dentista, cuyo sillón y fresas están instalados a la sombra de un árbol. Se ve a los hombres en el ejercicio, en conferencias, en clases de instrucción teórico-militar y política. Y Fidel Castro se nos muestra, sentado en su hamaca, o bien oteando un panorama desde una cumbre, o bien dirigiendo una maniobra, o junto a su hermano Raúl y a otros —jefes, seguramente— cuyos rostros y nombres me son todavía desconocidos. Algo que me asombra es que casi todos —jefes o soldados—, al igual que Fidel Castro, llevan barbas. Y, además, muchos se han dejado crecer el cabello —y esto último me hace pensar en los combatientes de Valmy. Miro y vuelvo a mirar a esos hombres de la Sierra y me parecen como gente de otra raza —raza distinta, en todo caso, a la que aquí he tratado hasta ahora. Acaso una raza nueva, capaz de hacer algo nuevo. A menos que, si resultan victoriosos, no se envanezcan con su triunfo, y un Gran Propósito no sea larvado por la creciente dejadez y blandura que, al término de toda guerra, suele acompañar el reposo del guerrero. Pero a la vez pensaba yo que el empeño de "hacer algo nuevo" equivalía a hacer una revolución, y la mera palabra, la mera idea de una revolución, me causaba un miedo atroz. Desde mi niñez en Bakú, todos mis éxodos —éxodos involuntarios siempre— se debieron a revoluciones. Y ahora, la palabra se me insinúa de nuevo, se me muestra como la expresión verbal de una posibilidad —posibilidad que instintivamente rechazo. Y sin embargo, tengo presente que en la Sierra Maestra, a salvo de una policía que, de haberlo preso, lo habría torturado, emasculado, asesinado, estaba "el galán de Melibea". En La Habana, nada tengo. En la Sierra lo tengo a él, a quien veo como un hijo mío, sobre quien he volcado todas las ternuras maternales de la madre que no fui. Por lo mismo, me causaría gran pesadumbre que el Ejército Rebelde fuese derrotado. Frente a la sentina, a la cloaca máxima que había llegado a ser La Habana por las apetencias y la irresponsabilidad de una burguesía corrompida y estólida, el Ejército Rebelde se me mostraba como algo limpio y puro... —"¿Ya ha mirado *todas* las revistas?" —me pregunta el médico amigo aquella tarde. (Y me parece que demasiado subraya el *todas*, para que yo le diga que sí, y que *también* he visto lo que él quiere, acaso, que yo conozca y comente... Pero, no. No daré mi brazo a torcer. Si ahora tengo alguna simpatía por las gentes de la Sierra, es por razones que sería demasiado largo y complicado explicarle... —¿Ya ha mirado *todas* las revistas?" —vuelve a preguntarme. —"Sí" —le contesto, con voz incolora: "¡Qué maravillosamente joven se conserva Grace Kelly, Reina de Mónaco!... Muy interesante todo lo que se refiere a Buckingham Palace, al castillo de Windsor, y a los amores de Peter Townsend con la Pricesa Margaret"... El doctor me mira, no sé si con lástima por hallarme tan tonta o con admiración ante mi prudencia. Pero yo estoy resuelta a evitar toda conversación en torno a lo que aquí está empezando a ocupar todas las mentes. Es evidente que, en este pueblo, como en otras partes, debe haber "chivatos", delatores, agentes solapados, que escuchan a través de las paredes. Puede ser el de aspecto más inofensivo: la profesa del Nazareno que, de túnica violada y cíngulo anaranjado, viene tan a menudo a pedirme limosnas; el buhonero al estilo canario —como ya no quedan en la capital— que harto demora en mostrarme sus surtidos de encajes y cintas; el mañanero vendedor de chorotes; o bien la dama muy emperifollada, esposa de un político local —¡lagarto, lagarto!— que viene a visitarme, de cuando en cuando, sin el menor motivo, para "interesarse por mi salud" que es excelente. Hay que desconfiar de todo el mundo. Y después de lo que me ha ocurrido, toda precaución es poca... El galán de Melibea está en Davos, y eso es lo importante. Él y sus compañeros luchan contra un régimen de sangre y de horror —y esto es más importante aún. Pero mi reciente simpatía por una causa que mal conozco, que mal se me define tras de las nieblas de sus montañas boscosas se debe a razones meramente afectivas que a nadie interesan. Esperemos pues, y volvamos a nuestro huerto, como Cándido.

....

...Al verme nuevamente en la escuela de Madame Christine, tuve la impresión de hallarme en casa que me fuese realmente propia —casa que no era tan sólo casa donde comer y dormir, sino casa donde, de diez de la mañana a las ocho de la noche, vivía en el ámbito de mi vocación— viendo cómo trabajaban otras, que compartían mis mismos anhelos, cuando me tocaba descansar, de maillot *y zapatillas, sentada en el suelo, adosada a una pared, respirando un aire de polvo levantado por los pasos en un tablado que me olía a gloria. El primer día, al compás del inevitable piano desafinado que suena en todos los estudios de danza, se alzaron los gritos —gritos en el cielo— de mi maestra: "Pero... ¿qué carajo te han enseñado en Inglaterra, muchacha? Pero... ¡miren eso! ¡miren eso! ¡Qué modo de hacer un* port-de-bras! *¡Qué modo de rematar un* grand jeté! *Dios mío! A ver, repite eso:* plié, glissé, sauté, glissé, plié... *¡Qué horror! ¡Esos británicos de mierda te han jodido toda!"... Razón de más para volver a una estricta disciplina. Barras, barras, y más barras, como una principiante. Muchos regaños, menos regaños —casi ningún regaño al cabo de pocas semanas— y la impresión de empezar a progresar de nuevo. Por las noches, después de una solidísima comida a la rusa, me hablaba Madame Christine de los horrores* de allá, *de las privaciones, de las epidemias, de los cadáveres insepultos, del mercado negro, del creciente descontento de los campesinos, de sublevaciones de los mismos obreros, y de*

cómo había logrado escapar de aquel infierno, vía Constantinopla: "Menos mal que aquello se está acabando. Este calvario de nuestra patria durará, a lo sumo, uno o dos años más. Y entonces... ¡ah, entonces!... destriparemos a los causantes de nuestros males, colgaremos a sus jefes en la plaza pública, exterminaremos a todos los bolcheviques, arrojaremos sus mujeres, desnudas, a los caminos, y celebraremos las Grandes Pascuas Rusas en Moscú... Y tú serás la estrella de mi ballet 1812 *—¿te acuerdas de mi proyecto?— donde tan gratamente suena nuestro Himno Imperial que los monstruos de ahora han sustituido por un canto que ni siquiera es ruso, sino que es obra de un obrero francés llamado Deguetre, o Deguite, o Deguitre, no sé... En fin: ése, que llaman* La Internacional... *Confieso que empezaba a cansarme del eterno: "pasaremos las próximas Pascuas en Moscú" que era el obligado* leit-motiv *de cien conversaciones donde gentes que jamás habían poseído gran cosa, lamentaban la pérdida de enormes propiedades en Ucrania, haciendas en el Cáucaso, o palacios en Petrogrado. El que más y el que menos se jactaban de haber asistido a los grandes bailes de la Corte, y los que algún día hubiesen servido en el ejército del Zar, se aupaban en grados, mediante una cotidiana multiplicación de galones guardados en armarios olientes a alcanfor. "¡Las próximas Pascuas en Moscú!"* Maybe yes or maybe not. *Veríamos. Estaba en una edad de paso de adolescente a mujer en que no podía perder el tiempo hablando de musarañas. Estaba resuelta a vivir* mi *realidad, realidad del arte, que me situaba en un mundo que no era el de los transeúntes que me cruzaban en las calles. Desde que había pasado ciento cincuenta noches en los alcázares de la* Bella durmiente *se me habían invertido las perspectivas de lo real. Lo* real-mío *era el que estaba del lado de acá de las candilejas; lo* real-ajeno, *aquel vasto espacio en sombras, poblado de cabezas apenas visibles, que se extendía del lado de allá y cuya única utilidad era la de manifestar en aplausos su aprobación a lo que hacíamos —con el deber, si le habíamos procurado algún contento, de premiarnos y alimentarnos con su asistencia. Mi mundo no era el de ellos, sino el que para ellos se iluminaba en el escenario, al alzarse un telón que era frontera entre dos universos. El público cobraba una verdadera* *existencia para mí cuando, adosada a un bastidor, lo sentía palpitar, vibrar, reaccionar —para bien o para mal— ante lo que nosotros hacíamos. Después que se dispersaba, se me diluía, se me atomizaba, en los meandros de la ciudad: había dejado de interesarme.* "El teatro como representación", *creo que se titulaba un ensayo teórico, leído por mí alguna vez, cuyo contenido no recordaba muy bien.* "El público como representación", *hubiese podido decir yo ahora:* representación *de un mundo revuelto, alborotoso, politiquero, a menudo violento y hasta cruel, con el cual conservaba yo mis distancias. La vida como teatro, pero teatro visto desde el escenario. Y desde que había respirado el aire del teatro, vivía con una perpetua añoranza del teatro. Lo mío era* esto *y no* lo otro. *Y si ahora trabajaba con renovado ahínco, era con la esperanza de regresar pronto al teatro. Y esa esperanza se me hizo realidad, cuando supe que Diaghilev, repuesto de su descalabro económico, iba a representar* La bella durmiente *en París, en una versión abreviada, bajo el título de* Las bodas de Aurora. *(Como las decoraciones de León Bakst estaban embargadas en Londres, se utilizarían las que Alexandre Benois había pintado antaño para* El pabellón de Armida *de Tscherepnine). Corriendo fui a ver a Sergueief que, con halagadora alegría, me invitó a reincorporarme a la compañía. Pero la noticia fue recibida con iracundos aspavientos por mi maestra: "Eso... Eso... No faltaba más que no" —gritaba. Ahora que me estaba enderezando iba a perder todo lo recuperado, bailando en ese circo de histéricos y de locos ("y que locos se vuelven todos allí: mira lo que le pasó a Nijinsky"). Porque yo no sabía lo que era aquel manicomio (a mí, en verdad, nunca me había parecido un manicomio), con ese Diaghilev, el Boyardo-del-mechón-blanco, siempre dolido, siempre resentido, inestable, veleta, y hasta indefinido políticamente, que te insultaba un día para besarte al otro, con su corte de intrigantes, rompeolas, perros guarderos y maricones: infierno con música, donde las gentes se asesinaban unos a otros para destacarse una noche, donde la calumnia era ley, y el llanto —en ninguna parte se lloraba tanto— era el obligado fin de fiesta de cada función... ¡Ay, feliz destino, el que me había buscado! Me condenaba a trabajos forzados, a ganar sueldos de miseria, a mal amar y poco ser amada porque las bailarinas eran pésimas amantes por gastar todas sus energías —semejantes a las gallinas que con las patas escarban el suelo— a ponerse pez-rubia en las zapatillas y a pensar en sus pies y con sus pies, casi siempre temerosas de mostrarse desnudas a un hombre, por la esmirriada delgadez de sus clavículas hundidas y costillares al descubierto, como vistas en planchas anatómicas. Y todo por el maldito empeño de soñar como éstas (y señalaba a mis condiscípulas que esperaban sus instrucciones de espaldas pegadas a las barras) de llegar a ser Sílfide, Giselle,* Fille mal gardée, *Cisne Negro o Pájaro de Fuego. Además —me dijo para rematarme, cobrándose lo que consideraba, en el fondo, como un ingrato abandono de mi parte— "estaba muy verde todavía para hacer una verdadera carrera coreográfica". Pero, viéndome llorar pareció ablandarse, aunque concluyendo con voz tan agridulce en timbre como en palabras: "No, hija, ve. Ve, si ése es tu deseo". Pensándolo bien, no era lo peor que podía ocurrirme. Aquel manicomio, al menos, permanecía dentro de la tradición rusa. Había empezado demasiado tarde para llegar a ser* prima ballerina assoluta. *Pero las había, con menos condiciones que yo, que interpretaban papeles de lucimiento en casa de Diaghilev. Y aquí, la gota de veneno final: "Él es muy truquero. A menudo disimula la mediocridad de sus danzarines, a fuerza de buena música y magníficas decoraciones. Y luego, tiene increíbles ocurrencias. Me han contado que tiene a Massine estudiando baile flamenco con unos gitanos, en el Sacro Monte de Granada. ¡Dígame usted!... ¿Qué puede aprender un coreógrafo ruso en el Sacro Monte de Granada?"...*

....

38

...Se apagaron las luces del teatro y se alzó el telón de boca, para mostrar otro telón sobre el cual aparecían personajes vestidos a la española. Breve espera. Suena la música, y se entabla una rápida acción ante un decorado de Picasso, dominado por un enorme puente, por cuyo ojo se divisa, en lontananza, un paisaje reducido a sus líneas esenciales, como dibujado en tela blanca por un pulgar untado de tinta, con juegos de sol y sombras que tanto tienen de andaluz como de castellano —algo entre calor de flamenco y ardida soledad de llanura manchega. Y una traviesa molinera que se burla del ridículo corregidor que la corteja a compás de scarlattianos ritornelos. Formo parte de "los vecinos" y me disparo al tablado, donde suena una danza española que lo es de verdad, en la esencia del ritmo y del colorido, sin panderetas de relumbrón ni alegorías turroneras ni borlas de Anís del Mono. Y, tras del primer tranco del argumento, después de un interludio sinfónico, la orquesta de Manuel de Falla se transforma en una inmensa guitarra, cuyos bordoneos van pasando del lento al presto, seguidos por el cuerpo espigado, trepidante, frenético, del Molinero (el propio Massine, en este caso, coreógrafo e intérprete), entregado al dinamismo de una casi diabólica farruca. Y, en el final que nos arrastra a todos, es la turbamulta danzaria, el desenfreno tornasolado y jocoso, del desenlace de El sombrero de tres picos*... La partitura de Falla ha desencadenado una ola de españolismo en París. El público aclama a Rubinstein, cuando toca la danza ritual del fuego de* El amor brujo, *con histriónicos aunque eficientes manotazos al teclado que habrán de crear una tradición entre los pianistas. Ricardo Viñes interpreta a Albéniz y Granados. Joaquín Nin (padre de aquella Anaïs de cuyo nombre preferiría no acordarme ahora) se erige en maestro para la enseñanza del repertorio vocal hispánico... Y es el clamoroso y universal triunfo de Antonia Mercé, "La Argentina", que llena cualquier teatro, por vasto que sea, con el solo enunciado de su nombre en una cartelera. Dicen que, en lo suyo, es genial —aun-*

que, desde luego, en mi "manicomio" se niega valor, por sistema, a todo lo que no se alce en puntas de zapatillas. Y sin embargo, empiezo a preguntarme si largo es el porvenir que aguarda a la danza alzada en puntas de zapatillas. Aquí mismo, donde se rinde un culto casi excesivo a las disciplinas clásicas, se busca, instintivamente, una apertura de horizontes. Este perfecto logro sobre la música de Falla lo demuestra. Y Massine no ha sacado su concepción del seudo-hispanismo del Don Quijote *de Minkus, sino de las enseñanzas de los gitanos del Sacro Monte. Es decir: una vuelta al baile popular, espontáneo, visceral, fuente primera de toda danza. Y pienso en una magnífica oportunidad que fue malograda por la gente de Diaghilev, hace algunos años: aquella* Consagración de la primavera, *fallida al nacer por buscarse soluciones intelectuales a lo que podía haberse conseguido acudiendo —no sé— a tradiciones danzarias conservadas, seguramente, por algún pueblo descendiente de los antiguos escitas —acaso aquellos Nartas, cuyas milenarias migraciones me contaba el viejo jardinero de mi padre, conocedor de muy añejas historias, aún vivas en bocas de las gentes del Cáucaso... (Y soñaba yo, por vez primera, con la posibilidad de poner en escena una* Consagración de la primavera *muy distinta de la malísima, equivocadísima, de Nijinsky y Maria Piltz, basándome en danzas elementales, primitivas, hijas del instinto universal que lleva el ser humano a expresarse en un lenguaje gestual...) Por lo pronto, el mundo hispánico me deslumbra. Y aunque me digan mis colegas del "manicomio" que Antonia Mercé "no sabe bailar", quiero verla y juzgar. Y heme aquí, una noche, en una empinada localidad de "gallinero", asomada a la vasta hoya roja-dorada de la Ópera de Charles Garnier. Hoy me ha tocado estar del lado de acá de las candilejas... Perfectas en su ejecución, hábiles en la idea, variadas en la inventiva, las primeras danzas que aplaudo —y las aplaudo sinceramente— me muestran un inteligentísimo trabajo de compactación del folk-lore con lo clásico. Antonia Mercé, evidentemente, es danzarina de fibra y raza. Sin embargo, la fascinación que parece ejercer sobre los demás, resulta inoperante en lo que se refiere a mí. Mi entrega no es total —como tampoco parece entregarse del todo un hombre joven que, sentado a mi lado, tomó notas en un cuaderno durante toda la primera parte del espectáculo, como si estuviese siguiendo un curso universitario. Un crítico, seguramente. Aunque, no; un crítico no estaría instalado en una de las localidades más baratas del teatro... Y, después de una muy lograda* Maja y el ruiseñor *de Granados, es la* Cubana, *con música de Albéniz. Y ahí es donde se produce el milagro, y, por todo el ámbito de la inmensa sala, echa a volar el Ángel llevando de la mano al "Duende" impalpable pero todopoderoso de García Lorca —aquel irremplazable "duende" que, entre dos cantadores de jondo que cantan lo mismo, eleva el uno al cielo, mientras el otro se queda en tierra. Sobre el vastísimo espacio del escenario delimitado por una sencilla cortina azul claro, del foro derecho sale una mulata con bata de vuelos y revuelos de encajes, pañuelo rojo en los hombros, otro, amarillo, anudado sobre la frente. Collar de abalorios y grandes ajorcas doradas. Y un par de chancletas verdes que habrán de chancletear y nada más que chancletear, indolentemente, como prestas a quedarse en el camino, durante toda la duración del número. Y, moviendo apenas las caderas, Antonia Mercé, como ignorante del público, metida en lo suyo, distraída, da una vuelta completa al escenario, sin prisa, y, faltándole poco para cerrar su paseo circular, regresa hacia su punto de partida, pareciendo emperezada por el mucho esfuerzo de no bailar. Y, en el momento de salir del escenario sin haber hecho nada en él, mira a los espectadores con un levísimo asomo de malicia, jugando un poco con su pañuelo rojo. Esboza un mohín de reto, sonríe con inefable coquetería, y, echando el pañuelo para atrás con gesto casi imperceptible, descubre sus hombros morenos, y desaparece entre bastidores sobre el último acorde de la orquesta. Nada más. Pero algún sortilegio ha operado sobre un público desatado en aclamaciones. Y esta vez aclamo yo también, sin razonar, porque necesito hacerlo; y aplaude mi vecino de butaca, olvidando sus notas, y aplauden todos, hasta que "La Argentina" se cansa de venir a saludar, sacando solamente la cabeza de entre telones. —"¡Genial!" —exclamo aún, agarrando, sin darme cuenta de ello, la mano del espectador de los apuntes. —"¡Genial!" —dice él, apretándome la mano a su vez. Y es que el Espíritu de la Danza acaba de hacerse carne y de habitar entre nosotros —aunque esto nada tenga que ver con lo aprendido por mí hasta ahora. Es otra cosa. Y sin embargo es.* "Sum qui sum", *pudiera decirnos Antonia Mercé ahora, vaya usted a saber si con acento caló o con dejo habanero —pues nos dice el programa que ha estado en Cuba. Y vuelvo a preguntarme si nuestra venerable danza ejecutada según las normas de Fokine y de Petipa, no necesitará, a veces, de una transfusión de esencias nuevas —ajenas... ¿por qué no?— para renovarse la sangre. Glinka, Rimsky, se inspiraron en el folklore español. Hacerlo, es de buena tradición rusa. Pero, más allá de España hay una América Latina que está empezando ya a sonar en todas partes, con sus ritmos de habanera y de tango. Acaso un coreógrafo de talento podría encontrar en aquel mundo nuevo —¿no lo llaman Nuevo Mundo?— elementos nutricios y hasta coreográficos capaces de poner un poco de fantasía, de fecundo desorden, en el aire, ya un poco oliente a flores marchitas de Odette-Odile o de Giselle. (Me resulta sorprendente pensar, en este momento, que una primera idea de lo que trataría de hacer mucho más tarde, hubiese germinado en mi mente aquella noche...) Terminó la función. Y tal es mi entusiasmo, que quiero llevarme* algo *de Antonia Mercé. Al menos una firma en el programa. Voy al escenario. Pero tal es el atropello de admiradores por entrar en su camerino que renuncio a la empresa. Ése es el momento en que el espectador de las notas, cuya presencia no había advertido allí, se me acerca y me agarra por un brazo: "Venga". —"Pero..." —"No se preocupe. Soy amigo de ella". Y, con la autoridad de quien tiene derechos adquiridos, se abre un camino entre las gentes, y me lleva junto a la danzarina cuyo maquillaje empieza a derretirse con el calor, y que, vista de cerca, tiene un sorprendente parecido con Pávlova, tal como la vi en Londres hace años. —"¿Cómo se llama usted?" —me pregunta mi interlocutor. —"Vera" —le contesto: "Y soy bailarina". —"Antonia" —dice el otro: "Para una firma. Toma mi pluma. Para* Vera... *Es bailarina". Antonia Mercé me sonríe: "Somos colegas, entonces". Y me devuelve el programa, después de garabatear cualquier cosa sobre la cara de ella que en la falsa portada aparece. Y ya estamos fuera del teatro. Mi inseparable guía se me presenta: "Jean-Claude Lefèvre... ¿Hacia dónde va usted? ¿Le molesta que la acompañe un poco?"*

Y andando a lo largo de la Avenida de la Ópera, me dice que es hispanista y enseña el español en la Escuela Berlitz: "Pero muy pronto dejaré de ser maestrescuela". Está preparando su doctorado de letras con una tesis sobre las raíces hispánicas del teatro de Corneille. —"Si salgo bien, podré contar muy pronto con una cátedra". Desde que bailé en El sombrero de tres picos, *y más ahora después de haber visto lo que vi, tengo ansias por conocer algo de la literatura española, a la que desconozco totalmente —salvo la consabida versión abreviada del* Quijote *que se hace leer a todos los niños. Jean-Claude se ofrece a ofrecerme algunos libros y me los lleva, al día siguiente, a la* "Taverne des Beaux-Arts" *donde nos hemos citado. No sé por qué, me inspira confianza. Diré más: me atrae. No trata de acrecerse en hombría ante mí recurriendo a las pueriles jactancias, a los fáciles alardes de escepticismo, cinismo y desparpajo, propios de la gente de su edad. Sus ideas me imponen el respeto por la reflexiva calma con que las expone. Una tarde en que le oigo designar a mi país con el nombre de "Unión de Repúblicas Socialistas Soviéticas" sólo se me ocurre tomarlo en broma, diciéndole que eso será por muy poco tiempo, pues los que saben de eso dicen que... —"Dicen tonterías, porque la Revolución Rusa es una resultante lógica, inevitable, de vuestra propia historia, historia que se expresó más de una vez en términos de literatura. La literatura revolucionaria no tiene por qué ser una literatura de gritos e improperios, de proclamas y Apocalipsis. Se puede expresar con la mayor elocuencia en tono menor. Casi todos vuestros escritores del siglo pasado vivían en espera de* algo. *Y ese* algo *llegó un buen día. ¿Existe, acaso, una mayor literatura* de espera *—de* esperanza*— que la que se nos manifiesta en el final del* Tío Vania *o en* Las tres hermanas *de Chejov? Y eso, lo hallamos, de distinta manera, en Pushkin, en Gogol, en el mismo Dostoyewsky... Lo reconoce, incluso, un filósofo ruso, antileninista, llamado Berdiaef"... Mi mansedumbre ante ideas que, en otro, me hubiesen sublevado, era indicio de un gran trastorno que se había operado en mí de modo inconsciente. Una mañana admití que, por vez primera en mi existencia, estaba enamorada. Y aquella tarde me dijo Jean-Claude con extraordinaria suavidad, como para amortiguar el sonido de sus palabras,* *que era comunista, comunista convencido y militante, y aquello que, en otro, me hubiera sacado de goznes, me pareció tan ajeno a todo lo que me seducía en su persona, que lo acepté con tanta naturalidad como si me hubiese dicho que era filatélico o espeleólogo. En su boca, el nombre de Marx no me resultaba más subversivo que el de Platón o Santo Tomás de Aquino. Era francés, veía las cosas de lejos, y algún día se convencería de su error... Y un día en que estuve segura de no malbaratar mis sentimientos en una entrega sin verdadera reciprocidad, fui hacia la prueba necesaria, resueltamente, sin reparos de orden moral, limpia de cuerpo y ánimo, y supe de un amanecer en los brazos de un hombre, vencida, lastimada, ardida, pero jubilosa, a pesar de todo, al cobrar conciencia de que, después de mucho buscarme, en una deleitosa derrota había hallado la Mujer que en mí palpitaba y que a partir de hoy viviría plenamente en un clima nuevo... Habitada por una serena alegría, aupada por encima de cualquier escrúpulo, capaz de proclamar lo hecho a la faz del mundo, fui a buscar mis ropas y objetos personales a casa de Madame Christine, pues Jean-Claude quería que fuese a vivir con él en su pequeño apartamento de la Rue des Lombards. Mi maestra tomó las cosas con la alcahueta naturalidad —complaciente entendimiento— que las mujeres adoptan ante tales confidencias: "Bueno. Es lo natural. Tenía que suceder algún día. Yo misma, antes de llegar a tu edad..." Y, cuando ya estaba a punto de salir: "¿Y no piensan casarse?" ¡Bah!... Mal me veo yo, junto a mi amante, como protagonista de una ceremonia nupcial a la usanza rusa, ante los iconos de la Rue Daru, con las tradicionales coronas puestas sobre las cabezas, a compás de la Epístola a los Efesios:* "Señor, Dios nuestro: corónalos de gloria y honor". *Y beber, por tres veces, en la Copa de la Comunión:* "El matrimonio es honorable y el lecho nupcial inmaculado, porque los bendijo Cristo cuando mudó el agua en vino en las bodas de Caná". *Y, con la fórmula consagratoria de Juan Crisóstomo:* "El casamiento es el sacramento del amor"... *No. Hoy me sentía Mujer —mujer de verdad— por vez primera en mi vida. Soplaban vientos de emancipación, frente a las normas aceptadas por rutina más que por necesidad. Mi firme anclaje junto al Hombre por mí elegido, no me sometía a un confor-*

mismo burgués. Él proseguiría sus trabajos, apuntados hacia una cátedra en la Sorbona, en tanto que yo proseguiría mi carrera, con cortas temporadas en Londres, Roma o Monte Carlo, que era donde más a menudo actuaba mi compañía. Los reencuentros serían tanto más gozosos. Y, para llevar harmoniosamente nuestras existencias paralelas, no necesitábamos de cuños notariales ni de sacramentos religiosos. De Jean-Claude, a quien yo atribuía ahora todas las cualidades —"como siempre que se ama a un hombre", me decía mi maestra, admirada de hallarme, en eso, tan semejante a todas las demás mujeres— me molestaba tan sólo el comunismo, aunque me cuidara mucho de hablar de ello. Pero debo decir que, a mi lado, él lo llevaba con suma discreción —como persona que tuviese una profunda fe religiosa pero no hallara necesario pregonarla. Nunca hablábamos de política. Cada semana iba a una reunión de célula, a la hora en que yo me dirigía a mis escenarios. —"Voy a mi club" —decía él, con casi imperceptible ironía. —"Yo voy a mis palacios de cartón" —replicaba yo. Y para nosotros pasaban los meses y los meses, y los meses se sumaban en años, con un tiempo que pasaba velozmente, llevados por el mutuo contento de un mutuo entendimiento en lo moral como en lo físico —y tanto más, si pensábamos que yo no había resultado la "frígida bailarina" de Teófilo Gautier, ni él era el seco intelectual, desprendido de toda carne que, según más de un novelista adicto a imágenes estereotipadas, debía ser el erudito con inquietudes científicas o filosóficas. Nuestros eran el espíritu de retozo, el culto a la vida física, la alegría, la perpetua disponibilidad de entrañables energías, necesario a todo amor pleno y entero... Y corrieron las fechas sin que yo tomara su "club" muy en serio, hasta que sobre toda Europa se desató la tormenta de pasiones promovida por la Guerra Civil Española. Y creo recordar ahora que un raro fulgor se encendía en los ojos de Jean-Claude cuando alguien nos hablaba de las Brigadas Internacionales... Y, una tarde, me hallé sola en la casa de la Rue de la Montagne Sainte-Geneviève a donde nos habíamos mudado recientemente, sollozando sobre una carta. La Historia, una vez más, me había salido al encuentro. Y míos, dolorosamente míos, se me hicieron entonces los versos de San Juan de la Cruz, que tantas y tantas veces habíamos leído, juntos, él y yo:

¿A dónde te escondiste,
amado, y me dejaste con gemido?
Como el ciervo huiste
habiéndome herido;
salí tras ti, clamando, y eras ido.

....

Raras habían sido las navidades del año anterior, con muchas casas en silencio, tempranamente apagadas el 24 y 31 de diciembre, como si se estuviese en un día cualquiera, cuando otras veces, en tales fechas, todo era pretexto a regocijo, músicas de pick-up o de charangas familiares, pedidos de aguinaldo, visitas de casa a casa —con obsequio obligatorio de cremas y licores, desde luego— en un festivo olor a chamusquina de lechón, congrí en orza, frituras de teti, turrones y frangollos, sin olvidarse las obligadas reverencias a la Cruz de la Parra —la misma que, según se decía, traída a la isla por Cristóbal Colón, hubiese sido usada, en sus primeras misas destinadas a los indios, por Fray Bartolomé de las Casas. Pero si raras —por el significativo retraimiento de muchos— habían sido las navidades del año pasado, las de éste transcurrieron sin música, cohetes ni risas, en una atmósfera cargada de zozobra y expectación —donde algunos guardaban el silencio por miedo, mientras otros, los más, observaban un voluntario luto aunque ningún deceso se hubiese señalado en sus familias. Tenían miedo —un miedo atroz— aquellos que, por desempeñar cargos o haberse pronunciado de manera activa, podían ser considerados como adictos al gobierno —y peor si se hubiesen jactado, alguna vez, de ser "incondicionales". Y callaban, pensando acaso que muy pronto dejarían de callar, los que se asociaban, en espíritu, al luto llevado en Santiago y en otras poblaciones, por las madres, esposas, novias, de jóvenes revolucionarios matados por la policía o hacinados en sus mazmorras. Ahora, la verdad no podía ignorarse ni soslayarse: estábamos en plena guerra civil, y todo el mundo sabía que los guerrilleros de la Sierra Maestra habían abandonado sus reductos montañosos, bajando al llano, donde todo habría de decidirse. Sabiendo que conmigo, cuando abordaba el tema político —y lo hacía cada vez más a menudo— se condenaba al monólogo, el médico amigo se mostraba inquieto: "*Ellos* (y alzaba un brazo hacia lo alto) perfeccionaron una técnica de combate que ha resultado tremendamente eficiente. En las operaciones de guerrilla son invencibles, como invencibles fueron los guerrilleros españoles cuando las tropas napoleónicas invadieron la Península... Pero ahora el enfrentamiento será en terreno descubierto, ejército contra ejército, con fuerzas regulares que disponen de pertrechamiento, sistema logístico, artillería de todo calibre, tanques, cobertura aérea, y tengo entendido que hasta tienen un tren blindado"... Era evidente que, en muchísimas casas, se escuchaban las noticias dadas por la radio rebelde que, entre interferencias, contraofensiva de noticias oficiales, ondas emborronadas, emisiones ensuciadas por baraúndas parasitarias, iban largando sus verdades a girones. Todo el mundo sabía ya que el pueblo de Placetas, situado a sólo treinta y cinco kilómetros de Santa Clara, una de las poblaciones más importantes de la república, había sido perdido ya por los gubernamentales, arrojados también de la ciudad de Remedios el día 25 de diciembre. Y, el 30, supimos que ya se había entablado la batalla de Santa Clara. —"Ésa es la decisiva" —me dijo el médico que, yendo de enfermo a enfermo, oyendo algo en esta casa, algo en la otra, dando con el lugar privilegiado donde se recibían los partes de avance con particular claridad, tomando el pulso a los miedosos, auscultando a los entusiastas, comprobando la temperatura de los aterrorizados, departiendo con el que de puro contento había sanado de larga dolencia —hablando al que más, al que menos, en hora de verdad— era el mejor enterado de cuanto ocurría. —"La batalla es cruenta y terrible" —me decía, de paso, al regresar de una gira por los alrededores: "Por radio se oye al locutor envuelto en un infierno de disparos. Fusiles, ametralladoras, morteros: ¡el pandemonio!"... Y, al día siguiente, con casi estrepitosa alegría: "¡Se jodió el tren blindado! ¡Se rindieron los trescientos cincuenta hombres que había dentro!... ¡Y sigue la batalla!"... Y, el primero de enero, la extraordinaria, la prodigiosa noticia, que ya corría alborotosamente de boca en boca, en alborada de nuevo año: Batista había huido de La Habana, volando —parece— a Santo Domingo. Y el médico, que me llega al mediodía: "¡Confirmada la noticia! ¡Se acabó esta tiranía de mierda!... No diré que todo terminó, pero estamos en el desenlace. Puede que haya alguna resistencia por parte de los que se quedaron en tierra o tienen la conciencia demasiado sucia. Pero Fidel ha ordenado el avance de las tropas rebeldes hacia la capital al mando de los comandantes Camilo Cienfuegos y Ernesto 'Che' Guevara". Marcó una pausa y añadió, fuerte y lentamente: "Señora: podemos decir ya que ha triunfado la Revolución".

La palabra me ha alcanzado, pues, en "lo último" del mapa —aquí, donde pareciera que jamás habría de llegarme. Una revuelta —revolución a escala de ojos niños— me arrojó de Bakú, cuyo mar tenía los mismos verdores densos que el mar de aquí. Una revolución adulta me hizo huir de Petrogrado, donde oí por vez primera aquella *Internacional* que volvería a escuchar, años más tarde, en el teatro de una guerra revolucionaria en la que perdí el primer hombre a quien yo hubiese amado. Y crucé un vasto océano para escapar a una nueva guerra que ensancharía, finalmente, el ámbito geográfico de la Revolución de Octubre, para que yo, hoy, la fuera de horarios, la fuera de calendarios, la fuera del mundo, refugiada en el lugar más recóndito de cuantos había conocido, me viese bruscamente sumida en la realidad de algo que sólo puede definirse en términos de Revolución. De pronto, me invade una inmensa fatiga, una inconmensurable mansedumbre, un asentimiento pleno y total. Me rindo. Estoy cansada de huir, de huir siempre. He querido ignorar que vivía en un siglo de cambios profundos y, por no admitir esa verdad, estoy desnuda, desamparada, inerme, ante una Historia que es la de mi época —época que quise ignorar. Y percibo ahora, como en breve fulgor de iluminación, que no se puede vivir contra la época, ni volver siempre una añorante mirada hacia un pasado que se arde y se derrumba, so pena de ser transformado en estatua de sal. Al menos, si no he estado con la Revolución, no he estado contra ella, prefiriendo ignorarla. Pero se terminaron, para mí, los tiempos de la ignorancia. Esta vez no vivo en un escenario, sino dentro del público. No estoy detrás de una mentida barrera de candilejas, creadora de espejismos, sino que formo parte de una colectividad a quien ha llegado la hora de pronunciarse y tomar su propio destino en manos. Traspuse las fronteras de la ilusión escénica para situarme entre los que miran y juzgan e insertarme en una realidad donde *se es* o *no se es,* sin argucias, birlibirloques, fintas ni términos medios. Sí o no... Y pregunto al fin, con la timidez del neófito amedrentado de antemano por los misterios de una prueba iniciaca: "¿Qué hay que hacer para estar con la Revolución?" Y me contestan: "Nada. Estar con ella".

Abrí todas las ventanas de la casa. Las calles estaban llenas de una multitud jubilosa que parecía haber recobrado voces por harto tiempo acalladas. Frente a mí pasaron algunos con el puño en alto: "¡Viva la Revolución!". —"¡Viva!" —dije. —"Más alto: no se la oye" —me dijo el médico. —"¡Viva la Revolución!" —grité, esta vez alzando una mano abierta, blanda, indecisa. —"Así, no. Es con el puño cerrado. Fíjese: haga como yo". Acabé por levantar el puño a la altura de la sien, recordando que así hacían Gaspar y Enrique —y acaso también Calixto, ahora. —"Bien" —dijo el médico: "A la una, a las dos, a las tres: ¡Viva la Revolución!" —clamamos los dos al unísono. —"¡Viva!" —respondió la calle entera.

VIII

¿Cuándo acabaremos de acontecer? Mientras nos quede algo por hacer, nada hemos hecho.

HERMAN MELVILLE *(Carta a Nathaniel Hawthorne)*

39

Mi fiel colaborador Martínez de Hoz ha venido a Caracas para hablarme de asuntos relacionados con la buena marcha de nuestra oficina, que prosigue sin tropiezos sus edificaciones contratadas, aunque él se muestra bastante pesimista para el futuro, ante una economía dislocada, aventurera, entregada al circuito cerrado de las ganancias rápidas e inmediatas, que ha pasado del dominio de los financieros al de los tahúres —y *"después de mí, el Diluvio"*. Es evidente que tales lamentaciones previas están destinadas a preparar mi ánimo para entender que, en realidad, nuestra empresa anda mal, por falta de una promoción que yo solo era capaz de mantener por mis relaciones familiares y mis gestiones personales. Y me resigno a escucharlo pacientemente cuando, ansioso de cambiar de tema, hago alusión a algo que... —"¿Cómo? ¿No lo sabías?" —me pregunta el otro, atónito. Y, apremiado por mi angustia, gesticulando y tartamudeando, me entera del trágico fin de la escuela de la Plaza Vieja, de la horrorosa muerte de Hermenegildo, Sergio y Filiberto (de Calixto nada se sabe...) y de la presurosa partida de Vera para México. Lo de la escuela es tan inimaginable que apenas si puedo admitir que tales cosas hayan podido ocurrir. Pero, lo del viaje de mi mujer me trae de repente algún alivio. Por lo pronto, ella se ha puesto a salvo de la policía de Batista, de la que puede esperarse lo peor. Recuerdo que allá conoce a mucha gente: el compositor Tata Nacho, el periodista Renato Leduc, Lupe Marín, que fue esposa de Diego Rivera, muy amigos de Jean-Claude; también al pintor David Alfaro Siqueiros, a quien yo había conocido como "Coronelazo" —así lo llamaban los españoles— de la *"Brigada Garibaldi"*, y que mucho frecuentábamos en París, durante los últimos meses de nuestra vida en Europa. Lo que me sorprende es su largo, larguísimo silencio —ausencia total de cartas— de la que yo culpaba a una probable censura postal cubana, capaz de suprimir llanamente cualquier correspondencia que viese como sospechosa de estar redactada en clave. —"A nadie ha escrito" —me dice

Martínez de Hoz: "Pero México es una ciudad gigantesca. El tiempo de orientarse, de instalarse, de inventar algo —porque usted sabe que no es mujer capaz de estar inactiva. Es, como Ulises, persona de mil astucias. A lo mejor le está preparando una buena sorpresa..." —"Pero ¡carajo! una tarjeta postal con su dirección al menos..." —"Paciencia. Piense que ella tiene la gran suerte de estar allá, que ya es mucho. Y si quiere o puede regresar, hallará la casa como la dejó. Allá no ha pasado nada, y yo he pagado puntualmente los alquileres, así como el sueldo de Camila". Y vuelve a su primer tema, hablándome de la irrespirable atmósfera de garitos, timbas, casinos, burdeles, pornografía, gangsterismo, en que vive La Habana de ahora. Hay, sin embargo, una resistencia activa ante tanta podredumbre, que se traduce a menudo en el estallido de bombas, en actos de sabotaje, pero con la contrapartida de una activada acción de la policía que, exasperada por su impotencia ante la constante movilidad de una oposición invisible, golpea a diestro y siniestro, al azar, en ciego empeño de represión afirmado, cada mañana, en el hallazgo de cadáveres dejados sobre las aceras —balaceados, mutilados, defenestrados, y más si se trata de hombres jóvenes, allí donde el solo hecho de ser joven y andar después del crepúsculo por una calle apartada o desierta, es ya delito que merece castigo de muerte: "En Las Vegas, al menos, no se conoce ese clima de espanto". Y como las ruletas seguían produciendo dinero y el dinero mal habido fomenta negocios, se seguía edificando mucho aunque las grandes obras en proyecto —como lo había visto yo— eran ya del dominio del Dictador y de sus amigos. Había varios hoteles en construcción que, desde luego, nacerían con sus correspondientes ruletas —y uno de ellos, próximo a terminarse en la Isla de Pinos, se inauguraría el día 31 de diciembre de aquel año 1958, dándose una gran cena tradicional de lechón asado y congrí, a la que Batista había dado su formal promesa de asistir, acaso para demostrar a la opinión que más le preocupaba el fomento de un nuevo "centro de turismo", abierto en alegre noche de San Silvestre, con misa de gallo dicha en una capilla improvisada junto a los tapetes verdes de naipes y dados, que las noticias, siempre "desmentidas noticias", propaladas por los enemigos de su régimen. Nada de esto me sorprendía mucho; lo que sí me dejaba atónito era la ignorancia en que estaba mi colaborador de ciertos acontecimientos mayores que todos conocíamos aquí —y mejor conocían aún los miembros del Movimiento 26 de Julio, refugiados en esta ciudad, y que eran muchos. Por los periódicos, y sobre todo por una "Radio Rebelde" cuyas ondas caían en Caracas, sabíamos de las continuas operaciones llevadas a cabo por el Ejército Rebelde, de sus numerosas victorias y de la constante extensión de su zona de operaciones. Enterábase mi visitante, como gran novedad, de la existencia de un Segundo Frente y de la presencia de insurrectos en la provincia de Las Villas, con una intensidad de acción que se asentaba en muchas batallas ganadas. —"Esperemos" —decía Martínez de Hoz: "Esperemos". Y eso hacía yo: *esperar* —aceptándose aquí la ambigüedad de un vocablo que también significa *aguardar* y *confiar*... Debo reconocer, sin embargo, que, sin haberlo buscado, *esperaba* en condiciones más que envidiables. Una firma constructora de aquí había solicitado mi colaboración y, como el ocio empezaba a pesarme, volví gustoso al ámbito de mi oficio. Esto me hizo penetrar más hondo en la vida venezolana, donde pude admirarme de que más de un millonario se enorgulleciera de que sus hijos fuesen a la Universidad, estudiasen materias difíciles o se inscribieran en las facultades de Filosofía y Letras —cosa jamás vista en mi mundo/gran mundo, donde eso de "filosofía y letras" era sinónimo de "perder el tiempo". Aquí, los ricos apreciaban altamente al escritor, al pintor, al músico, abriéndoles las puertas de sus mansiones, donde Sandy Calder, Francis Poulenc, Wilfredo Lam, Héctor Villa-Lobos, Jacques Thibault, y los virtuosos del Cuartero de Budapest, habían dejado constancia de su paso, en retratos y autógrafos. Y de tales mansiones habían salido, por fuerza, unos burgueses que, además de ser burgueses, eran historiadores, poetas, novelistas, científicos, cineastas, fotógrafos de marca mayor y, entre caviar y vodka, cenas y fiestas, negocios y beneficios, eran muy capaces de escribir libros, llevar adelante una investigación folklórica, o ejercer, al menos, cuando les faltaban ínfulas de clerecía, un estimulante mecenazgo... En cuanto a lo físico/sentimental, había encontrado la magnífica y nada alienante compañía de una Irene, de ojos aindiados, matemática y experta en equipos IBM, cuyo cuerpo se ajustaba, para mi gusto, a los mejores patrones de la sección de oro pitagórica; era, además, coleccionista de rompecabezas japoneses, convencida rosacruz, apasionada lectora de Hermann Hesse, y, acompañándose en un "cuatro", sabía cantar lindamente, el joropo del *Alma llanera*, la *Mónica Pérez* y la canción de *"Píntame angelitos negros"*, aunque a menudo, cuando hacíamos el amor, pusiese a sonar una sinfonía de Brahms, para ver si, en una sola tenida, llegábamos al *Scherzo* o al *Final* —lo cual ocurría a menudo, demostrándose con ello que lo hecho estaba bien hecho. Ni ella estaba enamorada de mí, ni yo de ella. Pero juntos nos divertíamos mucho, sin engorros, imposiciones, reproches ni celos. Durante los fines de semana íbamos a un hotel de alemanes en el litoral, chapaleando en el mar hasta hartarnos de agua salada. Quiso convencerme de que Cervantes, Rossini y Darwin habían sido rosacruces, cosa que admití sin objeción, porque me daba igual que lo hubiesen sido o no. Trató, en la playa, de explicarme la teoría de los quanta, pero Planck se quedó en las nubes porque mientras ella hablaba, yo estaba atento a unas nubes que se mordían como hidras furiosas. Irene tenía un alma fáustica y proyectada hacia la Trascendencia; pero, a la vez, tremendamente llevada al placer, y sentimental al extremo de ahogarse en lágrimas ante una película mexicana de Sara García —*Todo lo que puede sufrir una mujer*, por ejemplo— que jamás hubiese ido a ver a un cine, pero la agarraba desprevenida por algún canal de la televisión cuyos programas podíamos seguir desde donde blandamente yacíamos.

Varios días había pasado yo con las botas puestas, conduciendo un jeep por una zona montañosa y árida, poco propicia a la construcción, pero donde un inversionista, seguro de vender fácilmente sus terrenos antes de edificarlos, se encarnizaba, contra todos los consejos, en crear un vasto parque residencial, con árboles transplantados y un lago ilusorio, cuando me vi, en 30 de diciembre, con la noticia de que había empezado la Batalla de Santa Clara. Pasé todo el 30 encerrado en mi casa, captando emisiones que me venían por la Radio Rebelde, incapaz de separarme del receptor, hasta que, esperando informaciones que mucho se espaciaban o repetían, acabé por acostarme en ruido de fiestas y celebraciones de año nuevo que provenían de casas vecinas. "Y, mientras tantos compatriotas míos están muriendo, Batista está inaugurando una nueva ruleta en la Isla de Pinos" —pensé, antes de dormirme... Y, el amanecer, pocas horas después, se alzó sobre la ciudad sin que sus ruidos y movimientos rituales lo acompañaran. No sonaron las latas de los lecheros; no aparecieron los carros de las carnes con sus gentes de delantales y garfios ensangrentados; desiertas estaban las calles y ningún respiro tibio despedían, siquiera, los tragaluces de las panaderías. Las larguísimas avenidas, talladas entre rascacielos de aluminio y de cristal, entreverados de casas de adobe y teja más baja que los granados de sus patios, estaban en silencio, sin transeúntes, sin luces rojas ni verdes, sin carruajes ni estrepitosas motocicletas. Allá arriba, en el barrio que llamaban de la Pastora —*adamavit eam Dominus plus quam omnes mulieres...*— una iglesia parroquial de santos en vidrieras y cimborrios mohosos no había sonado las horas. Parada, escalonada, desparramada entre las montañas —los cerros— que la encuadraban y dividían, la ciudad estaba, al filo de la madrugada, en estado de queda. Pero, de pronto, los grillos, las chicharras, todos los seres que hacen música, cantan, con los peines y serruchos de sus patas, entraron en la población. Los árboles empezaron a hablar por sus hojarascas y escamas. Llenábase de crecientes zumbidos el árbol de aquí, en tanto que el otro, de pellejos rojos, pregonaba la presencia de su pululante filarmonía; chirriaba, tremolaba, rasgueaba en guitarra mayor, el matapalos mal nacido en arrabal de lujo, en tanto que una mata, florecida de estremecimientos amarillos y rojos, concertaba las músicas de sus insectos. La ciudad pertenecía, en aquel amanecer, a los árboles que la llenaban y a quienes en los árboles vivían. Había como olas, ráfagas, de llamadas amorosas, de ramazón a ramazón. Aquella mañana era estruendosa la avispa y era estruendoso el moscardón, en un aire sin brisa, quieto bajo el sol que iba menguando las sombras de las montañas, penetrando en sus abras, caminos y vericuetos... No marcaron las iglesias parroquiales ni catedrales las horas de maitines, ni de misas de ocho ni de diez, cuando —en día sin periódicos, sin noticias, sin señalamientos— nacieron en las casas de la ciudad unas voces gangosas, enanas, mal emitidas entre silbidos de estática, que se metían en las casas por el inesperado camino de algún aparato receptor manejado por un niño, por una moza del servicio, por la anciana de la familia. Nada había de llegarles sobre las ondas aquel día de un año que comenzaba. El asueto era universal. Y sin embargo las voces eran apremiantes, conminatorias. Todos los técnicos y locutores habían de presentarse, inmediatamente, en sus estaciones de radio o de televisión. *Asunto urgente. Asunto urgente. Asunto urgente.* Frente al concertante de grillos y chicharras aquel llamado crecía, se hinchaba, requería, a quienes no tenían oídos —todavía— para oírlo. Desperezábanse éstos, llamados por las esposas; no entendían aquellos que habían festejado a San Silvestre hasta poco antes del alba. Y, de repente, en torno a las once de la mañana, las estaciones de radio se concertaron. Una noticia, una sola, aún exenta de pormenores, exasperante en la reiteración de lo mismo, entraba en todas partes: Batista se había fugado de Cuba en la medianoche anterior y los fabulosos *chivúos* [1] de la Sierra Maestra entrarían en La Habana aquel mismo día, en un épico estruendo de carros de asalto, tanques y caballerías.

Pronto comenzó el descenso de los cubanos hacia el aeropuerto de Maiquetía. En camiones, en autos, en los pocos autobuses que habían salido a las calles aquel día primero de enero, bajaban, por centenares, hacia el mar. No se tenía noticias de que hubiese aviones aprestados para viajar a la isla. Muchos de los que cargaban con sus hatos, con sus maletas maltrechas, llevando una mujer con dos niños en brazos, no tenían siquiera el dinero suficiente para pagar el pasaje. Y aun así, desembocando de la autopista, de la carretera antigua que la dominaba con sus trescientas curvas, y aun a pie, del viejo Camino de los Españoles, que tramontaba el Ávila para caer, con su pavimento desgastado, sobre la fortaleza de La Guayra, iban llegando al aeropuerto donde les esperaba la noticia de que todos los vuelos estaban suspendidos por un tiempo indefinido. Los *chivúos* no entrarían en La Habana aquella tarde, como

[1] Así llamaban en Venezuela a los barbudos.

se había anunciado. Había alguna confusión en las informaciones. Se decía, sin embargo, que un piloto venezolano estaría dispuesto a lanzar algún vuelo por su cuenta y riesgo, sin estar autorizado a ello. Y en medio de la confusión de las conjeturas, en un ir y venir del bar del primer piso a las butacas de la planta baja, el aeropuerto se transformó en un vasto campo de expectantes, de reclusos, que, entre llantos de niños, llamadas a gritos, trasiego de cosas, se fue poblando de durmientes ovillados en el piso, el pie de las paredes, en tanto que los grandes aviones internacionales no cesaban de pegar y despegar, camino de Río de Janeiro, de París o de New York, con su siempre renovado vaivén de aeromozas —de ruanas rojas, si eran colombianas; un tanto *cow-girls*, si eran de la Texas; tan elegantes como desabridas, si eran de la *British*. Detrás de las pistas, en la claridad enorme del primer sol de enero, el peñón de Cabo Blanco cobraba una fulgencia de cristal de roca. Hoscas, obscuras, harto cubiertas de hojarascas peligrosas se hacían las montañas. Pero arriba, en la ciudad ya despierta y tremendamente despierta, se alzaba ya el clamor de las manifestaciones que iban saliendo a sus avenidas céntricas y *bulevares*... En mayor número del que yo hubiese creído posible, iban apareciendo los brazales rojo y negro del Movimiento 26 de Julio, que la gente de aquí, solidaria en la alegría, celebraba con grandes aplausos. Todo el día anduve de aquí para allá, viendo pasar automóviles cubiertos de banderolas, oyendo sonar por vez primera al aire libre el *Himno del 26 de Julio*, hasta hoy clandestino y secreto en Cuba, y que aquí habían aprendido muchos, en música y letra, por boca de refugiados —versión oral de los cantos de rebeldía que, en tiempos de cárceles y persecuciones, se difunden más pronto *a sotto voce* que si fuesen editados o tocados en desfiles, con coros y bandas militares... Vuelvo tarde a mi casa, donde me espera Irene con el oído atento a la radio: "Ya Fidel está en Santiago". Y otra noticia que me impresiona grandemente por su significado ejemplar: se ha rendido el Cuartel Moncada donde, un día de julio de 1953, había comenzado todo. Se ha cerrado un ciclo y ahora se abre otro, que habré de seguir con creciente expectación. El 4 de enero, el Ejército Rebelde está en Camagüey. El 5, 6, 7 y 8, es la gran marcha hacia la capital, y el 9 es la entrada en La Habana, cuyas históricas imágenes nos son ofrecidas —y es ésta la máxima actualidad mundial del momento— por los diarios, la televisión y los noticieros cinematográficos. Ahora, lo que casi era espejismo, cosa de conseja y romance, se nos ha instalado en lo cotidiano, haciéndose inmediato y comprobable en presencias y actos que recoge la prensa y difunden los *mass media.* De los altos de una Sierra que sólo conocía vagamente por los tratados geográficos mal estudiados en el colegio, surgidos de verdores y nieblas, habían bajado al llano esos —para mí— casi míticos personajes que habían ido cobrando contorno, estatura, fisonomía y dimensión humanas, heroica o carismática, a la par que sus nombres se iban grabando sucesivamente, a tenor de sus proezas, en la memoria de las gentes: Fidel Castro, Ernesto "Che" Guevara, Raúl Castro, Camilo Cienfuegos, y otros más. Muchos los veían con admiración y confianza; algunos les temían; pero a nadie eran indiferentes sus ya afirmadas personalidades, en medio de los combatientes anónimos, hermanos de sangre que, con sus largos cabellos sueltos y sus fornidas barbas —en país donde casi nadie hubiese llevado barbas desde hacía más de cuatro décadas— parecían haberse constituido en una nueva categoría de hombres entre los de mi nacionalidad. Y tan singulares parecían en el desarrollo de su muy reciente historia, tan dotados de tenacidad, resistencia física y moral, poder de sobrellevar las penurias, carencias y privaciones de una prolongada guerra que, acostumbrado a la blandura, la indolencia, los apetitos de bienestar y de placer de mis compatriotas, me parecían seres hechos de otra arcilla —de otra carne. Llegaba a preguntarme, ante sus estampas hirsutas, su aparente distanciamiento, si, cuando se situaran dentro de la perspectiva que era la nuestra, llegaríamos alguna vez a entendernos en un mismo idioma —si las palabras nuestras serían las mismas que se articularían en el ámbito de su mitología guerrillera y militar.

Y esas palabras las oigo ahora, dichas desde un balcón que domina una vasta plaza repleta de gentes, pronunciadas por quien fue el promotor, animador y jefe supremo de la prolongada y tesonera acción revolucionaria que acaba de cerrar su primer ciclo. Fidel Castro está en Caracas, a la que llegó escoltado por la enorme multitud que fue a esperarlo al aeropuerto de Maiquetía, obligándolo a detenerse varias veces y hablarle en el camino seguido desde la costa a la capital. Ha llegado acompañado por algunos de esos hombres nuevos, algo taciturnos, de andar un tanto campesino, que aquí llaman "los fabulosos chivúos", y que, al aparecer ante la muchedumbre fueron alzados en hombros y llevados en triunfo. Adosado a una columna de la plaza, escucho ahora su voz neta, clara, algo metálica a veces, que me llega a través de los zumbidos intermitentes de una brisa, venida de la montaña, que por momentos se le cuela en los micrófonos. Menos me interesa lo que dice, reflejo de un pensamiento cuyas premisas ya me son conocidas, y de la expresión de verdades nuestras, ecuménicamente nuestras, que habrá de exponer con el tacto del huésped que en modo alguno pretende dar lecciones fuera de su casa ni erguirse en ejemplo, cuando sabemos todos que es acaso el único en la América de hoy que, por su acción victoriosa, podría precisamente presentarse como ejemplo y dar muchas lecciones fuera de su casa; menos me interesa lo dicho en este momento, repito, que el estilo —para mí insólito— de su oratoria, desprovista de toda retórica, donde el habla llana y directa, muy cubana siempre, no se exime, sin embargo, de una corrección gramatical ignorante de las viciosas apócopes y perezas de articulación que harto a menudo afean el habla nuestra sin añadirle gracia. A veces, se va del tema, pasa de lo esencial a lo accesorio, se nos escapa, se sale del propio razonamiento, y cuando creemos que se ha extraviado, dejándose arrastrar por una sucesión de ideas secundarias harto presurosas en salir, con inesperada elipsis regresa a su tema primero, cerrando lo que fue en realidad un paréntesis necesario para llevar adelante el razonamiento central. Después de tanto padecer la frondosa verbosidad de nuestros políticos tradicionales, llena de imágenes hueras, malas metáforas y teatrales paroxismos, me admiraba yo ante el estilo distinto, innovador, claro, dialéctico, de un hombre que, usando el lenguaje de cada cual, lo libraba de inútiles modismos, de locuciones demasiado coloquiales, para alzarlo a la dignidad de un discurso dirigido a todos en el idioma de todos, pero donde una expresión popular sacada a colación en momento oportuno, se insertaba muy naturalmente entre dos párrafos, como nota de color, como útil imagen, aunque sin romper la continuidad de lo dicho —continuidad mantenida del principio al fin por una lógica ligazón de conceptos que iban derecho a lo certeramente apuntado, sin necesidad de latiguillos ni de altisonancias efectistas. Lejos estábamos aquí de los rugientes tenores de la tribuna, con muchos trémolos y poco mensaje, que tanto habían proliferado en este continente. A tiempos nuevos correspondía una palabra nueva —palabra que al volver al silencio, en lo alto de esta plaza que tenía *El Silencio* por nombre, levantó enormes aclamaciones en el vasto espacio que se extendía hasta la escalinata de El Calvario, cubierta de gente, y el Arco de la Federación, cuyas alegorías se perdían en la noche de los cerros... Llevado hacia una calle cercana por la dispersión del público, entré en una grata tasca española —*"La Pilarica"*— para esperar a que se despejaran un poco las vías que iban hacia el este de la ciudad. Y allá, saboreando lentamente un vino blanco aragonés que era especialidad de la casa, me sentí terriblemente solo, solo ante lo visto y oído, solo ante una realidad histórica que directamente me concernía —agobiado por una evidencia debida a mi marginación. Así, *otros* habían hecho lo que era necesario que se hiciera; *otros,* habían llevado a la acción lo que yo, a veces, hubiese anhelado, sin pasar del anhelo; *otros,* habían actuado, combatido, sufrido, caído, vencido, en mi lugar; *otros,* habían pensado por mí; *otros,* habían logrado una victoria, dejándome fuera de esa victoria. Yo era el hombre parado en la acera que asiste a un desfile triunfal, avergonzado al pensar que hubiese podido ser uno de los que marchan entre aplausos en vez de ser uno de los que aplauden. Yo no había sido del todo indiferente a lo que en mi país se estaba preparando. Nadie podría negar que en algo había ayudado, consiguiendo lugares donde pudiesen celebrarse reuniones clandestinas, llevando y trayendo documentos, prestando ayuda económica, ocultando a un herido. Pero, en un momento dado me había apendejado —ésa era la verdad. Había huido del país por temor a persecuciones imaginarias. Y acaso no tan imaginarias, pensaba ahora, porque el allanamiento a la escuela de Vera podía estar relacionado con todo lo demás. Pero, por más que tratara de justificarme ante mi conciencia, debía admitir que un verdadero revolucionario habría procedido de distinta manera. No pasaba de ser un burgués metido a conspirador —trasunto de carbonario o "laborante"— extraviado en este siglo. Y si mi fuga hubiese sido realmente necesaria, debía haberme fugado hacia la Sierra Maestra y no hacia el Monte Ávila... Tenía lacerantes deseos de volver a mi país, ahora que podía hacerlo con toda seguridad. Pero nadie, allá, esperaba por mí. Martínez de Hoz me escribía que en La Habana se vivía en compás de espera: una intensa expectativa ante la aparición de hombres cuyos apellidos jamás habían figurado en los anales de la vieja política que veníamos arrastrando desde los comienzos del siglo. Después de inevitables disturbios de la primera hora —resistencia de pandillas armadas que no habían huido a tiempo, o esbirros dejados en tierra por los allegados del dictador— la vida había vuelto a su curso normal, y nada anunciaba mayores cambios, aunque los negocios, en este momento, estaban paralizados por la espera de quienes sabían que el que a buen árbol se arrima... "La vida ha vuelto a su curso normal" —me decía mi excelente colaborador. Y sin embargo, una noticia recibida recientemente me había llenado de júbilo: un día, en uno de esos misteriosos impulsos colectivos que, sin voz de mando, sin jefes, conducen las masas a la toma de cualquier Bastilla, el pueblo de La Habana se había arrojado a las calles, espontáneamente, para destruir todas las casas de juego de la ciudad. A hachazos, a mandarriazos, se habían roto las mesas de los números y los tapetes verdes; por el suelo se habían esparcido las ruletas, cubiletes de dados, y fichas de coimes. En horas quedaron destruidos los dominios proconsulares de Lucky Luciano, Frank Costello y sus familias mafiosas, con grandes hogueras callejeras donde se consumían los últimos naipes, taburetes de *dealers*, rastrillos de dineros, pavesas de una época rebasada, en tanto que los *juke-box* y aparatos tragamonedas, atacados a cabillazos y patadas, rotos sus cristales, desencajados sus manubrios, con sus ciruelas, campanas y cerezas rotatorias, vomitaron los últimos *jack-pot* de sus entrañas. Y al final de la tarde quedaron tirados a lo largo de las aceras las maderas chamuscadas, astilladas, rajadas, aún cubiertas de andrajos rojiverdes, los artefactos metálicos y enseres de fullería, de lo que hubiese sido, en el

Trópico, emporio del azar, el engaño y la trampa. —"Algo nuevo hay en mi ciudad", dije, leyendo y releyendo los periódicos que narraban las peripecias de este —por una vez magnífico— auto de fe. Y volvía a hablar de mi ansia de regresar allá. —"Antes tienes que terminar la urbanización que has planeado" —me decía Irene. Y tenía razón: era una cuestión de ética profesional ante una empresa venezolana que había depositado en mí la mayor confianza. Pero mi amiga, dando una dimensión nueva a su papel de Calipso, trataba de aplazar indefinidamente la fecha de mi partida, con llamados a la cautela que afincaba en ejemplos tomados a la historia del Continente: "Mira, valezón..." Y entre *Sinfonía* de Brahms y *Sinfonía* de Brahms puestas en el tocadiscos para ritmar nuestros abrazos, era la Teoría: toda la gente nueva que llegaba al poder en estos fregados países, empezaba siempre con magníficas intenciones. Y que la honradez, y que la austeridad, y que el saneamiento de la hacienda pública, y que los procesos por peculado, y que la decencia, y que la disciplina, y que...; y efectivamente, se instalaban en el palacio de gobierno, con los mismos trajecitos raídos y de mala factura que desde siempre usaban en sus aulas de maestrescuelas, en sus notarías, en sus tenidas masónicas, y esa pobreza, y esa pureza, y esa sencillez les duraba hasta el día en que un Jefe del Protocolo les señalara la necesidad —el poder tiene sus servidumbres— de mejorar la guardarropía, y mandarse hacer dos *chaqués,* dos smokings, y hasta un frac. Ellos ponían el grito en el cielo, afirmando que era un gasto inútil, que habíamos vuelto a los tiempos de Catón y de Cincinato, hasta que la tenacidad del Jefe de Protocolo venciera la resistencia. Y entonces descubrían que las cuentas de sus trajes, los dos *chaqués,* los dos smokings, y hasta el frac, con ñapa para la compra de camisas adecuadas y mancuernas de oro, imitación perla o imitación platino, así como las botonaduras armonizadas, eran pagados por el Estado... Y cuando se miraban en el espejo de la prueba final, se operaba en ellos una transformación interior semejante a la sufrida por el Pontífice del *Galileo Galilei* de Bertolt Brecht... Dejaban de ser hombres cualesquiera para transformarse en vestidos/investidos... Y ahí empezaba la Gran Vaina, con el automóvil para la esposa, el automóvil para llevar los niños al colegio, la quinta para la mamacita y las cuentas en bancos suizos... —"La Gran Vaina, te digo; la Gran Vaina". [*17 de mayo de 1959.* SE PROMULGA EN CUBA UNA PRIMERA LEY DE REFORMA AGRARIA]... "Tú me dices, Enrique, que éstos, de ahora, son hombres jóvenes, sin una fea historia detrás de ellos; me dices que se han endurecido en la Sierra, que no tienen apetencias de lujo; tanto más peligroso será el lujo para ellos, porque el lujo les saldrá al encuentro, y, además de los *chaqués,* los smokings y el frac, vendrán los caviares y las trufas, y las buenas hembras puestas en bandejas... Y por lo mismo que mucho sufrieron, y sufrieron por una causa justa, admitirán que una recompensa es merecida, y se aflojarán, se ablandarán, se irán entregando, poco a poco, a los halagos de la gran burguesía, y detrás de la gran burguesía están los negociantes norteamericanos que sólo hablan por guarismos de seis cifras para arriba... Y, entonces, ¡ay vale!"... [*6 de agosto 1960* — LEY DE NACIONALIZACIÓN DE VEINTISÉIS EMPRESAS NORTEAMERICANAS] Y entre ellas, nada menos que la *Cuban Telephone Company, The Cuban American Sugar Mills,* la *United Fruit Sugar Company,* la *Texas Co. West Indies,* la *Sinclair Cuba Oil Co.,* la *Esso Standard Oil...* —"¡Caray! ¡Hasta ahora nadie se ha atrevido a tanto". —"Sí. Ya sé. Te entusiasmas con eso de que hayan fregado a la *Esso Standard Oil,* que se nos ha metido en Venezuela hasta el tuétano, y también la *Texas* que ya se nos está colando —y 'agresivamente', como dicen los yankis. Pero ahí, m'hijo, me parece que se están ustedes pasando de maracas... No están ya jugando con el fuego: están jugando con el Águila. Y eso, no lo aguantarán los *musiús* del Norte. Ya veo a los *marines* bailando en *Tropicana,* emborrachándose en el *Floridita,* y trayendo otra vez sus ruletas, su póker y sus dados. [*26 de septiembre de 1960.* FIDEL CASTRO DECLARA EN LA ONU: "CUBA SERÁ EL PRIMER PAÍS DE AMÉRICA QUE A LA VUELTA DE ALGUNOS MESES PUEDA DECIR QUE NO TIENE UN SOLO ANALFABETO"] —"Optimismo. Puro optimismo. ¿Cómo hablar de *algunos meses*? No te olvides que soy matemática, y trabajo con máquinas IBM y estoy cansada de ver estadísticas. Hay países en América Latina que tienen hasta un 90 por ciento de analfabetos. Ustedes, en Cuba, deben andar por 23 y 24 por ciento. Según cálculos hechos hace tiempo por la UNESCO un país de la población del tuyo necesita unos once años para vencer el analfabetismo... El mucho optimismo es peligroso, valezón. ¡Cuídate de un excesivo optimismo!"... Pero estaban concluidos los trabajos de mi urbanización escalonada sobre áridos cerros, y yo estaba más que regustado ya de los frescos racimos, capulíes y pomarrosas de la isla Ogigia con música de Brahms en que Irene había tenido el arte de ofrecerme una grata vida afectiva, sin tormentos ni *sturm und drang*. Así, después de despedirme de los magníficos amigos venezolanos que aquí había tenido, dije adiós una noche a la inteligencia y al cuerpo de mi amiga, y, a la mañana siguiente, volé a La Habana en un *Constellation* de la *Aeropostal*. Transcurría la primera quincena de octubre, mes de bruscas mutaciones en el clima de Cuba. Yo estaba resuelto a mudar de piel y comenzar una existencia nueva.

40

Limpio, ordenado, bien atendido hallo mi apartamento donde Camila me recibe con un alborozado y efusivo abrazo que mucho me sorprende en quien siempre ha observado un ancilar distanciamiento hacia mí, por verme como "el hombre de la casa" —algo así como el Patriarca, el Jefe de Tribu, de los pueblos donde nacieron sus abuelos, venidos en las últimas naves de la trata clandestina. Y, agarrándome por el brazo —otra familiaridad inhabitual— me lleva de habitación a habitación: "Todo está como usted lo dejó". Pero no es cierto. Falta el retrato de Anna Pávlova, su zapatilla firmada, sacada de la vitrina, un pequeño icono, una fotografía de mi mujer con Erich Kleiber. —"Eso se lo llevó Vera (dijo 'Vera' y no 'la señora Vera') a México. ¡Y qué ingrata! ¡Figúrese que ni una postal me ha mandado!" Observo, de pronto, que Camila lleva en la cabeza un pañuelo blanco a modo de turbante; también se ha puesto un vestido blanco, con medias blancas y zapatos blancos —lo cual es revelador de promesa cumplida a la Virgen de las Mercedes, según los cánones de la Santería. —"¿Y eso?" —pregunto, con un gesto que abarca su atuendo. —"La Revolución no ha prohibido a nadie que crea en lo que le dé la gana, y menos ahora que blancos y negros somos iguales, y que los negros pueden bañarse en playas de blancos, y que yo voy con mi novio a la del *Yat-clú*, y hasta merendamos en *El Carmelo* que era, antes, de la aristocracia"... Y al andar por *mi* ciudad, aquella tarde, me doy cuenta de la tremenda importancia de lo dicho por quien ahora me trata como un pariente o amigo, pero nunca como dueño o patrón. (Para ella he dejado de ser "el caballero" o "el señor", en tercera persona, para pasar a la segunda, como "compañero". Lejos de chocarme, esto me rejuvenece: en la Guerra de España todos éramos *Camaradas*.) En los bares y restaurantes, donde los negros sólo existían para limpiar los urinarios, o, disfrazados con exóticos uniformes y, a veces, con plumas en el colodrillo (como los del ex *Havana-Hilton*) para servir de porteros, se veían clientes negros, ahora, a menudo con sus mujeres e hijos, conviviendo muy naturalmente con el blanco. (Me contarían después cómo los inicios de esa adaptación habían sido lentos y cautelosos por parte del negro, aún temeroso de desaires y solapadas discriminaciones, de premeditadas lentitudes en el servicio, de brusquedades por parte de un camarero negado a "servir a un *totí*", acabando sin embargo por convencerse de que ciertos "derechos del hombre" no le eran negados...) Y me parecía que esto sólo hubiese merecido el esfuerzo de una revolución, puesto que el negro, a pesar de sus muchas miserias y humillaciones, había enriquecido nuestra tradición con su creadora presencia, contribuyendo poderosamente a darnos una fisonomía propia. Jamás este país podría avanzar al ritmo de la época, si seguía arrastrando el peso muerto de un enorme caudal de energía inutilizada. Era tiempo ya de que nuestros burgueses pagaran una larga deuda pendiente con los nietos de quienes habían cimentado su fortuna bajo la tralla de los mayorales... Desemboqué al Parque Central y tuve la rara impresión de que el cielo de este anochecer era más vasto, más abierto, más limpio, que otras veces. —"Alegrías del reencuentro" —pensé. Pero, no. Caí de pronto en que ya no había publicidades luminosas en las cimas de los edificios, sobre las cornisas, a lo largo de los balcones. Ni trusas Jantzen, ni automóviles Chevrolet, ni cigarrillos Camel, ni pinturas Sherwin-Williams, ni camisas MacGregor, ni Pepsi-Cola, ni gomas de mascar, ni analgésicos, ni tónicos de dudosa utilidad, pregonados en bombillas fijas o parpadeantes, en tubos de neón, o en siluetas animadas. Toda esa faramalla visual había desaparecido en beneficio de estrellas que ahora lo eran de verdad —y no estrellas de reclamo, como aquella luna, "acaso anuncio de la luna", que Juan Ramón Jiménez creía haber visto en Nueva York. Además, la publicidad comercial había desaparecido de todas partes —y me preguntaba yo ahora, yendo hacia la Calle 17, qué habría sido de José Antonio en esta muerte de los anuncios. Y heme aquí ante la vasta casa donde he nacido, de rejas cerradas, de luces apagadas, que parece un memorial suntuario, un cenotafio de solemnidad, en la noche que la envuelve. Con mi llave, abro el portillo enrejado y, tomando el camino del garaje, empujo la puerta de la cocina, donde sorprendo al chef francés despechugado, sin gorro, con barba de varios días, que, sentado tras de una mesa, se está despachando una tercera botella de vino, a juzgar por las dos, vacías, que ha echado a un lado. Al verme, se sobresalta, se pone de pie, limpia sus manos en el delantal, y se deshace en excusas por la facha. Él no sabía, no podía saber, nadie le había dicho que... —"*Les autres sont au cinéma... Et comme Madame la Comtesse est partie... Oui... Elle est à Miami... Elle disait, comme ça, que les communistes allaient venir et lui enlever tout son bazar... Elle avait la trouille...*" Y me informa que mi prima —*Mademoiselle Thérèse*— suele venir a menudo por aquí. Si quería, podría llamarla por teléfono, avisándola de mi llegada... Sí. Que la llamara. Y, entre tanto, que me encendiera todas las luces de la casa. Y como un Luis de Baviera que visita sus palacios desiertos, empiezo a andar por la vasta mansión que tanto conozco. Ahí están, siempre en su lugar, junto a los magníficos Madrazo, las españoladas zuloagueras que ya me parecen cosas resurgidas de una prehistoria artística. En la biblioteca, los libros jamás leídos duermen bajo sus encuadernaciones en rojo y oro. Las chinerías, los Coromandeles, las cacatúas rococó, están donde siempre. En vano busco algo que, por coincidir con algún recuerdo sepultado en mi memoria, encienda la chispa de una emoción o el recuerdo de una peripecia añorable. Pero, nada. Todo, aquí, me es extraño y ajeno. Todo fue visto en tiempos que ya me parecen tremendamente remotos por un hombre que fui y que ya no querría volver a ser. Prefiero pensar en las posibilidades del futuro, antes que atribuir inoperantes virtudes a un pretérito del que a tiempo huí. Y llego a extrañarme de que algún día haya podido vivir en una casa tan desmedida, tan incapaz de brindar intimidad —de envolver, de arrullar— como ésta, donde en vano se buscaría el sosiego de un rincón acogedor, con cosas que estuviesen al alcance de la mano; donde pudiese estarse *solo*, fuera de la solapada vigilancia de los veintidós ojos de once criados, siempre prestos a observar nuestras flaquezas, nuestros ridículos, nuestras pequeñas miserias físicas o morales, para agrandarlos, añadiéndoles floreos y esperpentos de propia cosecha y ponerles solfa de género chico en regocijados concilios de cocina.

En eso llegó Teresa y, sin darme el tiempo de levantarme de una butaca, se me sentó en las piernas, besándome golosamente con boca que tenía un lejano regusto de tabaco y licor: "Perdóname, pero he tenido que cambiar de dieta. Se acabaron el Bourbon y los *Chesterfield*. Ahora estoy a añejo y *Partagás*". Se enderezó al ver que Venancio cruzaba la rotonda, renqueante y paticojo, saludándome con aparatosas genuflexiones. —"El último esclavo de nuestra dotación" —dijo mi prima. —"Siempre aquí, para servir al Caballero y a la Señorita" —dijo Venancio, nada ofendido por lo de "esclavo", palabra que acaso tuviera otro sentido para él, de tanto oír boleros donde se hablaba de esclavos de un amor, de unos ojos verdes, de una ilusión, etc. etc. —"Él sigue hablando en un idioma de caleseros sacados de grabados de Landaluce" —dijo Teresa: "Y en cuanto a que yo sea Señorita (se echó a reír), eso pertenece ya a la noche de los tiempos". Fue a la cocina, volviendo con buenas noticias: "Todavía quedan algunas latas de foie-gras, espárragos de Libby, unas cuantas botellas de vino y hasta dos de wisky. Así que te invito a comer. Pero ante todo háblame de ti y de lo que hiciste en Venezuela —advirtiéndote que, de antemano, te perdono los tarros. Tú y yo somos de carne y hueso". Le hablé del *gold rush* en que había vivido, de los crímenes urbanísticos que podía cometer la arquitectura moderna dentro de una capital latinoamericana en súbita expansión, y, señalando las zuloaguerías, zubiaurrerías y romerodetorrerías que aquí colgaban de las paredes, evoqué las maravillas de pintura que allá había admirado... —"La Señorita y el Caballero están servidos" —dijo Venancio, abriendo las puertas del comedor de par en par. Y, con divertido asombro, nos dimos cuenta de que el fámulo había sacado el mejor mantel, los candelabros, los adornos de aparato, y la vajilla de plata para disponer una mesa de diez y seis cubiertos. —"Para que la Señorita y el Caballero recuerden los tiempos en que las cosas, aquí, se hacían en grande". —"¡Vivan las *caenas*!" —pensé. —"Aquí lo único que falta son los convidados" —dijo Teresa. —"Los convidados de piedra". —"Más bien los convidados de plata, porque me parece ver sus caras reflejadas en la plata de los platos". Y tenía razón Teresa: aquella noche los platos se habían hecho como los espejos de quienes tanto se habían inclinado sobre ellos, antes de que el metal fuese empañado por las salsas, y tenía yo la impresión, desde mi lugar, de ir señalando, a la manera de Hernani, una serie de retratos puestos en galería, pero eran retratos de hombres y de mujeres tan desprovistos de personalidad intelectual que, más que individuos, parecían representaciones hipostáticas de *algo:* allá, la Señora Condesa, majestuosa decana con armorial de similor, en su papel de Reina Midas; a su diestra, el Azúcar; a su izquierda, la Banca; enfrente, las Damas Católicas, encarnadas en su Presidenta, entre el Farmacéutico de las Mil Boticas y el Dueño de las Quinientas Casas; en la cabecera, el Promotor-de-negocios-del-Hombre-Fuerte; en la otra, *El Diario de la Marina* de cuerpo entero, en la descolorida figura de quien había heredado un periódico como un general paraguayo pudiese heredar un manuscrito de Juan Sebastián Bach; aquí, allá, de busto, de medio perfil, sonreían, chachareaban o piaban, aunque no se oyeran sus voces, las guapas jugadoras de canasta que bajo este techo, con burocrática puntualidad, se entregaban a sus cotidianas partidas... ¿Y cómo había tomado toda esta gente el fulminante triunfo de la Revolución? Y es Teresa, convidada esta que no es de piedra ni de plata, sino de muy viviente carne criolla, quien me hace un recuento de sueños, mentiras y desengaños, en un estilo regocijado y elíptico que mucho tiene de tira dibujada para edición dominical de periódico. La tarde aquella... Sí. Aviones que van y vienen entre la Isla de Pinos y La Habana, para traer invitados a la cena de despedida del año que habrá de presidir *El Indio* en el hotel de turismo recién construido que, desde mañana, sumará una timba más a las muchas timbas existentes en el país. Los convidados no serán muy numerosos, pero han sido escogidos con el criterio implacablemente selectivo, a fin de que sean personas de verdadero peso quienes tengan la envidiable oportunidad de rodear, agasajar, acompañar al Dictador, en una atmósfera de intimidad —de encerrona, por así decirlo— donde cada cual tendrá ocasión, en calor de copas, de abordar el tema que particularmente le interese. De ahí saldrán negocios, contratos, licitaciones ilícitas, nuevas ruletas, privilegios y cargos, que harán del año 59 el más feliz de todos para más de uno. Llegan avionetas particulares, aviones fletados, aviones especiales, no porque sean tantos los viajeros, sino porque cada cual trae su adorno, su regalo, para mayor relumbre de la fiesta que, con gran orquesta y magnífico *show*, probablemente se termine después del amanecer con un baño general en la piscina —"ya que la playa, y no se lo digan a nadie, como playa es la gran mierda, con dos palmos de escaramujos en fondo de piedras afiladas y más erizos de mar que la madre que los parió". Y ya el bar que se te llena de escotes y smokings en una emocionada espera que se va intensificando a medida que los relojes se acercan a la hora de llegada del Hombre —las 11, más o menos— en tormenta de cocktaileras eléctricas que hacen girar un maelstrom de daiquiríes. El cura ha llegado con sus acólitos para celebrar la misa de gallo, apenas se traguen las doce uvas a toque de doce campanadas, y se haya salido de los besos, abrazos, achuchones, y hasta de los extravíos de manos muertas que se toleran bajo la aureola de San Silvestre. Pero se aproxima ya el filo de la media noche y el General no aparece. Y dan las doce, y debe renunciarse a abrazar al General... Se mira al cielo. Cielo despejado. Puede haber una tormenta en La Habana. Pero no hay tormenta en La Habana. —"Ya llega... Ya llega" —dice un enterado. Y todo el mundo sale del hotel a recibirlo; pero quien llega es el repartidor de la leche que quiso salir temprano de sus botellas, para emborracharse después y descansar mañana. El cura se impacienta: "La hora de la misa". —"La hora de la misa, será la que diga el General" —le responden. Pero suena la primera campanada, sola, del año que empieza, y el General no llega. Y son la 1 y media. Las dos. Un ingrato olor a lechón quemado empieza a salir de las cocinas. Los plátanos verdes fritos se están pasmando. Marchitas, recocinadas en su vinagre, están ya las lechugas de la ensalada. Los turrones están resudados, porque hace un calor de madre... —"El General nos ha tirado a mondongo" —dice uno, pronto callado por irrespetuoso. Al fin, sobre las 4, las mujeres se resuelven a mal escuchar una misa presurosa, celebrada por un cura tan hambriento como sus acólitos, y la noche se termina en una borrachera lúgubre, forzada de risas y chistes que a nadie hacen reír, al cabo de una cena de platos recalentados que mucho podría hacer pensar en un "festín durante la peste", por la preocupación que se lee en las caras, bajo las coronas, los gorros de cotillón, y el maquillaje cortado, derretido, sudado, de las mujeres, que en vano tratan de aturdirse en un estrépito de matasuegras y cornetas de cartón. Al fin van los invitados a dormir sus alcoholes y, cuando despiertan, se enteran de la terrible noticia: a las 2 de la madrugada, Batista se ha fugado a Santo Domingo. ("Y figúrate que al llegar allí lo primero que hizo fue llamar por teléfono a su embajador, que estaba en los sueños de una mona fenomenal: 'Soy el Presidente Batista' —le dijo. —'Vaya usted a joder a otra parte' —le respondió su embajador. —'Que le digo que soy el Presidente Batista'. —'Vaya con la broma a casa del carajo'...")... Pero, de repente, se asistió al fenómeno de la transmutación de la materia. No fue transmutación de mercurio en oro, sino algo mucho más notable: la trans-substanciación del color caqui en verde olivo —color del uniforme del Ejército Rebelde. De súbito, toda la burguesía cubana se volvió revolucionaria. Todos los aprovechados del antiguo régimen se olvidaron de su vida pasada, como el amnésico que, hallado errante en un arrabal, se acuerda acaso de su nombre, pero ignora cuanto hizo hasta hoy en una existencia anterior, totalmente ajena a su presente. Los que mezclados y juntos habían andado por ciertos caminos, borraron esos caminos de sus memorias, sin volver a hablar de ellos. Y se dieron todos a alabar la Revolución, y a tratar de halagar a sus jefes, de acercarse a ellos, y de ofrecerles sus servicios. Pero, al cabo de algunos meses, se dieron cuenta que esos jefes eran de una impermeabilidad desesperante, sordos a los llamados, las insinuaciones, los elogios de quienes, acostumbrados a verse siempre en lugares de primer plano, se sentían cada vez más marginados, alejados, distanciados, tenidos tal vez por inútiles y hasta por nocivos —gusanos que introducidos en la mejor fruta, la dañan y pudren —'No van a poder. No van a sostenerse. No tienen experiencia financiera ni política" —decían los despechados. Era inexplicable que se negaran a aceptar convites, a ser recibidos en sus clubes, a ignorar el encanto de sus fiestas, el sabor de sus licores, la belleza de ciertas mujeres —y eso, después de tantas privaciones. —"Son de una honradez incosteable" —decía un ex presidente chistoso y bribón, que se había enriquecido escandalosamente a costas de la nación, algunos años antes. En cambio, *ellos* —así se les llamaba ya en nuestro mundo—, *ellos*, los insobornables, los de una austeridad escandalosa, los que desconcertaban los hábitos nuestros de lo que podía ser un gobierno cualquiera, tenían un portentoso don de atraerse al pueblo. Eran enormes muchedumbres las que acudían a la Plaza de la Revolución, bajo el balcón de Palacio, dondequiera que habría de oírse la voz de Fidel Castro o de quienes habían sido sus compañeros en la lucha clandestina o en la lucha armada, y los seguían en su trayectoria actual con el apoyo y la colaboración de gente ajena a la vieja politiquería. —"Ya se habla de comunismo" —dijo Teresa: "¡Imagínate! ¡Después de todo lo que sobre el comunismo ha podido leerse, durante años, en *El Diario de la Marina*! La abolición de las playas privadas hace temer ya a muchas madres que los 'negritos' irrumpan también en los colegios privados para violarles a sus hijas. ¡Gente de color, donde estudian las señoritas decentes! ¡El fin del mundo! ¡Como si nosotros fuésemos tan arios... o *caucásicos*, según decía mi tía en su lenguaje floreado! ¡Yo, que tengo un abuelo tocando el tambor en cuarta o quinta generación!... De ahí a lo demás, sólo hay un paso: la repartición de las mujeres, la quema de las iglesias, la profanación de los conventos, la confiscación de los niños por el Estado, la destrucción de la familia, el escarnio a la virginidad, la desaparición del dinero y de bancos, tu escaparate es mío y mi cama es tuya, acuéstate con mi esposa que yo te presto la mía, la chusma en el poder y el atropello en todas partes... Pero, en fin: eso te lo puedes imaginar, conociendo el paño... Y oye... ¿por qué no subimos? Arriba estaremos más cómodos para hablar"... Con una botella de wisky, hielo y vasos, penetramos en los aposentos privados de mi ilustre tía. La cripta octogonal destinada a sus cuidados más íntimos lucía ahora extrañamente triste —hornacina sin imagen— con su bidet cubierto con una funda, como los muebles que, en los castillos de Europa, se amortajan cuando los amos se van de viaje. —"Dios ha muerto" —dije, evocando cómicamente a Nietzsche. Y parecía, en efecto, que algo muy grande, grande como una "Nana" de Niki de Saint-Phalle, como un Titán de Tiépolo, hubiese muerto en las penumbras verdosas de aquel lugar, lúgubre ahora como un templo dejado sin estatuas por el paso de los iconoclastas, como las Salas de Audiencias cuyo trono hubiese quedado vacío por la decapitación de un soberano. Tuve la curiosidad de ver si aún se guardaba en una gaveta del pequeño escritorio de Boule, a modo de talismán, aquella astilla de la guillotina de María Antonieta que yo hubiese visto cierta noche, cuando en esta misma gaveta buscaba una pistola con culata de nácar —noche en que mi destino hubiese tomado un rumbo nuevo... —"Se la llevó" —dijo Teresa: "Siempre carga con ella, como si fuese un talismán". —"¡Ojalá no le traiga mala suerte!" —"Ya se la trajo... Muy precisamente el primero de enero de 1959" —concluyó ella, riendo. "Y aquí está el lecho impoluto" —añadió, encendiendo las luces del dormitorio. —"¿Tanto como *impoluto*?" —"No lo vas a creer, pero desde que murió su marido, para ella mero productor de dinero al que despreciaba por tosco y correntón de camareras, y de quien, además, no tuvo hijos, jamás un hombre se acostó con ella. Si llega a ser un poco más inteligente, hubiera sido nuestra Madame Recamier". —"Una Madame Recamier bastante gorda y jamona de la que nunca se hubiese enamorado Chateaubriand" —dije, con risa algo resubida de tono por la traidora mezcla de Borgoña y *Chivas Regal*. —"Cuando se pueden regalar autos convertibles, petacas de Cartier, yugos de Tiffany, relojes de Cliff & Van Appel, cualquier Isabel II se consigue un granadero" —dijo ella, también achispada: "De ahí su afán de ser algo como la Duquesa de Uzès de la burguesía cubana. En ella, como diría Freud, la libido fue sustituida por *el anhelo de poder*..." —"Lo del *anhelo de poder* no es de Freud". —"De Jung, entonces". —"De Adler..." —"Te digo que Freud o Jung". —"Te digo que Adler". —"No discutas más mierdas y vamos a estrenar la cama". (Nunca se me había ocurrido la idea de que en esa cama enorme, harto señorial, con su baldaquín, sus molduras doradas, sus varios colchones y almohadas, los angelotes barrocos que, con antorchas en la mano, iluminaban los veladores, me fuera posible algún día... Pero sentí en aquel momento la artera tentación, la orgullosa y malsana fruición de quien es inducido a cometer un sacrilegio histórico: violar, por ejemplo, a una turista yanki en la cama de Luis XIV, o sobre el lecho de Josefina Bonaparte en la Malmaison...) —"*Esnúate*" —me dijo Teresa, remedando el acento de un bailador de flamenco que, cierta vez, le hubiese dicho lo mismo: "Oye... ¿Wagner no compuso algo que se titula *La consagración de la casa*?" —"Fue Beethoven. Esta noche lo enredas todo". —"Ven. Para el caso, a mayor enredo más diversión".

Nos despertamos después de las once de la mañana. Pensé volver a mi casa para afeitarme y mudar de ropa. —"Vamos mejor a la Primera Avenida" —dijo Teresa: "Nos vendrá bien zambullirnos en la piscina. Y allá hay ropa tuya y tu navaja está como la dejaste". —"¿Me dirás que nadie la usó en mi ausencia?" —"La usaba yo para afeitarme las axilas" —respondió, evasiva. —"Es que también pienso pasar por mi oficina. Martínez de Hoz no sabe que he llegado". —"¿Para qué? ¿Para hablar de dinero? ¿No vienes de Caracas, ahíto de hablar de dinero?" Tenía razón. Allá demasiado se hablaba de dinero, de hacer dinero, de invertir el dinero, de reunir dineros. Todas las conversaciones iban a parar en algo que costara dinero o sirviera para multiplicar dineros. Vieja obsesión llanera de la *morocota* que ahora se había transformado en *El Billete* generador de apetencias sin cuento. Estaba hastiado de trabajar para *El Billete* —que me hablaran del *Billete*— allí donde la urbe estrepitosa, desaforada y anárquica, crecía bajo los ojos ahuecados, hambrientos, bilharzianos o alcoholizados, de los centenares de miles de pobladores del "cinturón de la miseria" que circundaba la capital, o construían covachas de cartón bajo los puentes tendidos sobre sus quebradas pululantes de ratas y alimañas, mientras legiones de niños dispersos por las calles vivían de lo que les ofreciera el azar. Me otorgué un día de descanso —de reaclimatación—, y después de un largo baño en el agua de un mar que me olía y sabía realmente a mar, porque era el mar de mi infancia; después de un almuerzo improvisado con los víveres de la alacena, dormí una larguísima siesta hasta la hora del crepúsculo. Observé entonces que Teresa estaba sacando ropas y objetos de sus armarios para ponerlo todo en varias maletas abiertas en el piso. —"Mañana salgo de viaje. Sí. Voy a Tánger, donde una amiga mía, de la *gentry* newyorquina, tiene una casa maravillosa. Allí hay una graciosa colonia internacional de maricones, lesbianas, dipsómanos y fumadores de kif, que me servirán de cinturón de castidad porque nada de eso me gusta". —"Mira que los dipsómanos suelen ser hombres". —"Pero no sirven... A la hora de la verdad se ponen a pensar en la botella de wisky que ha quedado en la habitación de al lado, y dejan la carne por el vidrio". —"Veo que has leído *Bajo el volcán*". —"No pasé del segundo capítulo. Muy difícil para mí". De pronto, despierto del todo, creí comprender algo más: "¿Significa esto que te vas del país?" —"Sí". —"¿Tú también?" Esta vez, mi prima enserió el tono: "Mira: si tuviese quince años, me pondría un uniforme de miliciana y gritaría: '¡Viva la Revolución!' Pero tengo los años que tengo, y estoy demasiado deformada por mi mundo para poder ser útil en algo a toda una juventud, surgida del anonimato, que ha tomado el relevo de nuestra generación". —"Habría que tratar de acercarse a ella, de entenderla". —"Acaso tú podrás; yo, no. Tú eres un constructor, yo soy incapaz de construir nada. Sólo sé gozar de lo que otros ganaron por mí. Estoy atrofiada por el lujo, pero sin él sería incapaz de vivir. Y lo que aquí viene es serio y para rato, te lo digo yo. Y que yo no me guío por *El Diario de la Marina,* sino por lo que veo. Aquí hay un pueblo que no tenía fe en nada y hoy cree en algo. Y yo estoy de más en esta transformación de las conciencias. No tengo madera de revolucionaria, ni alma de Louise Michel, Rosa Luxemburg o Clara Zetkin. Y por eso prefiero ser leal conmigo misma y con los demás, hacer mis maletas e irme al carajo... Pertenezco a una clase de gente que ya no se usa en este país. Me he vuelto tan anacrónica aquí como un polisón o un corset de ballenas. Así que... me largo". —"¡Otra que se va a Coblenza!" —dije, recordando un libro de Goethe. —"Hijo: cuando no se es capaz de cantar *La Marsellesa,* lo más honrado es irse a Coblenza. Además de que la Coblenza de hoy no está en Tánger, sino en Miami... Y, eso sí: nunca oirás decir que estoy complotando en la Coblenza de Miami. En Coblenza estaban los escombros de una sociedad que tenía empaque y estilo. Pero en Miami, si exceptuamos algunos aterrorizados, algunos engañados por la propaganda antirrevolucionaria, algunos viejos que maldicen la jodida hora en que se fueron, y algunos niños inocentes de su exilio, los demás son un amasijo de pandilleros políticos, gente que implora una intervención norteamericana aquí, tahúres que aspiran a reinstalar sus ruletas y garitos, expendedores de drogas, putas, proxenetas, buquenques, estafadores y cuanto lumpen fue a encallar a la Florida —pura mierda. Y yo puedo andar con locos, pero nunca andaré con mierda". —"En el fondo, tienes razón: estos tiempos ya no son para ti". Teresa volvía a su tono de broma: "Pero no por vieja —aunque no te diré la edad que tengo— porque sólo tengo la edad de mis tetas: 25, o digamos: 28". —"Con una plástica". —"Oye: a caballo regalado no se le mira el colmillo. Dame un trago"... Hasta ahora, acaso por un pudor mutuo, ni ella ni yo habíamos hablado de Vera. Al fin, abordé el tema, y nada me pudo contar ella que yo no supiese, salvo que mi mujer se había ocultado aquí durante unas horas. —"¿Y Mirta? ¿Y Calixto?" —"Calixto llegó a La Habana con Fidel y con Camilo Cienfuegos. Hizo toda la guerra y hasta estuvo en la Batalla de Guisa. Él y ella están trabajando ahora en el Ballet de Cuba con Alicia Alonso... Creo que se casaron, o que están..." (juntó los índice de las dos manos). "Ya eso no llama la atención a nadie, y además, Mirta es ya mayor de edad. Viven en casa de los padres de ella, que fueron de los primeros en zancar para Miami. Mirta no quiso que la sacaran de aquí". Volvimos a hablar de Vera: "Ahí tienes otro caso" —dijo Teresa: "Lo mejor que puede pasarle, es estar en el extranjero. Ella tiene un miedo enfermizo a todo lo que huela a revolución. Aquí viviría en un miedo perpetuo". —"¿A qué?" —"El miedo no se analiza". —"Lo que no se explica es su silencio". —"¿Por qué no vas mañana al banco donde tuvo o tiene su cuenta? Allí deben saber algo". Cierto. Muy cierto. Era lo primero que haría mañana al salir: "¿A qué hora es tu avión?" —"Primero vuelo por *Iberia* a Madrid. A las diez a. m. A menos que me haya equivocado de día. Pero, no. Seguro. Es mañana, 14 de octubre. Saldré de aquí a las 8 y media. Así que ya sabes: hay que aprovechar el tiempo que nos queda". Y empezó a cantar un bolero que había estado muy de moda algún tiempo atrás: *"La última noche / que pasé contigo / la llevo en mi alma / la llevo en la vida..."* Al día siguiente nos levantamos temprano. Y mientras Teresa acababa de vestirse, anduve huroneando por la casa. Allí, en una habitación, había planos míos, proyectos, dibujos, borradores de cartas, que me recordaron los días ya lejanos de mi Gran Miedo —miedo del que ahora me avergüenzo. Al azar saqué algunos libros de la menuda biblioteca. Ahí estaba siempre el *Winter of artifice* de Anaïs Nin, con su dedicatoria. Y, de pronto, me asaltó una idea angustiosa: "Oye. ¿Vera vio esto?" Teresa sacó la cabeza de una maleta que acababa de llenar: "¿Tú crees que es ciega? Yo estaba dormida y lo revolvió todo".—"¿Y... te preguntó?" —"Sí". —"¿Y qué le dijiste?" —"Le dije la verdad... ¿Qué iba a hacer?" —"¡Pero esto es inconcebible! ¿Eres idiota, o qué?" —"Tarde o temprano, ella hubiese acabado por saberlo". —"¡Eres una puta! ¡Nada más que una puta!" —"Seré muy puta, pero no soporto la mentira. No tolero la mentira. Se lo dije, porque me lo preguntó, pruebas en mano. Y si llega a preguntármelo antes, también se lo habría dicho"... Ahora me explicaba, de pronto, el silencio de Vera. Era un ser leal y recto, y terrible debió de ser, para ella, la revelación de algo que acaso jamás le había pasado por la mente. Pero la imaginación es creadora de imágenes. Al choque de una realidad imprevista, empieza a fabricar imágenes de una brutalidad, de un grafismo, de una crudeza insoportables —y peor aún cuando muestran personas, cuerpos, que mucho conoce. Y Vera, además, podía situar esas imágenes en el marco real de esta casa ayer desconocida por ella. —"Le dije que lo nuestro nunca había tenido importancia; que había sido una cosa intermitente, así, por jugar, sin más... Pero, en fin: tú sabes cómo es ella. Tragedia interior y masoquismo dostoyewskiano..." Yo estaba tan desplomado que, cuando entró, no conocí a Pablo, un antiguo servidor de mi tía, que venía a buscar a Teresa para llevarla al aeropuerto. —"¡Caballero! ¡Pero, caballero! ¿Y cuándo llegó?" —"Pablo, con sus ahorros, me compró el Mercedes viejo" —dijo Teresa: "Ahora trabaja por su cuenta". —"No me defiendo mal, caballero. Carreras no me faltan. Pero, eso sí... Por más que me hace señas un *totí*, yo no paro. Yo no cargo negros en mi automóvil. ¡Palabra!"... —"Ésos son los peores" —murmuró Teresa, mientras el otro salía con sus maletas: "Era el que hacía las compras en el mercado... Se ganaba centenares de pesos en comisiones y sisas. Ahora —¡claro!— es contrarrevolucionario. ¿A dónde te llevo?"

—"Déjame en el banco de la Calle Línea". Y, cuando bajé del auto: "Bueno, Enrique... *So long*". —"Adiós... para siempre" —dije. —"Mira: quita el 'para siempre' ese, que parece cosa de dramón español. Digamos: 'hasta cualquier día', aunque *esto* va para largo". —"*Esto* no lo aguanta nadie" —dijo el chófer, y, en aquel instante, aprendí a identificar a los contrarrevolucionarios por un pequeñísimo rasgo idiomático: siempre decían ESTO, cuando se referían al Gobierno Revolucionario o a las nuevas realidades que estábamos viviendo.

41

Cuando entré en el banco me detuve, atónito ante algo que más bien parecía la intendencia de un ejército o la antesala de un estado mayor. Había dos milicianos montando guardia en la puerta, y milicianos tras de las ventanillas de los depósitos y pagos, y milicianos que iban de los despachos a las máquinas calculadoras, y *milicianas* —hasta ahora no había visto mujeres con ese uniforme— tecleando en las máquinas de escribir y atareadas en los cárdex. Y, en lo alto, se desplegaba, de pared a pared, una ancha banderola: PATRIA O MUERTE, VENCEREMOS. Fuera de esto, estaba empezando a aglomerarse aquí un público harto numeroso para la hora temprana y acaso sonaban demasiados teléfonos a la vez. Autorizado por una larga amistad, entré sin tocar en la oficina del administrador que vino hacia mí para apretarme de un abrazo. —"El único que no anda de uniforme" —le dije. —"Por la edad, compañero; por la edad. No puedo ya hacer ciertos ejercicios, ni prácticas un poco duras para mí, ni arrastrarme bajo las alambradas... Pero, si fuese tan joven como los otros compañeros"... (Rara, en realidad, me sonaba la palabra "compañero", usada por un jefe de oficinas para tratar a sus clientes y subalternos...) Fui directamente al asunto que me traía. Pero, no. Aquí sólo se creía saber que Vera estaba en México, y era porque lo había dicho "no sé quién"... Consultándose papeles de archivo podía verse que su última operación en esta agencia databa de mayo 1957, en que había sacado 20 000 dólares en dinero líquido. —"¿Y a ustedes no les sorprendió que ella cargara con semejante suma?" El administrador se echó a reír. En los años anteriores al triunfo de la Revolución era tan frecuente que los depositantes retiraran enormes cantidades de dinero para llevárselo simple y llanamente al extranjero en maletas y carteras —si no en los bolsillos— cuando lo más razonable y sencillo hubiese sido solicitar una transferencia de banco a banco, que... "en fin: no nos íbamos a extrañar de que..." Porque, la operación de transferencia dejaba huellas escritas, y cierta gente prefería que no quedaran. Por lo demás, todo depositante tenía el derecho de sacar de su cuenta el dinero que quisiera. Así, antes de enero de 1959, verdaderas fortunas habían emigrado del país —no llegándose siempre, por supuesto, al sonriente cinismo de un Ministro de Educación que había cargado para Miami con una valija que contenía un millón redondo de dólares, descubierto allá por unos aduaneros que lo habían contado a la prensa... Pero, en estos días, quienes seguían extrayendo dinero lo guardaban en sus casas, en nichos, escondrijos, lugares absurdos, cuando no en cavidades practicadas bajo el mármol o el mosaico de los pisos, volviéndose a las grandes tradiciones de los "entierros de oro", tesoros de piratas y monedas sepultadas, de la avaricia clásica, por no evocar *La aulularia* de Plauto y la arquilla de Harpagón... Los "bancarios" conocían todos esos manejos y, por lo mismo, eran particularmente adictos a la Revolución... En cuanto a Vera... ¡francamente! ¡20 000 dólares eran una minucia insignificante al lado de los "saques" de 100 000 y 150 000 a que eran aficionados ciertos clientes de ayer que, a menudo, los perdían cinco horas después en unas cuantas vueltas de ruleta redoblada! Así, no había por qué extrañarse de que, después del triunfo de la Revolución, las bóvedas del Banco Nacional de Cuba estuviesen casi exhaustas de dólares... Yo observaba que un ruido de voces crecía de minuto en minuto entre las ventanillas. —"Era de esperarse. ¡Con las dos nuevas leyes!... ¿Cómo? ¿No sabía nada? Pero ¿dónde estaba usted metido, compañero, si fueron como rayos seguidos que cayeron ayer, día 13 y hoy 14?" En su despacho tenía varios periódicos cuyas primeras planas puso ante mí, lado a lado. Y así supe que ayer, una ley había dispuesto la nacionalización de todos los bancos y de trescientas ochenta y tres grandes empresas comerciales e industriales, ingenios azucareros, fábricas, etc., y que veinticuatro horas después quedaba promulgada la Ley de Reforma Urbana. —"Ve usted, compañero, que la Revolución no pierde el tiempo"... Había tenido el propósito de ir a mi oficina, pero ahora, con lo que acababa de saber, preferí citar en casa a Martínez de Hoz para considerar una situación que significaba, sencillamente, el fin de mi negocio... —"Ese negocio estaba muerto desde hacía más de un año" —me dijo mi colaborador al llegar: "Sólo faltaba el entierro, y el entierro ya fue, con toda pompa y solemnidad. Todo lo que podemos hacer es llorar sobre su tumba, como las plañideras antiguas. Con la ley de ayer, nuestros proveedores de materiales de construcción pasan todos bajo el control del Ministerio de Obras Públicas, en tanto que lo referente a pinturas se asigna al Instituto Nacional de Reforma Agraria. Por lo tanto, los beneficios que favorecían a los contratistas como nosotros, se vienen al suelo. Y, en cuanto a la Reforma Urbana, acaba de cuajo con toda posibilidad de inversión inmobiliaria, que era la única segura y duradera en este país". —"Bueno... Pero no dejarán de construirse casas" —dije. —"Pero las construirá el Estado, y serán más funcionales y menos costosas que las nuestras". —"¿Así que cerramos la tienda?" —"Yo la tenía casi cerrada". Me inquietaba, sin embargo, el destino de mis empleados. —"Ya más de la mitad se había ido por propio deseo. Los viejos de la contabilidad se jubilaron. Las secretarias bilingües se me fueron ya, desde 1959, al Ministerio de Relaciones Exteriores, donde se necesitan traductoras y mujeres capaces de trabajar de redactoras y archivistas, con perspectivas de ascender a cargos diplomáticos. Y los tres niños faroleros, esos que tú habías metido en la empresa antes de irte, y no carecían de talento como arquitectos, se han largado al Canadá, con ínfulas de Niemeyer y Mies van der Rohes, diciendo que ellos no construyen cochiqueras ni viviendas colectivas, pues han nacido, ungidos por el destino, para realizar obras que hagan época y se muestren en las grandes revistas arquitectónicas internacionales (y en realidad, dicho sea esto de paso, sólo consiguieron puestos de delineantes en Toronto, donde sudarán tinta proyectando teleféricos y cabañas de alpinismo...). Quedan cuatro empleados menores... A ésos se les dará su preaviso y encontrarán en seguida dónde encasillarse, pues el Gobierno Revolucionario no deja a nadie sin trabajo"... —"¡Réquiem por una ilustre Firma Constructora!" —dije: "Y propongo que nos aclaremos las voces con un trago de ron para cantarlo mejor". —"¡Salud!" —dijo Martínez de Hoz, alzando su copa. —"¡Salud!" —"¡Como *allá*! ¿Te acuerdas?" —"Más que nunca pienso en *aquello* en estos días". —"¿Y el Réquiem? ¿Cómo se canta?" Nos miramos, y ambos prorrumpimos en una misma carcajada. No sabíamos por qué reíamos en realidad, pero sentíamos esa alegría interior, esa impresión de libertad, de *disponibilidad*, de tránsito hacia *algo nuevo* que significa todo gran cambio de vida, toda huida fuera de un ámbito que, en el fondo, lejos de procurarnos una independencia mediante beneficios cada día nos impone una mayor servidumbre. Hacía ya muchísimos años que perseguía un ideal de arquitectura original y jamás había llegado a plasmarla en una obra realizada. Y era que, en mi país, sólo había podido un arquitecto trabajar para los ricos y los ricos no gustaban de mi arquitectura. Me había doblegado, pues, a las exigencias de una arquitectura utilitaria, de inversión y de provecho: arquitectura de negocio, arquitectura para sacar monedas, la misma que había estado haciendo en Venezuela, donde trabajé "para el Billete", como antaño hubiese trabajado para la *morocota*. Allá, en el siglo XIX, un arquitecto inspirado se había atrevido, al menos, a erigir un Palacio del Congreso, ramplón y operático, cuya monumentalidad se constituía en admirable audacia en una ciudad donde muy pocas casas alcanzaban a tener dos pisos. Hoy, allá como en todas partes —así fuese al Brasil o al África— nadie pensaba sino en erigir cajones agujereados de alvéolos, en medio de las aglomeraciones urbanas. Era evidente que nuestra época, con sus arquitectos tremendamente llevados a la cogitación y la teoría, el manifiesto y la declaración de principios —con toda la utilería de sus "modulores", "funcionalismos" y "*machines à vivre*"— no había llegado a crear una arquitectura que la caracterizara —como la del clasicismo grecolatino, el gótico, funcionalísima creación del cristianismo, el estilo de Herrera o de Mansard, o el mismo estilo Barón de Haussmann, cuya originalidad sólo empezábamos a percibir ahora. Convencido de la inutilidad, en el plano creador, de la arquitectura-provecho-negocio que me había quitado tantos años de vida, estaba resuelto ahora a consagrarme a una arquitectura útil a los más, si ello podía contribuir a mejorar la existencia de mis compatriotas —que, al fin y al cabo, si Santa Teresa hallaba a Dios en el fondo de las ollas, un arquitecto de verdad podía toparse con un problema realmente interesante en la realización inteligente de una cochiquera, un cine de aldea, o una granja de inseminación artificial. Y ya que la Revolución necesitaba de arquitectos en este momento, para obras de una realización inmediata, ofrecería mis servicios a nuestro Ministerio de Obras Públicas, sin preocuparme por la modestia de los sueldos, ya que nunca había sido mayormente afecto al lujo, y, con lo que tenía en mi cuenta bancaria, disponía de lo necesario para ayudarme a vivir decentemente. Por lo tanto..." —"Eso, mejor déjamelo a mí, que tengo más de ingeniero que de artista" —me dijo Martínez de Hoz. Para mí (y él recordaba lo que le hubiese contado acerca de mis investigaciones juveniles en torno a la arquitectura colonial cubana) había algo más acorde con mis aficiones: se estaba trabajando mucho, ahora, en restaurar las mansiones, fortalezas, palacios, iglesias antiguas de La Habana, Santiago, Trinidad, y otras ciudades, que por la incuria de sus propietarios estaban en el borde de la ruina. —"Déjalo por mi cuenta, y considera que ya estás laborando en el departamento de 'protección y conservación del patrimonio nacional', donde hay gente nueva, llena de arrestos y entusiasmo"... Le pregunté por José Antonio. Mi colaborador miró la hora en su reloj-pulsera: "Ahora mismo podrías oírlo, con sólo encender la Lámpara de Aladino". Prendió el aparato de radio y, de la rápida incandescencia de los bombillos surgió, lejana primero, luego cercana, la voz invocada. —"Ésta es su hora diaria de comentarios acerca de la actualidad. No nos entera de nada que no hayamos leído ya en el periódico. Pero lo raro es el estilo..." Y, en efecto, su tono me sorprendió. Para decir lo que ya todo el mundo sabía, y exaltar a base de ello la obra revolucionaria, adoptaba un tono a la vez tribunicio y profético, desgarrado y clamoroso, vociferante y desencajado, entre Casandra e Isaías, la Pitonisa de Cumas y Garrick en tragedia, que me pareció falso y teatral —y hasta de mal gusto—, arte de latiguillos y retumbantes remates, en hombre casi perennemente llevado, en lo cotidiano, a hablar en el modo zumbón y paródico que harto le conocía. —"Arlequín se nos disfraza de Savonarola" —dije. —"Y así es casi siempre" —dijo Martínez de Hoz: "salvo cuando se burla de la publicidad norteamericana, pues mucho sabe de ella, y de los sueños y mentiras de la gente de Miami. Pero el hecho es que tiene público y la contrarrevolución le manda insultantes anónimos todos los días". —"Pero... ¿cómo pasó de la publicidad a la radio?" —pregunté. Me entero entonces de que su empresa había fenecido de muerte natural, por falta de clientes —y más que nada por el fin de la importación de productos yankis al país. —"Y ahora, con la nacionalización de firmas como Bacardí, Sherwin-Williams, Swift, le habrían dado el tiro de gracia". Deshaciéndose a tiempo de su agencia, José Antonio trató durante algunos meses, de regresar a su pintura de antaño. Pero el arte se vengaba de su abandono, vaciándolo de su potencial creativo, y así, el hombre que demasiado había gastado su imaginación buscando slogans, sólo supo ofrecernos, en cosecha única y laboriosa, unos lienzos que demasiado flagrantemente recordaban a Salvador Dalí, sin la maestría técnica, la seguridad de trazo ni la dimensión imaginaria del irritante, estrafalario y superdotado catalán de los relojes blandos y las jirafas incendiadas. Ahora, desengañado de su propia pintura, había encontrado un nuevo oficio en el imperio de los micrófonos. Pero yo lo conocía demasiado para tomarlo muy en serio. Harto subrayado, el *de profundis* de sus invectivas me sonaba en falsete. Recordaba la definición que de él hiciera Gaspar alguna vez: "Buchipluma, no más". Y *buchipluma* me resultaba hoy, dentro de su hinchado dramatismo, el artificioso estilo que hubiese sido tan mordaz y gracioso en otros días... En la calle, como si se celebrara una gran fiesta, pasaban camiones llenos de milicianos y milicianas que cantaban el Himno del 26 de Julio, agitando banderas. —"Ahí los tienes: saben que ahora los yankis, en respuesta a la nacionalización de sus empresas, van a apretar las clavijas de sus restricciones, y ellos cantan. Y aquí las tiendas de víveres se quedarán vacías, y los vehículos se pararán por falta de piezas de repuesto y de combustible, y se hará difícil conseguir un cepillo de dientes, una cinta de máquina de escribir, un bolígrafo, un peine, un alfiler, un carrete de hilo, un termómetro, y ellos seguirán cantando. Vivimos un momento trascendente en días de pasmosas transformaciones. Un hombre nuevo nos está naciendo ante los ojos. Un hombre que, pase lo que pase, ha perdido el miedo al *mañana*". Y me habla de las habituales peripecias de una nueva vida cotidiana que, por no trascender en noticia, eran ignoradas por los periódicos extranjeros que hasta ayer había leído. Aquí, las gentes se habían puesto a trabajar hasta el máximo de sus capacidades. Las reuniones nocturnas solían durar hasta el amanecer, y sabido era que el "Che" Guevara, en el Banco Nacional, citaba a menudo a quienes quisiesen verlo, a las 2 o 3 de la madrugada. De noche, los milicianos montaban severas guardias en sus centros de trabajo —que lo mismo podían ser una fábrica, que una tienda, una imprenta o un teatro. Y más de uno caía balaceado a mansalva por agentes de la contrarrevolución que de repente aparecían en una calle, o un camino, conduciendo autos-fantasmas. Porque hacía tiempo ya que la CIA norteamericana había entrado en acción, promoviendo incendios y depredaciones, muertes y accidentes. Esto, por no hablar de la tragedia de "*La Coubre*", el buque cargado de armas y explosivos que había sido volado en el puerto de La Habana, hecho que, por las proporciones de un evidente sabotaje, había llegado a ocupar la atención de la prensa mundial. —"La primera explosión fue tan terrible" —contaba Martínez de Hoz: "que superaba, por su fuerza, muchas de las que tú y yo hemos oído en la Guerra de España. Fue algo que no se detuvo en los oídos, sino que te percutió en las mismas entrañas, dándote como un martillazo en medio del pecho. En casas muy distantes, muchas personas fueron derribadas por la deflagración. Y, en el entierro solemne de las víctimas, fue donde nació la consigna de '*Patria o muerte*'..." Afuera, los milicianos y milicianas seguían cantando, en sus vehículos adornados con banderolas que ostentaban la misma consigna de: PATRIA O MUERTE, VENCEREMOS. —"Óyelos: en vísperas de grandes dificultades, ellos entonan himnos de victoria". —"Lo menos que puede decirse es que aquí ha sucedido algo" —dije.

Por la noche, fui al "*Floridita*" con la maligna intención de ver las caras que pondrían algunos antiguos clientes míos, asiduos del famoso "Templo del Daiquirí", al darse cuenta de que había regresado a la patria. Pero había poca gente. —"Hoy es día de malas noticias" —me dijo, en el idioma ambiguo de quienes saben disimular opiniones que acaso resultarían desagradables para sus parroquianos, el risueño Pedrito, sucesor, en la cátedra del bar, del gran Constante, acaso el máximo inventor de cocktails de los tiempos modernos. Sin embargo entraron algunos conocidos míos, y prodigiosamente se extrañaron ante el caso de quien había abandonado una tierra de promisión como Venezuela, para caer voluntariamente en ESTO. —"¿Y tú estás con *esto*?" —me preguntaban. —"No sé. Estoy observando" —dije, por evitar vanas discusiones. —"Pues, lo que vas a ver es del carajo, ¿oíste?... Porque *esto* se va a poner de madre. Lo de ayer y hoy todavía no es nada. Lo tremendo es lo que viene ahora: *puro comunismo... ¡Puro comunismo!"... (No se imaginaban, quienes así me hablaban, lo que les tocaría vivir aquí, en este mismo lugar, algunos meses después, cuando, con un fragor de Arcano roto, se rasgó el secreto —Tercer Sello del Apocalipsis— de la Ley de Conversión de la Moneda, con emisión de nuevos billetes cubanos, de curso obligatorio, cuyas caras ostentaban dibujos alusivos a la Revolución... Y, como en el texto bíblico se clamó: "¡Un litro de harina por un denario! ¡Tres litros de cebada por un denario! ¡Y aprovéchate a tiempo del aceite y del vino!"... Y habiendo destripado sus armarios ocultos, vaciado sus arcas hogareñas, abierto los escondites, roto las falsas paredes, levantado los pisos forrados de dólares, vistiendo sus mejores galas, hombres y mujeres invadieron el bar y el restaurante, clamando una alegría tan insolente y estrepitosa que, por paroxística, comunicaba a las risas un ritmo espasmódico de sollozos. Se sollozaban las risas y se reía en llanto: "¡Un litro de harina por un denario! ¡Tres litros de cebada por un denario!" ¡Cien pesos te doy por un coñac Napoleón! ¡Cien pesos por una cucharada de caviar! Mañana el dinero no valdría nada. Había que gastarlo, gastarlo, gastarlo, en seguida,* hic et nunc. *Beberlo, comerlo, tragarlo, engullirlo. No bastaba ya con los licores alineados detrás del Baco danzante que adornaba el bar. No. Había que registrar las bodegas, sacar las últimas reservas. Venga la centenaria botella de Armañac. Al precio que sea. ¿Quinientos pesos? ¡Tráela! ¡Te doy mil! Y, en las mesas, nada de platos que figuraran en la carta. No. Se querían las trufas, ésas, que todavía quedaban en el depósito. Tres latas, lo sé. Trae las tres. Y todo lo raro, lo costoso, lo singular, que se encuentre. Vinos. Vinos que ya, por demasiado añejos, no sabían a nada, eran pagados en fajos de billetes. Los billetes volaban de rincón a rincón, doblados a modo de flechas, de palomas, de saetas; se tiraban al aire, por docenas, para escarnio de la nueva emisión. Y los últimos cigarrillos norteamericanos de la vitrina salieron por cartones enteros; y los puros de más alto precio fueron encendidos con billetes de a cien pesos. Y se llamaron unos músicos ambulantes, llenándoseles las guitarras de billetes, para que cantaran, cantaran, cantaran, lo que quisieran —y qué importaba que cantaran esto o aquello, si nadie los escuchaba, cantando cada cual por su lado, bailando entre las sillas, encima del bar, sobre los manteles tornasolados por las salsas y licores derramados... Y pasaron las horas en el ruido y el furor, en el frenesí y la grita, y entonces llegó el amanecer —un amanecer que entró por los cristales, cuando pasaron los primeros tranvías, poniendo funerarias máscaras de difuntos de Fayum a las mujeres de maquillaje derretido, vestidos ajados y escotes con grumos de polvos y sudor, y caretas de siniestro carnaval a los hombres que, en humos de borrachera pasmada por un forzoso regreso a la realidad, parecían agotados, estupefactos, aterrados por la perspectiva de regresar al mundo de los vivos, de tener que salir de aquella neblina de tabaco que respiraban sobre un estiércol hecho de ceniza, semillas de aceitunas, vasos rotos, dineros taconeados, servilletas grasientas, en trasnochados olores de ginebras, angosturas, granadinas y mentas verdes... Y cuando las escobas de los camareros soñolientos empezaron a barrerles los pies en señal de despedida, se resolvieron a tomar los rumbos de sus casas, tras del último estribazo, vacíos de todo propósito, de toda idea, trastabillantes y lúgubres, como oyendo en el alba las ríspidas afinaciones del descarnado violinista de Holbein. Y, por grupos, se hundieron en la ciudad que habían dejado de regir, conscientes ya de haber caído en el ocaso aunque, radiante para otros, se alzara la mañana... "Me matas si me arrebatas lo que era mi razón de ser" —había dicho el Mercader de Venecia. Había terminado la Noche de los Muertos...).*

Pocas noches después cené con José Antonio, dando por seguro, al cabo de una hora de conversación, que me sería imposible reanudar con él la intimidad de otros tiempos. Había cambiado enormemente. El hombre ocurrente, gracioso, algo cínico, de otros días, había adoptado una molesta tiesura de perdonavidas, hosco el gesto, ceñudo el rostro, dictando sentencias o concediendo indulgencias como si estuviese en Tribunal de

Salud Pública. Hablaba de "nuestra Revolución" con tono de quien la hubiese llevado a cabo desde los más altos niveles de su dirigencia. —"Yo que lo he sacrificado todo" —decía, dándose acaso como un modelo de desprendimiento: él, que sólo había perdido su negocio porque era un negocio deleznable, reñido con las nuevas realidades que vivíamos. Decía: "Mi hora radial" como quien dijera: "Mis frescos de la Sixtina". Oyente desprevenido que lo hubiese escuchado sin mucho conocerlo, habría creído que casi nadie, en este país, reunía las condiciones de rectitud y pureza política y moral dignos de la hora presente. —"¿Y tú, qué hacías en Venezuela durante los Grandes Días que nos elevaron ante los ojos del mundo?" —me preguntó, con aire superior. —"Tan poco como tú, para quien esos Grandes Días significaron, más que nada, el apagón de tus anuncios en el cielo, y el fin de tus campañas publicitarias en periódicos que vivían de avisos, rifas, politiquerías, chantajes y chanchullos, cuyos talleres pasaron a ser una Imprenta Nacional de donde salen ediciones del Quijote, Balzac, Galdós y Martí, tirados a cien mil ejemplares. Cuando el Ingenioso Hidalgo salió al camino, el Ingenioso Publicitario de Revlon, Dorothy Gray, la gasolina Supershell, los colchones Simmons y los sostenes Maidenform, se nos metió a jacobino". Esto, lo dije con tono tan abrupto que, aunque cambiásemos de conversación, sentí que en aquel instante había terminado nuestra amistad... Y pronto empezaron mis viajes a través de la isla, en compañía de un pequeño equipo encargado de hacer un primer inventario de edificios viejos, aún utilizables, recuperables, o dignos de una cuidadosa restauración. Y así, fuera de los lugares ya famosos por los prestigiosos vestigios de su arquitectura colonial, conocí la diversidad de un país cuyas poblaciones menores, aldeas, villorrios, eran marcados por la índole y colorido de las tierras que los circundaba. Conocí los pueblos rojos, obsesionantemente rojos, donde las gentes vivían envueltas, penetradas, teñidas, por la rojez de una "tierra colorada", arcillosa, omnipresente, metida en todo, subida a las bardas, brocales, paredes, techos, en regiones llanas, sin lomas en telón de fondo, encerrados en la monocromía de cañaverales sin término. Conocí los caseríos de la jugosa, grumosa, generosa tierra negra, habitadas por el jazmín, el galán de noche y el nardo, donde los árboles frutales, las plantas de buena sombra, las enredaderas de mayor alzada, se entremezclaban en frondas cerradas sobre las combas musgosas de los tejados. Conocí los pueblos malditos, de la tierra anémica, donde sólo proliferaban el cardón, el cacto, el marabú y el inútil aromo, entre cuyas espinas se ofrecían avaras motas amarillas, de olor azafranado, de tan corto tallo que jamás podrían juntarse en un ramo; pueblos áridos y yesosos, de la cal y la lechada, del suelo descolorido y yermo, con el polvo corriendo por las calles, metido en las casas, en las tiendas, para engrisar el vestido de las novias, encajarse en las espiras de los discos, crujir entre los dientes; pueblos de casas cerradas, portales desiertos, pencos huesudos y perros que dormían malos sueños, a mediodía, bajo los bancos del parque municipal sin paseantes ni glorieta. Conocí la baraúnda de los bateyes azucareros, pululantes de gentes atareadas, presurosas, gesticulantes y discutidoras, con las yuntas y carretas alineadas junto al arco de triunfo de las romanas, con el chirrido del basculador, el estrépito de las pequeñas locomotoras del llevar y traer, todo dominado por la vasta orquestación, mecánica y futurista, del ingenio, en un casi sofocante olor a caña triturada, a guarapo, a melaza, a miel de purga, sobre las espesas alfombras pajizas del bagazo. Y conocí los pueblos azules, sumidos en frescores de almendros, donde los techos eran sostenidos por troncos de palmacanas pintados de color de añil, aunque demasiado ventrudos para remedar los fustes de columnas a los cuales querían parecerse. Y también conocí las distantes laderas de la Sierra Maestra, con sus hondas y ubérrimas vegetaciones caribes, y también, en el otro extremo de la isla, la profunda paz del Valle del Ancón donde el habla criolla de los campesinos se entreveraba de añejas expresiones que parecían tomadas a Gonzalo de Berceo, y entre cavernas, arroyos soterrados, brotados de la roca, vastos pinares y ricinos de hojas verdeplata se plantaba la magnífica presencia de los mogotes —y eran éstos, también, los de Viñales—, personajes de piedra detenidos en el paisaje, con algo de esculturas de Moore, solemnes y procesionales, a los cuales arrimaba yo el oído porque de ellos se desprendía como un canto remoto, canto hondo, canto melismático, queja única, apenas audible, de materias fraguadas por el agua hacía muchos milenios, reminiscencia, acaso, de modelajes abisales debidos al mar de donde hubiesen surgido, enhiestos aunque ya muy viejos —coro, tal vez, de las miriadas de caracoles petrificados que en sus entrañas pervivían, en recuerdo de una vida anterior, anterior a toda mirada, a toda definición compartida con el alga y la medusa, el coral y el nautilus... Así conocí pueblos rojos, blancos, azules, trepidantes o recoletos, en sombras o en resolanas, pero con algo que ahora era común a todos: las escuelas, repletas de niños, a cuyas maestras no se adeudaban ya ocho o diez meses de sueldo —condenadas hacía poco aún a enseñar, cuando había alumnos a quienes enseñar algo, en aulas con pupitres cojos y pizarrones rotos, entre un mapa de Europa donde, a lo mejor, figuraban el Reino de Montenegro y el Imperio Austro-Húngaro, y un retrato del Generalísimo Antonio Maceo, tan descolorido por la luz que parecía un daguerrotipo antiguo... "Llegará el día en que serás merecedor de que este país sea tu herencia" —creo que se dice en el *Libro del éxodo*. Y de un éxodo regresaba y, por vez primera, me sentía heredero de todo esto que contemplaba. Pero, sobre lo contemplado había que edificar algo. Volvía a meterse en mí el *daïmon* de la arquitectura. Una arquitectura de verdad, que no fuese arquitectura-para-negocios, sino arquitectura-para-la-Arquitectura. Lo que jamás había logrado, hasta ahora, pero que ahora se me hacía posible. Rejuvenecido, volvía a situarme en el punto cero de mis veinte años, regresando a mis preocupaciones estéticas iniciales —aquellas que me habían llevado a Santiago de Cuba, cierta vez, para buscar las huellas (¿existían?...) de lo construido por su primer gobernador Diego Velázquez. Ahora, sin embargo, veía dónde estaban mis errores primeros. Un estudio exhaustivo de lo colonial cubano me hacía mirar las cosas de otra manera. Una luz se me prendía al cabo del camino. Al comienzo creí que remozando lo existente y adaptándolo a nuevas condiciones de vida... Pero, no. La verdad no estaba en eso. Todo estaba claro: *había que trabajar metafóricamente*. Una noche, me di cuenta de que Martínez de Hoz no me entendía muy bien. Traje el diccionario y busqué: "*Metabolismo... Metacarpo... Metafísico...*" ¡Ah, ya está! METÁFORA: "Figura de retórica por la cual se transporta el sentido de una palabra a otra, *mediante una comparación mental"*... —"¿Entiendes?" —"No mucho". —"Mediante *una comparación mental"* —repetí: "Yo sí me entiendo". Instalaba mi dominio particular en el contexto de mi dominio geográfico e histórico. Mis dominios.

Pero mis dominios estaban seriamente amenazados. Ya el 31 de diciembre pasado, habían sido acuarteladas las tropas y las milicias, puesto el país entero en estado de alerta. Y el 4 de enero, había sido la ruptura de relaciones diplomáticas con los Estados Unidos. Las ondas de Miami y las de Radio Swan estaban cargadas de amenazas. Se hacía cuanto era posible para crearnos una psicosis de guerra que se tradujo, en realidad, por un endurecimiento del sentimiento patriótico. Pero la quinta columna interior estaba más activa que nunca, propalando rumores y hablando de un Castigo Ejemplar. Y como empecé a recibir anónimos donde se me trataba de "bolchevique", "comunista", "renegado", "traidor a mi casta", prometiéndoseme todos los degüellos, destripamientos y defenestraciones con que sueñan todos los burgueses del mundo en vísperas de poder desatar un "terror blanco" infinitamente más terror que todos los terrores posibles (¡y recuérdese la Comuna de París!), pensé que, por elemental prudencia, sería oportuno ingresar en la milicia de mi centro de trabajo para situarme donde pudiese ser útil en caso de agresión o de un intento de desembarco de "marines" —lo cual siempre era posible en una América Latina que los había conocido, numerosos y largos, en el espacio de un siglo. Así, un domingo me vi llevado a Santa María del Mar, donde mis compañeros de trabajo recibían instrucción militar. El Teniente me preguntó mi edad. —"Cincuenta años". —"Esto es duro" —me advirtió, con mirada curiosa, en la que asomaba una casi imperceptible lumbre de ironía. —"A eso he venido" —dije. Y fueron ejercicios de marchas y contramarchas, con súbitas secuencias de "paso doble", prácticas de reptar, saltar, trepar, que algo me cansaron, ciertamente, pero eran poco arduas, en realidad, para quien, como yo, había vivido la terrible retirada de los batallones republicanos españoles, con sus desesperadas resubidas a un frente fantasma, siempre arrollados por el adversario, con las mochilas vacías y el estómago hambriento. —"El viejo se defiende" —decían los milicianos imberbes, al ver que en nada me quedaba atrás. Y empezaron los ejercicios de "guerra de guerrillas", con la muerte teórica de quienes eran vistos en descubierto —puesto en la mira de armas descargadas— por enemigos teóricos. Por lo general, quedaba yo entre los tres o cuatro "vivos", sobre los veintisiete "muertos" que habían sido retirados del campo a medida que se les consideraba como "fuera de combate". —"El ocambo se defiende"... Pero cuando el Teniente instructor comenzó a asombrarse de verdad, fue el día en que nos entregaron fusiles M.52, checoeslovacos, y fusiles FAL, de fabricación belga, con instrucciones para desarmarlos, limpiarlos y volverlos a armar. Al ver la rapidez con que realizaba la tarea, el Teniente se me acercó: "Se ve que usted ya ha tenido entrenamiento". —"Bueno: debo decirle que también soy capaz de emplazar un mortero y de disparar con una ametralladora 50". —"¿Y dónde aprendió usted eso?" —me preguntó con alguna desconfianza, pensando acaso en el disuelto ejército de Batista. —"En la Guerra de España, donde peleé en todos los frentes. Primero con la *Brigada Abraham Lincoln.* Y después de que las brigadas fueron licenciadas, pasé a una unidad española, como hicieron otros cubanos a quienes los españoles no miraban como a extranjeros". Y, dándome una palmada en la pierna izquierda: "Aquí tengo una marca que me hicieron en Brunete". —"¿Y por qué no lo dijo antes?" —"Porque no vengo presumiendo de nada. Soy uno más. Un poco más viejo". —"Es que usted no es 'uno más'. Tiene mucho que enseñar a los otros. Voy a señalar su presencia aquí al Capitán José Ramón Fernández, responsable de las Escuelas de Milicias de Managua y de Matanzas". Le rogué que no lo hiciese. Le expliqué en qué consistía mi trabajo, cuyos continuados viajes me impedirían seguir el entrenamiento con la asiduidad deseable. —"En estos momentos, soy más útil como arquitecto que como soldado" —dije. Y así sólo fui un miliciano a medias, autorizado a ello por mis obligaciones, y sobre todo por mi edad, aunque, cuando estaba en La Habana, cubría rigurosamente mis turnos de guardia nocturna y asistía con disciplina a las prácticas. Moral y físicamente me hacía el mayor bien esta convivencia con una nueva gente, mucho más joven que yo, que me brindaba una amistad franca y sin reservas. Había allí arquitectos bisoños, junto con albañiles, plomeros y ladrilleros, y hasta un desmochador de palmas que había ido a dar —¡váyase a saber por qué!— al ramo de la construcción. Nuevos hombres, nuevos rostros. Y un calor humano que por siempre me negarían ya los de mi clase que, cuando no se habían marchado del país, me saludaban, al encontrarme, de tal manera que mejor no lo hicieran...

Muy tarde había llegado yo aquella noche de un viaje a un poblado de la provincia de Matanzas donde, en el interior de una iglesia poco interesante, se guardaban restos de esculturas coloniales y muebles de sacristía dignos de ser recuperados y clasificados. Después de ordenar mis notas y apuntes, me libré de polvos y lodos de tierra colorada —pues había rodado en jeep por caminos encharcados— en las aguas lustrales de una ducha, cayendo en mi cama, rendido... Pero a las pocas horas —eran las del alba— fui sacado del sueño por un ruido de explosiones lejanas, seguido —¡sí! ¡era eso! ¡sin duda alguna!— por un fuego de baterías antiaéreas. Me asomé al balcón. Todos los vecinos, movidos por la misma inquietud, abrían sus ventanas o bajaban a las calles, como si en las calles habrían de hallar noticias que no les viniesen por las antenas de la radio... Pronto supimos que unos aviones B 26, de fabricación norteamericana, habían bombardeado simultáneamente unos puntos situados en La Habana, San Antonio de los Baños y Santiago de Cuba... Nuevas explosiones provenían de un depósito de municiones próximo al campo de aviación de las Fuerzas Armadas. Y ya, por radio, se daba orden de movilización a todas las unidades de combate del Ejército Rebelde y de las Milicias Nacionales Revolucionarias. *¡Patria o muerte, venceremos!*... Había empezado la batalla que en el futuro habríamos de recordar como Batalla de Playa Girón.

IX

Sólo merece la libertad y la vida
Aquel que cada día debe conquistarlas.

GOETHE *(Segundo Fausto)*

42

Por conocer un poco este camino calculo que a eso de las diez de la noche llegaremos a Jagüey Grande, antesala de donde —y mucho dice y poco dice, a la vez, el Primer Comunicado de Guerra del Gobierno Revolucionario— *"tropas de desembarco, por mar y por tierra, están atacando varias partes del territorio del sur de la Provincia de Las Villas, apoyadas por aviones y barcos de guerra"*... Rodeado de los hombres de mi milicia, vengo rodando desde hace horas en este destartalado y gruñiente autobús que, a menudo, tiene que arrimarse a un lado de la carretera para dejar el paso a camiones que con sus cláxons nos piden la vía, repletos de jóvenes combatientes que coreando canciones e himnos nos alcanzan y dejan atrás. Al aparearse con nosotros y ver que vamos a lo mismo que ellos, nos saludan con bromas, animosos gritos, y mueras a un enemigo que sale escarnecido en alma y prosapia hasta la tercera generación ascendente. Vuelan alegres apóstrofes de vehículo a vehículo, y quedamos a la zaga otra vez, cantando en una obscuridad de donde surge, de trecho en trecho, un mínimo caserío dormido con alumbrado de veinte bombillas. Todo es pretexto a risas: el chófer, que mal sorteó un bache; aquel que, montado en un jamelgo esquelético, nos viene al encuentro ("¡viva la gloriosa caballería!"); unos novios abrazados bajo un árbol que sorpresivamente iluminan las luces nuestras ("¡Suéltala!"... "¡Dejen algo para luego!"... "¡No te la comas!"...). No sé cómo cabemos —entre mochilas, cajas de parque, las armas...— en esta añosa "guagua" de la línea Habana-Cienfuegos, transformada en transporte militar. Los muchachos que me acompañan van a pelear como puede irse a una fiesta —o, más bien, a una competencia deportiva donde se está seguro de ganar (¡y qué diferencia entre ellos y los soldados de la Dictadura que, como es sabido, iban hacia la Sierra Maestra con un miedo atroz, agarrados por el engranaje de una servidumbre militar a la que les era imposible sustraerse!...). No pueden ignorar, éstos, que la guerra no es cosa de broma. Pero su ánimo es el mismo que vengo observando en ellos cuando trabajan, se reúnen, discuten, en sus fábricas, talleres, oficinas, escuelas. Ganas de ir hacia adelante, de vencer la dificultad por el esfuerzo propio, la perseverancia, la voluntad —cosa nueva en un criollo acostumbrado, por largos años de acomodo con un medio donde nada se le exigía, a conseguir ventajas y beneficios mediante la astucia, la artimaña y la ganzúa. Yo jamás me hubiese esperado a ver operarse semejante transformación en mis compatriotas, aunque mucho habría deplorado que con ello perdieran su buen humor, su afición al baile, y su propensión a hacer música con todo, en virtud de sus manifiestas o recónditas raíces africanas. Por ello me felicitaba, esta noche, de ver a mis gentes tan alegres y desenfadadas ya que, como combatiente de otra guerra sabía, mejor que nadie, lo que nos esperaba al término del camino... A medida que nos vamos acercando a Jagüey, aumenta el número de camiones cargados de milicianos y soldados en columna rodante engrosada por los jeeps, "pisicorres", Toyotas, que desembocan de vías secundarias y caminos reales. Yo conocía ya esos signos anunciadores de los campos de batalla, de pronto inscritos, brutalmente insertados, en paisajes tan quietos que, aun en las fronteras del plomo y del fuego, parecían particularmente indiferentes ante el tráfago humano. (Jamás conocí silencio mayor que el que reinaba en el sector de la Moncloa, cierta vez, horas antes de entablarse una de las más encarnizadas batallas por la defensa de Madrid...) Y, por fin, entramos en un pueblo rico y activo, antaño gran centro de agencias bancarias y representantes de firmas comerciales por su cercanía con los centrales "Australia" y "Covadonga", que, de sus períodos de excepcional prosperidad conservaba opulentas fachadas con pomposas columnas pasadas a la pintura de aceite —muestrarios de verdes, azules, ocres, amarillos, presentados en entablamentos clásicos que mis nociones estéticas se niegan a aceptar con semejantes embadurnos. Hay gran movimiento de gente en las calles y luces en todas partes. Un pequeño café rebulle de milicianos —y me parece que algunos no deben tener más de catorce o quince años. Parece que cuando aquí se supo del desembarco enemigo, la población entera se volcó sobre el arsenal pidiendo armas. Todo el mundo parece haberse movilizado. Ante corros esquineros, en el parque, en los soportales, algunos, que ya regresaron de donde se está peleando, cuentan sus primeras impresiones. Dicen que *allá* (y señalan hacia el sur) las fuerzas invasoras llegaron en varios barcos; disponen de tanques ligeros, del tipo Sherman, tienen armas de todo calibre y cuentan con un respaldo de aviones. (Yo miro las armas que traemos: buenos morteros de calibre 120, algunas bazukas, tres ametralladoras 30 y dos 50. Es poco para hacer frente a lo que se nos viene encima... Pero no estamos solos: somos una pequeñísima porción de combatientes que vienen a sumarse a fuerzas que reúnen dos columnas de combate del Ejército, provistas de batería de obuses 122, el Batallón de Responsables de Milicias de Matanzas, con tres baterías de morteros 120, el Batallón 339 de Cienfuegos, que soportó ya la primera embestida enemiga, el Batallón de la Policía, el 117 de Las Villas, y también el 114, de equipo pesado, con sus bazukas, morteros y ametralladoras 30 y 50...) Todo aquí huele ya a guerra —y recuerdo que, en la carretera de Valencia a Madrid, ese olor sólo venía a percibirse repentinamente en un pueblo cualquiera, situado en la impalpable, invisible línea divisoria de pronto trazada entre el mundo del arado y la azada y el mundo del incendio y la estampida. Y aquí, tras de las engreídas columnas del Casino Español, veo, por las ventanas abiertas, las camas de numerosos heridos —¿ya?— atendidos por médicos militares y civiles, milicianos sanitarios y enfermeras, con la asistencia de escolares afanosos de ser útiles. Primer hospital —y prefiero no recordar que, en tiempos de guerra, los hospitales de este tipo recibían heridos de las ambulancias de campaña que en España se designaban con el escalofriante nombre de "hospitales de sangre"... Pasada la medianoche, trasladamos nuestro armamento a un camión grande donde, hacinados con otros milicianos que no son de nuestro grupo, empezamos a rodar —pero ahora con todos los focos apagados— hacia el Central "Australia", sede de la Comandancia de nuestras fuerzas en el frente de Playa Larga. El batey y caserío de la gran fábrica azucarera estaba a obscuras. Pero aquí sí que se sentía —¡caray!— que estábamos, no ya en la antesala sino en el umbral de la zona de operaciones. Había un solo edificio iluminado: el de la administración del Central al que de repente vi llegar, como surgido de las sombras, el Comandante Fidel Castro, que regresaba de la línea de combate seguido de varios oficiales... Hubo un compás de espera que algunos aprovecharon para desentumecerse las piernas, orinar o apoyar el lomo en una pared, dando cabezazos. Creo que, en realidad, estaban más amodorrados que fatigados por la monotonía de un viaje que hubiese sido bastante breve en tiempos normales pero que hoy, con tantas paradas, esperas e incidencias a lo largo del camino, nos había parecido interminable. —"Yo tenía las nalgas que no podía más" —dice uno. —"Aquí lo importante está en no enseñarlas al enemigo" —dice otro. Y brotaban, se multiplicaban, proliferaban las malas palabras que, sirviendo acaso de alivio a una íntima expectación, suenan y resuenan dondequiera que los hombres visten uniformes que no son de mero aparato y lucimiento. Pero pronto corrieron noticias que dieron como "un segundo aire" a quienes parecían soñolientos y cansados. Al cabo de un combate empezado al amanecer, a la hora del crepúsculo nuestra aviación había derribado cuatro aparatos enemigos del tipo B 26, hundido dos barcazas de desembarco y un transporte LST en la Bahía de Cochinos. —"Mañana será duro el día" —dice uno. —"En todo caso, nos estamos preparando" —digo yo, señalando lo que, con mayor experiencia que otros, habían advertido mis ojos en la noche: la llegada de camiones y más camiones, no sólo cargados con tropas, sino con numerosos cañones de 85 milímetros, varios de 122, ametralladoras antiaéreas de las que llamaban "cuatrobocas", y morteros, muchos morteros, de 120 —que me asombraron por su número, aunque pronto me explicaría tal profusión de un arma eficientísima en guerra de trincheras o en combates de calle a calle, por la caída en parábola cerrada, casi vertical, de sus proyectiles, pero cuya utilidad veía yo menos en espacios despejados como los que ahora conoceríamos, lugares que por llamarse Playa Larga y Playa Girón se me presentaban como extensiones claras, hechas para enfrentamientos cara a cara. —"Con eso al lado sí se puede pelear" —dijo uno. —"Pero ante todo con esto" —dijo el Teniente Cuéllar, llevándose una mano a la costura de la bragueta.

A pesar de que las ciudades conocían ya los calores de abril, la mañana, aquí, se anunciaba casi fría. Rodábamos hacia un lugar llamado Pálpite, y, a ambos lados de esta carretera que terminaba en Playa Larga, una neblina opalescente demoraba sobre la tierra amarillenta y pobre, con tramos pedregosos, pero donde una profusión de junquillos denunciaba la existencia de humedades soterradas. —"Estamos cruzando la Ciénaga de Zapata" —me dijo el Teniente. —"Bueno, pero... ¿y el agua?" —"¿Qué agua?" —"Una ciénaga es cosa de mucha agua. Con vegetaciones que flotan. Sapos y ranas. Tembladeras... No sé". —"Eso está por allá" (señala a la izquierda): "Hacia la Laguna del Tesoro". Ese nombre de "Laguna del Tesoro" tiene el poder de realzarme un poco este paisaje monótono, recordándome lo que, de niño, me enseñaban en el colegio de Belén sobre los pantanos —invisibles para mí ahora— donde, según decían, había caimanes de grandes dimensiones, vecinos del casi mítico manjuarí, de repulsiva estampa y agresivos colmillos, que aparecía en consejas campesinas como protagonista de ancestrales conflictos entre los peces y la especie humana, en tiempos muy remotos. Pero aquí sólo veía yo extensiones de una vegetación rastrera y revuelta interrumpida, de trecho en trecho, por cerradas cortinas de zarzales y marabú, tendidas entre palmacanas y almácigos de tronco escamado en rojo-cobre, con algunas yagrumas en perpetuo revoloteo de penachos sobre las intrincadas marañas de abajo. Una flaca y esmirriada palma real aquí y allá, y, a veces, en la orilla de los claros, una casa de carbonero abandonada apresuradamente por sus habitantes —covacha con las paredes ennegrecidas por el humo de los cercanos túmulos que aún conservaban algunos fuegos internos en ausencia de sus dueños. Y, en tales soledades la vida sólo se manifestaba en uno que otro cangrejo violáceo, atareado entre los restos de alguna carroña. —"¿Y habrá que pelear aquí?" —pregunto al Teniente Cuéllar. —"Nos bajaremos un poco después de Pálpite —¡digo!— si se puede". —"¿Lejos del mar, todavía?" —"Un poco. Es decir: si no se viene con la *jeba* en luna de miel que, para eso, todo camino es corto". (Ríe.) —"Ahora entiendo el porqué de tantos morteros. Aquí habrá que avanzar de un claro a otro claro, cruzando por las marañas esas... De treinta metros en treinta metros, como quien dice". —"Exactamente"... Miro a la derecha, a la izquierda, de la carretera:

es, en todas partes, el mismo paisaje monótono, de visibilidad limitada, bueno para emboscadas, malo para combatir. Algo está ardiendo delante de nosotros, con un humo negro que se alza, denso, hacia arriba, en el aire de poca brisa: un autobús de transporte, que acaba de consumirse en hoguera de chatarras —alcanzado de lleno, acaso, por algún proyectil enemigo. Aquí se está ya —y hace rato ya que lo vengo advirtiendo por el olfato de quien tiene alguna experiencia de ello— en zona de constante peligro. Y, por lo mismo, mi percepción de todo sonido, de todo movimiento, se hace sensibilidad a flor de piel. Expectación —intensa expectación. Y creo que algo parecido ocurre a los demás que, puestos en estado de extrema alerta por el instinto, hablan menos y con menos broma que antes... Y, de pronto, fue como el comienzo de una enorme batalla invisible. Hacia el mar —y no muy lejos—, tras de los telones de vegetación, varias ametralladoras 50 habían abierto el fuego a la vez. Siguieron los morteros, en disparos cerrados. Y, bronco y retumbante —más metido en las entrañas de cada uno—, el estallido de un proyectil de artillería, con la amplia y repercutiente deflagración de los cañones 122, punteados por los 57 y 75, de disparo más seco y apretado, del enemigo. —"¡Se armó!" —dijo uno. —"¡Ahora sí!" —"¡Y que es ahí mismo!" —"No tanto, no tanto" —dije yo: "Parece que es ahí mismo, pero todavía falta". —"Y que él sabe de esto" —dice uno, sin sospechar hasta qué punto me halaga con decirlo... —"¡Aaaaaaaaaavión!" —grita el Teniente: "¡Aaaaaaaaaavión!"... Y ya todos hemos caído cuesta abajo, en las faldas del talud, para tirarnos en cunetas y zanjones. La sombra del aparato nos pasa por encima, pintando una cruz negra sobre la tierra, antes de que se oiga el tableteo de su ametralladora. Un pase, durante el cual la tierra reseca se levanta cerca de mí en pequeños copos que marcan la trayectoria de una ráfaga horizontal. Un guijarro, desprendido de lo alto, rueda sobre mí. —"¡No se muevan, coño!" —grita el Teniente. Un segundo pase, más alto, que nos agujerea los costados del camión que quedó en la carretera. Y, finalmente, para despedida, un tiro de cola, que pudo ser el más jodido, pero no alcanzó a nadie. El Teniente, ya de pie: "¡Se fue! ¡Arriba todo el mundo!" Yo me levanté, haciendo una fea mueca. —"¿Qué pasa? ¿Te measte?" —me pregunta uno. —"¡Carajo! Cuando estaba tirado ahí, mordí una yerba o una hoja, no sé, que me dejó un sabor a marisco podrido". El otro ríe: "Una cigua. ¿A quién se le ocurre? Ahora, en todo el día, no se te quita ese sabor a mierda". —"¡Al camión!" —ordena el Teniente, viendo que el conductor ha podido hacer arrancar el motor sin novedad... Y ahora, estamos llegando a Pálpite. Y ahí sí tengo la impresión de haber penetrado en el ámbito de una guerra —más oída que vista, hasta el momento. No sólo se oye, muy agrandado, el fragor de la batalla que se libra en Playa Larga, a unos pocos kilómetros de aquí, sino que veo, magníficamente disimulados entre la maleza, cañones de 122 ya emplazados, distintas piezas de artillería, ametralladoras antiaéreas, cuatrobocas, y hasta algunos tanques. Ágil, preciso en gestos y palabras, el Capitán Fernández, moviéndose de un lado a otro de la carretera a grandes trancos, rectifica ciertas maniobras o imparte órdenes. Cerca, se ven los restos de varias casas incendiadas. Queda una cama de hierro, reducida a sus patas y bastidor, en medio de un claro. Más lejos, prendida acaso por cargas de napalm, arde la vegetación con intermitentes chisporroteos y revuelos de pavesas. Esto, lo conozco. Lo he sentido, olido, padecido, hace ya más de treinta años... Y ahora seguimos rodando —aunque a menor velocidad. A lo lejos, retumban los morteros —siempre los morteros. —"Deben de estar al rojo de tanto disparar" —dice uno. Pero, no. También está arreciando la artillería, trabada en furibundos coloquios que se aquietan por algunos segundos para volver a empezar con mayor furia. —"¡Aquí!" —dice el Teniente, saltando del camión: "A bajar el material y el parque. Y pronto, que no se puede estar cerrando el tráfico". Y ahora que no suena el motor de nuestro vehículo, parece que la batalla que nos rodea se acreciera en fragor y extensión. Pero suena otro motor y, muy despacio, se nos acerca un pesado Mack, tan lleno de milicianos que uno de ellos había ido a sentarse sobre la caseta del conductor, con las piernas colgantes y un M 52 atravesado en los muslos... —"¡Mi hermano!" —me grita el encaramado, sacándose un tabaco de la boca. —"¡Gaspar!" —"¡Sí! ¡Aquí! ¿Y tú?" —"¡Aquí!" —"Como en Brunete". —"Pero allá la perdimos". —"¡Aquí la ganaremos!" —"¡Patria o muerte!"

—"¡Patria o muerte!" —"Nos vemos después". —"Nos vemos después" —repite la voz de Gaspar que ya se aleja. (Y, como para exorcizar al Dios de los Ejércitos, acaso enojado por el desafiante optimismo de ese *"nos veremos después"*, junto el meñique y el índice de ambas manos en gesto de conjuro gitano). —"¡Carajo! ¡Apúrense!" —grita el Teniente, ayudando a bajar el material al lado izquierdo de la carretera. (La inesperada aparición de Gaspar ha venido a dar una realidad mayor a los momentos que ahora estoy viviendo. Y pienso que si Fabricio del Dongo había estado en la batalla de Waterloo sin saber si había estado realmente en la batalla de Waterloo, lo que soy yo, caray, bien sé en qué batalla me encuentro...). —"¡Adelante!" —dice el Teniente: "¡Avancen desplegados! ¡Y cuidado, que en los matorrales puede haber 'pintos'." Y echa a andar, para indicar el rumbo... Ahora, todas las detonaciones sueltas son enlazadas entre sí por un continuo tableteo de ametralladoras. Y, nuevamente, los morteros, muchos morteros. —"Ésta es una guerra de morteros" —digo. —"Tiene que ser" —me responde uno: "No hay más que ver esta mierda de terreno". —"¡Avancen!" —dice y vuelve a decir el Teniente, como si estuviésemos haciendo otra cosa. Y, sin embargo, su mismo paso, por el que ritmamos el nuestro, es de cautela y constante mirar hacia sus hombres. A mí no hay que decirme que avance. Avanzo. Desde que dejamos el camión, he entrado en ese "estado segundo" que me devuelve a los días de la guerra de España —estado en que todo el intelecto se pasa a lo instintivo e inmediato, y una prodigiosa capacidad de *ver, oír, percibir, sentir,* se aplica a lo circundante en pasmosa recuperación de ancestrales reflejos de defensa. La piel se hace orejas, la nuca tiene ojos, los músculos se crispan *antes* de que llegue al suelo el obús que aún está en caída —y algunos parecen haber sido disparados ya hacia donde estamos. Éste, sobre todo, que nos retumba dentro... —"¡Carajo! ¡Talmente parecía que nos estaba dedicado!" —dice uno. —"Es que ya nos estamos acercando" —dice otro. Y, nuevamente, estamos en una zona de malezas, cuyas espinas nos hincan las caras. Los que cargan con bazucas son los más incomodados por esa maldita vegetación, que nos envuelve y entorpece nuestros movimientos, y que ahora crece en suelo que se ha vuelto fangoso. Al fin divisamos un claro, más extenso que otros dejados atrás, pero que está cerrado —¡otra vez!— por una espesa cortina de zarzas y marabú, con los inevitables almácigos. —"¡No salgan en descubierto!" —grita el Teniente. Y en ese segundo estalla el matorral que tenemos delante. Un macizo de árboles dispara por todas sus espesuras y una enorme cohetería de morteros y ametralladoras lo estremece todo con su estampida. Y es el zumbido de las balas que ya pasaron, y la instintiva aprensión de las que están por llegar. Y oigo un enorme ruido como de tela alquitranada que rasgaran de un cuchillazo, y una explosión, y mi pierna izquierda que pierde toda consistencia, se afloja, me abandona, haciéndome caer en forma tal que me golpeo la sien con la culata de mi propio fusil. Todo ha sido tan rápido que... Pero es que no puedo levantarme. —"Es el fango... El fango..." Mi pierna derecha bracea absurdamente, sin ayudarme ni obedecer. —"No es nada... No es nada". Pero —¡carajo!—, taladrándome, es ese dolor —¡ese dolor!—, que es espantoso dolor. Mi mano que ha ido a donde duele, me vuelve llena de sangre. Sangre que me llevo al pecho, a la frente, a la boca. El dolor se me hace intolerable, y me doy cuenta de que me ha estallado una granada de mortero al lado, y que he sido alcanzado en la pierna esta, y probablemente más arriba, también más arriba, porque tengo sangre en todas partes, porque en todas partes me la encuentro, y a veces las grandes heridas, las del tórax, no duelen de primer momento. —"¡Me jodieron!" —digo. Ahora el dolor me invade tan totalmente que no sé de dónde proviene. Soy todo un solo y único dolor, respirando a gemidos. —"¡Me jodieron! ¡Me jodieron!" Quizá, logrando volverme sobre el costado derecho, sufriría menos. Pero el suelo se ablanda, el suelo se hunde, se hunde, se hunde, y dejo de ver, de oír, y es caer, caer, caer girando, hacia abajo, cada vez más pronto, cada vez más pronto, en una noche honda, honda, tan honda que...

....

...vuelvo en mí cuando me siento llevado a un camión en cuyo piso me acuestan, entre otros heridos. El dolor me vuelve a empujones, por embates que me llegan al pecho. Y esta pierna escombro, inerte, inútil, que sólo me sigue prendida al cuerpo para dolerme atrozmente.

La sacudida ha sido tal —ahora me doy cuenta de ello confusamente— que aún estoy como atontado. Sé que el camión está rodando, por el traqueteo y los baches. Demasiados baches. —"Los obuses han desfondado la carretera" —dice uno, al nivel de mi oído. Debo haber perdido mucha sangre, porque el pantalón está cubierto por una costra de lodo y de sangre. Esta pierna, que ya no intento mover... La misma que fue herida en España. Segunda vez en el mismo lugar. Debe ser malo. Muy malo. Acaso... Pero, no. No quiero pensar en eso. No. No puede ser... Y lo primero que pregunto al médico que me examina es eso. —"¡No hombre!" —dice él: "¡Olvídese de eso!" Una hincada en el brazo. Cesa el dolor. Me tienen que cortar la tela del pantalón con unas tijeras. Y no sé qué más. Me llevan. Un gran sol redondo y cercano se enciende sobre mí. Y cuando dejo de ver el gran sol redondo y cercano, es como dormir y despertar en una cama. Una aguja larga, fija con esparadrapo, hace pasar un suero, gota a gota, en una vena de mi mano izquierda. No me siento la pierna herida. —"Gaspar" —digo: "Gaspar", sin poder decir más. Y con mi mano libre señalo la pierna que no se ve, que ya no siento. —"No hombre, no. No te figures eso" —dice Gaspar, riendo: "Varias fracturas delicadas... Te extrajeron los cascos y te hicieron una buena cura. La operación te la van a hacer en el Hospital Militar. Cosa de estética, como enderezarse la nariz, o, para una mujer, levantarse las tetas caídas... Dentro de poco estás echando un pie, como antes... Ahora te van a poner un calmante para que duermas"... Y amanece. Y es el revuelo de las enfermeras que, durante el sueño, me han quitado la cánula de la mano, y que ahora me toman la temperatura... El día me halla en un estado de lúcido embrutecimiento. —"¿Y la guerra? ¿La guerra?" —pregunto varias veces a las enfermeras. Y ellas me contestan: "Parece que la tenemos ganada"... Al anochecer, Gaspar viene a verme, trayendo un pequeño aparato receptor de radio. —"Oye" —me dice: "Ahora te van a llevar en la ambulancia al Hospital Militar. Pero antes, entérate. Oye el Cuarto Comunicado de Guerra, que empezaron a pasar a las cinco y media". Hay silbidos y frituras de estática, y emerge una voz clara, cuyo volumen aumenta el músico: *"Fuerzas del Ejército Rebelde y de las Milicias Nacionales Revolucionarias tomaron por asalto las últimas posiciones que las fuerzas mercenarias invasoras habían ocupado en el territorio nacional... Playa Girón, que fue el último punto de los mercenarios, cayó a las 5 y 30 de la tarde... La Revolución ha salido victoriosa, aunque pagando un saldo elevado de vidas valiosas de combatientes revolucionarios que se enfrentaron a los invasores y los atacaron incesantemente sin un solo minuto de tregua, destruyendo así, en menos de setenta y dos horas, el ejército que organizó durante muchos meses el gobierno imperialista de los Estados Unidos... El enemigo ha sufrido una aplastante derrota".* Pero, ya entran los camilleros. —"La ganamos" —dice Gaspar: "Y bien que la ganamos". —"Ésta nos desquita de otras que hemos perdido *allá*" —digo. —"En la guerra revolucionaria, que es una sola en el mundo, lo importante está en ganar batallas en alguna parte" —dice Gaspar: "Ahora nos ha tocado a nosotros". —"Ahora nos ha tocado a nosotros" —digo, oyendo mi propia voz como en eco de la otra. Y ya me llevan por el pasillo de salida. En la calle, es el júbilo de escolares, campesinos y milicianos. Parece que están llegando los primeros prisioneros. —"Todos serán unos angelitos" —dice Gaspar, riendo: "*No sabíamos... Veníamos engañados... Nos dijeron... Creíamos que...* Pero si la hubiesen ganado *ellos*... ¡ay, mi madre!... Tú y yo (se pasa el filo de un índice por el pescuezo)... ¡ya tú sabes!... ¡Y que esa gente no perdona!..."

....

...Otra vez sobre mí el gran sol redondo y cercano, con pequeños rectángulos concéntricos. Pero ahora, el gran sol redondo se mueve lentamente hacia mis piernas, en una escenografía que, esta vez, es de gran estreno. Aquí habrá función mayor. Me rodean Hombres Blancos y varias coéforas que, con leves entrechoques metálicos, disponen una panoplia de pequeños enseres relucientes, con filos, puntas y dientes, que prefiero no mirar. —"¿Cómo se siente?" —me pregunta, detrás de mí, uno a quien no veo. —"Bien. Muy bien". —"¡Oxígeno!" Me tapan la boca y las narices con una máscara. Grata sensación de respirar plenamente, de sorber una brisa fina que se me cuela en los pulmones. Se abre una puerta. Aparecen los Grandes Oficiantes con los gorros puestos y las caras cerradas, hasta los ojos, como los de las mujeres mahometanas. Quiero hacer un chiste, pero no me dan tiempo. Ya se me acerca, con una aguja en alto, el anestesista. —"No vas a tener el tiempo de contar hasta tres..." —me dice. Llego a dos, y salgo de este mundo para renacer en el mundo de mi infancia. Todo es enorme, gigantesco, en casa de mi tía. Y mi tía también es grande, gigantesca, con esa papada, esos brazos blancos, esos collares de varias vueltas. Salimos en su grande, gigantesco, automóvil negro —ella, detrás, como una reina; yo, delante, al lado del grande, gigantesco, chófer uniformado. Pero al salir por la grande, gigantesca verja de la entrada, tenemos que detenernos ante una jaula negra, montada en ruedas, tirada por una mula, conducida por un policía, que está llena de niños presos. Unos lloran, otros dicen cosas feas, otros me sacan la lengua por el enrejillado. —"La jaula de los niños majaderos y desobedientes" —dice mi tía. —"Diga más bien la Señora Condesa que son 'mataperros', y con perdón" —dice el Chófer: "Hacen bien en recogerlos. Se pasan la vida correteando por las calles, comiendo mangos y bañándose en las pocetas del litoral". (A mí, esa vida me parecía maravillosa, y no la mía, de niño obligado a levantarse por reloj, hacerlo todo con mesura, y besar señoras gordas y sudorosas, y a horribles ancianos, con mejillas olientes a tabaco y a sepultura, porque eran "personas de respeto"... —"Ésos no respetan nada" —proseguía el Chófer, señalando a los enjaulados. —"¡Cómo van a respetar nada, si no tienen religión ni fundamento! Y nacidos en esos solares, donde las negras paren como conejas..." Volvemos del paseo por el Prado y el Malecón, Mademoiselle me hace comer y me acuesta. Pero apenas Mademoiselle me arropa y sale, me levanto, saco el carrito bombero y lo hago correr por el cuarto. Vuelve la Mademoiselle, enojada. A la tercera, sube con mi tía, toda perfumada y envuelta en gasas, que me amenaza con su pericón. —"Si no te acuestas, llamo a la Policía para que te lleven en la jaula". Y sale, después de apagar la luz. La jaula no. Todo menos la jaula. Es terrible, espantosa, la jaula. Sólo hay una manera de impedir que mi tía pida la jaula: matarla. En el cajón de los juguetes, tengo dos pistolas amarillas y azules, con un corcho en cada cañón. Corto los cordeles que retienen los corchos a las mirillas del arma, y, con una culata en cada mano, bajo las escaleras... En el comedor, hay varias personas alrededor de la mesa, que hacen un ruido de tenedores y cuchillos impropio de gente educada. Entro. Me acerco a mi tía, que en ese instante, me parece más enorme, más gigantesca, que nunca. Alzo las pistolas. Disparo. Los dos corchos le dan en medio del escote. Hay voces y nuevos ruidos de cuchillos y tenedores. —"¡Asesino! ¡Mataperros!" —grita mi tía. Y alza la mano derecha, en gesto de darme una bofetada... Y recibo la bofetada en la mejilla derecha, pero es bofetada seca y leve, que no duele. Y ahora, sin que mi tía alce la mano, es otra ligera bofetada en la otra mejilla. Sigue el ruido de tenedores y cuchillos. —"Despierte, compañero. Terminó todo". Una enfermera. Y otra más. El anestesista (los cirujanos desaparecieron): —"Vamos. Abra los ojos. Mire... Ya terminó todo. Ha quedado estupendamente". Cierro los ojos otra vez, porque gozo de un prodigioso bienestar. —"Vamos compañero" —me dice la enfermera: "¿O es que se va a quedar a dormir aquí, con nosotros?" Me pasan a la camilla rodante. A mi lado anda otra enfermera con la pequeña bombona del suero en alto. Ascensor. Me suben. Un largo corredor, ahora, en que voy como momia llevada con los pies adelante. La puerta de mi cuarto, donde hay tres personas: dos mujeres, un hombre. Los conozco bien a los tres. Deleitosa, suave, honda cama. Me duermo con ganas de volver al mundo de mi infancia donde acabo de estar, con sus colores bellísimos... (...............) Están ahí los tres. Los conozco... Tengo sueño... (...............) El hombre es Gaspar: "Dice el doctor, que quedaste *cheque*. Pronto te manda pa' tu casa. Y ya sabes: el próximo 26 de julio, tú y yo, en la Plaza de la Revolución"... (...........) Mirta se acerca a la cama. Quien está a su lado es Vera. —"Te traje a la rusa de Baracoa". No entiendo. Y ese sueño que vuelve a cerrarme los ojos... (...........) Pero ahora tengo la impresión de volver de muy lejos. Oigo, veo, lo entiendo todo, pero soy incapaz de articular una palabra. —"No mueva los labios así, que no se oye nada" —me dice la enfermera, metiéndome un termómetro en la boca: "Son los efectos del tipo de anestesia que le pusieron. No podrá hablar hasta dentro de un rato largo". Contemplo a Vera. Se ha descuidado mucho. Tiene el pelo entrecano y está vestida de cualquier manera. Pero su rostro —de cutis reseco y quemado, como de gente que hubiese estado muy expuesta al sol y a los vientos marinos— sigue iluminado por esa mirada prodigiosamente clara, de un verdor hondo aunque transparente, que me atrajo cuando la conocí en Valencia. Me sonríe y toma mi mano derecha entre las suyas. Lo que no entiendo es eso de *Baracoa,* que dijo Mirta —igual a como la vi por última vez, pero más mujer, y acaso con las caderas más redondeadas. (Brevísimo sueño, del que vuelvo creo que enseguida. Están los tres sentados junto a la ventana, y hablan de José Antonio:) "...en todo gran acontecimiento tiene que haber una nota cómica" —dice Gaspar: "Y el que la puso fue él. Figúrate que el día 18, cuando se leyó el Segundo Comunicado de Guerra y se supo lo de la invasión, el José Antonio ese, que se había cogido la Revolución para él solo, se puso a oír la radio de Miami. Y entonces —¡ay, mi madre!—, que si el desembarco había sido un éxito; que si los carboneros de la Ciénaga de Zapata habían recibido a los gusanos con vivas al 'Ejército de Liberación'; y que, en su avance victorioso, en todas partes los invasores eran recibidos por el pueblo con arcos de triunfo, flores y caramelos; y que si estaban ya a cuarenta kilómetros de la Capital, mientras 'una pequeña resistencia' era vencida en Santiago de Cuba. El hombre hizo un cálculo y se dijo: '¿a cuarenta kilómetros? Entonces, están ya en Catalina de Guines, almorzando en el *Puesto del Congo*'. Metió dos camisas, dos calzoncillos y un cepillo de dientes en un maletín, y se fue a asilar en la Embajada del Brasil". (Risas de las dos mujeres.) —"Quedó como una mierda, con los de aquí, y con los de enfrente! ¡La cabeza en un cubo! Lo mejor que puede hacer ahora es ir a trabajar de locutor en la Radio-Mato-Grosso. Lo que dije siempre: *buchipluma* no más. Nunca fue sino un *buchipluma*". (Ahora hablaban de Calixto:) —"Se fue con los alfabetizadores. Pidió que lo mandaran a la Sierra, que él bien conoce. Parece que hacia fines de año todo el mundo sabrá leer aquí. Así que, dentro de pocos meses..." (hace un gesto giratorio con las dos manos, apuntando con los índices hacia el suelo:)... "vuelve a lo suyo"... Y ahora se me embrolla un poco la conversación porque hablan los tres juntos, pero emerge la voz de Gaspar: "...yo sigo en lo que siempre estuve: en tocar la trompeta, mientras me queden labios.

Pero, eso sí, con una diferencia: antes tocaba para hacer bailar gente que me miraba como a un mono músico; ahora toco la trompeta para gente que me llama 'compañero'. *Ahí está el detalle* —como diría Cantinflas". (Nuevo sueño... Cuando abro los ojos me parece que está cayendo la tarde... Oigo la voz de Mirta:) "...Tú no eres mujer de pasarte el día tejiendo suéters o preparando natillas..." (Gesto evasivo de Vera, y es Mirta quien, ahora, se dirige a mí:) —"Le digo que vuelva a trabajar sobre *La consagración de la primavera*. Sí. Y ya nada se opone a que se represente como ella lo quería. Y hay un público nuevo. Y nuestras compañías salen al extranjero sin tener por qué avergonzarse de recibir una ayuda de arriba. Nunca, como ahora, tuvo tanto éxito el ballet..." (Gaspar:) —"¿Por qué no te decides, Vera?" —"¡Bah!" (Mirta insiste:) —"Calixto estará de regreso para octubre o noviembre. Si quieres voy a reunir la gente que teníamos, y en seguida empezamos a trabajar". —"También habría que encontrar nuevos bailarines para sustituir a los que nos mataron" —dice Vera, como desalentada de antemano. —"Eso se consigue fácilmente, ahora que muchos jóvenes están estudiando la danza en las Escuelas de Instructores de Arte". —"Estoy muy vieja para empezar de nuevo". —"¿Tú no crees, Enrique, que tengo razón?" —me pregunta Mirta ahora. —"¿No ves que no puede contestarte?" —dice Vera. Trato de contestar, sin embargo. Pero las palabras pensadas no pasan a la articulación: "Mmmmmmmmmm... Eeeeeeeeeeee a... a... o..." —"Descansa" —dice Vera... No puedo hablar, pero puedo mover las manos. Y, en el espacio, trazo unos signos. —"No entiendo" —dice Gaspar. —"No entiendo" —dice Mirta. Repito el gesto. —"Se está persignando" —dice Mirta. —"Nadie se persigna apuntando para afuera" —dice Gaspar. —"Yo creo que sí entiendo" —dice Vera. Mirta se levanta: "¿Te llevo, Vera?" —"¿No será mejor que me quede a dormir aquí?" —"¿Para qué?" —dice Gaspar (y yo asiento con las manos): "Esto no tiene peligro y no vas a hacer más de lo que pueden hacer las enfermeras". Muevo la cabeza con mímica que expresa mi aprobación. —"¿Ya ves? Dice que sí". Vera me aprieta la mano otra vez, largamente. —"Aaaaaaaaaa... Veeeeeeeeee"... Quedo solo otra vez.

Sueño. Tremendo sueño. Miro hacia la pequeña bombona de suero que no acaba de vaciarse...

....

...El médico, con quien hablé al salir, me dijo que la operación de Enrique —muy delicada, porque eran varias las fracturas— había sido un logro total: "Pronto lo podrá llevar a la casa"... Aquella vez —*allá*— lo que me había devuelto la Guerra era un vencido, pues no había sanado Jean-Claude de sus heridas, cuando ya caía Brunete, otra vez, en manos de los franquistas. Aquí, lo que me ha devuelto la Guerra es un vencedor, porque el enemigo fue arrojado al mar por donde vino, en un ejemplar escarmiento de barcos hundidos, aviones derribados, tanques abandonados, con el lastimoso espectáculo de sus hombres-leopardos (me refiero a las pintas del bélico traje que traían) llevando, entre columnas de milicianos victoriosos, el paso renqueante y alicaído de los prisioneros que demasiado pronto esperaban el rápido triunfo de una mala causa... Al comenzar la batalla, se había hecho una necesaria redada de gente propicia a constituirse en Quinta Columna o realizar acciones de sabotaje. Amplia redada, pero acaso no todo lo amplia que hubiese debido ser —y en esto el Gobierno Revolucionario había dado muestras de gran moderación dentro del rigor que exigían las circunstancias— pues, me constaba que antiguas alumnas mías, de la escuela del Vedado, hoy casadas y algunas con hijos, habían celebrado prematuras fiestas, el día de la invasión, en torno a los aparatos de radio que desde el extranjero difundían los mentirosos partes del avance victorioso del enemigo, resueltas de antemano a no escuchar las noticias que transmitían las estaciones locales. Mucho champaña se había bebido ese día, y desde muy temprano y con el estampido de muchos tapones disparados entre burbujas, en sus salones de ventanas cerradas, y me divierto, de pronto, al observar que en francés no se dice "beber champaña", sino "*sabler* le Champagne" —que es como decir: *en-arenar,* poner en arena, reminiscencia, tal vez, de los tiempos en que para mantener frescas las botellas de ciertas bebidas se hundían las botellas en arena mojada cubierta de sal: *enarenar*. Y había algo cruelmente simbólico en ese *en-arenamiento,* si pensábamos hoy que, en esos mismos momentos, los combatientes y mercenarios de la contrarrevolución, se en-arenaban de verdad en Playa Girón —que aquél sí que había sido el gran *en-arenamiento*, en arena mojada y bien mojada, con sal fina del mar y sal gruesa de metralla, y disparos de tapones que eran de muy grueso calibre... Pero bien pronto se había entibiado el vino en las copas y, a estas horas, los esperanzados de aquellos días debían estar preparando sus equipajes para largarse al extranjero, y más si habían oído, como yo en Baracoa, aquellas palabras pronunciadas por Fidel Castro en el acto del sepelio de las víctimas del bombardeo del 16 de abril: "*¡Nosotros, con nuestra Revolución, no sólo estamos erradicando la explotación de una nación por otra nación, sino también la explotación de unos hombres por otros hombres! ¡Nosotros hemos condenado la explotación del hombre por el hombre, y también erradicaremos en nuestra patria, la explotación del hombre por el hombre!... Compañeros obreros y campesinos: ésta es la Revolución socialista y democrática de los humildes, con los humildes y para los humildes. Y para esta Revolución de los humildes, por los humildes y para los humildes, estamos dispuestos a dar la vida*".

Y, reinstalada en mi casa desde hace unas horas —después de arreglarla un poco, con ayuda de Gaspar y de Mirta, para el regreso del herido— recostada en una de las sillas de extensión de la azotea, pienso en el misterioso determinismo que rige la prodigiosa urdimbre de destinos distintos, convergentes, paralelos o encontrados, que, llevados por un inapelable mecanismo de posibilidades, acaban por incidir en razón de acontecimientos totalmente ajenos a la voluntad de cada cual. Yo, burguesa y nieta de burgueses, había huido empeñosamente de todo lo que fuera una revolución, para acabar viviendo en el seno de una revolución. (Inútil me había sido infringir el precepto de Gogol: "No huyas del mundo donde te ha tocado vivir"...) Enrique, burgués y nieto de burgueses, había huido de su mundo burgués, en busca de *algo* distinto que, a la postre, era la Revolución que volvía a unirnos ahora. Los dos girábamos ya en el ámbito de una Revolución, cuyas ideas fundamentales coincidían con las de la grande y única Revolución de la época. Ocurre hoy lo que nunca creí posible: que yo hallase mi propia *estabilidad* dentro de lo que se enunciaba en español, en francés, en inglés, con una palabra de diez letras —sinónimo para mí, durante tantos años, de caldero infernal. Tengo la impresión de que la hora presente se me ensancha, se me aclara, ofreciéndome un Tiempo nuevo en cuyo transcurso futuro llegaré acaso a ser —¡por fin!— la que nunca fui. *"Puede usted estar segura de llegar, con tal de que camine durante un tiempo bastante largo"* —dijo a Alice el Gato de Lewis Carroll. Pero —¡caray!— ¡qué accidentado y difícil me fue el camino!... —"¿Qué querría decirnos Enrique con esos gestos que hacía?" —me pregunta Mirta, de pronto. —"Yo lo entendí muy bien" —dije: "Con la mano dibujaba: 1, 2, 3, 1 yyyyyý 2 yyyyyý 3... 1, 2, 3, 1 yyyyý 2 yyyyý 3"... Preparé el efecto, lo confieso, alargando una pausa. Y, alzando la voz: "En noviembre ponemos *La consagración de la primavera* en la tablilla de ensayos". —"1, 2, 3, 1 yyyyyý 2 yyyyyý 3" —clamó Mirta, riendo y aplaudiendo. Y, llevada por Gaspar, dio una vuelta en redondo por la azotea, cantando y bailando: *"1 y 2 y 3... ¡qué paso más chévere! / ¡Qué paso más chévere / el de mi conga es!"* —"Esto, Vera, se merece un trago" —dijo Gaspar, volviendo a mi asiento... Cayó la noche, se fueron los dos, y 1, 2, 3, 1 yyyyý 2 yyyyý 3, me conté a mí misma cuando quedé sola, volviendo a colocar la zapatilla de Anna Pávlova en su pequeña vitrina, junto a mi preciosa edición de las *Cartas sobre la danza* donde el maestro Noverre había escrito, en 1760: *"Los ballets no pasaron, hasta ahora, de ser tímidos bocetos de lo que llegarán a ser algún día"*. 1, 2, 3, 1 yyyyyý 2 yyyyyý 3...

(22 de mayo de 1978)

papel ediciones crema de fábrica de papel san juan, s.a.
impreso en litográfica ingramex, s.a.
centeno 162 - méxico 13, d.f.
ocho mil ejemplares y sobrantes para reposición
20 de marzo de 1981

OBRAS DE ALEJO CARPENTIER

CONCIERTO BARROCO

1709 Vivaldi, Haendel, Scarlatti... Un indiano y su criado negro... La Venecia de los carnavales y el Ospedale della Pietá con su iglesia que más parecía un teatro. Y en medio de este Concierto Barroco, el clímax. Un Moctezuma extraído de Solís, poetizado por Giusti y puesto en ópera por Vivaldi... un Vivaldi que, olvidado durante doscientos años, salta, por encima de los siglos, en una vertiginosa especulación sobre el Tiempo que, al ritmo de músicas endiabladas, nos hace vivir en pasado y en presente. Los hechos son ciertos. La novela es de Alejo Carpentier. De él hemos publicado ya, con gran éxito, El recurso del método.

EL RECURSO DEL MÉTODO

Aunque el tirano latinoamericano se nos identifica, casi siempre, con el "caudillo bárbaro" a lo Melgarejo —entre Western tropical y *Ubu-Roi*— a que, desde hace más de un siglo, nos viene acostumbrando la tremebunda imaginería histórica del continente, un paseo más detenido por la galería de dictadores que se vienen sucediendo —a veces casi contemporáneos unos de otros— en nuestras tierras, nos demuestra que, en ellas, menos pesaron, en realidad, los "caudillos bárbaros" que los "tiranos ilustrados". Tirano Ilustrado es, por ello, el personaje central de esta nueva obra de Alejo Carpentier, que viene a sumarse al ciclo de sus novelas americanas "de lo real maravilloso", traducidas, hasta ahora, a veintidós idiomas. Y aunque su acción se extiende sobre un lapso de quince años, claramente situado en la historia de este siglo, el personaje, por su omnipresencia en el continente, rompe con su propia cronología situándose, a la vez, *antes* y *después* de la época en que lo hace vivir el autor.

Leído, aunque no siempre bien leído, algo erudito y melómano a ratos, muy llevado al barroquismo verbal, implacable en su país pero excesivamente preocupado por lo que de él pueda decirse fuera de su país, el personaje construido por Alejo Carpentier es, en realidad, un *montaje* de elementos que caracterizaron numerosas dictaduras latinoamericanas del pasado y del presente, tan fielmente incorporados al *retrato-robot* que todo buen conocedor de nuestra historia podría señalar su procedencia.

El Primer Magistrado de esta novela es afrancesado, como lo fueron los "Tiranos ilustrados" hoy yacentes en cementerios parisienses, los que perdieron la presidencia por irse imprudentemente a París, los que pasearon su vejez a orillas del Sena, o los que, por un apego a la cultura francesa (algo olvidada por ellos desde que empezaron a mirar hacia el Norte del mapa), llenaron nuestras capitales de arquitecturas a lo Segundo Imperio o *art nouveau*...

Pero, en lo que se refiere a los sucesos que acompañan su carrera, el autor cree necesario advertir que cuanto más inverosímiles parezcan, más se ajustan a una rigurosa verdad. El increíble episodio de la "recogida de libros rojos" ocurrió, por tres veces, de idéntica manera, en tres países del continente. Hechos tales como el Robo del Diamante, el cómico arresto del Gran Tenor, el rechazo de una estatua de Bourdelle, el "estado de guerra" con una potencia de la Europa Central, etc., etc., son rigurosamente exactos. Por lo demás, un Gerardo Machado, derrocado por una huelga general, murió sin acabar de saber la diferencia que podía haber entre "anarquismo", "comunismo" y "vanguardismo", llegando a hacer clausurar, por subversiva, una exposición de pintura moderna, puesto que, para él, "comunismo y vanguardismo eran una misma cosa". El encuentro de El Estudiante con el Primer Magistrado es un fiel montaje de coloquios que, en realidad, tuvieron lugar.
En 1843, se asombraba ya Thomas Carlyle de que "un simple particular macilento, practicante de derecho y doctor en teología", hubiese podido ser el dictador vitalicio de un país de nuestro continente. Lo que no podía advertir el historiador inglés, en su época, era que el Doctor Francia, trascendiendo su propia aventura, había instaurado entre nosotros un *método* de gobiernos cuyos *recursos*, multiplicados al infinito, son los que siguen rigiendo hoy la vida política de muchas naciones latinoamericanas.
De ahí el título de *Recurso del método* dado a esta novela que se desarrolla en un país del Continente que viene a ser una *summa* geográfica del menos cartesiano de los mundos posibles.

Carpentier logra una crítica cruel a la ideología y a la práctica del poder dictatorial que resume gran parte de nuestra historia. Carcome las bases de la estabilidad y de la dominación burguesa. Demuestra lo irrefutable de la rebelión popular.

Revolución Socialista — Bogotá

Novela que encierra hechos en un lenguaje que no siempre resulta fácil y que es en todo momento un reto al lector. No es obra de cáscara suave, pero vale la pena llegar a desentrañarla, pues dentro contiene un jugoso fruto de nuestra realidad y nuestra literatura.

Nuria Nuiry, *Bohemia* — La Habana

Dentro de la obra de Carpentier, El recurso del método es una evolución, un crecimiento, y un gran libro dentro de la literatura más avanzada y consecuente de habla castellana.

Miguel Donoso Pareja, *El Cuento* — México

Pero Carpentier, al inventariar la realidad, la ha inventado; al sumar épica y picaresca ha encontrado una dimensión trágica que es intransferiblemente nuestra; al unir, como la catedral mexicana, aquello que en Europa sería incompatible: lo barroco y lo neoclásico, ha hecho de la pomposidad y la retórica —esto es, de la expresión americana— una especie subversiva de cartesianismo.

José Emilio Pacheco, *Plural* — México

Todo esto da un sabor de buen gusto a los aspectos morales y filosóficos de la novela, que el humor no atenúa, pues éste subraya las referencias políticas que nos hacen comprender la evolución y la situación dramática de esa América Latina presionada por el capitalismo yanqui.

L'Humanité — París